1

Maria Valtorta

El Hombre-Dios

Vol. 1°

CENTRO EDITORIALE VALTORTIANO

Título original de la edición en italiano:
Il poema dell'Uomo-Dio

Traducción española de Juan Escobar

Primera edición en 5 volúmenes
Ⓒ1976, 1979, 1983, 1984, 1986: Emilio Pisani, Italia
Ⓒ1987: Centro Editoriale Valtortiano s.r.l., Italia

Segunda edición en 11 volúmenes
Ⓒ1989: Centro Editoriale Valtortiano s.r.l.
03036 Isola del Liri (FR) Italia

La preparación

1. « María puede ser llamada después de Cristo la Primogénita del Padre »

(Escrito el 16 de agosto de 1944)

Dice Jesús:

« Hoy escribe esto solo. La pureza tiene un valor tal, que en el seno de una mujer pudo encerrarse quien es Infinito, porque Ella era dueña de una pureza absoluta de la que puede ser capaz un ser humano a quien Dios creó.

La Santísima Trinidad descendió con sus perfecciones, habitaron las Tres Personas, se encerró el Infinito en un pequeño espacio — no por esto se empequeñeció, porque el amor de la Virgen y el querer de Dios ensancharon este espacio hasta convertirlo en un cielo — se manifestó con sus características:

el Padre, creador, como si de nuevo crease [1] como en el sexto día [2] una creatura, y con ello tenía una " hija " verdadera, digna, hecha a su perfecta semejanza. La huella de Dios quedaba impresa tan nítida en María, que sólo la que estaba en el Primogénito del Padre la superaba. María puede ser llamada la Primogénita [3] del Padre después de Cristo, por la perfección que le dió y que Ella supo conservar, por la dignidad de Esposa y Madre de Dios y Reina del cielo, ocupa el segundo lugar despues del Hijo y es en Ella en quien el Pensamiento de Dios ha encontrado sus complacencias;

el Hijo, que también era su " Hijo ", le enseñó por un misterio de la gracia, *su verdad y sabiduría*, cuando no era todavía más que un Granito que crecía en el seno;

el Espíritu Santo, apareció entre los hombres por una larga anticipación de Pentecostés cual Amor " en quien El amó ", como Consuelo para los hombres por el Fruto que latía en el seno de Ella, como Santificación por la Maternidad que se verificó.

[1] Por razón de una creación preservativa.
[2] Cfr. Gén. 1, 26-27.
[3] La Iglesia en su Liturgia al aplicar a la Virgen el paso del Eclesiástico 24, 5, la proclama " Primogénita entre todas las creaturas ". La Escritora la llama sin embargo " Secondogénita del Padre " (término que no puede traducirse literalmente, porque significaría en español, que hay una Primogénita), y a Cristo le da el título de " Primogénito " conforme a Rom. 8, 29; Col. 1, 15 y 18; Hebr. 1, 6; Apoc. 1, 5.

Dios para manifestarse a los hombres en la nueva y completa forma que empieza con la era de la Redención, no escogió para trono suyo una estrella del cielo, ni el palacio rico de un poderoso. No quiso ni siquiera las alas de los ángeles que le sirviesen de peana a sus pies. Quiso un seno sin mancha alguna.

También Eva había sido creada sin mancha, pero libremente se entregó al mal. María, que vivió en un mundo corrompido — lo que no pasó con Eva — no quiso manchar su candor ni siquiera con el pensamiento que mirase al pecado. Supo Ella que el pecado existe. Vió caras raras y horribles. *Las vió todas.* Aun la más horrible, la del deicida. Las conoció, sin embargo, para expiar por ellas y para ser en la eternidad la que tiene piedad de los pecadores y la que ruega por su redención. »

2. Joaquín y Anna hacen una promesa al Señor

(Escrito el 22 de agosto de 1944)

Veo el interior de una casa. Está sentada dentro y cerca del telar una mujer de edad. Diría yo, al ver sus cabellos que en un tiempo fueron negros, y ahora ya grises, y al ver su cara que no está arrugada sino más bien llena de esa seriedad que viene con los años, que tendrá de cincuenta a cincuenta y cinco años. No más.

La mujer que veo está tejiendo en una habitación llena de luz que entra por la puerta abierta que da a un huerto-jardín — un pequeño predio más bien — que se extiende con bajadas y subidas suaves tapizadas de verdor, esta mujer, digo, es hermosa con sus rasgos típicamente hebreos. Son negros sus ojos, y no sé por qué me recuerda la mirada de los ojos negros y profundos del Bautista. Pero si tienen majestad de una reina, son con todo dulces aunque un poco tristes, algo así como de alguien que piensa, que se acuerda de cosas perdidas. El color de la cara es moreno, pero no mucho. La boca, un poquitín grande, está bien diseñada. Sus movimientos no tienen nada de dureza. Su nariz es grande y delicada, ligeramente aguileña, que hace juego con esos ojos. Es robusta pero no gorda. Bien proporcionada, por lo que me parece, y alta, según lo que veo al verla sentada.

Me parece que está tejiendo una cortina o una alfombra. Las lanzaderas se mueven rápidamente sobre el tejido que es de color café oscuro. En lo que está ya terminado se ve un cierto entrecruce de grecas y rosas en que los colores verde, amarillo, rojo y azul celeste se entrelazan y se funden como en un mosaico. La mujer lleva un vestido muy sencillo y de color muy oscuro. Un color que tiende al púrpura, cual si hubiese sido copiado de la flor llamada " pensamiento ".

Se levanta al oir que llaman a la puerta. En realidad es alta. Abre. Una mujer le pregunta: « Anna, ¿ quieres darme tu cántaro ? Te lo llenaré. »

La mujer trae consigo a un pequeñín de cinco años, que se cuelga al punto del vestido de la mujer llamada Anna, que lo va acariciando mientras va a otro lugar de la casa y regresa con un hermoso cántaro de bronce que entrega a la mujer diciendo: « Tu siempre buena con la vieja Anna. Dios te lo pague en éste y en los hijos que tuvieres. ¡ Eres dichosa ! » y Anna lanza un suspiro.

La mujer la mira, pero no le reprocha el haber suspirado. Para evitar que se sienta más afligida, le dice: « Te dejo a Alfeo, si no te molesta. Así termino pronto y te llenaré muchas jarras y cántaros. »

Alfeo está muy contento de quedarse y se comprende el motivo. Apenas se ha ido su madre, Anna lo toma en sus brazos, lo lleva al huerto, lo levanta hasta un emparrado de uvas de color topacio y dice: « Come, come, que están sabrosas » y le besa en la carita sucia de las uvas que el niño come con tántas ganas. Después contenta ríe y parece haber rejuvenecido de pronto al mostrar su bella dentadura, y por el gozo que se le ve en los ojos, que le borran los años, cuando el niño dice: « ¿ Y ahora qué me vas a dar ? » y la mira con dos ojitos teñidos de un color gris azul subido. Ríe y juguetea inclinándose sobre sus rodillas diciendo: « ¿ Qué cosa me das si te doy . . . si te doy ? . . . ¡ adivina ! »

El niño que sigue riendo, bate sus manitas : « Besos, besos te daré, hermosa Anna, buena Anna, mamá Anna . . . »

Anna al sentirse llamar: « mamá Anna » da un grito de grande alegría, estrecha contra el pecho al pequeñín diciendo: « ¡ Oh amor mío ! ¡ corazoncito mío ! » y a cada palabra le da un beso en las rosadas mejillas. Luego van a una alacena y saca Anna un plato lleno de panecillos con miel. « Los hice para tí, tú que eres la esperanza de la pobre Anna, para tí, tú que me quieres mucho.

Pero dime: ¿ cuánto me quieres ? »

El niño, pensativo al oir estas palabras, responde: «Como al templo del Señor. » Anna lo besa en sus vivaces ojitos, en su boquita de color rosa, y el niño se restriega contra ella como un gatito.

Ha regresado la mamá con el cántaro lleno, sonríe, pero no dice nada. Los deja que sigan contentos.

Del huerto entra un hombre ya de edad, un poco más bajo de estatura que Anna; su cabeza es una madeja de blancos cabellos. En su cara se ve la barba recortada en forma rectangular. Dos ojos azules como turquesas en medio de pestañas de un color castaño claro, casi rubio. Su vestido es de color café oscuro.

Anna no lo ve porque está de espaldas. Se le acerca por detrás diciendo: « ¿ Y para mí no hay nada ? »

Anna se voltea y dice: « ¡ Joaquín ! ¿ Acabaste ya tu trabajo? »

Y al mismo tiempo el pequeño Alfeo se le pega a las rodillas diciendo: «También para tí, también para tí » y cuando el hombre se inclina y lo besa, el niño se le agarra del cuello, descomponiéndole la barba con sus manecitas y besos.

También Joaquín tiene algo que darle. Levanta por detrás de la espalda la mano izquierda y le ofrece una hermosísima manzana que parece de cera, y dice al niño que con ansias extiende sus manitas: « Espera que te la parta. Así no puedes. Es más grande que tú » y con un pequeño cuchillo que tiene en la cintura, un cuchillo de podar corta pedazos y tan pequeños como si se los fuese a dar a un pajarito, y se los da en la boca abierta, que mastica y mastica.

« Pero mira qué ojos, ¡ Joaquín ! ¿ No parecen acaso dos pedacitos del Mar de Galilea cuando el viento de la tarde echa un velo de nubes sobre el cielo? » Anna está hablando teniendo una mano apoyada en la espalda de su marido y levemente se recarga sobre él: es un acto que manifiesta un profundo amor de esposa, un amor siempre el mismo después de tantos años de matrimonio.

Joaquín la mira con amor y dice: « ¡ Hermosísimos ! Y estas guedejas ¿ no tienen acaso el color de las mieses que el sol ha secado ? Mira: el oro y el cobre se mezclaron en ellas. »

« ¡ Ah si tuviéramos un hijo, me gustaría que fuera así: que tuviese esos ojos y esos cabellos ! ... » Anna se ha inclinado, mejor dicho arrodillado. Besa con un suspiro esos dos ojitos azul-grises.

También Joaquín suspira. Trata de consolarla. Le pone la mano sobre sus cabellos encrespados y encanecidos y le dice: « Hay que esperar todavía. Dios todo lo puede. Mientras *uno viva*, el milagro puede suceder, sobre todo cuando se le ama, y *se nos ama.* » Joaquín recalca las últimas palabras.

Anna guarda silencio, desconsolada, y sigue con la cabeza inclinada para que no se vean las dos lágrimas que le bajan por las mejillas y que ve sólo el pequeño Alfeo, quien sorprendido y afligido de que su gran amiga llore, como le pasa a él algunas veces, levanta su manita y le enjuga las lágrimas.

« ¡ No llores, Anna ! Somos igualmente felices. Al menos yo lo soy, porque te tengo a tí. »

« También yo lo soy por ti, pero no te he dado ni un hijo... Pienso en qué habré desagradado al Señor porque me ha secado las entrañas... »

« ¡ Oh mujer ! ¿ En qué cosa puedes haberle desagradado, tú que eres tan buena? Oye. Vamos otra vez al templo por este motivo, no sólo por los tabernáculos [1]. Oraremos mucho... Puede ser que te suceda lo que sucedió a Sara... como a Anna la mujer de Elcana. Por mucho tiempo esperaron y pensaron que Dios no las amaba porque eran estériles. Pero ya ves, en los cielos de Dios, se preparaba un hijo santo [2]. Sonríe, esposa mía. Tu llanto me causa más dolor que el que no tengamos hijos... Llevaremos a Alfeo con nosotros. Haremos que pida, él que es inocente... y Dios aceptará su plegaria y la nuestra juntamente y nos escuchará. »

« De acuerdo. Prometeremos al Señor que si nos concede un hijo se lo daremos... ¡ Oh ! oir que me llamen " ¡ mamá ! " »

Y Alfeo, que está oyendo todo esto sin comprender, dice: « ¡ Yo te llamo así! »

« Sí, corazoncito... pero tu tienes tu mamá y yo... no tengo un hijo... »

La visión termina aquí.

[1] Cfr. Ex. 23, 14-17.
[2] Cfr. 1ª. Rey. 1 y 2, 11.

3. Anna ora en el Templo. Es escuchada

(Escrito el 23 de agosto de 1944)

Antes de que pase adelante quiero hacer la siguiente observación.

La casa *no me* parece que sea la de Nazaret que conozco muy bien. Al menos el ambiente es muy diverso. El jardín que también es huerto, es más grande, y se ven campos, no muchos, pero se ven algunos. Luego, cuando María se casó, sólo había huerto, grande pero siempre limitado, y esta habitación que veo no la había yo visto antes en otras visiones. No sé si por razones de dinero los padres de María se desprendieron de una parte de sus haberes, o si María, cuando salió del templo, se fue a vivir a otra casa que pudo haberle dado José. No recuerdo si en las visiones y lecciones anteriores se me haya dicho que la casa de Nazaret fuese la casa nativa.

Fuera de los muros de Jerusalén, sobre las colinas y entre los olivos hay una gran multitud de gente. Parece un gran mercado. No hay bancos ni cobertizos, ni griterío de vendedores o de otros, ni juegos. Se ven muchas tiendas de lana tosca, seguramente impermeable al agua, clavadas con estacas y ligadas a estas hay ramas frescas que adornan y dan frescura. Otras tiendas están hechas de ramajes enclavados en el suelo y unidas así ∧ forman como pequeñas galerías verdes. Dentro de cada una de ellas hay gente de toda edad y condición. Hablan calmada y sosegadamente. De vez en cuando se oye el grito estridente de algún niño.

La noche pronto va a empezar y las luces de lámparas de aceite brillan acá y allá por este raro campamento. Alrededor de las luces alguna que otra familia cena, sentada en tierra. Las madres tienen a sus hijos en su seno, y muchos de estos, cansados, se han dormido con el pedazo de pan entre sus deditos y reclinan su cabeza sobre el pecho materno como pollitos baja el ala de la gallina. Las madres terminan de comer como pueden con una sola mano libre, porque la otra aprieta al niño contra el corazón.

Otras familias todavía no cenan y hablan en la semioscuridad esperando que la cena esté pronta. Hay hogueras encendidas acá y allá, a su alrededor se dan prisa las mujeres. Alguna que otra mamita canta hermosa canción a su hijito que no pueda dormirse pronto.

En lo alto se ve un hermoso cielo, cada vez de color azul más intenso hasta parecer un inmenso firmamento de color azul negro en el que, poco a poco invisibles artífices y decoradores clavan piedras preciosas y luces; algunas separadas y solitarias, otras, juntas en línea geométrica, entre las que sobresalen la Osa mayor y menor con su forma de carro separado de los tirantes, porque se ha quitado a los bueyes el yugo. La estrella polar ríe con todo su resplandor.

Comprendo que es octubre porque una fuerte voz varonil lo dice: «¡Este mes de octubre es hermoso como pocos lo han sido!»

Ahí viene Anna de una de las fogatas con algo que trae en las manos. Es un pan largo y extendido como una de nuestras hogazas. Trae a Alfeo pegado a su túnica, que canturrea con su vocecita. Joaquín que está platicando en el umbral de su tienda cubierta de ramaje con un hombre como de treinta años — al que Alfeo saluda de lejos con un gritito llamándolo: "papá" — cuando ve que se acerca Anna, se apresura a encender la lamparilla.

Anna pasa majestuosa entre la fila de las tiendas. Majestuosa pero también muy cortés. No es altiva con ninguno. Levanta del suelo al pequeñín de una mujer muy pobre, que se ha caído. El pequeñín que quiso caminar más aprisa, se tropezó y vino a dar con su carita casi a los pies de Anna. La carita la tiene llena de tierra y llora. Anna lo limpia, lo consuela y lo entrega a su madre que había acudido con mil perdones. Anna dice: «¡Oh! no le pasó nada. Estoy contenta que no se haya hecho mal. Es un hermoso niño. ¿Cuántos años tiene?»

«Tres. Es el penúltimo. Y estoy esperando otro más. Tengo seis hijos varones. Quisiera una niña... Para la mamá la mujercita cuenta mucho...»

«¡El Altísimo te ha favorecido!» Anna da un suspiro.

«Así es. Soy pobre, pero los hijos son nuestra alegría y cuando son grandecillos ayudan en el trabajo. Y tu, señora, (todo muestra que Anna sea de una condición social más elevada, y su interlocutora lo ha notado) ¿cuántos tienes?»

«Ninguno.»

«¿Ninguno? ¿Este no es tuyo?»

«No. Es de una vecina muy buena. Es mi consuelo...»

«Se te murieron o...»

«Nunca he tenido uno solo.»

«¡Oh!» La mujer pobre mira a Anna con compasión. Anna se despide de ella con un gran suspiro y se va a su tienda.

«Perdona que te haya hecho esperar, Joaquín. Me entretuve

con una pobre mujer que tiene seis hijos varones ¡ figúrate !, y dentro de poco tendrá otro más. »

Joaquín también lo siente.

El padre de Alfeo llama a su hijo, pero este contesta: « Me quedo con Anna. La ayudo. » Todos se echan a reir.

« Déjalo. No molesta para nada. Todavía no está obligado a la Ley. Aquí o allí no es más que un pajarito que come » dice Anna y sienta al niño sobre sus rodillas. Le da pan, y me parece, pescado frito. Veo que antes de dárselo le quita algo, tal vez las espinas. Primero sirvió al marido. Es la última en comer.

La noche está tapizada de estrellas y de luces que son cada vez más numerosas en la campiña. Luego poco a poco las luces se apagan. Son las de los que cenaron primero y que se van a dormir ya. También el ruido cesa lentamente. No se oyen más gritos de niños, a no ser que de vez en cuando se oiga chillar a algún bebé que busca la leche de la mamá. La noche extiende su velo sobre las cosas y las personas. Borra penas y recuerdos, esperanzas y rencores. Más bien puede que estos dos últimos sobrevivan aun en el sueño y en lo que se sueña.

Anna dice a su marido mientras arrulla a Alfeo que empieza a dormirse en sus brazos: « Anoche soñé que el año que viene vendré a la Ciudad santa por dos motivos especiales, en vez de por uno. Uno será la ofrenda al templo del ser que engendraré. . . . ¡ Oh Joaquín ! . . . »

« Ten paciencia, Anna. ¿ No oiste algo más ? ¿ No te ha dicho el Señor algo en el corazón ? »

« Nada más. Fue tan solo un sueño . . . »

« Mañana es el último día de oración. Se han presentado ya todas las ofrendas. Pero de nuevo las renovaremos y como mejor podamos. Nos ganaremos a Dios con nuestro amor y fidelidad. Yo siempre pienso que te pasará lo que le pasó a la mujer de Elcana. »

« Dios te oiga . . . si hubiera alguien que me dijese: " Vete en paz. El Dios de Israel te ha concedido la gracia que le has pedido ". »

« Si la gracia viene, te lo dirá el ser cuando en tu seno lo sientas vivir; y será la voz de un inocente, por lo tanto la voz de Dios. »

La campiña se envuelve en el silencio. Anna lleva a Alfeo a la tienda contigua y lo coloca sobre el heno, con sus hermanitos que están ya durmiendo. Luego se viene a donde está Joaquín. También la lámpara de ellos se apaga. Una de las últimas estrellitas que brillaban en la tierra. Ahora se quedan solo las del firmamento que velan sobre los mortales.

4. « Joaquín se había casado con la mujer en cuyo corazón estaba encerrada la Sabiduria de Dios »

(Escrito el mismo día)

Dice Jesús:

« Los justos son siempre sabios porque son amigos de Dios, viven en su compañía y El los instruye, El que es la Sabiduría infinita. Mis abuelos eran justos y poseían por ello la sabiduría. Podían decir con *toda verdad* lo que dice il Libro cuando canta las alabanzas de la Sabiduría: "La amé y la busqué desde mi juventud y traté de tomarla por esposa" [1].

Anna la hija de Aarón fue la mujer fuerte de la que habla nuestro Abuelo [2]. Y Joaquín, de la estirpe del rey David, no había buscado ni la belleza ni las riquezas, sino la virtud. Anna era dueña de grandes virtudes, cual manojo de flores olorosas, que se convertirían en una sola, la más bella de todas: *La Virtud.* Una virtud real, digna de estar ante el trono de Dios.

Joaquín, pues, al casarse con Anna había doblemente amado la sabiduría, "al amarla más que a cualquier otra mujer", a la sabiduría de Dios encerrada en el corazón de la mujer justa. Anna hija de Aarón no había buscado más que unir su vida con un hombre recto, segura que en la rectitud reside la alegría de las familias. Y para ser el emblema de la "mujer fuerte" no le faltaba sino la corona de los hijos, gloria de la esposa, razón del matrimonio, del que habla Salomón [3], a su felicidad no le faltaban sino los hijos, flores del árbol nacidas con la cooperación del otro. Ambos seres unidos en uno, dueños de un solo ser.

Anna que se acercaba ya a la vejez, mujer de más grande lustre que Joaquín, fue siempre para él "la esposa de su juventud, su alegría, la amada cervatilla, la hermosa gacela" [4], cuyas caricias

[1] Cfr. Sab. 8, 2.
[2] Cfr. Prov. 31, 10-31.
[3] Cfr. por ej. Prov. 17, 6.
[4] Cfr. Prov. 5, 18-19.

11

conservaba siempre el fresco encanto de la primera noche nupcial y envolvían dulcemente su amor, teniéndolo fresco como el rocío que baña la flor y como el fuego que otra mano siempre alimenta. Por esto en su mutua aflicción se decían "palabras de consuelo"[5]. Y la Sabiduría después de haberlos instruído, los iluminó con sueños que veían, para llegar a la suma gloria que les vendrá porque de ellos nacería María Santísima, mi Madre.

Si su humildad no pensó en esto, su corazón se conmovió con la esperanza del primer toque de la promesa de Dios. Hay certeza ya en las palabras de Joaquín: "Ten paciencia, Anna. Ten paciencia. Nos ganaremos a Dios con nuestra fidelidad amorosa".

Soñaban en un hijo, y tuvieron a la Madre de Dios. Las palabras del libro de la Sabiduría parece como si hubieran sido escritas para ellos: "Por la sabiduría conseguiré gloria ante el pueblo... por ella alcanzaré la inmortalidad y dejaré eterna memoria de mí a los que después de mí vendrán"[6]. Pero para obtener todo esto, debieron haber sido dueños de una virtud real, y que no se pierde. De la virtud de la fe, de la virtud de la caridad, de la esperanza, de la castidad.

¡La castidad de los esposos! Ellos la tuvieron, porque no es necesario ser virgen para ser casto. Los lechos castos tienen como guardias a los ángeles y de esos lechos nacen los hijos buenos, que vivirán virtuosamente al imitar las virtudes de sus padres.

Pero ¿dónde están estos esposos? Ahora no se quieren hijos, pero tampoco se quiere la castidad. Por esto afirmo que el amor y el tálamo nupcial han sido profanados.»

[5] Como por ej. en 1°. Rey. 1, 8.
[6] Cfr. Sab. 8, 13.

5. Anna con un cántico anuncia que es madre
(Escrito el 24 de agosto de 1944)

Vuelvo a ver la casa de Joaquín y Anna. Por dentro nada se ha cambiado, fuera de los ramos en flor, puestos en jarrones acá y allá, que son indicio de que se han podado algunos árboles del huerto que están en flor: una gama de colores que va desde el blanco hasta el rojo de algunos corales.

También el trabajo de Anna es diverso. En un telar más pequeño que el otro, teje hermosas telas de lino y canta, llevando el compás con su pie. Canta y sonríe... ¿A quién? A sí misma, a alguna cosa que ve en su interior. El canto es lento y sin embargo alegre — lo puse a continuación, porque lo repite muchas veces como deleitándose en él, y lo dice con voz cada más fuerte, más clara, como quien encuentra el ritmo en el interior. Primero lo dice en voz baja, como si no quisiera que otros lo oyesen, después más rápido y con más fuerza — dice, pues (y lo transcribo porque es muy sencillo y muy hermoso):

«Gloria al Señor Omnipotente que ha amado a los hijos de David. ¡Gloria al Señor!
Su gran bondad desde el cielo me ha visto.
La vieja planta ha dado un ramo nuevo, y soy feliz.
La esperanza en la fiesta de las Luces arrojó su semilla;
y la fragancia de Nisán la ve ahora germinar.
Mi cuerpo cual almendro en primavera, se siente también florecer.
El siente, por las noches, que lleva consigo el fruto.
En aquella rama hay una rosa, hay una manzana dulcísima.
Hay una estrella brillante, un pequeñín inocente.
Está la alegría de la casa, del esposo y de la esposa.
Sea alabado Dios, mi Señor, que tuvo piedad de mí.
Su luz me lo dijo: "Una estrella a tí vendrá".
¡Gloria, gloria! El fruto de esta planta tuyo será,
el primero y el último, que es santo y puro cual don recibido
[del Señor.
Tuyo será y por su medio sobre la tierra vengan la alegría y
[la paz.
Vuela, lanzadera. El hilo es para la tela del ser que nacerá.
¡Nace! A Dios llegue gozoso el canto de mi corazón.»

Entra Joaquín, va a repetir por la cuarta vez su cántico. «¡Estás contenta, Anna! Pareces un pajarillo que se alegra en la primavera. ¿Qué clase de canto es ese? Nunca lo había oído. ¿De dónde lo sacaste?»

«De mi corazón, Joaquín.» Anna se ha puesto de pie y se dirige hacia su esposo rebozante de alegría. Parece más joven y más bella.

« No sabía que fueras poeta » dice el marido mirándola con admiración. No parece que sean dos esposos entrados ya en años, parece como si fuesen todavía jóvenes. « Desde el huerto te oí cantar y vine a ver. Hacía años que no oía tu voz de tórtola enamorada. ¿ Quieres repetirme ese cántico ? »

« Te lo cantaría aunque no me lo pidieses. Los hijos de Israel siempre han puesto en el canto los ímpetus más sinceros de sus esperanzas, de sus alegrías, de sus dolores. Al canto he encomendado que me diga y que te comunique una *gran* alegría. Así es, que me la diga, porque es algo tan grande que aunque estoy cierta de ella, todavía me parece ser un sueño... » y empieza nuevamente a cantar. Al llegar a las palabras: « Hay una rosa en aquella rama, hay una manzana dulcísima, hay una estrella » su hermosa voz de contralto, primero se hace trémula, luego se quiebra, y con un sollozo de alegría mira a Joaquín y levantando sus brazos dice: « Soy madre, ¡ querido mío ! » y se le echa sobre el corazón, entre los brazos que él le abrió y que ahora los cierra para abrazar a su feliz esposa.

El más casto y feliz abrazo que haya visto desde que estoy en el mundo. Casto y ardiente en medio de su pureza. Un dulce reproche se oye entre los cabellos grises de Anna: « ¿ Y por qué no me lo habías dicho ? »

« Porque quería estar segura... Pues ya estoy vieja... ¡ saber que soy madre ! ... no podía creer que fuese verdad... y no quería causarte una desilusión más amarga que todas las demás. Desde fines de diciembre siento que algo se mueve en lo más profundo de mis entrañas, y que producen, como digo, una nueva rama. Y ahora en ese ramo hay un fruto... ¿ Comprendes ? Esta tela es para el ser que vendrá. »

« ¿ No es el lino que compraste en Jerusalén en octubre? »

« Sí. Lo torcí mientras esperaba... mientras esperaba, porque el último día mientras oraba en el templo, lo más cerca que se permite a una mujer acercarse a la Casa de Dios y ya era tarde... recuerdo que decía estas palabras: "Todavía, todavía un poco". No quería separarme de ese lugar hasta no haber obtenido lo que quería. Bueno: en la sombra que bajaba, de lo interior del lugar sagrado, que estaba yo mirando, como extática, para arrancar a Dios oculto su favor, ví que salía una luz, una chispa de luz hermosísima. Era blanca como la luna, y sin embargo encerraba en sí todas las luces de todas las perlas y joyas que haya sobre la tierra. Parecía como si una de las estrellas preciosas del Velo, esas que están a los pies de los querubines, se separase, se revistiese de una luz sobrenatural... parecía como si de la otra parte del Velo sagrado, de la Gloria misma partiese una llama de fuego y veloz a mí llegase, y al cortar el aire cantase con celestial voz: "Hágase lo que has pedido". Y por esto canto: "Una estrella a tí vendrá". ¿Qué hijo será el nuestro, que se muestra como luz de una estrella en el templo y que dice: "Yo estoy" en la fiesta de las Luces[1]? ¿Has acaso tenido razón al tomarme como una nueva Anna de Elcàna[2]? ¿Cómo llamaremos a nuestro hijo, que dulce como el canto del arroyo oigo que me habla en el seno con su pequeño corazón que palpita y palpita como el de una tortolita que se tiene entre las manos?»

«Si es varón lo llamaremos Samuel. Si mujer, Estrella. La palabra que ha dado forma a tu canto para poder dar esta alegría de saber que soy padre. La forma que tomó para manifestarse en medio de la sagrada sombra del Templo.»

«Estrella. Nuestra Estrella, porque, no sé, pienso, pienso que será una niña. Me parece que caricias tan dulces no pueden venir sino de una hija amadísima. Porque no la llevo yo, no me causa ninguna molestia. Es ella la que me lleva por una senda verde y florida, como si los santos ángeles me sostuviesen y la tierra estuviese lejos de mí... Las mujeres siempre me han dicho que el concebir y el llevar al ser es doloroso[3]. Pero yo no siento ningún dolor. Me siento fuerte, joven, lozana más que cuando te ofrecí mi virginidad hace ya muchos años. Hija de Dios — más que de nosotros, porque nace de un tronco seco — a su madre no causa ninguna molestia, sino tan sólo le trae paz y bendición, esto es, los frutos de Dios, su verdadero Padre.»

«Entonces la llamaremos María. Estrella en nuestro mar, perla, dicha. El nombre de la primera grande mujer de Israel[4]. Pero ésta jamás será infiel a su Señor y sólo para El cantará porque a El se le consagra: una hostia antes de nacer.»

«Sí, a El se le consagra. Sea varón o mujer, después de que haya estado con nosotros tres años, lo entregaremos al Señor.

---

[1] Fiesta de las Luces: esto es, fiesta de las "Hogueras" o Fiesta de los Tabernáculos. La razón del nombre es que se encendían fogatas.
[2] Cfr. 1°. Rey. 1, 9 ss.
[3] Entiéndase: renunciar a la virginidad y lo que consigo trae.
[4] Cfr. Ex. 15, 20-21; Núm. 12, 1-15.

También nosotros seremos juntamente con ella hostias, para la gloria de Dios. »

No veo ni oigo más.

6. « La Inmaculada jamás se vió privada del pensamiento de Dios »

(Escrito el mismo día)

Dice Jesús:

« La Sabiduría después de haberlos iluminado con sueños de la noche, descendió ella " emanación de la virtud de Dios, emanación de la gloria del Omnipotente " [1], y se convirtió en Palabra para la estéril. Yo que veía que se acercaba el tiempo de redimir, Yo, Jesús, nieto de Anna, casi cincuenta años después, mediante la Palabra, obraría milagros en las estériles, en las enfermas, en las poseídas, abandonadas, en todas las miserias de la tierra.

Pero entre tanto, por la alegría de tener una Madre, murmuro palabras arcanas en la sombra del templo que encerraba las esperanzas de Israel, del templo cuya vida estaba ya contada, porque el nuevo y verdadero Templo, que no encerraba más las esperanzas de un pueblo, sino la certeza del paraíso para los pueblos *de toda la tierra*, por todos los siglos de los siglos hasta el fin del mundo, estaba por venir a la tierra. Esta Palabra realiza el milagro de hacer fecundo lo que no era, y de darme una Madre que no sólo fue de lo mejor, como debía serlo al nacer de dos santos; que no tuvo sólo un alma buena como muchos todavía la tienen, ni siquiera por haber hecho crecer esta bondad con el poder de su voluntad, ni porque haya tenido un cuerpo sin mancha, fue la única, entre todas las creaturas, que tuvo un espíritu inmaculado.

Has visto cómo Dios crea las almas continuamente. Piensa ahora cuál debió ser la belleza de esta alma que el Padre había mirado con complacencia antes de que los tiempos existiesen, de esta alma que era la delicia de la Trinidad, a la que Ella quería adornar con sus dones para que fuese un don a Sí misma. ¡Oh,

[1] Cfr. Sab. 7, 25.

16

Tu, toda Santa, a quien Dios creó para Sí y luego para la salvación de los hombres! La que llevaste al Salvador, fuiste la primera en haber sido salvada. Paraíso viviente, empezaste ya con tu sonrisa a santificar la tierra.

¡El alma que fue creada para ser el alma de la Madre de Dios! Cuando del palpitar del Trino Amor, brotó esta chispa llena de vida, se alegraron los ángeles, pues luz más viva no había visto jamás el Paraíso. Como pétalo de rosa empírea, pétalo inmaterial y precioso que era joya y llama, que era el aliento de Dios que bajaba a animar un cuerpo muy diverso de los otros, que descendía tan poderoso en su fuego que la Culpa no pudo contaminarla, ella atravesó los espacios y se encerró en un seno santo[2].

La tierra tenía ya su flor, pero no lo sabía. La verdadera, la única Flor que para siempre florece: lirio y rosa, violeta y jazmín, helianto y ciclamino juntos, y con ellos todas las flores de la tierra en una sola Flor: María, en la que se dan la mano todas las virtudes, todas las gracias. En abril la tierra de Palestina parece un inmenso jardín, y fragancia y colores ofrecen placer al corazón de los hombres. Pero todavía era desconocida la más bella Rosa. Ya había empezado a florecer para Dios en lo secreto del vientre materno, porque *mi Madre amó desde que fue concebida*[3], pero sólo cuando la vida da su sangre para ser vino y el olor del mosto, azucarado y fuerte, llena las eras y el olfato, Ella sonrió primero a Dios y luego al mundo, diciendo con una sonrisa envuelta completamente en su inocencia: "Ved que la Vid que dará el Racimo que será exprimido en la prensa para ser Medicina eterna a vuestros males, está ya entre vosotros".

Dije: "María amó desde el momento en que fue concebida". ¿Qué cosa es la que da al espíritu luz y conocimiento? La Gracia[4].

---

[2] Este álito vital o chispa divina que Dios inspiró e infundió para animar el cuerpo de la Predestinada Madre del Verbo, este acto del Amor, que amó infinitamente a su amada Hija, Esposa, Madre futura, omnipotente en su amor y en su querer de tal modo que la mancha del Odio no pudo deshojarla, se infundió en un santo seno, en el cuerpo de María.

[3] La gracia es amor, es sabiduría, es todo. Y María que todo lo tuvo, amó desde el momento en que tuvo su alma.

[4] Adán y Eva desde el momento en que fueron creados, fueron capaces de amar, por conocer sus perfecciones (pues las conocían), a Dios. La Gracia y los otros dones recibidos junto con la vida, los hacía capaces de ello. María llena de gracia en su alma amó con su espíritu purísimo, desde el momento en que la poseyó, adelantándose al tiempo en que - con todo su ser, dotada con todos los dones divinos que se le dieron con plenitud y sobreabundancia en vista de su futura misión y perfección - amó con toda su mente, con todo su corazón, con todas sus fuerzas. Esta fuerza de amor no debe extrañar a nadie si se medita en el Evangelio de Lucas c.l., 44 y 15), donde se

17

¿Qué cosa es la que quita la Gracia? El pecado original y el pecado mortal.

María, la que no tuvo Mancha, jamás se vió privada del pensamiento de Dios, de su cercanía, de su amor, de su luz, de su sabiduría. Por eso pudo comprender y amar cuando no era sino carne que se formaba junto a un alma inmaculada que *seguía amando*.

Más adelante haré que contemples con tu inteligencia la profundidad de la virginidad en María. Te sobrevendrá algo raro como cuando te permití reflexionar sobre nuestra eternidad. Entre tanto piensa cómo el llevar en el seno a una creatura que no tenía la Mancha que aleja a Dios, procure a la madre que la concibió de modo natural, humano, una inteligencia superior y la haga profetisa. La profetisa de su hija a la que llama: "Hija de Dios".

Piensa qué cosa hubiera sucedido si de los Primeros Padres inocentes hubieran nacido hijos inocentes, como Dios quería. Vosotros que decís que os dirigís hacia el "superhombre" y con vuestros vicios os dirigís *únicamente* al *superdemonio*, sabed que esto hubiera sido el medio para conducir al "superhombre". Saber permanecer sin contaminarse de Satanás para dejar a Dios la administración de la vida, del conocimiento, del bien, y no desear más de lo que — y ya era menos que infinito — Dios ya había dado, para poder engendrar, siempre en una continua evolución hacia lo perfecto, hijos que fuesen hombres en el cuerpo e hijos de la Inteligencia en el espíritu, esto es, *triunfadores*, esto es, *fuertes*, *gigantes* sobre Satanás, que se habría visto aterrado miles de siglos antes de la hora en que lo será, y con él todo su mal. »

dice que el Bautista - encerrado en el seno materno, pero presantificado, esto es, limpio de la culpa original y por lo tanto convertido en ser sumamente inteligente, esto es, proporcionado a la condición de una creatura elevada al orden sobrenatural - reconoció, se alegró, amó, adoró a su Señor encerrado en el seno de María, confirmando las palabras que el Arcángel Gabriel había dicho a Zacarías: "Juan ... será lleno del Espíritu Santo desde el seno materno".

7. Nacimiento de la Virgen María

(Escrito el 26 de agosto de 1944)

Veo a Anna que sale al huerto. Se apoya en el brazo de una mujer que debe ser parienta suya, pues mucho se le parece. Está muy gorda y parece como si le faltase el aire, algo así como me sucede a mí.

Aunque el huerto está lleno de sombra, sin embargo el aire quema, ahoga. Un aire que se podría cortar como si fuese una pasta muelle y caliente, tan denso se siente, bajo un cielo azul que el polvo suspendido en el espacio, lo hace un poco negruzco. Hace tiempo que no debe haber llovido, porque donde la tierra no se ha regado, está completamente reducida a un polvo finísimo y tiene el color blanquecino, de ese color que tiene el color rosa un poco sucio, mientras es de color rojo oscuro donde se la ha regado, o junto a las plantas, junto a la hortaliza, alrededor de los rosales, jazmines y de otras flores y florecillas, que hay delante de un emparrado y a lo largo de él que corta por la mitad el jardín hasta donde empieza el campo labrantío, que no tiene ya más espiga alguna. También la hierba del prado, que sirve como de límite a la propiedad, está seca y destruída. Tan sólo junto al borde, donde hay un montón de espino alvar selvático, lleno de frutos rojizos y pequeños, la hierba es verde, tupida, y más allá, en busca de pasto y de sombra están las ovejas con su pastorcillo.

Joaquín está junto a la hilera de árboles y de los olivos. Con él hay dos hombres que le ayudan. Aun cuando es anciano, es ligero y trabaja con ganas. Están abriendo pequeñas zanjas en los bordes de un campo, para llevar el agua a las plantas muertas. El agua hace rumor entre la hierba y la tierra quemada, y se extiende en anillos que por un momento parecen de un color de cristal amarillento y luego no son más que anillos oscuros de tiera húmeda, alrededor de sarmientos y de olivos cargadísimos.

Lentamente Anna, bajo la sombra del emparrado donde abejas de oro regolosas rezumban alrededor de las doradas uvas, va a donde está Joaquín que apenas la ve se apresura a ir a su encuentro.

« ¿ Hasta aquí has venido ? »

« La casa está que arde como horno. »

« Y te hace mal. »

« El único sufrimiento de estas horas antes de que dé a luz. El sufrimiento de todos: de hombres y de bestias. No te expongas mucho al sol, Joaquín. »

« El agua que tanto hemos deseado, y que desde hace tres días había de haber llegado, todavía no llega, y los campos se queman. Tenemos suerte de que el manantial esté cercano y el agua es preciosa. Abrí unos caños, que poco sirven a las plantas cuyas hojas están mustias y cubiertas de polvo. Pero es algo, y esa poca de agua les ayudará. ¡Si lloviese!... » Joaquín como cualquier otro agricultor que espera con ansias el agua, escudriña el cielo, mientras Anna, cansada, con un abanico se hace aire, un abanico que parece ser una hoja seca de palma entrelazada con hilos de muchos colores que la mantienen derecha.

La parienta dice: « Allá, al otro lado del Gran Hermón, se levantan nubes rápidas. Viento del norte. Refrescará y tal vez hasta darán agua. »

« Hace tres días que se levantan y luego desaparecen al levantarse la luna. Sucederá otra vez. » Joaquín no tiene esperanzas.

« Regresemos a casa. Tampoco aquí hay aire fresco, y creo que es mejor regresar... » dice Anna, cuyo rostro está más teñido que nunca de un color olivo.

« ¿ Sufres ? »

« No. Siento esa gran paz que experimenté en el templo cuando se me concedió lo que pedía, y que experimenté una vez más cuando supe que iba a ser madre. Es como un éxtasis. Un suave adormecimiento del cuerpo, mientras mi alma se alegra, y se llena de una paz desconocida a los mortales. Te quiero, Joaquín. Cuando entré en tu casa y me dije: "Soy esposa de un hombre justo", tuve paz, y de igual modo todas las veces que tu amor estaba pronto a socorrer en todas sus necesidades a tu Anna. Pero esta paz es diversa. Mira: me imagino que es una paz como la que debió apoderarse, cual aceite que se extiende y suaviza, del espíritu de Jacob nuestro padre, después de su sueño que tuvo de los ángeles [1]: o mucho mejor, semejante a la paz alegre de los Tobías después de que Rafael se les mostró [2]. Si me ahondo en ella, al gustarla siempre es mayor. Es como si subiese por los aires azules del cielo... y no sé por qué, pero desde que tengo en mí esta

[1] Cfr. Gén. 28, 12.
[2] Cfr. Tob. 12.

pacífica alegría, tengo un cántico en mi corazón: el del viejo Tobías[3]. Me parece como si hubiera sido escrito para esta hora... para esta alegría... para la tierra de Israel que la recibe... para Jerusalén pecadora y que ahora recibe el perdón... pero... pero no os riais de los delirios de una madre... cuando digo: "Da gracias al Señor por tus bienes y alaba al Dios de los siglos porque reedifica en tí su Tabernáculo", pienso que el que reedificará en Jerusalén el Tabernáculo del Dios verdadero será lo que está por nacer... y pienso que no de la Ciudad santa, sino de lo que va a nacer de mi, se profetizó lo que el cántico dice: "Resplandecerás con una luz brillante, todos los pueblos de la tierra se postrarán ante tí, las naciones vendrán trayéndote dones, adorarán en tí al Señor y tendrán como santa tu tierra, porque dentro de ti invocarán el *Gran Nombre*. Serás feliz en tus hijos, porque todos serán benditos y se reunirán junto al Señor. ¡ Bienaventurados los que te amen y gocen de tu paz! ..." y la primera en gozar de ella soy yo, su madre dichosa... »

Anna cambia de color. Se pone colorada como una granada y palidece como un limón al decir estas palabras. Lágrimas suaves le corren por las mejillas. Cae en la cuenta y sonríe llevada de su alegría. Se dirige a su casa en medio de su esposo y de su parienta, que conmovidos escuchan y no dicen nada.

Se apresuran porque las nubes, empujadas por un fuerte viento, atraviesan el firmamento, aumentan, y la llanura se oscurece y estremece ante un temporal que se acerca. Cuando llegan a la puerta de la casa, un relámpago surca el cielo, y el rumor del primer trueno parece el retumbar de algo que viniese a unirse a las primeras gotas caídas sobre el seco follaje.

Todos entran. Anna se retira a su habitación. Joaquín, al que se le han juntado los trabajadores, habla en la puerta de esta agua que tanto tiempo habían esperado y que es bendición para la tierra muerta de sed. Pero su alegría se torna en temor, porque se echa encima una violentísima tempestad con rayos y nubes preñadas de granizo. « Si las nubes se rompen, la uva, y las aceitunas serán pasto de ellas. Y ¡ ay de nosotros ! »

Pero Joaquín tiene otro temor y es que a su esposa le ha llegado la hora de dar a luz. Su parienta le da fuerzas diciendo que Anna no sufre en realidad. Pero él no sabe qué hacer, y cada vez que la

[3] Cfr. ib. 13, 13-15.

parienta u otras mujeres, entre las que está la mamá de Alfeo, salen de la habitación de Anna para entrar nuevamente con agua caliente y lavamanos y trapos secados a la llama que alegre brilla en medio de una amplia cocina, les pregunta, y no se calma con lo que le dicen. Que Anna no de ningún grito, también le preocupa. Dice: « Soy varón y nunca he visto dar a luz, pero me acuerdo que oí decir que cuando no se oyen gritos agudos, es fatal... »

El atardecer ha llegado mucho antes por la tempestad violenta que se cierne. Aguacero torrencial, viento, rayos. Todo se echa encima, menos el granizo que fue a caer en otras partes.

Uno de los trabajadores hace notar esta violenta tempestad: « Parece como si Satanás haya salido con sus demonios del infierno. ¡Mira qué negras nubes! Mira cómo huele a azufre, y cómo se oyen como silbidos, gritos de lamento, gritos que maldicen. Si *es él*, de hecho que esta noche está muerto de rabia. »

El otro compañero se ríe y dice: « Se le habrá escapado una gran presa o bien Miguel le ha echado encima nuevos rayos de Dios, se le han quebrado los cuernos y la cola se le ha cortado, y arde en el fuego. »

Una mujer que pasa corriendo grita: « ¡Joaquín! ¡Está por nacer! ¡Todo va bien! » y desaparece con una jarra entre las manos.

El temporal cesa de pronto, después de un rayo tan fuerte que arroja contra la pared a los tres hombres y delante de la casa, en el huerto, se queda como recuerdo un hueco negro que despide humo. Entre tanto que un gritito, que parece el lamento de una tortolita que por primera vez no pía sino arrulla, se oye de aquella parte de la puerta de Anna, un hermoso arco iris alarga su faja semicircular en el curvo cielo; se levanta, o por lo menos así parece, de la cresta del Hermón, que una lengüeta de sol besa, y que parece estar teñida de un alabastro blanquísimo con tinte de color rosa delicadísimo, se levanta hasta el más hermoso cielo de septiembre, y atravesando espacios limpios de toda suciedad, sobrepasa las colinas de Galilea, y la llanura que se ve entre dos higueras que están al sur, luego otro monte, y parece como si posase su extremidad en la punta del horizonte, donde una cordillera de montes impide el poderse ver más.

« ¡Cosa nunca vista! »

« ¡Mirad, mirad! »

« Parece como si uniese en un solo cinto toda la tierra de

Israel. Pero ved también. Hay allá una estrella, aun cuando el sol todavía no se ha puesto. ¡Qué estrella! Brilla cual si fuese un enorme diamante...»

«Y la luna, allá, está llena, aun cuando le faltan tres días para serlo. ¡Ved cómo brilla!»

Las mujeres se acercan contentísimas con un pedazo de carne color rosa envuelto en blancos lienzos.

¡Es María, la Mamá! Una María pequeñita que puede dormir entre los brazos de un niño; una María que no es más grande que un brazo, una cabecita de marfil teñido de un tenue color rosa, con unos labios de carmín que no lloran más, pero que instintivamente se mueven como para mamar, tan pequeños que no puedo comprender cómo lograrán coger la teta, una nariz pequeña entre dos mejillitas redondas; y cuando le pican para hacerle abrir sus ojitos, dos pedazos de cielo, dos puntitos inocentes y azules que ven y no miran, protegidos por dos cejas hermosas de color rubio-rosado de cierta miel que parece blanca.

Sus orejas son dos conchitas rosadas y transparentes, perfectas. Sus manitas... ¿qué cosa es eso que se mueve por el aire y luego va a la boca? Están cerradas y parecen dos botones que se hayan abierto paso entre el verdor de sépalos, abiertas, son dos joyeles de marfil con tinte de rosa, de alabastro de color tenuemente rosado, con cinco pálidas granadas que son las uñas. ¿Cómo harán esas manitas para enjugar tántas lágrimas?

¿Y los piececitos? ¿Dónde están? Están escondidos entre los lienzos de lino. La parienta se sienta y los descubre... ¡Oh piececitos! No más de cuatro centímetros de largo. Su planta es una conchita de coral. En el dorso una conchilla de nieve de color azul; sus deditos, son de una obra maestra de escultura liliputiense; también ellos tienen sus granaditas de color pálido. ¡Cómo podrá haber sandalias tan pequeñas, cuando esos piececitos de muñeca den los primeros pasos! ¿Cómo se las arreglarán esos piececitos para caminar por ásperos senderos, aguantar un inmenso dolor bajo una cruz?

Pero ahora todo esto no se sabe, y se ríen y se sonríen al verla extender sus manitas, y patalear; de sus piernecitas entornadas, de sus muslitos tan gorditos, de su barriguita: una copa al revés, de su pequeño tórax perfecto, y bajo el blanco lienzo se ve el movimiento que hace al respirar y se oye, si como su padre feliz ahora hace, que apoya su boca sobre su cuerpecito, palpitar un corazoncito... Un corazoncito que es el más hermoso que haya nacido en los siglos: el único corazón inmaculado de hombre alguno.

¿ Y la espaldita ? Ahora la ponen de espaldas y se ve lo encorvado de los riñones, luego las espaldas gorditas y la nuca de color rosa tan fuerte que ahora la cabecita se levanta sobre el arco de las diminutas vértebras y parece la cabecita de un pajarillo que escudriña a su alrededor un mundo nuevo que ve, y da un gritito de protesta porque se le trata así. Ella, la Pura y la Casta, a los ojos de tantos, Ella a la que ningún hombre jamás verá desnuda, la Virgen, la Santa e Inmaculada. Cubrid, cubrid este botón de lirio que jamás se abrirá sobre la tierra, y que producirá una flor más bella que ella misma, permaneciendo siempre un botón. Sólo en los cielos el Lirio del Señor Trino abrirá todos sus pétalos. Porque allá arriba no hay polvo de culpa que pueda involuntariamente profanar ese candor. Porque allá arriba ante le mirada de todo el Empíreo, dará acogida al Dios Trino que ahora, oculto estará en un corazón sin mancha, pero dentro de pocos años será para Ella: Padre, Hijo, Esposo.

Vedla nuevamente entre los lienzos y en los brazos de su padre terreno, a quien se parece. No ahorita. Ahora es un bosquejo humano. Digo que se le parece cuando llega a crecer. No se parece nada a su madre. De su padre tiene el color de la piel, de los ojos y también de los cabellos, que si ahora están blancos, en su juventud ciertamente fueron rubios como lo muestran las cejas; de su padre tiene la fisonomía, mucho más perfecta cuanto es de una mujer, de *esa Mujer;* de su padre la sonrisa y la mirada, el modo de moverse y la estatura. Pensando en Jesús, como lo veo, comprendo que Anna dió su estatura a su Nieto y el color de la piel de tinte de marfil. María no tiene ese aire de grandiosidad de Anna: una palma alta y flexible, sino el donaire de su padre.

También las mujeres hablan de la tempestad y del prodigio de la luna, de la estrella, del inmenso arco-iris, mientras con Joaquín entran donde está la madre feliz, y le devuelven a la criaturita.

Anna sonríe a un pensamiento suyo: « Es la Estrella » dice. « Su señal está en el cielo. ¡ María, arco de paz ! ¡ María, estrella mía ! ¡ María, brillante luna ! ¡ María, perla nuestra ! »

« ¿ La llamas María ? »

« Sí, María, estrella, perla, luz y paz... »

« Pero también quiere significar amargura... ¿ No tienes miedo de pronosticarle desventuras ? »

« Dios está con Ella. Es suya antes que existiese. El la conducirá por sus caminos y toda amargura se cambiará en miel del paraíso. Ahora eres de tu mamá... por un poco de tiempo, antes de que seas toda de Dios... »

La visión termina con el primer sueño de Anna madre y de María la recién nacida.

8. « Su alma se muestra bella e intacta como cuando el Padre la pensó »

(Escrito el 27 de agosto de 1944)

Dice Jesús:

« Levántate y apresúrate, pequeña amiga. Tengo ardiente deseo de llevarte conmigo al azul paradisíaco de la contemplación de la Virginidad de María. Saldrás de ella con el alma fresca como si fueras también tu testigo creada del Padre, una pequeña Eva en su estado de virginidad. Saldrás con el espíritu lleno de luz, porque te sumergirás en la obra maestra de Dios. Saldrás con todo tu ser empapado de amor, porque habrás comprendido cómo sabe amar Dios. Hablar de la concepción de María, de la Sin Mancha, quiere decir, sumergirse en la luz, en el amor, en la belleza. Ven. Lee las glorias de Ella en el Libro de mi Abuelo.

" Dios me tuvo consigo al principio de sus obras, desde el principio, antes de la creación. Desde la eternidad estuve firme, desde el principio; antes de que la tierra fuese hecha; todavía no existían los abismos y yo había sido ya concebida. Todavía los manantiales de aguas no brotaban, ni los montes se habían agigantado sobre su pesada mole, ni las colinas servían de collar al sol, y yo había nacido. Dios aun no había hecho la tierra, ni los ríos, ni los puntos cardinales del mundo, cuando yo ya existía. Cuando El preparaba los cielos, estuve presente; cuando con leyes inmutables encerró bajo la bóveda el abismo, cuando puso en alto, firme el cóncavo universo, y suspendió arriba las fuentes de las aguas, cuando al mar ponía sus fronteras, y a las aguas daba sus órdenes, cuando les dijo que no pasasen de sus bordes, cuando echó

25

los fundamentos de la tierra; yo estuve con El para ordenar todas las cosas. Llena de alegría gozaba ante El siempre, gozaba del universo . . ." [1].

Habéis aplicado estas palabras a la Sabiduría, pero hablan de Ella: de la Madre hermosa, de la Madre santa, de la Virgen Madre de la Sabiduría que soy Yo, que te estoy hablando. Quise que escribieses el primer versículo de este cántico al principio del libro que se refiere a Ella, para que se conociese y todos supiesen el consuelo y la alegría de Dios: la razón de su constante, perfecta, íntima alegría, de este Dios Uno y Trino que os gobierna y ama y que del hombre ha recibido tántos motivos de tristeza, la razón por la que perpetuó la raza del linaje humano, aun cuando en la primera prueba a que se le sometió, se hizo digna de perecer; la razón del perdón que habéis alcanzado.

Tener a María que lo amase. ¡ Oh ! ¡ bien se merece que el hombre fuese creado, dejar que viviese, decretar su perdón para tener a la Virgen Hermosa, a la Virgen Santa, a la Virgen Inmaculada, a la Virgen siempre amorosa, a la Hija Amada, a la Madre Purísima, a la Esposa amante! Mucho os concedió el Señor y más os habría dado con la condición de tener a María, la creatura de sus complacencias, al sol de su sol, a la Flor de su jardín. Y por causa de Ella os sigue dando, a ruego de Ella para alegría de Ella, porque su alegría se vuelca en la beatitud de Dios y la aumenta con resplandores que llenan de destellos la luz, la gran luz del Paraíso, y cada destello es una gracia dada al universo, a la raza humana, a los mismos bienaventurados, que responden con un grito de aleluya ante el milagro divino, que quiso crear el Dios Trino para ver la hermosísima sonrisa de alegría de la Virgen.

Dios quiso poner un rey en el universo que había creado de la nada, un rey que por naturaleza de la materia fuese el primero entre todas las creaturas hechas como él. Un rey que por naturaleza del espíritu fuese poco menos que divino, unido con la gracia, como lo fue en sus primeros inocentes días. Pero la Mente Suprema, que conoce todos los sucesos aun los más recónditos en los siglos, cuyos ojos ven siempre todo *cuanto era, es y cuanto será;* y que mientras contempla el pasado, y mira el presente, también llega hasta la última cosa futura y no ignora cómo morirá el último hombre, sin ambigüedad alguna, sin dejar de notarlo, jamás

[1] Cfr. Prov. 8, 22-31.

26

ha ignorado que el rey que Ella, la Mente Suprema, creó para que fuese un ser semidivino a su lado en el cielo, heredero del Padre, llegado a su Reino en edad adulta después de haber vivido en la casa de la madre: de la tierra de la que fue hecho, durante su niñez de pequeñín del Eterno para que estuviese en la tierra, habría cometido contra sí mismo el delito de matarse para la Gracia, y el latrocinio de privarse del cielo.

¿ Por qué entonces lo creó ? Es natural que muchos se hagan esta pregunta. ¿ Habríais preferido no existir ? ¿ No vale acaso la pena haber vivido aun en medio de esta pobre y desnuda vida que habéis hecho más dura con vuestra maldad, para conocer y admirar la infinita Belleza que la mano de Dios sembró en el universo?

Para quién hizo esas estrellas y planetas que cual saetas y flechas vuelan, por el arco del firmamento, o se van y parecen apenas moverse, que majestuosos se pierden en su carrera de bólidos, regalándoos luces y estaciones, y eternos, inmutables, aunque siempre mutables os presentan una nueva página que podáis leer en el firmamento, o bien cada atardecer, cada mes, cada año, como si quisiesen deciros: " Olvidad la cárcel, dejad vuestras huellas plenas de lados oscuros, putrefactos, sucios, venenosos, llenos de mentira, de blasfemia, corruptores y elevaos, al menos con la mirada, hacia la ilimitada libertad del firmamento; haceos un alma de color azul al mirar ese cielo tan sereno; procuraos una reserva de luz que llevéis a vuestra cárcel llena de oscuridad; leed la palabra que escribimos en nuestro himno sideral, más armonioso que el que se arranca de los órganos de vuestras catedrales, la palabra que escribimos mientras arrojamos nuestra luz, la palabra que escribimos amando, porque siempre tenemos presente al que nos dió la alegría de existir y lo amamos porque nos dió el ser, nos dió el brillar, el deslizarnos por el firmamento, el ser libres y hermosos en este azul firmamento más allá del cual vemos un azul más sublime: el del Paraíso, y del que cumplimos la segunda parte del precepto del amor, al amaros, a vosotros, nuestro prójimo universal; que os amamos al daros guía y luz, calor y belleza. Leed la palabra que os decimos, y es según la que medimos el compás de nuestro cántico, nuestro resplandor, nuestros sonreir: Dios ".

¿ Para quién habrá creado ese firmamento azul, espejo de lo infinito, derrotero para la tierra, sonrisa de aguas, voz de ondas, palabras también que con rumores de seda que palpita, con sonrisas de jovencillas felices, con suspiros de viejos que recuerdan y lloran, con bofetadas de coraje, de golpes, de mugidos, y bramidos, que siempre habla y dice: "Dios"? El mar es para vosotros, como también lo es el cielo, y lo son los astros. Y con el mar sus lagos y sus ríos, sus lagunas y sus riachuelos, sus manantiales para que por ellos podáis viajar, para que podáis alimentaros, quitaros la sed, limpiaros, y que os sirven al servir al Creador, sin que jamás os sepulten como merecéis.

¿Para quién habría creado todas las innumerables familias de animales que son flores que cantan al volar, que son esclavos que corren, que trabajan, que os nutren, que os recrean a vosotros: los reyes?

¿Para quién hizo todas las innumerables familias de plantas, de flores que parecen mariposas, que parecen joyas e inmóviles pajarillos, de frutos que parecen adornos o cofres de piedras preciosas, que son alfombra para vuestros pies, defensa a vuestras cabezas, distracción, utilidad, alegría para la inteligencia, para el cuerpo, para los ojos, para el olfato?

¿Para quién hizo los minerales en las entrañas de la tierra y las sales disueltas en álgidos o hirvientes manantiales, el azufre, el yodo, el bromuro, sino para que los gozase *uno* que no era Dios, sino hijo de Dios? *Uno: el hombre.*

La alegría de Dios no necesitaba de nada. El se basta a Sí mismo. No tiene sino que contemplarse para ser feliz, para alimentarse, vivir y descansar. Todo lo creado no ha aumentado en un nada su infinita alegría, belleza, vida, potencia. Sino que todo lo hizo para la creatura que quiso dejar como rey en su obra que creó: el hombre.

Merece la pena vivir para ver tan magnífica obra de Dios y para comprender su poder que os la da. Debéis estar agradecidos de vivir. Lo deberíais de ser, aun cuando no hubierais sido redimidos sino al fin de los siglos, porque no obstante estéis en los primeros, y seais de una manera particular, prevaricadores, soberbios, lujurios, homicidas, Dios os concede todavía el que podáis gozar de la belleza del universo, de su bondad, y os trata como si fueseis hijos buenos, a quienes tanto se ha mostrado y concedido para hacerles una vida lo más dulce y posiblemente sana. Lo que sabéis, lo sabéis por luz de Dios. Cuanto descubrís, lo descubrís porque Dios os lo señala en el Bien. Los demás conocimientos y descubrimientos que llevan la señal del mal, proceden del Mal supremo: Satanás.

La Mente Suprema, que nada ignora, antes de que el hombre existiese, sabía que el hombre sería de sí ladrón y homicida. Pero como la Bondad eterna no tiene límites en su bondad, antes de que la Culpa viniese, pensó en los medios para borrarla. El medio: Yo, el Verbo. El instrumento para hacer del medio un instrumento activo: *María*. Y la Virgen fue creada en el pensamiento sublime de Dios. Todas las cosas fueron creadas por Mi, Hijo predilecto del Padre.

Yo, Rey, debería haber tenido bajo mis pies de Rey divino alfombras y joyeles como ningún palacio jamás tuvo, y cánticos e himnos, siervos y ministros alrededor de Mi, cuantos ningún soberano los ha tenido, flores, y piedras preciosas, todo lo más grande, lo maravilloso, lo airoso, lo delicado, todo cuanto es posible extraer del pensamiento de un Dios. Pero Yo debía ser Hombre además de Dios. Hombre para salvar al hombre. Hombre para sublimarlo, llevarlo al cielo muchos siglos antes de la hora, porque el hombre en quien habita el espíritu es la obra maestra de Dios, y para ella fue hecho el cielo.

Para ser Hombre tenía necesidad de una Madre. Para ser Dios tengo necesidad de que el Padre sea Dios. Entonces Dios se creó la Esposa y le dijo: "Ven conmigo. A mi lado ve cuanto hago para *nuestro* Hijo. Mira y alégrate, eterna Virgen, Doncella eterna, y tu sonrisa llene este empíreo y dé a los ángeles la nota inicial, al Paraíso enseñe la armonía celeste. Yo te contemplo, y te veo cual serás, ¡ que eres tan sólo espíritu: espíritu en quien Yo encuentro mi complacencia ! Te miro[2] y esparzo lo azul de tus ojos sobre el mar y sobre el firmamento, el color de tus cabellos en el trigo, el candor a los lirios, lo rosado a las rosas como es el color de tu piel de seda, las perlas las copio de tus dientes pequeñitos, al mirar tu boca hago las dulces fresas, en las siringes de los ruiseñores pongo tus notas y en las de las tórtolas tu llanto. Al leer tus futuros pensamientos, al oir el palpitar de tu corazón, tengo el motivo que me guía al crear. Ven, Alegría mía, junta los mundos para entretenimiento tuyo mientras tanto eres mi luz que vibra en mi pensamiento, los mundos creados por tu sonrisa, forman guirnaldas de estrellas y collares de astros, pon tus gentiles pies so-

---

[2] Hermosas expresiones para significar que María estuvo presente desde toda la eternidad en la mente de Dios, y que la tomó como modelo para crear.

bre la luna, envuélvete con la brillante faja de la Vía Láctea. Para tí son las estrellas y los planetas. Ven a gozar al ver las flores que servirán de juguete a tu Niño y de almohada al Hijo de tu vientre. Ven a ver la creación de las ovejas y de los corderos, la de las águilas y la de las palomas. Estáte junto a Mí mientras hago las cuencas de los mares y de los ríos y levanto las montañas y las pinto de nieve y de bosques, mientras siembro los trigales, los árboles, las vides, y hago el olivo para ti, mi Pacificadora, y la vid para ti, Sarmiento mío que llevarás el racimo eucarístico. Corre, vuela, alégrate, Bella mía, y todo el universo, que se crea de hora en hora, aprenda a amarme por tí, ¡Oh amada! y se haga más bello con tu sonrisa, Madre de mi Hijo, Reina de mi Paraíso, Amor de tu Dios".

Y al ver al Error y al mirar a la Sin-Error: "Ven a Mi, tú que quitas la amargura de la desobediencia humana, de la fornicación humana con Satanás y de la humana ingratitud. Contigo me vengaré de Satanás".

Dios, el Padre Creador, había creado al hombre y a la mujer con una ley de amor *tan perfecta* cuya perfección ni siquiera podéis comprender. Y os equivocáis al pensar cómo se habría engendrado la especie, *si* el hombre no la hubiese alcanzado con la enseñanza de Satanás.

Mirad las plantas en sus frutos, en sus semillas. ¿Tienen semillas y frutos acaso mediante la fornicación, mediante *una* fecundación en *cien* aparejamientos? No. De la flor macho sale el polen, y guiado por un complejo de leyes metereológicas y magnéticas va al ovario de la flor femenina. El ovario se abre y lo recibe y lo produce. No se ensucia y luego lo rechaza, como hacéis vosotros, para tener al día siguiente la misma sensación. Produce y no florece sino hasta la siguiente estación, y cuando florece es para la reproducción.

Mirad a los animales. A todos. ¿Habéis visto vez alguna al macho y a la hembra que se acerquen para darse un abrazo estéril y para tener una comunicación lasciva? No. De cerca o de lejos, vuelan, se arrastran, saltan, corren, cuando es la hora para el rito de fecundación, no se separan para gozar tan sólo, sino van más allá, a las consecuencias serias y santas de la prole, único fin que debería hacer que el hombre semidiós por el origen de la Gracia que Yo le dí completa, aceptase la animalidad del acto necesario desde que descendisteis *un peldaño* hacia lo animal.

Vosotros no hacéis como las plantas y los animales. Habéis tenido como maestro a Satanás, *lo habéis querido como a tal, como a tal lo queréis* todavía. Las obras que hacéis son dignas del maestro que os habéis escogido. Si hubieseis sido fieles a Dios, habríais tenido la alegría de los hijos, de un modo santo, sin dolor, sin uniros en cópulas obscenas, indignas, que hasta las bestias desconocen, las bestias que no tienen alma inteligente ni espiritual.

Al hombre y a la mujer que Satanás corrompió, Dios quiso oponer un Hombre nacido de una Mujer que Dios mismo había sublimado hasta el punto de que pudiese concebir sin conocer mortal alguno; Flor que engendra una Flor sin necesidad de simiente, sino por el contacto de un solo beso del Sol en el cáliz inviolable del Lirio-María.

¡La venganza de Dios!

Ruge, Satanás, mientras Ella nace. ¡Esta Pequeñita te ha vencido! Antes de que fueses el Rebelde, el Tortuoso, el Corruptor, eras ya el Vencido y Ella tu Vencedora. Miles de ejércitos en orden de batalla nada pueden contra tu poder, las armas de los mortales se les caen de las manos al dar contra tus escamas, y no hay viento que pueda dispersar el hedor de tu aliento. Y sin embargo el calcañal de este piececito, que es tan de color rosado que se asemeja a la parte interior de una camelia de igual color, que es tan diminuto que podría caber en el cáliz de un tulipán y hacerse un zapatito con su pétalo, mira que te pisotea sin temor, mira que te arroja a tu caverna. Mira que su vagido te pone en fuga, a ti que no tienes miedo de ejércitos, y su aliento purifica el mundo de tu hedor. Estás vencido. Su nombre, su mirada, su pureza son lanzas, fulgores y piedras que te traspasan, que te encierra en tu cueva del infierno, ¡Oh Maldito! que quitaste a Dios la alegría de ser Padre *de todos los hombres* que creó.

Inútilmente corrompiste a los que habían sido creados inocentes, y los llevaste a que conociesen y concibiesen a través de la sinuosidad de la lujuria, quitando a Dios, en su creación amada, de poder conceder hijos según leyes que, si hubiesen sido respetadas, hubieran mantenido en la tierra un equilibrio entre los sentidos y las razas, para evitar las guerras entre los pueblos y las desgracias entre las familias.

Si hubieran obedecido, hubieran conocido aun así el amor. Más bien: sólo obedeciendo hubieran conocido el amor y lo habrían

31

conseguido. Una posesión llena y sosegada de esta emanación de Dios, que desciende de lo sobrenatural a lo inferior, para que también el cuerpo se alegre santamente, que está unido al espíritu y que lo creó el mismo que creó el alma.

Ahora vuestro amor, ¡oh hombres! vuestros amores ¿qué cosa son? ¡Oh libido revestida con amor! ¡Oh miedo incurable de perder el amor del cónyuge por su intemperancia y de otros! No estáis seguros de poseer el corazón del esposo o de la esposa, desde que la lujuria está en el mundo. Y tembláis, y lloráis y enloquecéis de celos y algunas veces asesináis por vengar una traición; otras veces os dejáis llevar de la deseperación, otras perdéis la voluntad y otras la razón.

Mira lo que hiciste, Satanás, a los hijos de Dios. Estos, a quienes corrompiste, hubieran conocido la alegría de tener hijos sin tener dolor, la alegría de haber nacido sin miedo a la muerte. Pero ahora una Mujer te ha vencido. De ahora en adelante quien la ame, volverá a ser de Dios, superando tus tentaciones, para poder gozar de su pureza inmaculada. De ahora en adelante, no pudiendo concebir sin dolor[3], las madres la tendrán como consoladora. De ahora en adelante las esposas la tendrán por guía y los moribundos por madre, para los cuales dulce será morir sobre ese pecho que es un escudo contra ti, Maldito, y contra el juicio de Dios[4].

María[5], pequeña voz, has visto el nacimiento del Hijo de la Virgen y el nacimiento al Cielo de la Virgen[6]. Por tanto, has visto que los *sin culpa* desconocen la pena de *dar a la vida*, y la pena de darse a la muerte. Si a la Madre inocentísima de Dios se le dieron todos los dones celestiales más perfectos, a todas las que en los primeros Padres hubieran permanecido inocentes e hijas de Dios, se les hubiera concedido engendrar sin los dolores del parto, como era razonable por haber sabido realizar una acción sin lujuria, y el morir sin angustia[7].

El modo con que Dios se vengó de Satanás consistió en hacer que la perfección de la creatura amada llegase a una superperfección que cancelase *por lo menos en una* todo sabor de humano,

---

[3] Cfr. pág. 15 not. 3.
[4] Esto es: que interceda ante la justicia divina.
[5] María. Adviértase que este era el nombre de la ESCRITORA. Algunas veces se le llama " JUANITO ".
[6] Esto es: su feliz tránsito de la tierra al cielo.
[7] Esto es: pasar de esta vida a la otra.

susceptible al veneno de Satanás, y así no de un casto abrazo de varón sino del divino, que hace extasiar al espíritu en el arrebato del Fuego, nacería el Hijo.

¡La Virginidad de la Virgen...!

Ven. ¡Medita esta profunda virginidad que al contemplarla produce vértigo de abismo! ¿Qué cosa es la pobre virginidad violada de una mujer que ningún hombre la toma por esposa? Nada. ¿Qué cosa la virginidad de la que quiere ser virgen para pertenecer a Dios, pero lo es tan sólo en el cuerpo y no en el espíritu, en el que permite que entren tantos pensamientos extraños y acaricia y acepta caricias de pensamientos humanos? Empieza a ser una farsa de virginidad. Pero es muy poco todavía. ¿Qué cosa es la virginidad de una que vive en clausura y para Dios? Mucho. Pero de todos modos no es una perfecta virginidad respecto a la de mi Madre.

Siempre ha habido un enlace aun en el más santo. El de origen entre el espíritu y la culpa. El que sólo el Bautismo borra. Borra, pero como sucede con la mujer cuyo marido ha muerto, no devuelve la virginidad total como era la de los Primeros padres antes del pecado. Queda una cicatriz y duele. Se hace presente en la memoria y siempre está pronto a brotar como una llaga, como ciertas enfermedades que periódicamente se hacen más violentas. En la Virgen no existió esta señal de un enlace que hubiera habido con la culpa. Su alma aparece bella e intacta como cuando el Padre la pensó al acumular en Ella todas las gracias.

Es la Virgen. Es la Unica. Es la Perfecta. Es la Absoluta. Tal fue pensada. Tal fue engendrada. Tal permaneció. Tal ha sido coronada. Tal lo es para toda la eternidad.

Es la Virgen. Es el abismo de la intangibilidad, de la gracia que se pierde en el Abismo del que brotó: en Dios: Intangibilidad, Pureza, Gracia perfectísimas.

Esta es la manera cómo se vengó el Dios Trino y Uno. En cambio de las creaturas profanadas El levanta esta Estrella de perfección. En cambio de la curiosidad malsana, a esta Esquiva, que paga solo por amar a Dios. En cambio de la ciencia del mal, a esta sublime Ignorante. En Ella no sólo hay ignorancia del amor humillado; no sólo hay ignorancia del amor que Dios concedió a los esposos. Aun más. En Ella existe la ignorancia de la concupiscencia, herencia del Pecado. En Ella existe sólo la sabiduría helada e incandescente del amor divino. Fuego que es corazón de hielo para la carne, para que sea un espejo transparente en el altar donde un Dios toma por esposa a una Virgen, y no envilece, porque su perfección abraza a la que, como conviene a una esposa, es sólo un punto inferior al Esposo, sujeta a El porque es Mujer, pero sin mancha como El es. »

9. « Dentro de tre años estarás allí, lirio mío »

(Escrito el 28 de agosto de 1944)

Veo a Joaquín y a Anna, junto con Zacarías e Isabel, que salen de una casa de Jerusalén, amigos o parientes sin duda, y que se dirigen al templo para la ceremonia de la Purificación [1].

Anna lleva en brazos a la Niña, envuelta en sus pañales, mejor, en una manta de lana ligera, pero que será suave y caliente. Con qué amor y cariño lleva y cuida a su hijita. De vez en vez levanta una punta de la manta para ver si María respira bien, y luego, la vuelve a ajustar para defenderla del aire frío de un día sereno, pero helado de invierno.

Isabel tiene envoltorios en sus manos. Joaquín trae con un lazo dos gordos y blanquísimos corderos. Zacarías no lleva nada. Se ve gallardo con su vestido de lino que cubre en parte un manto de lana, también blanca. Un Zacarías mucho más joven del que vi cuando nació el Bautista, en su plena edad madura, como Isabel es una mujer madura, pero de apariencia juvenil, la cual, cada vez que Anna mira a la Niña, se queda como extática al ver su carita adormecida. También ella se ve hermosa con su vestido azul, que tiende al violeta oscuro y con su velo que le cubre la cabeza, bajando por las espaldas y sobre el manto que es más oscuro que el vestido.

Joaquín y Anna se ven majestuosos con sus vestidos de fiesta. Contra su costumbre, no trae la túnica marrón-oscura, sino un vestido largo de un rojo profundo y las franjas que puso en el manto son nuevas y bellas. Sobre la cabeza también trae una espe-

[1] Cfr. Lev. 12.

34

cie de velo rectangular, ceñido con una tira de cuero. Todo es nuevo y fino.

Anna ¡ oh! hoy no viene vestida de oscuro. Trae un vestido de un color amarillo ligerísimo, como de viejo marfil, sujetado a la cintura, al cuello y en los pulsos con cintas que parecen de plata y oro. Sobre su cabeza trae un velo ligerísimo y como damasquino, sujetado en la frente con una lámina sutil pero preciosa. En el cuello trae un collar de filigrana y brazaletes en sus muñecas. Parece todavía más una reina por la dignidad con que camina y por el manto de color ligero sobre el que hay una greca muy hermosamente recamada.

« Me parece que me recuerdas el día en que te casaste. Era yo una jovencilla entonces, y recuerdo todavía que eras bella y te sentías feliz » dice Isabel.

« Pero lo soy más... y me puse el mismo vestido para este acto. Siempre lo guardé para estos momentos... ya no tenía esperanzas de ponérmelo para venir *aquí*. »

« El Señor te ama mucho... » dice con un suspiro Isabel.

« Por esto le entrego lo que más amo. Esta florecita mía. »

« ¿ Cómo vas a hacer para arrancártela del corazón cuando llegue la hora ? »

« Recordando que no la tenía y que Dios me la regaló. Seré entonces más feliz que ahora. Cuando esté en el templo me diré a mi misma: "Ora cerca del Tabernáculo, ora al Dios de Israel también por su mamá" y me sentiré tranquila. Y todavía tendré más gozo cuando diga: "Es toda suya. Cuando estos dos viejos felices que la consiguieron del cielo no vivan ya, el Eterno, será para Ella cual Padre". Créeme, estoy convencida que esta pequeñita no es nuestra. Yo no podía hacer otra cosa... El me la puso en mi seno, regalo divino para enjugar mi llanto y consolar nuestras esperanzas y plegarias. Por esto es suya. Somos sus felices guardianes... y por esto sea bendito. »

Han llegado ante los muros del templo.

« Mientras vais a la puerta de Nicanor, voy yo a avisar al sacerdote, y luego vengo » dice Zacarías y desaparece detrás de un arco que conduce a un patio rodeado de pórticos.

El grupo sigue adelante por diversas terrazas. No sé si lo dije, pero el recinto del templo no está construído sobre un terreno plano, sino que se sube por capas sucesivas, y a estas se llega por medio de peldaños. En cada capa hay patios y pórticos y portales muy bien labrados, de mármol, bronce y oro.

Antes de llegar al lugar a donde iban, se detienen para sacar las cosas de los envoltorios, esto es, tortas, me parece, largas y planas y con algo que llevan encima, harina blanca, dos palomos que hay dentro de una jaula de mimbre y grandes monedas de plata: unas patacas [2] tan pesadas, que suerte tenían de que no tuviesen bolsos para llevarlas, pues las habrían roto.

Ya se ve la hermosa puerta de Nicanor, que es una labor de cincel en bronce con molduras de plata. Zacarías está al lado de un sacerdote muy pomposo con su vestidura de lino. Anna es rociada con agua, me imagino, lustral, y luego se le dice que se acerque a la ara del sacrificio.

La Niña no está en los brazos de su madre, está en los de Isabel que se ha quedado de esta parte de la puerta. Joaquín entra detrás de su mujer, llevando consigo un cordero que bala. Y yo... hago como en la purificación de María: cierro los ojos para no ver cómo lo degüellan.

Ahora Anna está ya purificada.

Zacarías dice en voz baja algo a su colega, que sonriente dice que sí. Luego se acerca al grupo, y se congratula con la madre, con el padre por su alegría y fidelidad a las promesas. Toma el segundo cordero, la harina y las tortas.

« ¿ Esta hija es pues consagrada al Señor ? La bendición de El esté con Ella y con vosotros. Ved que viene Anna. Será una de sus maestras. Anna de Fanuel de la tribu de Aser. Ven, mujer. Se ofrece a esta pequeñita al templo como hostia de alabanza. Tu serás su maestra, y bajo tu cuidado santo crecerá. »

Anna de Fanuel, mujer canosa, mima a la Niña que se ha despertado y mira con sus inocentes y asombrados ojitos todas aquellas cosas blancas y todo ese oro que el sol hace brillar.

La ceremonia ha terminado. No he visto rito especial al haber sido ofrecida María. Tal vez bastaba con decirlo al sacerdote, y sobre todo a Dios, junto al lugar sagrado.

« Quisiera presentar mi ofrenda e ir a donde ví la luz el año pasado. »

Van. Los acompaña Anna de Fanuel. No entran a lo que se llama verdaderamente templo; se comprende que, siendo mujeres y tratándose de una niña, no vayan a donde fue María cuando ofreció

---

[2] Moneda pesada, de cuño muy antiguo. (N.T.)

a su Hijo; pero muy cerca de la puerta abierta, miran hacia el interior semioscuro, del que salen dulces cánticos de niñas y brillan lámparas que esparcen una luz de oro sobre jardincillos de lirios.

« Dentro de tres años, aquí estarás también tu, Lirio mío » dice Anna a María que mira como extasiada hacia el interior y sonríe al oir el canto.

« Parece como si comprendiese » dice Anna de Fanuel. « ¡ Es una hermosa niña! La amaré como si hubiese salido de mi vientre. Te lo prometo, Anna, si los años me lo permiten. »

« Lo harás, mujer » dice Zacarías. « La recibirás entre las niñas consagradas. Yo también estaré aquí. Quiero estar ese día para decirle que ruegue por nosotros desde el primer momento ... » y mira a su mujer que comprende y suspira.

Todo ha acabado. Anna de Fanuel se retira. Los demás salen del templo. hablando entre sí.

Oigo a Joaquín que dice: « No sólo le hubiera dado los dos mejores, sino todos los corderos con ocasión de esta alegría y para alabanza de Dios. »

No veo más.

10. « Esta es la Niña Perfecta, de corazón de paloma »

(Escrito el mismo día)

Dice Jesús: :

« Salomón hace decir a la Sabiduría: " Quien es pequeñuelo venga a mi " [1]. Y en verdad, desde la roca, desde los muros de su ciudad, la eterna Sabiduría decía a la eterna Niña: " Ven a Mi ". Ardía en ansias por verla. Más tarde el Hijo de la Purísima Niña dirá: " Dejad venir a Mi los pequeñuelos porque el Reino de los cielos es suyo, y quien no se hace semejante a ellos no tendrá parte en mi Reino " [2]. Las voces se encuentran, y mientras la del cielo dice a María pequeñina: " Ven a Mi ", la voz del Hombre dice, y piensa en su Madre al decirlo: " Venid a Mi si sabéis ser pequeñuelos ".

Os doy el modelo en mi Madre.

[1] Cfr. Prov. 9, 4.
[2] Cfr. Mc. 10, 14-15.

He aquí a la perfecta Niña de corazón de paloma sencilla y pura. He aquí a la que ni los años, ni el contacto con el mundo convierten en algo corrompido, tortuoso, mentiroso. Porque Ella *no lo quiere*. Venid a Mi, mirando a María.

Tu que la ves, dime: ¿ su mirada infantil es muy diversa de la que viste al pie de la Cruz o en el júbilo de Pentecostés o en la hora que el sueño se apoderó de sus ojos de gacela por última vez? No. Esta es la mirada inocente y extasiada del niño, después será la del éxtasis púdico de la Anunciación, y luego el dichoso de la Madre de Belén, luego la de la que me adora como la mejor Discípula, después aquella desgarradora del Gólgota, luego la radiante de la Resurrección y Pentecostés, finalmente la del extático sueño de la última visión. Pero bien se abran sus ojos por vez primera, bien se cierren cansados a la última luz, después de haber visto *tantos* gozos y horrores, sus ojos son serenos, puros, plácidos, cual trozo de hermoso cielo, que brillan bajo su frente. La ira, la mentira, la soberbia, la lujuria, el odio, la curiosidad jamás la ensucian con sus nubes de humo.

Son los ojos que miran a Dios con amor, bien lloren, o rían, y que por amor de Dios acarician y perdonan, todo soportan, y debido al amor que tienen por su Dios son inexpugnables a los asaltos del Mal, que muchas veces se sirve de la vista para penetrar en el corazón. Los ojos puros, tranquilos, de los que son puros, santos, enamorados de Dios.

Ya lo dije: " La luz de tu cuerpo son los ojos. Si tus ojos son puros, todo tu cuerpo estará lleno de luz. Pero si tus ojos están sucios, toda tu persona estará en tinieblas! " [3]. Los santos han tenido estos ojos que son luz para el alma y salvación del cuerpo, porque como María no han mirado durante toda la vida, sino a Dios. Mejor todavía: *se acordaron* de Dios.

Te explicaré, pequeña voz, cuál sea el sentido de estas palabras mías. »

[3] Cfr. Mt. 6, 22-23.

11. « ¡ Oh alegría mía ! ¿ Cómo sabes estas cosas santas ? ¿ Quien te las dice ? »

(Escrito el 29 de agosto de 1944)

Todavía veo a Anna. Desde ayer tarde la veo así: sentada donde empieza el sombrío emparrado, dedicada a un trabajo de costura. Su vestido es de color gris-arena, muy sencillo y suelto, tal vez por el mucho calor que hace.

Al extremo del emparrado se ven los trabajadores que siegan el heno. No debe ser el tiempo de primavera, porque las uvas están maduras, y un gran manzano hace gala de sus frutos en medio de hojas, que se van cubriendo de un color de cera amarilla y rosada. Además en el campo donde hubo trigo no se ve más que rastrojo sobre el que ondean ligeras las guías de amapolas y se yerguen fuertes y gallardas las flores de lis, por su forma de estrella, por su color como el azul del cielo oriental.

Del emparrado sombrío avanza una María pequeña, pero muy ligera. Su paso cortico es seguro. Sus sandalias blancas no tropiezan con piedrecitas. Se nota ya su dulce caminar, cual de paloma. Su vestido es de lino completamente blanco. Le llega hasta los tobillos. Es amplio, pero reunido en el cuello por un cordoncito azul. Por las mangas cortas se ven los bracitos llenos de carne, pintados de color de rosa. Parece un angelito con sus cabellos de seda y rubios de color miel. No son abundantes, pero sí con ondas. Sus ojos de cielo, su carita levemente de color rosa y sonriente. También el vientecillo que le entra por las anchas mangas y le infla el vestido en la espalda, sirve para darle el aspecto de un angelito con las alas cerradas.

En sus manitas tiene amapolas y flores de lis y otras florecillas que crecen entre el trigo, pero cuyo nombre ignoro. Avanza, y cuando está cerca de su madre corre contenta a ella, y cual pequeña tórtola, termina su vuelo contra las rodillas maternales que se han abierto para recibirla. Anna ha dejado a un lado su labor para que la Niñita no fuera a pincharse y ha abierto sus brazos para estrecharla.

« ¡ Mamá ! ¡ Mamá ! ». La blanca tortolita está en el nido formado por las rodillas maternas, con sus piececitos apoyados sobre la hierbecilla, y su carita en el seno materno. No se nota más que el oro pálido de sus cabellos que hermosean el delgado cuello, que Anna besa amorosamente. La tortolita levanta la cabecita y entrega sus florecitas con las que entreteje sabrosos cuentos.

Esta flor azul, grande, es una estrella que bajó de allá, de lo alto, que te trae un beso del Señor. Mira, bésala aquí, aquí, que te trae saludos de El.

Esta también es azul, pero menos fuerte, como los ojos de papá, tiene escrito en sus hojas que el Señor lo quiere mucho, porque es bueno.

Esta pequeñita, la única que encontré (es una " nunca me olvides ") el Señor me la ha dado porque me ama mucho.

¿ Sabes acaso, qué son estas rojas ? Son trozos de la vestidura del rey David, bañadas en la sangre de los enemigos de Israel que quedaron esparcidos por los campos de batalla, en los campos de victoria. Nacieron de los pedazos de tela real, que luchó por el Señor [1].

Esta flor perfumada, hermosa, como si estuviera hecha de seda purísima que contemplara el firmamento, brotó allí, cerca del manantial — la cortó papá de entre las espinas — está hecha con el vestido que tenía el rey Salomón cuando, en el mismo mes en que su pequeña descendiente había nacido, muchos años — muchos, muchos antes — majestuoso con su vestidura blanca, caminó en medio de la multitud de Israel ante el Arca y la Tienda, y se llenó de júbilo por la nube que había vuelto a rodearla con su gloria, y entonó un cántico y una plegaria preñados de alegría [2]. « Quiero ser siempre como esta flor y como el rey sabio quiero cantar por toda mi vida un cántico y una plegaria ante el Tabernáculo » termina de hablar la boquita de María.

« ¡ Oh alegría mía ! ¿ Cómo sabes estas cosas santas ? ¿ Quién te las dice? ¿ Tu padre ? »

« No. No sé quién sea. Me parece como si siempre las hubiese sabido. Tal vez sea alguien a quien no veo. Tal vez uno de los ángeles que Dios envía para que hablen a los hombres buenos. Mamá ¿ me cuentas algo más...? »

« Sí, hija. ¿ Qué quieres saber ? »

María medita, reflexiona. Sobre su carita infantil se reflejan las sombras de sus pensamientos. Sonrisas, suspiros, rayos de sol y sombra de nubes, al pensar en la historia de Israel. Al fin dice:

[1] Cfr. 2ª. Rey. 5-8.
[2] Cfr. 3ª. Rey. 8.

« Nuevamente lo de Gabriel a Daniel, en que se promete el Mesías [3]. »

Con los ojos cerrados escucha. Despacio repite las palabras que le dice su madre, como para grabárselas mejor. Cuando termina, pregunta: « ¿ Cuánto falta todavía para que tengamos al Emmanuel ? »

« Cerca de treinta años, preciosa. »

« Mucho todavía. Yo estaré en el templo... Dime. Si rogase *mucho, mucho, mucho*, día y noche, noche y día y quisiera ser sola de Dios por toda mi vida para este objeto ¿ me concedería el Eterno la gracia de que enviase su Mesías cuanto antes a su pueblo ? »

« No lo sé, amor. El profeta dice: " Setenta semanas ". Creo que una profecía no se equivoca. El Señor es muy bueno » y al ver que por las pestañas de su hijita se asoman unas lágrimas Anna se apresura a agregar « creo que si pidieses *mucho, mucho, mucho*, El te escuchará. »

Una sonrisa embellece esa carita que ligeramente se levanta hacia donde está la de su madre; y unos ojitos radiantes hacen brillar las goticas del llanto que se ha detenido como si fuesen goticas de rocío suspendidas en los tallos delicadísimos del musgo de los Alpes.

« Entonces oraré y por esto me haré virgen [4]. »

« ¿ Pero sabes lo que significa esa palabra ? »

« Quiere decir no conocer el amor de varón sino el de Dios. Quiere decir no pensar en otra cosa más que en el Señor. Quiere decir permanecer niña en el cuerpo y ángel en el corazón. Quiere decir no tener ojos sino para mirar a Dios, oídos para escucharlo, boca para alabarlo, manos para ofrecerse como hostia, pies para seguirlo al punto, y corazón y vida para dárselos a El. »

« ¡ Eres bendita ! Pero entonces no tendrás niños tú a quien tánto gustan los niños y los corderitos y las tortolitas... ¿ Sabes ? Un niño para la mujer es como un corderito blanco y encrespado, es como una palomita de plumas de seda y boca de coral que se pueden amar, besar y oir que le digan a una: " Mamá ". »

« No importa. Yo seré de Dios. Oraré en el templo. Y tal vez algún día vea yo al Emmanuel. La Virgen que será su Madre, co-

---

[3] Cfr. Dan. 9.
[4] Esto es: me conservaré virgen y me consagraré.

mo dice el gran Profeta, debe haber ya nacido y está en el templo... Seré su compañera... y esclava. ¡Oh, sí! Si la conociese, bajo la luz de Dios, ¡querría servir a esa mujer dichosa! Y luego, me traería su Hijo, me traería su Hijo, y también a El le serviría. ¡Piensa, mamá!... ¡Servir al Mesías!...»

María está poseída de este pensamiento que la extasía, y la empequeñece al mismo tiempo. Con sus manitas cruzadas sobre su pequeño pecho, y su cabecita un poco inclinada hacia adelante, llena de emoción, parece una reproducción infantil de la Anunciación[5] que yo he visto. Continúa: «¿Me lo permitirá el Rey de Israel, el Ungido de Dios, que le sirva?»

«No tengas duda de ello. ¿No acaso dice el rey Salomón: "Son sesenta las reinas y ochenta las otras mujeres y *las doncellas sin número*"?[6] Ves que en el palacio del Rey habrá *un sin número de doncellas vírgenes* que servirán a su Señor.»

«¡Oh! ves, pues, que *debo* ser virgen. *Lo debo*. Si El por madre quiere una virgen, señal es de que ama sobre todas las cosas la virginidad. Quiero que me ame, a mi su sierva, por la virginidad que me hará un poco semejante a su amada Madre... Esto es lo que quiero... Quisiera también ser pecadora, *muy pecadora*, si no temiese ofender al Señor... Dime, mamá. ¿Se puede ser pecador *por amor de Dios?*»

«¿Pero qué estás diciendo, tesoro? No comprendo.»

«Quiero decir: pecar para poder ser amada de Dios que es el Salvador. Se salva lo que está perdido ¿no es verdad? *Yo quisiera ser salvada del Salvador para alcanzar su mirada amorosa. Por esto quisiera pecar, pero no cometer pecado que lo disgustase.* ¿Como puede salvarme, si no me pierdo?»

Anna no sabe qué responder. No encuentra palabra alguna.

Joaquín que se ha acercado caminando sobre la hierba viene en su ayuda. Nadie le oyó cuando se acercaba detrás de la valla de los sarmientos bajos. «Te salvó antes, porque sabe que lo amas y quieres amarlo a El solo. Por esto ya estás redimida y puedes ser virgen como quieres» dice.

«¿De veras, papito?» María se le estrecha a las rodillas y lo mira con esos ojitos, tan semejantes a los suyos y tan dichosos por esta esperanza que su padre le da.

---

[5] La del santuario florentino.
[6] Cfr. Cant. 6, 7.

« Es verdad, amorcito mío. Mira. Te he traído este pajarito que cogí cerca de la fuente. Podría haberlo dejado ir, pero sus alas débiles y sus patitas de seda no tienen fuerza para sostenerse para emprender el vuelo, o para sostenerse sobre las piedras resbalosas. Se hubiera caído en la fuente. No esperé a que sucediese. Lo tomé y te lo regalo. Puedes hacer lo que quieras de él. El hecho es que fue salvado antes de que cayese en el peligro. Lo mismo Dios ha hecho contigo. Ahora dime, María: ¿ amé más al pájaro salvándolo antes, o lo habría amado más salvándolo después ? »

« *Ahora* lo has amado, porque no dejaste que se hiciese mal con el agua fría. »

« Y Dios te ha amado más, porque te ha salvado antes de que pecases. »

« Entonces lo amaré con todo mi ser. *Con todo mi ser.* Hermoso pajarito, soy como tu. El Señor nos ha amado de igual modo, al salvarnos... Ahora te cuidaré y luego te dejaré ir. Y cantarás en el bosque y yo en el templo las alabanzas de Dios y diremos: " Envía, envía a tu Prometido a quien lo espera ". ¡ Oh, papito ! ¿ Cuándo me llevas al templo ? »

« Muy pronto, corazoncito. ¿ Pero no te duele dejar a tu padre ? »

« Mucho, pero tu irás... y luego si no causase algún dolor, ¿ qué sacrificio sería ? »

« ¿ Y te acordarás de nosotros ? »

« Siempre. Después de la oración por el Emmanuel, rogaré por vosotros, para que Dios os de alegría y larga vida... hasta el día en que El será Salvador. Luego le diré que os lleve a la Jerusalén del cielo. »

La visión cesa viendo cómo Joaquín tiene abrazada a su hija.

12. « ¿ No habrá el Hijo puesto en los labios de su Madre su Sabiduría ? »

(Escrito el mismo día)

Dice Jesús :

« Me parece oir ya las cavilaciones de los doctores : " ¿ Cómo puede una niña de no más de tres años hablar de este modo ? Es una exageración ". Y no reflexionan que me hacen injuria al cambiar mi infancia con acciones de adulto.

La inteligencia no viene a todos del mismo modo y al mismo tiempo. La Iglesia ha determinado la responsabilidad de las acciones a los siete años, porque es la edad en que aún un niño retardado puede distinguir, al menos rudimentalmente, el bien del mal. Hay niños que mucho antes son capaces de *discernir y entender y querer* con una razón suficientemente desarrollada. La pequeña Imelda Lambertini, Rosa de Viterbo, Nellie Organ, Nennolina, os sirvan, oh doctorcillos quisquillosos, para creer que mi Madre pudo pensar y hablar de este modo. No os cito más que cuatro nombres al acaso entre los miles de santos niños que pueblan mi paraíso, después de haber razonado sobre la tierra por algunos años.

¿ Qué cosa es la razón ? Un don de Dios. Dios puede darla, por lo tanto, en la medida que quiere, a quien quiere y cuando quiere. La razón es también una de las cosas que más hacen a uno semejante a Dios, Espíritu Inteligente y Pensante [1]. La razón y la inteligencia fueron gracias que Dios regaló al hombre en el paraíso terrestre. Y cómo operaban cuando la gracia estaba todavía en los primeros seres intacta y activa.

En el libro de Jesús Bar Sirac está dicho: " Toda sabiduría viene del Señor Dios y siempre ha estado con El aun antes de que los siglos existiesen " [2]. ¡ Qué sabiduría no habrían tenido los hombres si hubieran permanecido fieles a Dios!

Vuestras lagunas en la inteligencia son el fruto natural de vuestra caída de la gracia y honestidad. Al perder la gracia os alejasteis por siglos de la Sabiduría. Como un meteoro que se esconde detrás de una inmensa neblina, no os llegó la Sabiduría con sus claros rayos, sino a través de la bruma que vuestras prevaricaciones hacían cada vez más pesada.

Después vino el Mesías y os entregó la gracia, don supremo del amor de Dios. ¿ Pero sabéis conservar intacta y pura esta joya ? No. Cuando no la rompéis con pecados voluntarios, la ensuciáis con continuas culpas menores, debilidades, atracción por el vicio; aun las simpatías, que aunque no se pongan al lado del vicio de siete formas, son un debilitamiento de la luz de la gracia y de su actividad. Así pues habéis debilitado la magnífica luz de la inteli-

---

[1] Se sobreentiende: libre de toda imperfección, existente en el modo humano de razonar.
[2] Cfr. Eccli. 1, 1.

gencia que Dios concedió a los Primeros padres, durante siglos y siglos de corrupción que hacen sentir su efecto delétereo en lo físico y en la mente.

Pero María no era sólo la Pura, la nueva Eva creada para alegría de Dios: *era la Eva por excelencia*, era la obra maestra del Altísimo, era la Llena de Gracia, era la Madre del Verbo en la mente de Dios.

" Fuente de Sabiduría" dice Jesús Bar Sirac " es el Verbo "[3]. ¿ No habrá, pues, el Hijo puesto en los labios de su Madre su sabiduría ?

Si a un profeta, que tenía que comunicar las palabras que el Verbo, la Sabiduría, le había encargado decir a los hombres, se le purificó la boca con carbones ardientes[4] ¿ no habrá el Amor, limpiado y sublimado la facultad de hablar a María, que debía llevar la Palabra para que no hablase ya como una niña y luego como adulta, sino que sólo y siempre como una creatura celestial unida a la gran luz y sabiduría de Dios?

El milagro no está en la inteligencia superior que María en su edad pueril mostró, como Yo más tarde. El milagro está en contener a la Inteligencia infinita, que estaba ahí, dentro de los diques apropiados para no asombrar a las multitudes y despertar la atención satánica.

Volveré a hablar sobre esto que toca también en el " acordarse " que los santos tienen de Dios. »

[3] Cfr. Eccli. 1, 5.
[4] Cfr. Is. 6, 6-7.

13. María es presentada en el Templo

(Escrito el 30 de agosto de 1944)

Veo a María caminar en medio de sus padres por las calles de Jerusalén.

Los transeúntes se detienen a mirar a la hermosa Niña vestida de blanco y con un velo ligerísimo que por su dibujo de ramas y flores, más por el tenue fondo, me parece que sea el mismo que

Anna llevó el día de su Purificación. Solo que si no pasaba más allá de la cintura de Anna, a María llega casi hasta la tierra y la envuelve en una nubecilla ligera y resplandeciente de una rara vaguedad.

Lo rubio de sus cabellos sueltos sobre la espalda, mejor dicho, sobre su fina nuca, resplandecen donde no hay bordadura en el velo, sino un fondo ligerísimo. El velo está detenido en la frente con una cinta de azul pálido en el que, y debe haberlo hecho su madre, hay recamos de plata en los pequeños lirios.

El vestido, como digo, es blanquísimo, baja casi hasta la tierra, y sus piececitos apenas si se ven al caminar con sus blancas sandalias. Las manitas parecen dos pétalos de magnolia que salen de la larga manga. Quitando el color azul de la cinta, no se ve otro color. Todo es blanco. María parece como si la hubieran vestido de nieve.

Joaquín trae el mismo vestido que en la Purificación y Anna un vestido de color violeta oscuro, lo mismo que el manto. Anna lo trae muy abajo sobre los ojos, que están rojos del llanto, que no quisieran llorar, y sobre todo que no se les vea llorar, pero que no pueden menos de llorar protegidos bajo el velo. Esos ojos siempre serenos, hoy están enrojecidos y opacos con lágrimas que han brotado y todavía brotan. Camina inclinada bajo el velo que le sirve de turbante, con los lados que le caen sobre la cara. Joaquín parece un viejo ya. Quien lo vea, pensará que es el abuelo o tal vez el bisabuelo de la pequeña que lleva de la mano. La pena de perderla hace que el padre camine con un paso de angustia, un decaimiento que lo avejenta 20 años. Su cara parece la de un enfermo, además de viejo. Tan cansado y triste está. Su boca se mueve ligeramente entre dos arrugas que se le han marcado hoy, al lado de la nariz.

Los dos tratan de ocultar su llanto, pero si lo logran con muchos, no con María, que por su estatura los ve de abajo en alto, y levantando su cabecita mira ahora a su padre, ahora a su madre. Estos se esfuerzan en sonreir con la boca temblorosa y le aprietan más su manita cada vez que los mira y sonríe. Deben pensar: « Bien, una vez más y no volveremos a ver esta sonrisa. »

Caminan despacio, muy despacio, parece como si quisieran alargar lo más posible su camino. Cualquier cosa es motivo para detenerse... Pero una calle de todos modos tiene que terminar, y esta lo está ya. He ahí, que al terminar este tramo de calle que sube, se ven los muros del templo. Anna da un gemido, y estrecha más fuertemente la manita de María.

« Anna querida, estoy contigo » dice una voz que sale de la sombra de un arco bajo que cruza la calle. Isabel, que la estaba esperando, se le acerca y la estrecha contra su pecho. Y como Anna llora, le dice: « Ven, ven a esta casa de amigos por un rato. Luego iremos juntos. También está Zacarías. »

Entran todos en una habitación baja y oscura en que de lámpara sirve una hoguera. La dueña, amiga de Isabel, pero que no conoce a Anna, se retira cortésmente dejando en libertad a los huéspedes.

« No pienses que esté arrepentida, o que de mala gana entregue al Señor mi tesoro » dice Anna entre lágrimas... « sino es que el corazón... ¡ oh ! cómo me duele, ¡ mi viejo corazón regresa a su soledad sin hijos! Si sintieses... »

« Lo comprendo, querida Anna... Tu eres buena y Dios te consolará en tu soledad. María rogará por la tranquilidad de su mamita. ¿ No es verdad ? »

María acaricia las manos maternas y las besa, se las pone sobre su carita para sentir la caricia, y Anna toma entre las suyas esa carita y la besa, la besa. No se cansa de besarla.

Entra Zacarías. Saluda: « A los justos la paz del Señor. »

« Sí » dice Joaquín, « obténnos paz, porque nuestras entrañas tiemblan al hacer la ofrenda, como las de nuestro padre Abraham mientras subía el monte [1] y nosotros no encontraremos otra oferta para rescatar a esta. Ni lo haríamos, porque somos fieles a Dios. Pero sufrimos, Zacarías, sacerdote de Dios. Compréndenos y no te escandalices de nosotros. »

« Nunca. Vuestro dolor que no os hace traspasar lo lícito y haceros infieles, es para mí una enseñanza de cómo amar al Altísimo. Pero tened valor. Anna, la profetisa, tendrá cuidado de esta flor de David y Aarón. En estos días es el único lirio que David tenga de su estirpe santa en el templo, y se le cuidará como una perla de reyes. Aun cuando el tiempo ya se acerca y las madres de la estirpe deberían tener cuidado de consagrar sus hijas al templo, porque de una virgen de la estirpe de David nacerá el Mesías, con todo, por un debilitamiento de fe, los lugares de las vírgenes están vacíos. Hay muy pocas en el templo, y de la estirpe real, nin-

[1] Cfr. Gén. 22, 1-14.

guna, después de que salió para casarse, hace unos tres años, Sara de Eliseo. Es verdad que faltan seis lustros para el término, pero ... Bueno, esperemos que María sea la primera de las muchas vírgenes de la estirpe de David ante el Velo sagrado. Y luego ... quién sabe ...» Zacarías no añade más, pero mira compasivo a María. Luego prosigue: «Yo también cuidaré de Ella. Soy sacerdote y tengo poder allá dentro. Lo emplearé en favor de este ángel. Isabel vendrá frecuentemente a visitarla.»

« ¡ Oh, claro! Tengo mucha necesidad de Dios y vendré a decírselo a esta Niña, para que se lo comunique al Eterno.»

Anna se siente mejor. Isabel, para consolarla un poco más, le pregunta: « ¿ No es tu velo de esposa este ? ¿ O tejiste otro con nuevo lino ? »

« Es así. Lo consagro con Ella al Señor. No tengo ya más la vista ... Y también las riquezas han disminuído mucho por los impuestos y desgracias ... No podía hacer gastos mayores. Le conseguí un rico ajuar para el tiempo en que esté en la casa de Dios y para después ... porque pienso que no viviré para vestirla cuando sean sus nupcias ... y quiero que la mano de su mamá sea siempre, aunque fría e inmóvil, la que la prepare para las nupcias y la que le tejió sus vestidos de esposa.»

« ¡ Oh ! ¿ por qué piensas así ? »

« Ya estoy vieja, prima. Nunca lo había sentido como ahora bajo el peso de este dolor. He dado las últimas fuerzas de mi vida a esta flor, para llevarla en el seno, alimentarla, y ahora ... y ahora ... en estos momentos, me consume el dolor de perderla, y acaba con mis fuerzas.»

« No hables así, por Joaquín.»

« Tienes razón. Trataré de vivir para mi marido.»

Joaquín ha fingido no estar oyendo, atento a escuchar a Zacarías, pero lo ha oído y lanza un suspiro con sus ojos preñados en lágrimas.

« Son como las diez. Creo que sería bueno que fuésemos » dice Zacarías.

Todos se levantan. Se ponen sus mantos para salir; pero antes María se arrodilla en el dintel con los brazos abiertos: un querubín suplicante: « ¡ Padre ! ¡ Madre ! ¡ Vuestra bendición ! »

No llora esta pequeñita fuerte, pero sus labios tiemblan y su voz, entrecortada con un sollozo interno, se parece más que nunca al tembloroso gemido de la tortolita. Su carita está mucho más

48

pálida y sus ojos tienen esa mirada de resignada angustia que será mucho mayor, cuando la veré en el Calvario y en el Sepulcro.

Sus padres la bendicen y la besan una, dos, diez veces. No se sacian. Isabel llora en silencio y Zacarías, aunque aparente no sentir nada, es presa de la emoción.

Salen. María camina entre sus padres como antes. Delante van Zacarías y su mujer. Están dentro de los muros del templo.

« Voy a ver al Sumo Sacerdote. Vosotros subid hasta la terraza grande. »

Atraviesan tres patios y tres atrios. Han llegado a los pies del ancho cubo de mármol coronado con oro. Cada cúpula, como una media naranja al revés, brilla al sol que ahora, ya en su zenit, cae perpendicularmente en el amplio patio que rodea el gran edificio y llena la ancha plaza y la menos ancha escalinata que lleva al templo. Sólo el portal que está en frente de la escalinata, a lo largo de la fachada, tiene sombra, y la puerta altísima de bronce y oro se ve mucho más oscura y majestuosa en medio de tanta luz.

María parece estar hecha de nieve entre los rayos del sol. Ha llegado a los pies de la escalinata entre sus padres. ¡Cómo debe palpitar el corazón de los tres! Isabel está al lado de Anna, pero un poco detrás, un medio paso.

Un sonido de trompetas de plata y la puerta gira sobre sus goznes, que parece que produzcan un sonido de cítara al girar sobre las bolas de bronce. Se ve el interior con sus lámparas en el fondo, y un cortejo viene de allá dentro hacia afuera. Un cortejo pomposo entre sonido de trompetas de plata, nubes de incienso y luces.

Han llegado al dintel, delante del cual está a no dudarlo el Sumo Sacerdote. Un viejo de aspecto majestuoso, vestido con lino finísimo y sobre él una túnica más corta también de lino, y sobre esta una especie de dalmática multicolor, algo semejante a la dalmática y a la vestidura de los diáconos: los colores púrpura y oro, violado y blanco se mezclan entre sí y brillan como joyas al sol; dos joyas verdaderas brillan mucho más sobre la espalda. Tal vez sean hebillas con sus engastes preciosos. En el pecho una placa larga que brilla al resplandor de piedras preciosas pendiente de una cadena de oro. Pendientes y adornos brillan en la parte inferior de la túnica corta. Oro resplandece sobre la frente, sobre el gorro que me recuerda al de los sacerdotes ortodoxos[2], su mitra

---

[2] Se sobreentiende: y católicos orientales.

hecha en forma de media naranja, y más bien en forma de punta como la de los católicos [3].

El majestuoso personaje avanza solo hasta donde empieza la escalinata en medio del resplandor del oro que hace brillar el sol, y que lo hace más imponente. Los demás esperan en forma de círculo fuera de la puerta, bajo el portal sombrío. A la sinistra hay un grupo de niñas vestidas de blanco con Anna la profetisa y otras mujeres de edad, sin duda, maestras.

El Sumo Sacerdote mira a la Pequeñita y sonríe. La debe ver muy pequeñita a los pies de la escalinata digna de un templo egipcio. Levanta los brazos al cielo en forma de plegaria. Todos inclinan la cabeza como anonadados ante la majestad sacerdotal en comunión con la Majestad eterna. Después, una señal a María.

Se separa de sus padres y sube. Sube como extasiada. Sonríe. Sonríe a la vista de la parte menos clara del templo, donde baja el Velo santo... Está ya sobre la escalinata, a los pies del Sumo Sacerdote que le pone sus manos sobre su cabeza. La víctima es aceptada. ¿Había tenido el templo alguna vez hostia más pura?

Luego se voltea, con la mano sobre su espalda como para conducir al ara a la Corderita sin mancha. La lleva cerca de la puerta del templo. Antes de hacerla entrar, pregunta: « María de la estirpe de David, ¿conoces tu promesa? »

Al « sí » argentino con que le responde, en voz alta le contesta: « Entra, pues. Camina en mi presencia y sé perfecta [4]. »

Y María entra. La penumbra la absorbe, el grupo de las vírgenes, de las maestras, después el de los levitas la ocultan más, la separan...

No se ve más... Ahora también la puerta gira sobre sus goznes armoniosos. Una portilla de luz que se estrecha cada vez más deja ver el cortejo que se interna hacia el Santo lugar. Ahora es algo como un hilo. Ahora ya no es nada. Está cerrada.

En medio de los sonoros ruidos de los goznes se oye un sollozo de dos ancianos y un grido único: « María! ¡ Hija ! » y luego dos gemidos que dicen: « ¡ Anna ! », « ¡ Joaquín ! »; y concluyen: « Demos gloria al Señor que la recibe en su casa y la conduce por su camino. »

Todo termina de este modo.

[3] Se sobreentiende: romana.
[4] Cfr. Gén. 17, 1.

14. « La eterna Virgen tuvo solo un pensamiento: dirigir su corazón a Dios »

(Escrito el mismo día)

Dice Jesús:

« El Sumo Sacerdote dijo: " Camina en mi presencia y sé perfecta ". El Sumo Sacerdote no sabía que hablaba a mi Madre sólo inferior a Dios en perfección. Pero hablaba en nombre de El y por esto su recomendación era sagrada. Siempre digna de tenerse en cuenta, y sobre todo a la Llena de gracia.

María había merecido que la " Sabiduría la preparase de antemano y se le mostrase ", porque " desde el principio de su vida Ella había estado a su puerta; y deseando instruirse, *por amor*, quiso ser pura para alcanzar el amor perfecto y merecer tenerla por maestra " [1].

Como era muy humilde no sabía que la poseía desde antes de nacer [2], y que la unión con la Sabiduría no era sino continuar las divinas palpitaciones del Paraíso [3]. No podía imaginar esto. Y cuando en el silencio de su corazón Dios le decía palabras sublimes, Ella humildemente pensaba que podían ser pensamientos de orgullo y levantando a Dios un corazón inocente suplicaba: " ¡ Piedad de tu sierva, Señor! ".

¡ Oh ! la verdadera Sabia, la eterna Virgen en realidad tuvo desde el principio de su vida un solo pensamiento: " Dirigir a Dios su corazón desde el amanecer y estar atenta a lo que quisiera el Señor, orando ante el Altísimo " pidiendo perdón por la debilidad de su corazón, como su humildad le sugería creer, y no sabía que anticipaba sus peticiones de perdón por los pecadores, que haría más tarde a los pies de la Cruz junto con su Hijo agonizante.

" Cuando el gran Señor la querrá, Ella será llena del Espíritu de Inteligencia " [4] y comprenderá entonces su sublime misión. Por ahora no es más que una pequeñina, que en la tranquilidad sagrada del templo une, estrecha cada vez más sus conversaciones, sus afectos, sus recuerdos con Dios. »

---

[1] Cfr. Prov. 8, 17-34.
[2] esto es: desde su concepción y por lo tanto antes de nacer.
[3] esto es: cuando Dios creó el alma de María.
[4] Cfr. Eccli. 39, 8.

51

15. Muerte de Joaquín y Anna

(Escrito el 31 de agosto de 1944)

Dice Jesús:

« Cual rápido crepúsculo invernal en que un viento helado a-
montona nubes en el cielo, la vida de mis abuelos tuvo ante sus
ojos rápida la noche, después que su Sol se había quedado a brillar ante el sagrado Velo del Templo.

¿ Pero no acaso está dicho: "La Sabiduría da vida a sus hijos,
toma bajo su protección a los que la buscan... Quien la ama, ama
la vida y quien está atenta a ella, gozará de su paz. Quien la posea,
tendrá por herencia la vida... Quien la sirva, obedecerá al Santo
y quien la ame, será muy amado de Dios... Si creyere en ella,
la tendrá por herencia, que se transmitirá a sus descendientes porque lo acompaña en la prueba. Ante todo lo escoge, luego enviará
sobre él temores, miedos, y pruebas, lo hará sufrir con el látigo
de su disciplina, hasta que lo haya probado en sus pensamientos y
pueda fiarse de él. Pero después le dará tranquilidad, volverá a él
por camino derecho y lo hará feliz. Le descubrirá sus arcanos, pondrá en él tesoros de ciencia, y de inteligencia en la justicia "[1]?

Así es. Todo esto se ha dicho. Los libros sapienciales se aplican
a todos los hombres que en ellos pueden encontrar un espejo para
su conducta y guía. Felices los que pueden ser reconocidos entre
los amantes espirituales de la Sabiduría.

Yo me rodée de sabios entre mis familiares. ¿ Anna, Joaquín,
José, Zacarías, Isabel y el Bautista no son acaso de los verdaderos
sabios? No hablo de mi Madre, en quien habita la Sabiduría.

La Sabiduría había inspirado a mis abuelos desde su juventud
hasta la tumba la manera de vivir de un modo grato a Dios, y cual
tienda de campaña que protege contra la furia de los elementos,
los había protegido del peligro de pecar. El temor santo de Dios
es el fundamento del árbol de la sabiduría, que apoyada en él se
lanza con todas sus ramas hacia lo alto para llegar con su copa
hasta el amor tranquilo en su paz, al amor pacífico en su seguridad; al amor seguro en su fidelidad; al amor fiel en su intensidad,
al amor total, generoso, activo de los santos.

"Quien ama a ella, ama la vida y tendrá la Vida por herencia "

---

[1] Cfr. Eccli. 4, 12-21.

dice el Eclesiástico [2]. Esto se ajusta a lo que Yo dije: " El que pierda su vida por amor mío, la salvará " [3]. Porque no se refiere a la pobre vida de esta tierra, sino a la eterna, no a la alegría de una hora, sino a la de los inmortales.

Joaquín y Anna la amaron de este modo. Y ella estuvo con ellos en las pruebas. Vosotros, aunque no seáis del todo malos, no os gustaría tener tantas pruebas para no llorar y sufrir. Cuántas tuvieron estos justos que merecieron tener por hija a María.

La persecución política que los desterró de la tierra de David, y los hizo muy pobres. La tristeza de ver caer en la nada los años sin que bajase una flor a decirles: " Yo vengo después de vosotros ". Y luego, la ansiedad por haberla tenido en una edad en que estaban seguros que no la verían florecer. Luego el que tuvieron que arráncarsela para ponerla ante el altar de Dios. Y luego, el vivir en un silencio mucho más pesado, ahora que se habían acostumbrado al cantar de su tortolita, al ruido de sus pasitos, a la sonrisa y besos de su hijita, y esperar en los recuerdos, la hora de Dios. Y todavía más. Enfermedades, cambios del tiempo, arrogancia de los poderosos... tàntos golpes de ariete contra el débil castillo de su modesta prosperidad. Y no fue suficiente: la pena que tenían al saber que su hijita estaba lejos, que se quedaba sola y pobre, y que no obstante todas sus providencias tomadas y sacrificios, no tendría sino una poca cosa de los bienes paternos. Y ¿ cómo los encontraría si por muchos años se quedaban incultos, cerrados, en espera de Ella ? Temores, miedos, pruebas y tentaciones. Fidelidad, fidelidad, fidelidad siempre para con Dios. La tentación más fuerte: no privarse del consuelo de tener a su hija cuando su vida ya declinaba.

Pero los hijos son de Dios antes que de los padres. Cada hijo puede decir lo que dije a mi Madre: " ¿ No sabes que debo preocuparme de los intereses del Padre de los cielos ? " [4]. Cada madre, cada padre debe aprender esta actitud, mirando a María y a José en el templo, a Anna y a Joaquín en su casa de Nazaret que cada vez más se ve solitaria, triste, pero en la que una cosa no disminuye nunca, antes bien siempre crece: la santidad de dos corazones, la santidad de un matrimonio.

¿ Qué queda a Joaquín enfermo y qué a su esposa de luz en las

---

2 Cfr. Eccli. 4, 13-14.
3 Cfr. Mt. 16, 25; Mc. 8, 35; Lc. 9, 24.
4 Cfr. Lc. 2, 49.

largas y silenciosas noches de su vejez, en las que se sienten morir? Los vestiditos, las primeras sandalias, sus juguetes, los recuerdos, recuerdos de Ella. Y con estos, una paz que viene al decir: " Sufro, pero he cumplido con mi deber para con Dios ".

Entonces se encuentra una alegría sobrehumana que brilla con luz celestial, desconocida a los hijos del mundo, que no se oscurece sobre los párpados de ojos que mueren, sino que en el último momento brilla más, ilumina las verdades que habían estado dentro por toda su vida, encerradas como mariposas en su capullo, y daban señal de existir por los movimientos suaves de leves resplandores, mientras ahora abren sus alas al sol y muestran las palabras que las embellecen. La vida se apaga en el conocimiento de un futuro feliz para ellos y para su estirpe, y con una bendición en sus labios para Dios.

Así fue la muerte de mis abuelos. Era justo, pues su vida había sido santa. Por su santidad merecieron ser los primeros guardianes de la Amada de Dios, y solo cuando un Sol más grande se mostró en su crepúsculo mortal, intuyeron la gracia que Dios les había concedido. Por su santidad, Anna no sufrió los dolores de una parturienta, sino que gozó de un éxtasis por ser la que dió a luz a la Inmaculada. Ambos tuvieron no la angustia de la agonía, sino la languidez que se apaga, como se apaga suavemente una estrella cuando el sol se levanta en el oriente. Y si no tuvieron el consuelo de verme encarnado, como lo tuvo José, Yo, con mi invisible presencia, les decía palabras sublimes, inclinado sobre su almohada para cerrar sus ojos en la paz, en la esperanza del triunfo.

¿ Habrá alguien que diga: " ¿ Por qué no sufrieron, ella al dar a luz, y ambos al morir, pues eran hijos de Adán ? " Respondo a lo primero: " Si por haberse encontrado cerca de Mi en el seno de su madre, el Bautista fue santificado de antemano[5], que era hijo de Adán y concebido con la culpa de origen, ¿ ninguna gracia habría tenido la madre santa de la Santa en quien no hubo Mancha, a la que Dios preservó y la que llevó a Dios en su espíritu casi divino, la que jamás se separó de este espíritu desde que el Padre la pensó, que fue concebida en un vientre, y tornó a poseer a Dios plenamente en el cielo por una eternidad gloriosa? ". A lo segundo respondo: " La recta conciencia da una muerte serena y las oraciones de los santos alcanzan tal muerte ".

[5] Cfr. Lc. 1, 39-45.

Joaquín y Anna siempre conservaron una conciencia recta, la que se erguía cual tranquilo panorama y los guiaba al cielo, y tenían a la Santa que oraba ante el Tabernáculo de Dios por sus padres lejanos, a quienes pospuso para tener a Dios, Bien Supremo, pero a los que siempre amó, como la Ley y su corazón se lo pedían, con un amor sobrenaturalmente perfecto. »

16. « Tu deberías ser la Madre del Mesías »
(Escrito el 2 de septiembre de 1944)

Veo a una hermosa jovencilla que es María. Una María de unos doce años a los más. Su carita no es ya redonda como cuando era pequeña; ya presenta el perfil de la mujer con su perfil ovalado. No trae ya los cabellos sueltos sobre su nuca con sus ligeros pendientes, sino que los trae recogidos en dos gruesas trenzas de color muy pálido — como si estuviesen mezclados con plata, por lo blanco que parecen — sobre su espalda, y le bajan a los lados. Su rostro es más serio, más maduro, aun cuando no deje de ser el rostro de una jovencilla, de una hermosa y cándida jovencilla vestida de blanco y que está cosiendo en una pequeña habitación que también es blanca del todo; por la ventana abierta se ve el edificio imponente del templo que está en el centro y luego toda la bajada de los peldaños de los patios, de los portales y, más allá de los muros, la ciudad con sus calles y casas y jardines, y en el fondo la cima abultada y verde en forma de joroba del monte de los Olivos.

Cose y canta en voz baja. No sé si sea un cantar sagrado. Dice:

« Como una estrella dentro de transparente agua,
    así una luz en lo profundo de mi corazón brilla.
    Desde mi infancia siempre conmigo ha estado
    y suavemente con amor me guía.
En lo más hondo del corazón hay un cantar.
    ¿ De dónde venga acaso ?
    Mortal, no lo sabes.
    De donde el Santo su mansión tiene.
Yo miro mi brillante estrella

y no quiero otra cosa que no sea ella,
aunque sea lo más dulce, lo más querido,
porque esa luz es toda mía.
¡ Oh Estrella ! de lo profundo de los cielos,
al seno de una mujer me enviaste.
Ahora dentro de mí vives, pero más allá de los velos
contemplo tu rostro ¡ Oh Padre grandioso !
¿ Cuándo a tu sierva honra darás
de que del Salvador humilde sierva sea?
Manda, del cielo manda a tu Mesías.
Acepta, Padre santo, la ofrenda mía. »

Calla y sonríe y suspira. Luego se inclina profundamente en oración. Su rostro está bañado en luz. Levantado hacia un terso cielo
azul de otoño, parece como si concentrase en sí toda su luminosidad y la irradiase. O mejor dicho, parece que de su interior un
oculto sol irradia sus luces y enciende la nieve apenas de color
rosa de la piel de María, y se derrama en las cosas y en el sol que
brilla sobre la tierra, bendiciendo y prometiendo toda clase de
bienes.

Cuando María está por levantarse después de su amorosa plegaria, y en su rostro todavía quedan rastros de un éxtasis, entra
la vieja Anna de Fanuel y se detiene sorprendida, o por lo menos
admirada de la actitud y aspecto de María. Le dice: « María » y la
Jovencita se voltea con una sonrisa diversa, pero que no deja de
ser hermosa, y responde: « Anna, sea contigo la paz. »

« ¿ Estabas orando ? ¿ Nunca te cansas de orar ? »

« La oración sería suficiente, pero yo hablo con Dios. Anna, no
puedes comprender cómo lo siento cerca de mí. Más bien: dentro
de mí. Dios me perdone este orgullo, pero no me siento sola. ¿ Lo
ves ? En aquella casa de oro y de nieve, dentro de la doble cortina,
está el Santo de los Santos. Jamás ojo humano, fuera del Sumo
Sacerdote, puede clavarse sobre el Propiciatorio en que descansa
la gloria del Señor. Pero no tengo necesidad de mirar con todo el
alma reverente ese doble Velo, que se mueve al sentirse tocado
por los cantos de las vírgenes, y de los levitas y que huele a preciosos inciensos, para traspasar sus punturas y ver resplandecer
el Pacto. ¡ Lo miro ! No tengas miedo de que no lo mire con ojos
reverentes como lo hace cualquier israelita. No temas que el orgullo me ciegue y que me haga pensar lo que te estoy diciendo.

56

Miro allá y no hay humilde siervo en el pueblo de Dios que mire con mayor humildad la casa de su Señor como yo la miro, pues convencida estoy de ser la más vil de todos. ¿ Pero qué veo ? Un velo. ¿ En qué pienso más allá del Velo ? En un Tabernáculo. ¿ Qué hay en él ? Y si me veo en el corazón, entonces, veo que Dios brilla con su gloria amorosa y que me dice: " Te amo " y yo le contesto: " Te amo " y me deshago y me deleito a cada palpitar de mi corazón con este beso recíproco.

Estoy con vosotras, maestras y compañeras, pero un cerco de fuego me aísla de vosotras. Dentro del cerco, Dios y yo. Os veo a través del Fuego de Dios y así os amo ... pero no puedo amaros según los mortales suelen hacerlo, ni mortal alguno lo podrá hacer. Sino solo Este que me ama, y según el espíritu. Comprendo mi suerte. La ley secular de Israel exige de cada joven que sea una esposa, y de cada una de estas una madre [1]. Pero yo, pese a que obedezco a la Ley, obedezco a la Voz que me dice: " Yo te amo ", y soy virgen y lo seré. ¿ Cómo podré conseguirlo ? Esa dulce, invisible presencia que está conmigo, me ayudará, porque tal es su voluntad. No tengo miedo.

No tengo ya más padre ni madre ... y sólo el Eterno sabe cómo en ese dolor se consume cuanto tenía yo de humano. Se consume con cruel dolor. Ahora no tengo más que a Dios. A El pues, obedezco ciegamente ... Lo mismo habría hecho aun contra mi padre y madre, porque la Voz me dice que quien quiera seguirla debe pasar más allá de su padre y madre, que son cual guardias amorosos junto a los muros del corazón filial, que desean llevar a uno a la alegría según piensan ... y no comprender que hay otros caminos cuya alegría es infinita ... Les habría dejado vestidos y manto, con tal de seguir la voz que me dice: « Ven, amada mía, esposa mía ». Todo les habría yo dejado; y las perlas de las lágrimas, porque habría llorado por haber desobedecido, y los rubíes de mi sangre, que aun muerta habría desafiado a todo con la condición de seguir la Voz que me llama. Les habría dicho que hay algo más grande que el amor por su propio padre y algo más dulce que por la propia madre, y es la Voz de Dios. Pero ahora su voluntad me ha dejado libre aun de este lazo de piedad filial. ¡ Bueno ! no hubiera sido un impedimento. Eran ambos justos y Dios, no cabe duda, les hablaba como me habla a mí. Habrán seguido por el camino de la

[1] Cfr. por ejemplo: Gén. 1, 28; 9, 1; Núm. 36, 6-10; Tob. 8, 9; 1a. Tim. 5, 14.

justicia y verdad. Cuando pienso en ellos, pienso que están esperando como lo hacen los mismos Patriarcas, y trato de apresurar con mi sacrificio la llegada del Mesías para que les abra las puertas del cielo. En la tierra me encuentro y yo misma me gobierno, esto es, Dios es quien gobierna a su pobre sierva dándole sus órdenes. Las cumplo porque cumplirlas es mi gozo. Cuando llegue la hora, diré a mi esposo mi secreto... y él lo aceptará. »

« Pero, María... ¿ qué palabras le dirás para persuadirlo? En cambio del amor de un hombre, tendrás en contra la Ley y la vida. »

« Tendré conmigo a Dios... Dios iluminará el corazón de mi esposo... la vida perderá sus estímulos del sentido, y se convertirá en una flor pura que tendrá como perfume la caridad. La Ley... Anna, no digas que blasfemo. Yo pienso que la Ley está a punto de ser cambiada. ¿ Quién lo hará ? piensas, pues es divina. Tan sólo el que la puede cambiar, Dios. El tiempo está más cercano de lo que os imagináis, os lo aseguro. Al leer a Daniel [2], he recibido una gran luz que me salía del centro del corazón, y mi inteligencia comprendió el sentido de las palabras arcanas. Las setenta semanas serán acortadas por las oraciones de los justos. ¿ Cambiado el número de los años ? No. Una profecía no miente. No es el movimiento del sol, sino el de la luna el que sirve de medida para el tiempo señalado en la profecía, de lo que deduzco: " La hora que oirá llorar al Nacido de una Virgen está muy cerca " ¡ Oh, yo quisiera que esta Luz que me ama me dijese, pues muchas cosas me dice, dónde está la mujer que dará a luz al Hijo de Dios, y el Mesías a su pueblo [3]. Descalza caminaría por la tierra. Ni frío, ni hielo, ni polvo ni canícula, ni fieras ni hambre me impedirían llegar hasta Ella y decirle: " Permite a tu sierva, y a la sierva del Mesías que viva bajo tu techo. Daré vueltas a la piedra de molino, a la de la prensa. Tómame como esclava que trabaje en la piedra de molino, como pastora de tus ganados, como la que limpie los pañales de tu Hijo, ponme en tu cocina, en tus hornos... donde quieras, pero acógeme. ¡ Que lo vea yo ! Que oiga su voz. Que su mirada me llegue ". Y si no aceptase, pordiosera junto

---

[2] Cfr. Dan. 9, 24.
[3] A nadie debe extrañar esta ignorancia de María acerca de su destino de ser Madre de Jesús. Dios que por singular privilegio le había concedido una sabiduría proporcionada a su estado de Inmaculada y predestinada a ser Madre del Verbo Encarnado, por motivos que ignoramos, quiso que María *ignorase* algunas cosas hasta el momento en que *debía* saberlas. Cfr. pág. 88 not. 1.

a su puerta viviría de limosnas y afrentas, junto al aprisco y a las incomodidades con tal de oir la voz del Mesías niño y el eco de su risa, y luego poder verlo pasar... Y tal vez llegaría un día en que me regalase un pedazo de pan... ¡Oh! si el hambre me destrozase las entrañas y si me sintiera morir por el largo ayuno, *no me comería aquel pan*. Lo estrecharía como un jovel de perlas contra mi corazón y lo besaría para percibir el perfume de la mano del Mesías, y no tendría ya más hambre, ni frío, porque su contacto me daría éxtasis y calor, éxtasis, y alimento...»

« ¡Tu deberías ser la Madre del Mesías, tu que lo amas en tal forma! ¿ Por esto quieres permanecer virgen? »

« ¡Oh, no! Soy miseria. Soy polvo. No me atrevo a levantar mi mirada hacia el lugar de la Gloria. Por esto, porque más allá del doble Velo, más allá de donde sé que está la invisible presencia de Yeová, me gusta mirar dentro de mi corazón. Allí está el Dios terrible del Sinaí. Aquí, dentro de mí, veo a nuestro Padre, un amoroso Rostro que me sonríe y me bendice, porque soy pequeñita como un pajarito que el viento levanta sin sentir su peso, y débil como tallo del musgo selvático que no sabe hacer otra cosa que florecer y dar perfume, y no opone al viento otra fuerza que la de su perfumada y suave dulzura. Dios, ¡mi viento de amor! No por esto. Sino porque al Hijo de Dios y de una Virgen, al Santísimo no puede agradar sino lo que en el cielo eligió para Madre y lo que sobre la tierra le habla del Padre celestial: la Pureza. Si la Ley reflexionase en esto, si los rabinos que la han multiplicado con tantas sutilezas de su doctrina, encaminando su inteligencia a horizontes más altos, se sumergiesen en lo sobrenatural dejando lo humano y las conveniencias que buscan anhelosos, olvidados del fin supremo, deberían encaminar sus enseñanzas a la Pureza, para que el Rey de Israel la encuentre cuando llegue. Con los ramos de oliva para el que viene cual Pacificador, con las palmas del Triunfador esparcid lirios y más lirios. ¡Cuánta sangre deberá derramar para redimirnos el Salvador! ¡Cuánta sangre! He ahí que de los miles y miles de heridas que Isaías vió en el Hombre de dolores [4], cae como rocío de un vaso poroso, una lluvia de Sangre. Que no caiga donde hay profanación y blasfemia esta Sangre divina, sino que caiga en cálices de fragante pureza que la acojan, que la recojan, para esparcirla sobre los enfermos de espíritu, so-

[4] Cfr. Is. 53, 5.

bre los leprosos del alma, sobre los muertos para con Dios. ¡ Dad lirios, lirios dad para rociar con sus pétalos puros, los sudores y lágrimas del Mesías ! ¡ Dad lirios, dadlos para calmar el ardor de su fiebre de Mártir! ¡ Oh ! ¿ dónde estará ese Lirio que te lleva ? ¿ Dónde el que te quitará la fiebre de tu sed ? ¿ Dónde el que tomará el color rojo de tu Sangre y morirá por el dolor que sienta al verte morir ? ¿ Dónde el que llorará sobre tu Cuerpo exsangüe ? ¡ Oh, Mesías ! Mesías. Ansia mía . . . »

María se calla. Las lágrimas la envuelven.

Anna por unos momentos no dice palabra alguna, después con su voz de anciana conmovida: « ¿ Tienes otra cosa que enseñarme, María ? »

María se sorprende. Tal vez ha creído a causa de su humildad, que su maestra la reprende y dice: « ¡ Oh, perdóname ! Tu eres maestra, yo no soy nada. Pero estas voces me salen del corazón. Bien que las cuido para no permitir que salgan. Como río que bajo la fuerza de las ondas rompe los diques, así me toma y así me veo sacar fuera de cauce. No tengas en cuenta mis palabras, y castiga mi presunción. Las palabras arcanas deberían estar en el arca secreta del corazón, que Dios favorece en su bondad. Lo sé, pero es tan dulce esta invisible Presencia que me siento ebria de ella . . . ¡ Anna, perdona a tu pequeña sierva ! »

Anna la estrecha contra sí. Su cara arrugada tiembla y una lágrima se asoma a sus ojos, que se resbala por sus arrugas como el agua por un terreno quebrado. La vieja maestra no provoca a risa. Su llanto provoca al más grande respeto.

María está entre sus brazos. Su carita contra el pecho de la vieja maestra. Y todo termina de este modo.

17. « Volvía a ver cuanto su espíritu había visto en Dios »

(Escrito el mismo día)

Dice Jesús:

« María se acordaba de Dios. Soñaba a Dios. Creía soñar. No hacía otra cosa que volver a ver cuanto su espíritu había visto en el

fulgor del cielo de Dios, en el instante fulmíneo en que fue creada para unirse a la carne concebida en la tierra. Participaba con Dios, si bien en un nivel muy inferior, como es razón, de una de las propiedades de Dios: la de recordar, ver y prever por el atributo de la inteligencia poderosa y perfecta porque la Culpa no la había dañado.

El hombre es creado a imagen y semejanza de Dios. Una de estas semejanzas consiste en la posibilidad de que el espíritu puede recordar, ver y prever. Esto explica la posibilidad de leer el futuro. Posibilidad que Dios dá muchas veces y directamente, otras como recuerdo que se levanta como sol matinal, iluminando un determinado punto del horizonte de los siglos ya visto desde el seno de Dios[1]. Son misterios demasiado profundos para que los podáis comprender.

Pero pensad. Esa Inteligencia suprema, ese Pensamiento que sabe todo, esa Vista que todo lo ve, que os crea por un movimiento de su voluntad y con un hálito de su amor infinito, haciéndoos sus hijos por el origen y sus hijos por que a El debéis tender, ¿ puede acaso daros algo distinto de Sí ? Os la da en parte infinitesimal[2], porque la creatura no podría contener al Creador. Pero esa parte infinitesimal es perfecta y completa.

¡Qué tesoro de inteligencia no dió Dios al hombre, a Adán! La culpa la ha disminuído, pero el Sacrificio lo vuelve a completar, y os abre los fulgores de la Inteligencia, sus ríos, su ciencia. ¡Oh sublimidad de la mente humana unida a Dios por la gracia, que se hace participante de la capacidad de Dios de conocer!... *De la mente humana unida a Dios por la gracia.*

No hay otro modo. Ténganlo presente los que curiosamente quieren conocer los secretos que están más allá del alcance humano. Cualquier conocimiento que no viene de un alma en gracia — y no está en gracia quien se opone a la Ley de Dios que es muy clara — no puede proceder sino de Satanás[3] y difícilmente corresponde a la verdad, aun cuando se refiera a cosas humanas, *jamás* está de acuerdo con la verdad, aun cuando se refiera a cosas que están

[1] Esto es, como se dijo: desde el momento fulmíneo de su creación.
[2] Esta y semejantes expresiones, que aparecen en el presente capítulo, deben entenderse no en sentido panteístico - pues se habla de " Creador " y " creatura ", de " Padre " e " hijos " - sino en el que usan los místicos, y en el restringido de los teólogos, de " participación de Dios ".
[3] La afirmación que: " cualquier conocimiento que no viene de un alma en gracia ... no puede ... sino de Satanás " es verdadera en el presente contexto, en que se habla del conocimiento de *secretos que están más allá del alcance humano.*

más allá del alcance humano, porque el Demonio es padre de la mentira y arrastra por el sendero de la mentira. No hay ningún otro método para conocer la verdad, que el que viene de Dios, que habla y dice o hace que se recuerde, así como un padre hace que su hijo se recuerde de la casa paterna con: "¿Recuerdas cuando hacías esto conmigo? o bien ¿que veías esto, u oías aquello? ¿Recuerdas cuando te dí el beso de despedida? ¿Recuerdas cuando me viste por primera vez, mi radiante rostro que se reflejaba en tu alma virgen, testigo creado y todavía limpia, porque apenas había salido de Mi, y de la tara que después te menguó? ¿Recuerdas cuando comprendiste en un palpitar de amor qué cosa es el Amor? ¿Cuál es el misterio de nuestro Ser y Proceder?" Y a donde la capacidad limitada del hombre en gracia no llega, allí el Espíritu de ciencia habla y enseña.

Pero para poseer al Espíritu es menester la gracia. Para poseer la Verdad y la Ciencia es necesaria la gracia. Para tener consigo al Padre es necesaria la gracia, Tabernáculo en que las Tres Personas habitan, Propiciatorio sobre el que se posa el Eterno y habla no de dentro de la nube, sino descubriendo su Rostro al hijo fiel.

Los santos se acuerdan de Dios, de las palabras que oyeron en la Mente Creadora y que la Bondad suscita de nuevo en sus corazones para levantarlo como águilas a la contemplación de la Verdad, al conocimiento del tiempo.

María fue la Llena de gracia. Toda la gracia Una y Trina estuvo en Ella. Toda la Gracia Una y Trina la preparó como a Esposa para las nupcias, como Tálamo para la Prole, como Divina para su Maternidad y misión. Ella es la que cierra el ciclo de las profetisas del Antiguo Testamento y abre el de los "portavoces de Dios" en el Nuevo Testamento.

Verdadera Arca de la Palabra de Dios, que al guardar en su seno, siempre intacto, descubría trazadas con el dedo de Dios sobre su corazón inmaculado las palabras de Ciencia eterna, y se acordaba, como todos los santos, de haberlas antes oído cuando Dios la creó con su espíritu inmortal, Dios creador de todo cuanto tiene vida. Y si no se acordaba de todo, de su futura misión, se debía a que en cualquier perfección humana Dios deja lagunas, por ley de una divina prudencia que es bondad y en favor de la creatura humana, y mérito para ella. María, la segunda Eva, se vió obligada a adquirir su parte de mérito para ser la Madre del Mesías con una voluntad fiel y buena, que Dios quiso tambión en su Mesías para hacerlo Redentor.

El espíritu de María estaba en el cielo. Su personalidad y su cuerpo en la tierra, y debían pisotear la carne y respetos humanos para llegar al espíritu y unirlo al Espíritu en un abrazo fecundo. »

18. « Dios te dará un esposo y será santo porque has puesto tu confianza en El. Tu le dirás tu voto. »

(Escrito el 3 de septiembre de 1944)

María está en el Templo. Ahora sale de él entre otras doncellas. Debe haber habido alguna ceremonia porque se siente el olor del incienso por el aire que parece allá lejos rojizo por el crepúsculo, que sin duda es de otoño porque el cielo es tan sosegado, y que se recarga sobre los jardines de Jerusalén, en los que el color amarillo ocre de las hojas que pronto caerán al suelo, forma manchas semirojizas entre el verde-plata de los olivos.

El cándido grupo de las vírgenes atraviesa el patio posterior, sube la escalinata, pasa un portal, entra en otro patio menos bello, cuadrado y que no tiene más que una entrada. Será en el que están las pequeñas habitaciones de las vírgenes empleadas en el Templo, porque cada jovencilla se dirige a su estancia como una palomita a su nido, y parece una bandada de palomas que se disperse después de haber estado junta. Muchas, mejor dicho, todas hablan entre sí, antes de separarse, en voz baja pero alegre, María guarda cilencio. Sólo cuando se separa de las demás lo hace con cariño. Luego se dirige a su habitación, que está en un ángulo a la derecha.

Una maestra, entrada en años, pero no tanto como Anna de Fanuel le dice: « María, el Sumo Sacerdote te llama. »

María la mira un poco sorprendida, pero no le hace ninguna pregunta. Tan sólo responde: « Voy pronto. »

No sé si la amplia sala en que entra pertenezca a la casa del Sumo Sacerdote o forme parte de las habitaciones contiguas al Templo. Veo que es amplia, bien arreglada, y que además del Sacerdote, majestuoso con sus vestiduras, están Zacarías y Anna de Fanuel.

María hace una profunda inclinación en la entrada, y no sigue hasta que el Sumo Sacerdote le dice: « Adelante, María. No tengas miedo. » María se endereza y avanza lentamente, no por desgana, sino por algo de solemnidad que le hace aparentar más años.

Anna le sonríe para darle valor y Zacarías la saluda con: « La paz sea contigo, prima. »

El Pontífice la mira atentamente, y luego dice a Zacarías: « ¡ Cómo se ve que sea de la estirpe de David y Aarón ! Hija, conozco tu carácter y tu bondad. Sé que diariamente has crecido en ciencia y gracia a los ojos de Dios y de los hombres. Sé que la voz de Dios murmura en tu corazón sus más dulces palabras. Sé que eres la Flor del templo de Dios y que un tercer querubín está ante el Tabernáculo desde que estás aquí. Quisiera que tu perfume continuase subiendo con el incienso de cada día. Pero la Ley dice otra cosa. Tu no eres más una niña, sino una mujer. Y toda mujer israelita debe casarse para poder presentar su hijo varón al Señor. Tendrás que seguir la prescripción de la Ley. No tengas miedo. No te sonrojes. No olvido tu realeza. La Ley te protege, pues prescribe que el varón tome por esposa a una de su estirpe [1]; pero aunque no lo prescribiese, yo lo haría, para no corromper tu sangre real. ¿ No conoces a alguien de tu estirpe, María, que pueda ser tu esposo? »

María levanta su rostro completamente rojo de pudor. En sus pupilas brilla una lágrima. Con voz temblorosa responde: « A nadie. »

« No puede conocer a nadie porque entró cuando era muy pequeña, y la estirpe de David se encuentra muy mal y dispersa para permitir que los diversos ramos se unan para formar de nuevo la palma real » dice Zacarías.

« Entonces que Dios escoja. »

Las lágrimas que hasta ahora se habían contenido, brotan y le llegan hasta la boca. María manda una mirada suplicante a su maestra.

« María se ha prometido al Señor para gloria de El y salvación de Israel. No era más que una niñita cuando ya había hecho esta promesa ... » dice Anna.

---

[1] Cfr. Núm. 36, 6-10.

« ¿ Y por esto lloras, no es verdad ? No porque no quieras obedecer a la Ley. »

« Por eso... no por otra cosa. Yo te obedezco, Sacerdote de
Dios. »

« Esto me confirma lo que siempre me dijeron de tí. ¿ Cuántos
años hace que prometiste tal cosa ? »

« Siempre la he prometido. Todavía no había venido a este templo y ya me había entregado al Señor. »

« ¿ Pero no eres tu la que hace unos 12 inviernos viniste a pedir
que se te permitiese entrar ? »

« La misma. »

« Y cómo puedes decir que ya te habías prometido a Dios? »

« Si miro para atrás, me veo ya consagrada al Señor... No recuerdo la hora en que nací, ni en la que empecé a amar a mi madre y a decir a mi padre: " Yo soy tu hija "... ni tampoco recuerdo el momento en que entregué a Dios mi corazón. Tal vez fue
con el primer beso que dí, con la primera palabra que pronuncié,
con el primer paso... Tal vez es así. Yo creo que mi primer recuerdo de amor lo encuentro con mi primer paso seguro que dí...
Mi casa... mi casa tenía un jardín lleno de flores... tenía un
huerto y campos... y un manantial había allí, en el fondo, cerca
del monte, y brotaba de una roca excavada en forma de gruta...
estaba llena de musgos de largos tallos que parecían como casca-
das verdes y como que llorasen, porque sus hojitas, cual un precioso bordado, tenían una gotica de agua que al caer sonaba como una campanita. También el manantial cantaba. Había pajaritos en los olivos y manzanos al borde del manatial, y palomas
blancas venían a bañarse en sus aguas claras... Ya no me acordaba de esto, porque había puesto todo mi corazón en Dios, y
fuera del recuerdo de mi padre y madre, a quienes siempre he
amado, todas las otras cosas se me habían ido de mi corazón...
Pero tu me has hecho volver a recordarlas... Debo buscar *cuándo*
me entregué a Dios... y las cosas de los primeros años regresan
a mi mente...

A mi me gustaba aquella gruta, porque oía una voz que era más
suave que el canto del agua y de los pajarillos, y que me decía:
" Ven, amada mía ". A mi me gustaban aquellas hierbas diaman-
tinas de gotas sonoras, porque en ellas veía la señal de mi Señor y
me extasiaba al decirme a mi misma: " Mira cuán grande es tu
Dios, alma mía. El que hizo los cedros del Líbano para los vientos,

hizo estas hojitas que se doblegan bajo el peso de un mosquito para que tus ojos se alegren y para que tu pie no se hiera ". A mi me gustaba aquel silencio de cosas puras: la ligera brisa, la plateada agua, la limpieza de las montañas... me gustaba aquella paz que había en la gruta, cubierta con manzanos y olivos, llenos en flor, y luego cargados de sus frutos... Y no sé... me parecía que la voz descendía y que me decía: " Ven tú, hermoso olivo; ven tú, dulce manzana; ven, fuente sellada; ven, paloma mía "... Dulce era el amor de mi padre y de mi madre... dulce me era su voz cuando me llamaban... pero ¡ esa ! ¡ esa ! ¡ Oh !, me imagino que así la oyó en el paraíso terrenal aquel que se hizo culpable; y no comprendo cómo pudo haberle gustado más el silbido de la serpiente que esta amorosa voz, cómo pudo desear otro conocimiento que no fuese Dios... Con mis labios que todavía tenían la leche materna, con el corazón ebrio de la miel celestial, entonces dije: " Sí. Voy. Soy tuya. Mi cuerpo no conocerá otro señor más que Tú, así como mi corazón no tiene otro amor más que el tuyo "... Y al decirlo me parecía que decía palabras que ya antes había dicho, y que realizaba una ceremonia ya realizada; no me era desconocido el Esposo elegido de antemano, porque conocía su ansia, y mi mirada se había adaptado a su luz y mi capacidad de amar se había madurado entre sus brazos. ¿ Cuándo ?... No lo sé. Más allá de la vida [2], diría yo, porque me parece que siempre lo he tenido, y que El siempre me ha poseído y que yo existo porque El me ha querido para alegría de su Espíritu y mío...

Obedezco, Sacerdote. Pero díme qué debo hacer. No tengo padre ni madre. Tu eres mi guía. »

« Dios te dará el esposo, y será un santo porque pones tu confianza en Dios. Le dirás la promesa que hiciste. »

« ¿ Y la aceptará ? »

« Así lo espero. Ruega, hija, para que él pueda comprender tu corazón. Vete ahora. Que Dios siempre te acompañe. »

María se retira con Anna. Zacarías se queda con el Sumo Sacerdote.

La visión termina de este modo.

[2] Esto es, desde el momento instantáneo de la creación de su alma. Cfr. cap. 17 pág. 60.

19. José es señalado por esposo de la Virgen
(Escrito el 4 de septiembre de 1944)

Veo una rica sala con rico piso y cortinas y alfombras y muebles enchapados. Probablemente forma parte del Templo, porque hay sacerdotes, entre los que está Zacarías, y muchos hombres de varias edades, esto es, de veinte a cincuenta años.

Entre sí hablan quedo pero con animación. Parece que tienen ansia por algo que no sé. Todos traen vestidos de fiesta, nuevos o bien limpios, como si fuesen a asistir a una fiesta. Muchos se han quitado lo que les sirve de turbante, otros no, sobre todo los más avanzados en años. Los jóvenes hacen gala de sus cabezas descubiertas: unas de color rubio oscuro, otras de color muy negro, otras de un color cobrizo. Las cabelleras son generalmente cortas, pero hay algunas largas, que llegan hasta la espalda. Se ve que no se conocen entre sí, porque se miran curiosamente; pero sí parecen que tengan un punto afín, porque un solo pensamiento los persigue.

En un ángulo veo a José. Habla con un viejo robusto. José tiene unos treinta años. Es un hombre bien presentado con cabellos cortos, más bien, encrespados, de color castaño mora, lo mismo que la barba; de bigotes que realzan un bien formado mentón, y que suben hacia unas mejillas moreno-rojizas, pero no de color olivo como en los otros hombres de color moreno. Tiene ojos oscuros, amables, profundos, muy serios, diría yo, hasta un poco tristes. Pero cuando sonríe, como ahora lo hace, se ven alegres y juveniles. Su vestido es de color café ligero, muy sencillo, pero bien arreglado.

Entra un grupo de jóvenes levitas y se coloca entre la puerta y una mesa larga y estrecha, que está cerca de la pared en cuyo centro está la puerta que queda abierta. Sólo queda una cortina recorrida, que llega a unos veinte centímetros a flor de tierra, y que cubre el hueco.

La curiosidad aumenta; y mucho más cuando una mano separa la cortina para dar paso a un levita, que trae en sus brazos un manojo de ramas secas en las que delicadamente hay una rama en flor. Una ligera espuma de pétalos blancos, que apenas si recuerdan su antiguo color rosado que irradia del centro y se hace más ligero en la extremidad de los delicados pétalos. El levita deposita el manojo de ramas sobre la mesa con mucho cuidado para no ajar esa rama en flor en medio de tantas secas.

Un ruido recorre la sala. Todos alargan sus cuellos. Todos tratan de mirar. También Zacarías y los sacerdotes que están cerca de la mesa quieren ver, pero no se ve nada. José en su ángulo, apenas si da una mirada al manojo de ramas y cuando su interlocutor le dice algo, hace señal de que no, como si dijese: « Imposible » y sonríe.

Se oye el sonido de la trompeta más allá de la cortina. Todos se callan y se ponen en fila correcta con la cara hacia la entrada, que se ve abierta, porque se ha corrido la cortina. Rodeado de otros ancianos entra el Sumo Pontífice. Todos se inclinan profundamente. El Pontífice se dirige a la mesa y habla estando de pie.

« Oidme, vosotros de la estirpe de David, que os habéis reunido por orden mía. El Señor ha hablado ¡ sea bendito ! Un rayo de su gloria ha descendido y como sol de primavera ha dado vida a un ramo seco, y este ha florecido milagrosamente, mientras que ningún otro ramo ha florecido hoy, hoy el último día de las Encenias; mientras que todavía no se ha disuelto la nieve que cayó sobre las alturas de Judá y es la única blancura que haya entre Sión y Betania. Dios ha hablado, haciéndose padre y tutor de la Virgen de David, quien no tiene como tutor a nadie más que a El. Doncella santa, gloria del templo y de su estirpe, ha merecido que Dios hablase para conocer el nombre del esposo que el Eterno quiere darle. Este debe ser un hombre muy justo para que el Señor lo haya elegido para cuidar de la Virgen ¡ a quien El ama tanto ! Esta es la razón por la que nuestro dolor se calma, y toda preocupación sobre el destino de Ella desaparece. Al que Dios señaló confiamos completamente la Virgen sobre la que está la bendición de Dios y nuestra. El nombre del esposo es José de Jacob betlemita, de la tribu de David, carpintero en Nazaret de Galilea. José: ven acá. El Sumo Sacerdote te lo ordena. »

Un gran ruido. Cabezas que se vuelven, ojos y manos que hacen señas, expresiones de caras llenas de desilusión y expresiones que respiran alivio. Alguien, sobre todo entre los de más edad, estará contento de no haber tenido tal suerte.

José muy colorado, embarazado, avanza. Está ahora ante la mesa, frente al Pontífice a quien saluda reverentemente.

« Acercaos todos y ved el nombre escrito sobre la rama. Tome cada uno la suya, para que esté seguro de que no hay engaño. »

Todos obedecen. Miran la rama que con delicadeza tiene el Sumo Sacerdote. Cada quien toma la suya propia. Unos la rompen, otros la guardan. Todos miran a José. Algunos miran y callan, otros se congratulan. El viejo con quien antes estaba hablando, dice: « Te lo había dicho, José. ¡ Quien menos se siente seguro, es el que vence la partida ! » Todos han pasado.

El Sumo Sacerdote da a José su ramo en flor, le pone luego sobre la espalda la mano y dice: « No es rica, y lo sabes, la esposa que Dios te entrega. Pero toda clase de virtudes hay en Ella. Procura hacerte siempre más digno de Ella. No hay flor en Israel más bella y pura que tu esposa. Salid ahora todos. Quédate, José. Y tú, Zacarías, pariente de Ella, tráela. »

Salen todos, menos el Sumo Sacerdote y José. La cortina de la entrada vuelve a bajar.

José muy modesto está cerca del majestuoso Sacerdote. Silencio. Luego este le dice: « María tiene que decirte su promesa. Ayuda a su timidez. Sé bueno con Ella que es tan buena. »

« Pondré lo que soy a su servicio y nada me pesará si se trata de Ella. Puedes estar seguro. »

María entra con Zacarías y Anna de Fanuel.

« Ven, María » dice el Pontífice. « Mira al esposo que Dios te destina. Es José de Nazaret. Volverás, pues, a tu ciudad. Ahora os dejo. Dios os de su bendición. El Señor os guarde y bendiga, os muestre su rostro y tenga misericordia de vosotros siempre. Vuelva a vosotros su rostro y os de la paz. »

Zacarías sale acompañando al Pontífice. Anna se congratula con el esposo y luego también sale.

Los dos prometidos se quedan uno enfrente del otro. María está toda colorada, con la cabeza inclinada. José, también lo está, y la mira y trata de decirle algo. Encuentra finalmente las palabras y una sonrisa ilumina su cara. Dice: « Te saludo, María. Hace pocos días te vi cual niña... Fui amigo de tu padre y tengo un sobrino de mi hermano Alfeo a quien tánto amaba tu madre. Su *pequeño* amiguito, que ahora tiene ya sus dieciocho años, y cuando todavía no habías nacido, él era un varoncito, y con todo alegraba las tristezas de tu madre que lo amaba mucho. Tu no nos conoces porque te viniste acá muy pequeña, pero en Nazaret todos te quieren mucho y piensan y hablan de la pequeña María, hija de Joaquín, cuyo nacimiento fue un milagro del Señor que hizo hacer florecer a una flor estéril... Yo recuerdo la tarde en que naciste... Todos la recordamos después del prodigio de un gran aguacero que salvó la campiña, y de la tempestad en que los rayos no destruyeron ni siquiera una sola aulaga selvática, y que terminó con un arco iris tan grande y tan bello como nadie ha visto. Y luego... ¿ quién no se acuerda de la alegría de Joaquín ? Te llevaba por todas partes mostrándote a sus vecinos... como si fueses una flor que hubiera venido del cielo. Te admiraba y quería que todos te admirasen. Un feliz y anciano padre que murió hablando de su María tan bella y buena, de la de palabras llenas de gracia y sabiduría... Tenía razón de admirarte y de decir que no había ¡ otra más bella que tú! ¿ Y qué decir de tu madre ? Con sus canciones llenaba toda su casa y parecía una alondra en primavera cuando te llevó en su vientre y más tarde, en sus brazos. Yo te hice la cuna. Una cunita con dibujos de rosas, porque tu madre así la quiso. Tal vez todavía esté en tu casa... Yo soy viejo, María. Cuando naciste, empezaba a hacer mis primeros trabajos. Ya trabajaba... ¡ Quién me lo hubiera dicho que ibas a ser mi esposa ! Enterré a tu padre, y le lloré con un corazón sincero porque fue un buen maestro en mi vida. »

María levanta poco a poco su rostro. Cada vez más va cobrando confianza al oir que José le habla de este modo, y cuando oye lo de la cuna, levemente sonríe y cuando José le dice lo de su padre, le extiende una mano y: « Gracias, José » dice. Un " gracias " tímido y delicado.

José toma entre sus cortas y fuertes manos de carpintero la manita de jazmín y la acaricia con un afecto que quiere hacer seguro. Tal vez espera que hable algo más, pero María nuevamente se queda callada. Entonces él continúa : « Tu casa, lo sabes, está íntegra, excepto la parte que fue derribada por orden consular, para hacer del sendero una vía por la que pasasen los carros de Roma. Pero el campo, el que te quedó está un poco descuidado, porque sabes... la enfermedad de tu padre acabó con muchos de tus bienes. Hace tres primaveras que los árboles y las vides están sin que alguien los cuide. La tierra sin cultivar y dura. Pero los árboles que te vieron de pequeñita, están todavía, y si me lo permites, pronto tendré cuidado de ellos. »

« Gracias, José. Pero tu tienes tus trabajos... »

« Trabajaré en tu huerto en las primeras horas del día, y en las últimas de la tarde. Ahora los días son más largos cada vez más. Para la primavera quiero que todo esté en orden para que estés

70

contenta. Mira: éste es un ramo de almendro que está enfrente de tu casa. Se entra por la parte de la valla en ruinas, pero ahora la repararé y quedará fuerte y sólida. Quise traerte esto pensando que si yo hubiera sido el elegido — no me lo esperaba porque soy nazareo [1] y obedecí porque son órdenes del Sacerdote, no porque quisiera casarme — pensando, digo, que te habrías alegrado con tener una flor de tu jardín. Tenlo, María. Con él te entrego mi corazón, que como este almendro hasta ahora ha florecido para el Señor y ahora florece para tí, esposa mía. »

María toma el ramo. Está conmovida. Mira a José con un rostro siempre más seguro y más radiante. Se siente tranquila. Cuando él añade: « Soy nazareo », su rostro se llena de luz y toma valor. « También yo soy toda de Dios, José. No sé si el Sumo Sacerdote te lo haya dicho... »

« Me dijo sólo que eres buena y pura y que tienes que decirme una promesa tuya, y que fuese bueno contigo. Habla, María. Tu José quiere hacerte feliz en todo lo que desees. No te amo con la carne, te amo con mi espíritu, santa doncella que Dios me entrega. Ve en mí a un padre y a un hermano, además de esposo. Y como a padre confíate, como a hermano, tenme confianza. »

« Desde mi niñez me consagré al Señor. Sé que ésto no se hace en Israel, pero oía una voz que me pedía mi virginidad como sacrificio de amor para que venga el Mesías. ¡ Tánto tiempo hace que Israel lo espera!... ¡ Por esta causa no es mucho renunciar a la alegría de ser madre! »

José la mira detenidamente como si quisiese leer su corazón. Después le toma las dos manitas que tienen la flor del almendro y dice: « Y yo uniré mi sacrificio al tuyo y amaremos *mucho* al Eterno con nuestra castidad, para que El envíe lo más pronto a la tierra al Salvador, y nos permita ver su Luz resplandecer en el mundo. Ven, María. Vamos delante de su Casa y juremos amarnos como los ángeles lo hacen entre sí. Después yo iré a Nazaret a prepararte todo, tu casa, si quieres ir a ella, o a otra si así es tu voluntad. »

« A mi casa. Había allí una gruta en el fondo. ¿ Está todavía ? »

« Está, pero ya no es tuya... Te haré una donde encontrarás frescura y quietud en las horas de más calor. La haré lo más posible igual. Y dime: ¿ a quién quieres contigo ? »

---

[1] Cfr. Núm. 6.

« A nadie. No tengo miedo. La madre de Alfeo, que siempre iba a buscarme, me acompañará un poco en el día, y en la noche prefiero estar sola. Ningún mal puede sucederme. »

« Y luego estoy yo . . . ¿ Cuándo debo venir por ti ? »

« Cuando quieras, José. »

« Entonces vendré no apenas la casa esté arreglada. No tocaré nada. Quiero que la encuentres como tu madre la dejó, pero quiero que esté bien asoleada y limpia, para recibirte sin tristeza. Ven, María. Vamos a decirle al Altísmo que lo bendecimos. »

No veo otra cosa más, pero me queda en el corazón la sensación de tranquilidad que María experimenta.

20. María y José se casan

(Escrito el 5 de septiembre de 1944)

¡ Qué hermosa se ve María con sus vestidos de novia, entre sus amigas y maestras, todas jubilosas ! También está Isabel.

El vestido es de lino blanquísimo, tan suave y fino que parece ser de seda preciosa. La faja de la cintura está hecha de medallones, trabajada a buril en oro y plata, unidos entre sí con cadenillas. Cada medallón es un primor de líneas de oro en medio de la pesada plata que el tiempo bruñó. Esta faja ciñe su cintura delgada, y tal vez porque le quede un poco ancha, pues es muy joven, por delante, le penden tres medallones, bajando entre los pliegues del vestido amplísimo y que lo arrastra un poco, porque es largo. En sus pies lleva sandalias de piel blanquísima con hebillas de plata.

El vestido en el cuello está tenido con una cadenilla de arandelas de oro y de filigrana de plata, que reproducen el mismo motivo del de la cintura, y que pasa entre los ojales del ancho escote, juntándolo en pliegues que hacen un pequeño adorno. El cuello de María como si fuera de una garza se yergue en medio de aquella blancura, y parece mucho más blanco y mucho más fino que el tallo de un lirio, pero más colorado por la emoción que la envuelve. Tiene un rostro de " hostia " purísima.

Su cabellera no le cae en la espalda. Con toda gracia la han hecho en trenza. Preciosas orquillas de plata bruñida, con filigranas en la parte superior, la sostienen. El velo de su madre cubre estas trenzas. En pliegues artísticos se derrama bajo la lámina preciosa que rodea la frente blanquísima. El velo le llega hasta más abajo de la cintura, porque no es tan alta como su madre. A su madre le llegaba hasta la cintura. En sus manos no tiene nada. En sus muñecas tiene brazaletes, pero son tan delicadas, que los pesados brazaletes de su madre, están casi por salírsele de la mano, si la inclinase.

Sus compañeras la miran una y otra vez y quedan encantadas, y se oyen preguntas en medio de una algarabía preñada de admiración.

« ¿ Eran de tu madre ? »

« Son muy antiguos ¿ no ? »

« ¡ Sara ! ¡ qué hermosa es la faja ! »

« ¡ Susana ! y ¡ qué decir de este velo ! Mira qué finísimo. Mira estos lirios que están tejidos en él. »

« Déjame ver los brazaletes, María. ¿ Eran de tu madre ? »

« Los llevó. Pero fueron de la madre de mi padre Joaquín. »

« ¡ Oh, mira ! Tienen el sello de Salomón entretejido con delgadísimas ramitas de palma y olivo, y en medio hay lirios y rosas. ¡ Oh ! ¿ quién hizo esta labor tan perfecta y tan delicada ? »

« Pertenecen a la casa de David » contesta María. « Las mujeres de la estirpe que se casan se los ponen desde hace muchos siglos, y se quedan como herencia de la heredera. »

« Bien. Tu eres la heredera . . . »

« ¿ Te trajeron todo de Nazaret ? »

« No. Cuando murió mi madre, mi prima se llevó todo el ajuar a su casa para guardarlo mejor. Ahora me lo trajo. »

« ¿ Dónde está ? Muéstralo a tus amigas. »

María no sabe qué hacer . . . Quisiera ser cortés, pero también no quisiera desarreglar todas las cosas, que están en tres pesados cofres. Las maestras vienen en su ayuda. « El novio está por llegar. No hay tiempo para ver. Déjenla en paz, que la cansáis. Idos a prepararos. »

La algarabía se va un poco enojada. María puede ahora estar tranquila con sus maestras que le dicen palabras de alabanza, y de buena suerte.

Isabel se ha acercado y como María que está emocionada porque Anna de Fanuel la llama " hija " y la besa con cariño verdaderamente maternal, le dice: «María, tu madre no vive más, pero está. Su corazón está a tu alrededor. Mira: las cosas que llevas te devuelven su caricia. En ellas encuentras el gusto de sus besos. Cuando viniste al templo, hace ya mucho tiempo, me dijo: "Le preparé los vestidos y el ajuar de novia, porque quiero ser siempre yo la que le teja el lino y le haga los vestidos de novia, para no estar ausente en el día más alegre de su vida" ¿Y sabes? En sus últimos días, cuando estaba con ella y la cuidaba, quería cada tarde acariciar tus primeros vestiditos y estos que ahora llevas, y decía: "Aquí siento el olor de jazmines de mi hijita, y aquí quiero que Ella perciba el beso de su mamá". ¡Cuántos besos dió a este velo que cae sobre tu frente! ¡Más besos que hilos!... y cuando uses las telas que tejió, piensa que más que el estambre, son fruto del amor de tu madre. Y estos adornos... Tu padre, en momentos dolorosos, te los guardó, para que te embelleciensen ahora, como corresponde a una princesa descendiente de David. Alégrate, María. No estás huérfana, porque los tuyos están contigo y tienes un novio que es para tí padre y madre, tan bueno que es...»

«¡Es verdad! No me puedo quejar nada de él. En menos de dos meses ha venido dos veces, y hoy viene por tercera vez, desafiando lluvia y ventarrones, para que le dé mis órdenes... ¡Figúrate! ¡Ordenes! Yo que soy una pobre mujer y mucho más joven que él. Nada me ha negado. Antes bien espera que le pida. Parece como si un ángel le indicase lo que deseo, y me lo dice antes de que abra yo mi boca. La última vez me dijo: "María, pienso que te gustaría estar más en tu casa paterna. Como eres la heredera, puedes hacerlo, si te parece. Vendré a tu casa. Sólo para no dejar de observar las ceremonias, por una semana irás a vivir a la casa de Alfeo, mi hermano. María te quiere muchísimo. Y de su casa saldrá la tarde de las nupcias el cortejo que te llevará a casa". ¿No es acaso tan bueno? No le importa ni siquiera el qué dirá la gente de que no tiene ni una casita... Me hubiera gustado a mí, porque estaría allí, él que es tan bueno. Pero claro... prefiero la mía... por los recuerdos que me trae. ¡Oh! ¡que si es bueno José!»

«¿Y qué dijo de la promesa tuya? Todavía no me has dicho nada.»

«No se opuso. Al revés. Cuando supo las razones, añadió: "Uniré mi sacrificio al tuyo".»

«¡Es un joven santo!» dice Anna de Fanuel.

El " joven santo " entra en este momento acompañado de Zacarías.

Realmente es un galán. Su vestido resplandece al brillo del oro. Parece un soberano oriental. Una rica faja sostiene la bolsa y el puñal. Aquella de marroquí con recamos de oro, éste en una vaina de marroquí con adornos dorados. En la cabeza trae su turbante, esto es, lo que traen todavía algunos pueblos de Africa, los beduinos, por ejemplo, y sostenido por un precioso cordón, de oro sutil, en el que están enlazados ramilletes de mirto. Trae un manto del todo nuevo, con muchas franjas, que se ha echado con toda solemnidad. José irradia alegría. Entre sus manos tiene un ramillete de mirto en flor.

« La paz sea contigo, querida mía » dice. « La paz sea con todos vosotros. » Y luego que se le ha respondido, agrega: « Ví lo contenta que te pusiste el día en que te dí un ramo de tu huerto y pensé traerte uno de mirto que corté cerca de la gruta que tanto quieres. Quería traerte rosas que empiezan a florear enfrente de tu casa, pero no duran mucho, y sobre todo en estos viajes... Habría llegado sólo con las espinas. Y yo, amada mía, quiero ofrecerte tan sólo rosas y con flores delicadas y llenas de perfume quiero cubrir tu camino, para que sobre ellas pongas tus pies y no encuentren ni suciedad, ni asperezas. »

« ¡ Cuánto te lo agradezco ! ¿ Cómo hiciste para que llegase tan fresco ? »

« Puse un vaso en la silla y dentro puse varias ramas en flor. Durante el camino florecieron. Aquí los tienes, María. Tu frente se adorne con cosa tan bella, símbolo de la prometida, pero que jamás igualará a la pureza que llevas en el corazón. »

Isabel y las maestras hacen de las flores una guirnalda y se la ponen a María, entreverando rosas blancas que toman de un jarrón que hay sobre un cofre. María va a tomar su amplio y blanco manto, pero su novio se le adelanta y la ayuda a sostenérselo con dos hebillas de plata sobre la espalda. Las maestras arreglan los pliegues con mucho cuidado y primor.

Todo está pronto. Mientras esperan no sé qué cosa, José dice a María — separándose un poco ambos —: « En estos días he pensado en tu promesa. Te dije que era yo del mismo parecer, pero entre más pienso, más comprendo que no basta el ser nazareo por un tiempo, aun cuando se renueve muchas veces. *Te he comprendido*, María. Todavía no soy digno de las palabras de la

Luz, pero un murmullo de ellas comienza a llegarme, y me hace que lea tu secreto, por lo menos en los puntos más sobresalientes. Soy un pobre ignorante, María. Soy un obrero humilde, no soy sabio, ni rico, pero pongo a tus pies mi tesoro, y para siempre, mi castidad *absoluta*, para que sea yo digno de tu encanto, Virgen de Dios, " esposa mía, jardín cerrado, manantial en el que nadie otro puede beber! "[1] como dice nuestro antecesor que tal vez escribió su Cantar al verte... Yo seré el jardinero de este vergel de perfumes en el que se encuentran las frutas más preciosas, y de donde brota un manantial de aguas frescas: que son tu dulzura, ¡ oh amada mía ! que con tu candor te has ganado mi corazón, tú la más bella. Más bella que una aurora. Tú eres mi sol que brilla y que ilumina mi corazón, Tú que amas a tu Dios y el mundo al que quieres darle al Salvador con tu sacrificio como mujer. ¡ Ven, amada mía ! » y la toma de la mano para llevarla a la puerta. Todos los demás los siguen. Afuera se le unen sus alegres compañeras, vestidas todas de blanco y con velo.

Caminan por patios y portales, entre la gente que observa, hasta un lugar que no es el templo, pero parece ser una sala dedicada al culto, porque hay lámparas y rollos de pergamino como en las sinagogas. Los novios se dirigen hasta un alto atril, como púlpito, y esperan. Los demás se ponen detrás de ellos en una fila ordenada. Los sacerdotes y curiosos se quedan en el fondo.

Solemnemente entra el Sumo Sacerdote.

Ruido entre los curiosos : « ¿ Es ese el que va a casarse ? »

« Sí, porque es de casta real y sacerdotal. Flor de David y Aarón, la novia es una virgen del templo. El novio es de la tribu de David. »

El Pontífice pone la mano derecha de la novia en la del novio y solemnemente los bendice : « El Dios de Abraham, Issac y Jacob esté con vosotros. Os una y se cumpla en vosotros su bendición, dándoos su paz y numerosa posteridad junto con una vida larga y muerte dichosa en el seno de Abraham[2]. » Luego se va solemnemente como entró.

Se hacen las promesas. María es esposa de José[3].

Todos salen, y siempre en ordenada fila, van a una sala donde se

---

[1] Cfr. Cant. 4, 12.
[2] Cfr. Tob. 7, 15-16.
[3] Cfr. pág. 82 not. 1.

76

procede al contrato de las bodas, en que se dice que María, hija heredera de Joaquín, hijo de David, y de Anna hija de Aarón, lleva como dote al esposo su casa y los bienes adjuntos además de su personal ajuar y otras cosas que heredó de su padre.

Todo ha terminado.

Los esposos salen al patio y de allí pasan a otros, que dan a la salida que está cerca de la parte reservada a las mujeres que viven en el templo. Un carro cómodo y grande espera. En él hay una gran cortina que defiende contra el sol, y además los cofres de María.

Despedidas, besos, lágrimas, bendiciones, consejos, recomendaciones. Después sube María con Isabel y se mete dentro del carruaje. Delante se sientan José y Zacarías que se han quitado los mantos de ceremonia y se han puesto uno de color oscuro. El carruaje parte al trote de un caballo negruzco. Los muros del templo van quedando lejos, luego los de la ciudad. Ahora ahí está la campiña, nueva, fresca, llena de flores con los primeros rayos primaveriles, con el trigo que mide no más de un palmo, y que parece una esmeralda de hojitas que ondea al contacto de una brisa ligera, que tiene sabor de durazno y de manzana, que sabe a trébol en flor y a menta selvática.

María llora quedo, bajo su velo. De cuando en cuando separa la cortina y mira una vez más hacia el Templo que está allá lejos, a la ciudad que se queda atrás.

La visión termina de este modo.

21. « José es como un sello que defiende, como un arcángel a la puerta del Paraíso »

(Escrito el mismo día)

Dice Jesús:

« ¿ Qué dice el libro de la Sabiduría, al cantar sus alabanzas ? " En la sabiduría está el espíritu de inteligencia, que es santo, único, múltiple, sutil ". Y continúa enumerando sus dotes. Termina con estas palabras: " ...que todo lo puede, todo lo prevee, que abraza a todos los espíritus, inteligente, puro, sutil. La sabiduría penetra con su pureza, es vapor de la virtud de Dios... por esto en ella no hay nada de impuro... imagen de la bondad de Dios. Aun cuando es sola, todo lo puede, inmutable como es, renueva todas las cosas, se comunica a las almas santas, hace a los hombres amigos de Dios y a los Profetas " [1].

Tú misma has visto cómo José, no por ciencia humana, sino por una sobrenatural, supo leer en el libro sellado de la Virgen Inviolable, y cómo percibió las verdades proféticas con su " ver " cual un misterio sobrehumano, donde los demás no veían sino una gran virtud. Impregnado de esta sabiduría, que es vapor de la virtud de Dios y una clase de emanación del Omnipotente, se dirige con espíritu seguro al mar de este misterio de gracia que es María, se interna con Ella en espirituales coloquios, en los que más que los labios que se hablan, lo hacen dos corazones que conversan en el sagrado silencio de las almas, cuyas voces Dios únicamente oye, y las perciben a los que Dios ama, porque le son siervos fieles y están llenos de El.

La sabiduría del Justo que sube con la unión y cercanía de la Llena de gracia, lo prepara para que penetre en los secretos más profundos de Dios y pueda defenderlos y protegerlos de las asechanzas humanas y del demonio. Y entre tanto lo renueva. De justo lo hace un santo, de santo el custodio de la Esposa y del Hijo de Dios.

Sin levantar el sello de Dios, él, el casto, que lleva su castidad hasta el heroísmo angélico, puede leer las palabras de fuego escritas con el dedo de Dios, y lee lo que su prudencia no dice, pero que es más grande que lo que leyó Moisés en las tablas de piedra [2]. Y para que ningún ojo profano marchite el misterio, él lo defiende cual sello, cual arcángel de fuego a la puerta del paraíso, donde el Eterno tiene sus delicias " caminando en la brisa de la tarde " [3] y hablando con la que es su amor, que es un bosque de lirios en flor, aura perfumada, brisa de fresco amanecer, estrella rutilante, delicia de Dios. Allí está la nueva Eva, delante de él, que no es hueso de sus huesos, ni carne de su carne, sino compañera de su vida [4], Arca viva de Dios que recibe él en tutela, y que tendrá que

[1] Cfr. Sab. 7, 22-27.
[2] Cfr. Ex. 24, 12; Deut. 4, 13; 5, 22; 9, 9-17; 10, 1-5.
[3] Cfr. Gén. 3, 8.
[4] Ib. 2, 18 y 23.

devolver a Dios pura como la recibió.

" Esposa de Dios " estaba escrito en aquel libro místico de páginas purísimas ... Y cuando la sospecha, en la hora de la prueba, lo atormentó [5], él, *como hombre y siervo de Dios,* sufrió, *como ningún otro,* por el sospechoso sacrilegio. Pero esto fue una prueba posterior. Ahora en este tiempo de gracia, él *ve* y se pone al servicio de Dios. Después llegará la tempestad de la prueba, como para todos los santos, para que sean probados, para que sean coadjutores de Dios.

¿ Qué se lee en el Levítico ? " Dí a tu hermano Aarón que no entre a cualquier hora al santuario que está detrás del Velo ante el Propiciatorio que cubre el arca, para que no muera, porque Yo me apareceré en una nubecilla sobre el oráculo, si antes no ha hecho las siguientes cosas: ofrecer un ternero por el pecado y un macho cabrío en holocausto, que lleve la túnica de lino y con bragas cubrirá su desnudez " [6].

Y en verdad que José entra, cuando Dios quiere, y cuando permite, en su santuario, más allá del velo que oculta el Arca en la que está el Espíritu de Dios y se ofrece y ofrecerá al Cordero, holocausto por el pecado del mundo y expiación. Y esto lo hace, vestido de lino, y domeñando sus instintos varoniles, que una vez, allá en el principio de los tiempos, triunfaron, conculcando los derechos de Dios sobre el hombre, a los que ahora al Hijo, la Madre y el padre putativo pisotearán para devolver a los hombres la gracia y devolver a Dios su derecho sobre el hombre. Esto lo hace con su castidad perpetua.

¿ Que José no estuvo en el Gólgota ? ¿ Os parece que no esté entre los corredentores ? En verdad os digo que él fue el primero y que grande es a los ojos de Dios. Grande por su sacrificio, por su paciencia, por su constancia y por su fe. ¿ Qué fe mayor que con la que creyó sin haber visto los milagros del Mesías ?

Sea alabado mi padre putativo, el ejemplo de lo que os falta: pureza, fidelidad y amor perfecto. Al magnífico lector del Libro sellado, al que enseñó la Sabiduría para que pudiese comprender los misterios de la Gracia y que fue elegido para tutelar la Salvación del mundo contra las asechanzas de toda clase de enemigos. »

[5] Cfr. Mt. 1, 19.
[6] Cfr. Lev. 16, 2-4.

22. Los Novios llegan a Nazaret
(Escrito el 6 de septiembre de 1944)

Un cielo azul de un mes de febrero se extiende sobre las colinas de Galilea. Estas bellas colinas que en este ciclo de la juventud de la Virgen no había yo visto, pero que por otra parte me son muy conocidas, como si fuesen el lugar donde yo hubiera nacido.

El camino principal, que huele a frescura por la lluvia que cayó tal vez la noche anterior, no tiene ni polvo, ni siquiera lodo. Está bien apisonado y limpio como si fuese una calle de ciudad y va entre dos vallas de majoletos en flor. Una corriente de algo amargo, de bosque, que se deshace entre lo tupido de nopales, de hojas gruesas y en forma de pala, todas defendidas con espinas y adornadas con tunas, nacidas sin tallo de sus hojas, que por su color y forma parecen tener una semejanza a los profundidades marinas y a los bosques de corales y medusas, o a otros monstruos de los abimos oceánicos.

Más allá de las vallas — que sirven para defender la propiedad privada, que se alargan en todas direcciones formando figuras geométricas raras de curvas y ángulos, de rombos, de cuadrados, de semicírculos, de triángulos agudos u obtusos inverosímiles, un croquis salpicado de blanco, como si fuese una cinta que hubiesen tejido de este modo por mero gusto, a lo largo de la campiña, y por donde vuelan, pían, cantan centenares de pajarillos de toda clase, en el ansia de amar y en el de formar sus nidos — más allá de las vallas, la campiña con sus trigales pequeños, un poco más grandes que los de Judea, y los prados todos en flor, y en ellos — como respuesta a las nubecillas que el atardecer tiñe de color rosa, de un lila tenue, de alhelí, de un ópalo de color azulado, de coral anaranjado — cientos y cientos de árboles en flor: blancos, rosados, rojizos, con todos los matices de blanco, rosado y rojo.

Al leve viento de la tarde se deshacen y caen los primeros pétalos de los árboles y parecen enjambres de mariposas en busca de polen en las flores del campo. Entre árbol y árbol festones de vides todavía desnudas, que tan sólo en su punta, donde les ha dado más el sol, muestran un ansia de vida, un ansia palpitante de echar sus primeras hojitas.

El sol se oculta tras un plácido firmamento azul, tan azul que la luz se hace más clara, y allá a lo lejos brilla la nieve del Hermón y de otras lejanas montañas.

Un carruaje se desliza por el camino. Es el carro que trae a José, a María y a los parientes de Ella. El viaje ha terminado.

María mira con ojos ansiosos de querer conocer, más bien, de *reconocer* lo que está viendo, y no lo recuerda más. Sonríe cuando una centella de recuerdo vuelve a su memoria y se pone como una luz sobre esta o aquella cosa, sobre este o aquel punto. Isabel, Zacarías y José le ayudan a recordar, señalando esta o aquella cima, esta o aquella casa. Casas, porque Nazaret está ya a la vista, alargada sobre la ondulación de su colina.

Vista la ciudad por la parte donde se oculta el sol, pincel de rosa, enseña lo blanco de sus casitas, largas y bajas sobre las que hay terrazas. Algunas, a las que dá el sol en lleno, parecen como si se incendiasen, y parecen teñirse de rojo las acequias y los depósitos bajos de agua, de donde suben chirriando los cubos de agua para las casas o los odres para la hortaliza.

Niños y mujeres se ponen al lado del camino, y echan tamaños ojos al carruaje. Saludan a José, que es muy conocido, luego se quedan sin saber qué decir, atemorizados ante los otros tres personajes.

Cuando entran en la ciudad propiamente dicha, no hay más perplejidad ni temor. Mucha gente de todas las edades está a la entrada del poblado bajo un arco rústico de flores y ramas; y apenas se deja ver el carruaje, al dar la vuelta sobre el recodo de una casa, se oye un griterío de voces agudas y un agitarse ramas y flores. Son las mujeres, las doncellas y los niños de Nazaret que saludan a la novia. Los hombres, están detrás de la valla irregular, y saludan con respeto.

María, ahora que el carruaje no tiene más la cortina — se la quitaron antes de entrar al poblado, porque el sol no molesta más y para que María pueda ver bien su tierra natal — muestra su belleza en flor. Blanca y rubia como un ángel, sonríe bondadosamente a los niños que arrojan flores y besos, a las doncellas de su edad que la llaman con su nombre, a las novias, a las madres, a las ancianas que la bendicen con sus voces jubilosas. Se inclina ante los hombres, sobre todo ante uno que tal vez es el rabino o el principal del lugar.

El carruaje continúa por la calle principal a paso lento, y le sigue a corta distancia la gente, para quien la llegada es un acontecimiento.

« Ahí está tu casa, María » dice José, señalando con la fusta una casita que está en la orilla de una ondulación de la colina, y que tiene detrás un hermoso y extenso huerto en flor que termina con un olivar pequeño. Más allá la valla de majolotes y cactus señala el límite de las propiedades. Los campos, que fueron un tiempo de Joaquín, están más allá.

« Ves. Poco te quedó » dice Zacarías. « La enfermedad de tu padre fue larga y costosa. Y costosos fueron los gastos para reparar el daño que hizo Roma. ¿ Ves ? La calle principal te quitó los tres mejores lugares y la casa se redujo; pero para hacerla más amplia, sin gastos excesivos, se tomó una parte del monte en que se hizo la gruta. Joaquín tenía de dónde echar mano y Anna sus telares. Tú, haz lo que te parezca. »

« ¡ Oh ! que sea poco no importa. Será suficiente para mí. Trabajaré ... »

« No, María. » Es José el que habla. « *Yo trabajaré*. Tu oficio será tejer y coser lo de casa. Soy joven y fuerte y soy tu esposo. No me sonrojes con tu trabajo. »

« Haré lo que quieres. »

« Sí. *Esto lo quiero*. En todas las demás cosas cualquier deseo tuyo será para mí ley. En esto no. »

Han llegado. El carruaje se detiene.

Dos mujeres y dos hombres, de cuarenta y cincuenta años respectivamente, salen al umbral. Muchos niños y adolescentes están con ellos.

« Dios te de su paz, María » dice el de mayor edad, y una mujer se acerca a María, la abraza y besa.

« Es mi hermano Alfeo y María su mujer. Estos son sus hijos. Vinieron a propósito a darte la bienvenida y a decirte que su casa es la tuya, si quieres » dice José.

« Ven, María, si te es duro vivir sola. La campiña es hermosa en primavera y nuestra casa está en medio de campos en flor. Serás la flor más bella entre ellos » dice María de Alfeo.

« Muchas gracias, María. Con mucho gusto iré e iré sin duda alguna para las bodas [1], pero tengo *muchas ganas* de ver mi casa,

---

[1] En los tiempos también de la Virgen, en Israel el matrimonio constaba de dos fases: *el noviazgo y las bodas*. La ceremonia del *noviazgo* era el paso formal para el matrimonio y se hacía de este modo: los novios se daban la mano derecha y recibían la bendición sacerdotal; se redactaba una escritura o contrato jurídico por el que se conferían al novio todos los derechos sobre la novia; el novio era llamado " esposo " y la novia " esposa " el novio-esposo no podía faltar a su palabra, sino con el repudio

82

de volverla a ver. Era pequeña cuando me fuí y la recuerdo...
Ahora vuelvo a ella... y me parece volver a encontrar a mi madre
que murió, a mi amado padre, oir nuevamente el eco de sus palabras... el perfume de su último respiro. Me parece que ya no
soy más huérfana porque tengo a mi alrededor de nuevo el abrazo de estas paredes... Compréndeme, María.» La voz de María
tiembla un poco por las lágrimas que se asoman a sus pupilas.

María de Alfeo responde: «Como quieras, querida. Quiero que
sepas que deseo ser para ti una hermana y una amiga, y un poco
madre, porque tengo más edad que tú.»

La otra mujer se acerca a María: «María, salve. Soy Sara, la
amiga de tu madre. Te vi nacer. Este es Alfeo, sobrino de Alfeo y
muy amigo de tu madre. Lo que hice por tu madre, lo haré por ti,
si quieres. ¿Ves? Mi casa es la más cercana a la tuya y tus campos son ahora de nosotros. Y si quieres venir hazlo cuando quieras.
Abriremos una vereda por la valla y estaremos juntas, aun cuan-
cada una esté en su casa. Este es mi marido.»

«Os agradezco a todos *todo*. Lo que hicisteis a los míos y lo
que me queréis hacer. El Dios Omnipotente os bendiga.»

Descargan los cofres pesados y los meten en casa. Se entra. Reconozco ahora la casita de Nazaret, como lo es durante la vida de
Jesús.

José toma a María de la mano — su costumbre — y entran. En
el dintel le dice: «Y ahora que estamos aquí, quiero que me pro-
metas una cosa. Que cualquier cosa que te sucediere, no busques
otra persona amiga, ni otra ayuda fuera de José y que por ningún
motivo, tengas que sufrir sola. Soy todo para tí, recuérdalo, y mi
alegría será hacerte feliz el camino y ya que la felicidad no está
siempre a nuestro alcance, por lo menos hacértelo tranquilo y
seguro.»

«Te lo prometo, José.»

Abren las puertas y ventanas. Los últimos rayos del sol entran.

que concedía la Ley mosaica en determinadas circunstancias; la novia-esposa no podía
disponer de sí misma. Sin embargo durante esta primera fase, los novios-esposos generalmente se quedaban en sus casas propias. La ceremonia de las *bodas* no era otra
cosa más que la formalidad solemne del contrato. A partir de este momento los esposos empezaban a vivir juntamente. Un solemne cortejo iba a traer a la novia de su casa
para conducirla a la del novio, que la introducía en su habitación. Según esta obra, María
no fue a vivir en casa de José, sino que éste en la de María, esto es, en el lugar consagrado por la Anunciación y por el Misterio de la Encarnación. A este propósito cfr. por
ej.: Gen. 1, 28; 24; Tob. 7; Is. 61, 10; Mt. 25, 1-11; Ju. 3, 29.

María se quita el manto y el velo, porque, fuera de las flores de mirto, todavía trae el vestido de matrimonio. Sale con José de la mano al huerto que está en flor. Mira, sonríe, da vuelta por él. Parece como si tomara nuevamente posesión del lugar perdido.

José le enseña lo que hizo: « ¿ Ves ? Hice esta entrecava para recoger el agua llovediza, pues la vid siempre tiene sed. Podé las ramas viejas de este olivo para darle fuerza, y fuera de estos dos manzanos que están ya muertos a los otros los he protegido[2]. He sembrado higos en lugar de los dos manzanos. Cuando crezcan, defenderán la casa del ardiente sol y de las miradas de los curiosos. El emparrado es el de antes, no hice más que cambiar las estacas podridas y podarlo. Producirá mucha uva como espero. Ven acá » y contento la lleva a la orilla que está detrás de la casa y que sirve de límite al jardín. « Aquí excavé una gruta y la reforcé. Cuando estas plantitas se hayan desarrollado, será como la que tenías antes. No hay manantial ... pero espero traer un poco de agua. Trabajaré en las tardes de verano, cuando venga a verte ... »

« Pero ¿ cómo ? » pregunta Alfeo. « ¿ No os vais a casaros ahora ? »

« No. María quiere hilar telas, lo único que falta al ajuar. Yo soy de igual parecer. Es muy joven todavía ella, y no importa si se espera un año o algo más. Entre tanto ella se acustumbra al hogar ... »

« ¡ Claro ! Siempre has sido un poco diverso de los demás y sigues siéndolo. No sé quién no tendría prisa de tener una mujer en la flor de la primavera como lo está María, y tu pones de por medio ... »

« Alegría largamente esperada, alegría mucho mejor gozada » responde José con una sonrisa muy fina.

Su hermano se encoge de espaldas. Luego le pregunta: « ¿ Y entonces ? Cuándo pensáis celebrar las bodas ? »

« Cuando María tenga dieciseis años. Después de la fiesta de los Tabernáculos. ¡ Las tardes de invierno serán agradabilísimas para los nuevos esposos ! ... » y nuevamente sonríe, mirando a María. Una sonrisa de inteligencia mutua. Una sonrisa delicada. Luego continúa: « Este es el cuarto grande que da al monte. Si te parece, construiré aquí mi oficina cuando venga. Es junto a la casa, pero

---

[2] Esta es la trad. dada a esta frase italiana: " e ho messo a dimora questi meli perché due erano morti. E poi là ho messo dei fichi " muy difícil de traducir. (N.T.).

84

no dentro de ella. Así no molestaré a nadie con mis ruidos. Pero si piensas de otro modo... »

« No, José. Está muy bien así. »

Vuelven a entrar en la casa. Prenden las lámparas.

« María está cansada » dice José. « Primos, dejémosla que descanse »

Todos se despiden. José se queda todavía algunos minutos. Habla en voz baja con Zacarías.

« Tu primo te deja a Isabel por un tiempo. ¿ Quieres ? De mi parte sí. Para que te ayude a... a convertirte en una perfecta mujer de hogar. Con ella podrás colocar, como te pareciere, tus cosas y los trastos. Vendré cada tarde a ayudarte. Ella te podrá ayudar a comprar lana y lo que fuere necesario. Yo pagaré los gastos. Acuérdate de lo que me prometiste: de recurrir a mí para *cualquier cosa*. Adiós, María. Duerme la primera noche en tu casa como su dueña y que el ángel de Dios te guarde. Que el Señor esté siempre contigo. »

« Hasta pronto, José. Que también tu estés bajo las alas del ángel de Dios. Gracias, José, por todo. En lo que pueda te pagaré tu amor con el mío. »

José saluda a los primos y se va.

Y con esto termina la visión.

23. La Anunciación

(Escrito el 8 de marzo de 1944)

Esto es lo que veo. María es una doncella muy joven: por su rostro parece tener 15 años. Está en una pequeña habitación rectangular. Una habitación de doncella.

Junto a una de las paredes está la cama. Es una cama baja sin barrotes, cubierta con gruesas esteras. Se podría decir que la cubre una tabla o un cutí de cañas, porque están bien estiradas, y sin ninguna arruga como sucede en nuestras camas. Junto a la otra pared hay un anaquel con su lámpara de aceite, rollos de pergamino, una exquisita labor de costura, que parece un recamado. Del lado de ella, junto a la puerta que está abierta y que da al huerto, pero que no se ve porque hay una cortina la que el viento mueve ligeramente, está sentada la Virgen en un banco.

Teje lino blanquísimo y delicado como la seda. Sus manitas, que son un poco menos blancas que el lino, trabajan rápidamente con el huso. Su rostro juvenil, tan hermoso, levemente está inclinado, y ligeramente sonríe, como si acariciase o fuese en pos de algún dulce pensamiento.

Un silencio profundo reina en la casita y en el huerto. Tanta es la tranquilidad que se refleja en el rostro de María, cuanta hay en el ambiente que la rodea. Hay paz. Hay orden. Todo está bien arreglado. El ambiente humilde por su apariencia y por sus muebles, tiene algo de austero y de majestuoso por su gran limpieza y cuidado con que están dispuestas las cosas del lecho, los rollos, la lámpara, el pequeño jarrón de cobre que está junto a la lámpara, y en el que hay flores de durazno y peral, por lo que creo, y si no fueren, sí lo son de algún árbol. Su color es blanco, teñido ligeramente de rosado.

María se pone a cantar en voz baja. Luego alza un poco más la voz. Una voz que vibra dentro de la habitación y en la que se percibe la palabra " Yehové " de lo que colijo que se trata de algún cántico sagrado, y tal vez sea un salmo. Puede ser que María se acuerde de los cánticos del templo. Debe tratarse de algún dulce recuerdo, porque pone sobre el pecho las manos que sostienen el hilo y huso, levanta su cabeza apoyándolo contra la pared. Su rostro está encendido de un hermoso fuego. Sus ojos buscan algo, buscan algún dulce recuerdo. Brillan al contacto de lágrimas que si no se derraman, crecen de tamaño. Y con todo, estos ojos despiden sonrisa, ríen al pensamiento que ven y que los abstrae de lo material. El rostro de María que se ha levantado de entre el blanco tejido, que está teñido de color rosado y que por detrás tiene su cabellera hecha en trenzas, como si fuesen una corona, parece una hermosa flor.

El canto se torna en plegaria: « Señor Dios Altísimo, no tardes en enviar a tu Siervo para que traiga la paz a la tierra. Acelera el tiempo propicio y crea a la virgen pura y fecunda para que venga tu Mesías. Padre, Padre santo, concede a tu sierva ofrecer su vida a este fin. Concédeme que muera después de haber visto tu Luz y tu Justicia sobre la tierra y de haber sabido que la Redención se ha cumplido. ¡ Oh Padre Santo ! manda a la tierra lo que los profetas esperaron. Manda a tu sierva el Redentor. Que cuando llegue mi última hora, se me abra tu mansión, porque sus puertas las ha abierto ya tu Mesías y las ha abierto a todos los que han esperado en Ti. Ven, ven, ¡ oh Espíritu del Señor ! Ven a nosotros que te esperamos. Ven, ¡ Príncipe de la Paz ! ... » María queda como absorta ...

La cortina se mueve mucho más fuerte, como si alguien detrás de ella soplase con algo o moviese para correrla. Una luz blanca de perla fundida en plata pura hace más claras las paredes de color ligeramente amarillo, más vivo el color de las cosas, más espiritual el rostro de María que mira a lo alto. En medio de la luz, y sin que la cortina se descorra — mejor dicho no se mueve ya, inmóvil y sujeta a la pared, parece como si separase lo interno de lo externo — se prosterna el Arcángel.

Es natural que tome un aspecto humano, pero es muy diverso. ¿ Qué clase de cuerpo tiene esa figura bellísima y radiante ? ¿ Con qué sustancia Dios la hizo material para hacerla sensible a los ojos de la Virgen ? Sólo Dios puede poseer estas sustancias y usarlas de un modo perfecto. Tiene cara, tiene cuerpo, tiene ojos, boca, cabellos y manos como nosotros, pero no son de la materia opaca nuestra. Son de una luz que ha tomado color de carne, forma de ojos, brillo de cabellera, hermosura de labios, una luz que se mueve y sonríe, que mira y habla.

« Dios te guarde ¡ María llena de gracia ! » La voz es una dulce armonía como de perlas arrojadas sobre un metal precioso.

María se estremece y baja los ojos. Y se estremece mucho más cuando ve la radiante figura postrada, casi a un metro de distancia de sí, y que con las manos cruzadas sobre el pecho la mira con una veneración sin igual.

María se pone de pie y se pega a la pared. Se pone ahora pálida, ahora enrojecida. Su rostro manifiesta sopresa y susto. Se aprieta inconscientemente las manos sobre su pecho escondiéndolas bajo las largas mangas, se inclina como para esconder lo más posible su cuerpo. Un acto delicado de pudor.

« No, no temas. El Señor está contigo. Eres bendita entre todas las mujeres. »

Pero María sigue temblando de miedo. ¿ De dónde habrá venido este ser extraordinario ? ¿ Es un mensajero de Dios o del Engañador ?

« ¡ No tengas miedo, María ! » repite el Arcángel. « Yo soy Gabriel, el Angel de Dios. Mi Señor me ha mandado a tí. No tengas miedo, porque el Señor te quiere. Concebirás ahora y darás a luz un Hijo, a quien pondrás por nombre "Jesús". Será grande, será llamado Hijo del Altísimo (y lo es en verdad), y el Señor Dios le dará el trono de David su padre y reinará para siempre en la casa de Jacob, y su Reino no se acabará jamás. Piensa, ¡ oh santa Virgen ! a quien ama el Señor, Hija de El bendecida, llamada a ser Madre de su Hijo, en el Hijo que vas a engendrar. »

« ¿ Cómo puede hacerse esto si no conozco a un hombre ? ¿ Acaso el Señor Dios no acepta más la oferta de su sierva y no quiere que sea virgen por amor a El?[1]. »

« ¡ María ! serás madre no por obra de hombre. Eres la Virgen eterna, la Santa de Dios. El Espíritu Santo descenderá en tí, y el poder del Altísimo será en tí la sombra. Por esto el que nacerá de tí, será llamado Santo e Hijo de Dios. Todo lo puede nuestro Señor Dios. Isabel, la estéril, en su vejez ha concebido un hijo que será el Profeta de tu Hijo, el que le preparará su camino. El Señor le ha quitado su oprobio, y su recuerdo permanecerá en el pueblo unido a tu nombre, como el nombre de su hijo al Hijo santo tuyo, y esto, hasta el fin de los siglos. Los pueblos os llamarán bienaventuradas por la gracia del Señor que llegó a vosotras, y sobre todo a tí, por la gracia que llegó a ellos. Isabel se encuentra en el sexto mes de haber concebido, y la pesantez le da alegría, y mucho más cuando conozca la tuya. Nada es imposible a Dios, María, tú la llena de gracia. ¿ Qué debo contestar a mi Señor ? No te llenen de confusión las ideas que en tí se levantan. El cuidará de tus intereses si pones en El tu confianza. El mundo, el cielo, el Eterno esperan tu respuesta! »

María cruza sus manos sobre su pecho, se inclina profundamente, dice: « Aquí está la esclava de Dios. Haga de mí lo que El dice. »

El Angel brilla de alegría. En profunda adoración se inclina, porque no cabe duda que ve que el Espíritu de Dios desciende sobre la Virgen inclinada al dar su respuesta afirmativa, después desaparece sin mover la cortina, pero la deja sabedora del Misterio divino.

---

[1] Aunque María estaba llena de gracia y sabiduría y era consciente de muchísimos privilegios, sin embargo Dios le había dejado oculto su designio de hacerla Madre de su Hijo, y no puede comprender a qué maternidad ha sido llamada. Cfr. pág. 58 not. 3.

24. La desobediencia de Eva [1]

(Escrito el 5 de marzo de 1944)

Dice Jesús:

« ¿ No se lee acaso en el Génesis que Dios hizo al hombre dominador de todo cuanto hay sobre la tierra, esto es, de todo, menos de El y de sus ángeles ? [2]. ¿ No se lee que hizo a la mujer para que fuese compañera del hombre en sus alegrías y en el dominio sobre todos los seres vivientes ? [3] ¿ No se lee que podían comer de todo, menos del árbol de la ciencia del bien y del mal ? [4] ¿ Por qué ? ¿ Qué cosa se sobreentiende bajo la palabra " dominadores " ? Tantas veces os lo habéis preguntado, vosotros que os preguntáis tántas cosas inútiles y no sabéis preguntar jamás a vuestras almas verdades celestiales ?

Vuestra alma, si estuviese viva, os las diría, porque cuando está en gracia es como una flor en la mano de vuestro ángel; como una flor que besa el sol y riega el Espíritu Santo, que la calienta e ilumina, que la baña y adorna con luces celestiales. ¡ Cuántas verdades os diría vuestra alma si supieseis conversar con ella, si la amáseis como la que os hace semejantes a Dios que es Espíritu como espíritu es vuestra alma. ¡ Qué amiga tan grande tendríais en vuestra alma si la amáseis en lugar de odiarla hasta matarla ! ¡ qué grande y sublime amiga sería con la que pudiéseis hablar de cosas del cielo, vosotros quienes os morís por charlar, y que os echáis a perder el uno al otro con amistades que si no son indignas (algunas veces lo son), con todo siempre son inútiles y no son más que una vana algarabía o un cúmulo nocivo de palabras, y palabras que huelen a humano.

¿ No acaso os he dicho: " Quien me ama, observará mi palabra y mi Padre lo amará y vendremos a él y pondremos en él nuestra mansión " ? [5]. El alma en gracia posee el amor y poseyendo el amor, posee a Dios, esto es, al Padre que la cuida, al Hijo que la amaestra, al Espíritu que la ilumina. Posee, pues, al Conocimiento, a la Cien-

---

[1] La Escritora trata aquí del Pecado Original. Para comprender su pensamiento cfr. Apéndice, pág. 253.
[2] Cfr. Gén. 1, 26 y 28.
[3] Ib. 1, 27; 2, 18 y 20-25.
[4] Ib. 2, 16-17; 3, 1-3.
[5] Cfr. Ju. 14, 23.

cia, a la Sabiduría. Posee a la Luz. Por esto, pensad qué conversaciones sublimes podría sostener con vosotros vuestra alma. Son las que han llenado el silencio de las cárceles, el silencio de las celdas, el silencio de los eremitorios, el silencio de las habitaciones de los enfermos santos. Son las que han consolado a los encarcelados en la espera del martirio, a los enclaustrados en la búsqueda de la verdad, a los eremitas que anhelan por un conocimiento anticipado de Dios, a los enfermos en soportar sus dolores, pero ¡qué digo! a amar su cruz.

Si supiéseis preguntar a vuestra alma, os diría que el significado verdadero, preciso, amplio como la creación, de la palabra "dominadores" es este: "Para que el hombre domine *todo. Los tres estadios.* El estadio inferior, esto es, el *animal.* El estadio intermedio, el *moral.* El estadio superior, el *espiritual.* Y los tres los enderece a un único fin: a poseer a Dios". Será digno de poseerlo con un férreo dominio con que sujete todas las fuerzas de su propio "yo" y las haga servir a este *único* objeto: merecer poseer a Dios. El alma os diría que Dios había prohibido el conocimiento del bien y del mal, porque el bien lo había dado gratuitamente a sus creaturas, y no quería que conocieseis el mal, porque es un fruto dulce al paladar, pero una vez que entra en la sangre, provoca una fiebre que mata y que produce un ardor. Por esto cuanto más se bebe de este jugo mendaz, tanto más se tiene sed.

Replicaréis: "¿Por qué lo puso?" ¿Por qué? Porque el mal es una fuerza que nació por sí sola como ciertos males monstruosos en un cuerpo sano.

Lucifer era un ángel. El más bello de los ángeles. Espíritu perfecto, inferior tan sólo a Dios. Y sin embargo en su ser luminoso nació un vapor de soberbia que él no dispersó, antes bien lo fomentó. Y de aquí nació el mal, que existió antes de que el hombre existiese. Dios había arrojado a Lucifer fuera del paraíso, a Lucifer el fomentador del mal, a este que ensució el paraíso. Y ha permanecido como el incubador del mal, y no pudiendo ensuciar más el paraíso, ha ensuciado la tierra.

Esa planta simbólica [6] demuestra esta verdad. Dios había dicho al hombre y a la mujer: "Conocéis todas las leyes y misterios de la creación, pero no pretendáis usurparme el derecho de ser el Creador del hombre. Para propagar la estirpe humana bastará mi

_____
[6] Cfr. pág. 98 not. 9.

amor que vivirá en vosotros, y no por concupiscencia, sino por un anhelo de caridad suscitará nuevos Adanes de vuestra raza. Os doy todo, tan sólo me reservo este misterio de la formación del hombre ".

Satanás quiso arrebatar esta virginidad intelectual al hombre y con su lengua viperina acarició y fascinó los miembros y ojos de Eva, creando en ella reflejos y excitaciones que antes no tenía porque la malicia no los había envenenado todavía.

Ella " *vió* ". *Y al ver quiso probar. La carne se había excitado.* ¡ Oh ! ¡ si hubiese invocado a Dios ! Si hubiera corrido a decirle: " Padre. Estoy enferma. La Serpiente me ha hablado muy bonito y me siento turbada ". El Padre la hubiera purificado y curado con su aliento, porque si había podido infundirle la vida, podía infundirle nuevamente la inocencia, haciendo que se olvidase del veneno viperino y hubiera colocado en ella la repugnancia hacia la Serpiente, como sucede con aquellos que enfermos de algo, después de curarse cobran una instintiva repugnancia hacia lo que sufrieron. Pero Eva no fue al Padre. Volvió sus ojos a la Serpiente. Era una sensación dulce para ella. " Al ver que el fruto del árbol era bueno para poderse comer, y que era bello y atrayente, lo cortó y comió de él " [7].

Y " comprendió ". *Ya la malicia había bajado a morderle las entrañas.* Vió con ojos nuevos y oyó con oídos nuevos los instintos y las voces de los animales, y sintió arder en ella algo raro. *Fue la primera en pecar. Condujo a su compañero a igual cosa. Por esto sobre la mujer pesa una sentencia mayor.*

Por Eva el hombre se rebeló contra Dios y por ella conoció la lujuria y la muerte. Por ella no pudo más dominar sus tres estadios o reinos: el *del espíritu*, porque permitió que el espíritu desobedeciese a Dios; el *moral*, porque permitió que las pasiones se enseñoreasen de él; el de la *carne*, porque se envileció hasta seguir los instintos de los brutos. " La Serpiente me engañó " dijo Eva. " La mujer me presentó el fruto, y comí de él " dijo Adán [8]. Desde aquel momento la concupiscencia triple se apoderó de los tres estadios o reinos del hombre.

No hay ninguna otra cosa fuera de la gracia que pueda soltar de las amarraduras de este monstruo despiadado. Y si siempre

[7] Cfr. Gén. 3, 6.
[8] Ib. 3, 12-13.

vive, si conserva siempre viva la voluntad de un hijo fiel, llega a destrozar al monstruo y a no temer nada. No temerá a los tiranos internos, esto es, la carne y sus pasiones; ni a los tiranos externos: esto es, al mundo y a los poderosos del mundo; ni a las persecuciones, ni a la muerte. Es como dice el apóstol Pablo [9]: " No temo ninguna de estas cosas, ni tengo tanta estima por mi vida con tal de que cumpla mi misión y lo que me encargó el Señor Jesús que llevase a cabo para dar testimonio del Evangelio de la gracia de Dios ". »

[9] Hech. 20, 24.

25. La nueva Eva obedeció en todas las formas [1]
(Escrito el 8 de marzo de 1944)

Dice María:

« Cuando comprendí la misión a que Dios me destinaba, me llené de gozo. Mi corazón se abrió como un lirio cerrado y proporcionó la sangre que sirvió de tierra al Germen del Señor.

Gozo de ser madre.

Desde mis primeros años me había consagrado a Dios porque la Luz del Altísimo me había iluminado la causa del mal del mundo y había querido, en lo que en mí estaba, borrar de mí las huellas de Satanás. No sabía que no tuviese mancha alguna. No podía pensarlo. El haberlo hecho hubiera sido presunción y soberbia, porque, nacida como todos los demás, no me era lícito pensar que yo era la elegida para ser la Inmaculada. El Espíritu de Dios me había dicho del dolor del Padre cuando Eva pecó, cuando se envileció, ella creatura de gracia, a un nivel de una creatura inferior. Tenía yo intención de consolar ese dolor, al conservar mi cuerpo puro, al conservarme pura en mis pensamientos, deseos y contactos humanos. Sólo para El reservaba el palpitar de mi amor; sólo para El la razón de mi ser. Pero si no existía en mí el ardor de la concupiscencia, sí existía el sacrificio de no ser madre.

[1] Para el Pecado Original cfr. Apéndice, pág. 253.

El Padre, Creador, concedió la maternidad también a Eva libre de todo cuanto ahora la envilece. Una maternidad dulce y pura sin el lastre de los sentidos. Yo la probé. ¡De cuánta riqueza se despojó Eva! Más que de la inmortalidad. Y no parezca exageración. Mi Jesús y yo con Él hemos conocido lo que significa el debilitamiento próximo a la muerte. Yo el dulce languidecer de quien cansado se duerme, Él el atroz debilitamiento de quien muere en el suplicio. Los dos, pues, morimos[2]. Pero la maternidad que me dejó intocable a mí la nueva Eva, la conocí para que pudiese decir al mundo cuál hubiera sido la dulce suerte de la mujer al dar a luz sin ningún sufrimiento. Y el deseo de esta maternidad pura podía existir y de hecho existía en mí, porque ella es la gloria de la mujer.

Si reflexionáis en la gran honra en que era tenida en Israel la mujer que llegaba a ser madre, podréis comprender mejor el sacrificio a que me comprometía al privarme de ella. El que es todo Bueno concedía a su sierva este don sin quitarme el candor de que me había revestido para ser una flor de su trono. Y yo me alegraba con el doble gozo de ser madre de un hombre y de ser Madre de Dios.

Gozo de ser Aquella por la que la paz se consolida entre el cielo y la tierra.

¡Oh qué gozo el haber deseado esta paz por amor de Dios y del prójimo y saber que por mi medio, pobre esclava del Poderoso, venía al mundo! Decir: "¡Oh hombres no lloréis más. Traigo conmigo el secreto que os hará felices. No os lo puedo decir porque el secreto está encerrado en mi corazón, como mi Hijo está encerrado en mi seno inviolado. Pero lo traigo ya entre vosotros. Cada hora que pasa, se acerca más el momento en que lo veréis y conoceréis su santo Nombre".

Gozo de haber hecho feliz a Dios: gozo de que creí haberlo hecho.

¡Oh haber arrancado del corazón de Dios la amargura de la desobediencia de Eva! ¡de la soberbia de Eva! de su incredulidad. Mi Jesús ha explicado con qué clase de culpa se manchó la primera Pareja. Yo anulé esa culpa, volviendo a subir las etapas por las que bajó.

El principio de la culpa estuvo en la desobediencia: "No comáis y no toquéis ese árbol" Dios había dicho[3]. El hombre y la mujer,

---

[2] En qué sentido la Escritora hable de la muerte de la Virgen, cfr. los últimos caps. del vol. 5° dedicados a su bienaventurado tránsito.
[3] Cfr. Gén. 2, 17.

el rey de la creación, que podían comer y tocar todo fuera de aquel fruto, porque Dios quería que no fuesen inferiores a los ángeles, no tuvieron en cuenta la orden dada.

La planta: el medio para probar la obediencia de los hijos. ¿ Qué es la obediencia a la orden de Dios ? Es un bien, porque Dios no ordena sino más que esto. ¿ Qué es la desobediencia ? Es un mal, porque pone al corazón en una disposición rebelde de la que puede aprovecharse Satanás. Eva fue al árbol. Si hubiera huído de él, no le hubiera tocado el mal. La curiosidad la arrastra para ver qué había de especial en el árbol, la imprudencia la empuja a no considerar como útil la orden de Dios, puesto que ella es fuerte y pura, reina del Edén en donde todas las cosas le obedecen, y ninguna puede causarle mal. Su presunción la llevó a la ruina. La presunción es el fermento de la soberbia.

En el árbol encuentra al Seductor, el cual canta la canción de la mentira a su inexperiencia, a su inocente inexperiencia, a su mal custodiada inexperiencia. " ¿ Piensas que hay aquí algo de mal ? No. Dios te lo prohibió porque quiere teneros como esclavos de su poder. ¿ Creéis ser reyes ? No sois ni siquiera libres como lo es la fiera. Ella puede amar con un amor verdadero. Pero no vosotros. A ella se le ha permitido ser creadora como Dios. Ella engendrará hijos y verá crecer feliz su familia. Pero no vosotros. A vosotros se os ha negado esta alegría. ¿ A qué fin se os hizo macho y hembra si debéis vivir de este modo ? Sois dioses y no sabéis lo que significa ser dos en una sola carne, que crea una tercera y muchas más. No creáis a las promesas de Dios de que tendréis el gozo de una posteridad al ver que vuestros hijos procrean nuevas familias, y que dejan por ellas a padre y madre. Os dió una apariencia engañosa de la vida : la verdadera vida consiste en conocer las leyes de la vida. Entonces seréis semejantes a dioses y podréis decir a Dios : ' Somos tus iguales ' ".

Y la seducción continuó porque no había voluntad de rechazarla, antes bien sí la había, como también la había de conocer lo que no pertenecía al hombre. Y el árbol prohibido se convierte en realidad para el género humano en algo mortal, porque de sus ramas pende el fruto del saber amargo que proviene de Satanás. Y la mujer se convierte en hembra, y con el fermento del conocimiento satánico en el corazón, va a corromper a Adán. Llegada a este nivel la carne, corrompido lo moral, degradado lo espiritual, conocieron el dolor y la muerte del espíritu privado de la gracia, y de la carne privada de la inmortalidad. La herida de Eva engendró el sufrimiento, que no terminará sino hasta cuando muera la última pareja sobre la tierra.

He vuelto a caminar el camino de los dos pecadores. *Obedecí. Obedecí en todas las formas.* Dios me había pedido que fuera virgen. *Obedecí.* Al amar la virginidad que me hacía pura como lo fue la primera mujer antes de conocer a Satanás. Dios me pidió que fuese esposa. *Obedecí, poniendo el matrimonio en aquel prístino grado de pureza que existió en el pensamiento de Dios cuando creó a los dos Primeros seres humanos.* Convencida de ser destinada a vivir sola en el matrimonio, y a que los demás despreciasen mi esterilidad santa, entonces Dios me pidió que fuese Madre. *Obedecí. Creí que era posible, y que esa palabra venía de Dios, porque al oirla, la paz se derramaba dentro de mí.*

No pensé: "me lo merecía". No me dije a mí misma: "Ahora el mundo me admirará, porque soy semejante a Dios al crear la carne que tendrá Dios". No. Me aniquilé en mi humildad. El gozo me brotaba del corazón como un tallo de una rosa en flor. Pero prontamente se adornó con espinas punzantes y se encontró envuelta en el dolor, como esos ramos que se ven envueltos de las campanillas. El dolor del dolor del esposo y ésto era lo que ahogaba mi gozo. El dolor del dolor de mi Hijo: y estas eran las espinas de mi gozo. Eva buscó el placer, el triunfo, la libertad. Yo acepté el dolor, el aniquilamiento, la esclavitud. Renuncié a mi vida tranquila, a la estimación de mi esposo, a mi propia libertad. No me reservé nada.

Me convertí en la Esclava de Dios en la carne, en lo moral, en el espíritu. Me confié a El no sólo en lo que se refiere a la concepción virginal, sino también en lo que tocaba a mi honor, en lo que podía ser consuelo de mi esposo, en el medio con el que también podía él llegar a la sublimación del matrimonio, de modo que ambos pudiéramos devolver al hombre y a la mujer su dignidad perdida. Para mí, para mi esposo, para mi Hijo abracé la voluntad del Señor. Dije: "Sí" para los tres, segura que Dios no habría mentido a sus promesa de socorrerme en mi dolor de esposa que se ve tratada como culpable, de madre que sabe que engendra un Hijo para el dolor.

Dije: "Sí". Sí y basta. *Aquel "sí" anuló el "no" de Eva al mandamiento de Dios.* "Sí, Señor, como Tu quieras. Conoceré lo que quieres. Viviré como quieres. Me alegraré si quieres. Sufriré por lo que quieres. Sí, siempre sí, Señor mío, desde el momento en que tu rayo me hizo Madre hasta el momento en que me llamaste a Ti. Sí, siempre sí. Todas las voces de la carne, todas las pasiones de lo moral bajo el peso de este mi perpetuo decir 'sí' y arriba como un pedestal de diamante, mi espíritu al que faltan alas para volar a Ti, pero que es dueño del 'yo' domeñado y tu siervo. Siervo en el gozo, siervo en el dolor. Sonríes ¡ oh Dios mío ¡ Te sientes feliz. La culpa ha sido vencida. Ha desaparecido. Ha sido destruída. Está bajo mi carcañal. Se ha lavado con mi llanto, destruído con mi obediencia. De mi seno nacerá el nuevo Arbol que producirá el Fruto que conocerá todo el mal por haberlo padecido en Sí y producirá todo el bien. A él podrán acercarse los hombres y seré feliz al ver que lo aceptan, aun cuando no piensen que ha nacido de mí. Con tal de que el hombre se salve y Dios sea amado, hágase de su esclava lo que se hace del lugar donde nace un árbol: una grada para subir ". »

26. Una breve explicación sobre el Pecado original [1]

(Escrito el mismo día)

Dice Jesús:

« Las palabras de mi Madre bastarían para quitar toda clase de duda aun a los más avezados en las fórmulas.

¡ Y que si hay muchos ! Quieren al tratarse de las cosas divinas pensar con su medida humana y quisieran que también Dios así pensase. Pero qué hermoso es pensar que Dios reflexiona de una manera completamente sobrehumana de lo que el hombre hace. Y sería una cosa muy bella que os esforzaseis en reflexionar no según el modo humano sino según el espíritu y que siguieseis a Dios. No quedarse enclavados donde vuestro pensamiento se quedó. También esto es soberbia, porque presupone la perfección en la inteligencia humana. Pues nada de perfecto existe fuera del Pensamiento divino el cual puede, si quiere y cree que sea útil hacerlo, puede descender y convertirse en Palabra en la mente y en los labios de una creatura suya que el mundo desprecia porque a sus ojos es ignorante, debilucha, tenaz, pueril.

[1] En este cap. como en el 24 y 25 la Escritora trata del Pecado original, pero tan sólo en algunos aspectos. Para conocer su pensamiento cfr. Apéndice. pág. 253.

A la Sabiduría gusta — para desorientar la soberbia de la inteligencia — derramarse sobre estos deshechos del mundo, que no tienen doctrina propia, ni aun una cultura adquirida, sino viven solo en el amor y en la pureza, grandes por su voluntad de servir a Dios haciéndolo conocer y amar después de haber merecido conocerlo y amarlo con todas sus fuerzas. Ved ¡ oh hombres ! En Fátima, en Lourdes, en Guadalupe, en Caravaggio, en la Salette, ha habido verdaderas apariciones y santas; los videntes, los que fueron llamados para ver, han sido pobres creaturas por su edad, por su cultura, condición; eran de los más humildes seres de la tierra. A estos desconocidos, a estos "nada" se revela la gracia y los hace sus heraldos.

¿ Qué deben hacer entonces los hombres ? Inclinarse como el publicano y decir: "Señor yo era demasiado pecador para merecer conocerte. Sé bendito por tu bondad que me consuela a través de estas creaturas y me proporciona un áncora celestial, un guía, un maestro, una salvación "[2]. No decir: "¡ Pero no ! ¡ Supersticiones ! ¡ Herejías ! ! No es posible !" ¿ Cómo que no es posible ; ¿ No es posible que un ignorante llegue a ser docto en la ciencia de Dios ? ¿ Y por qué no es posible ? ¿ No acaso resucité a muertos, curé a dementes, epilépticos, hice que hablasen los mudos, que los ciegos viesen, los sordos oyesen, entendiesen los retrasados mentales ? ¿ No acaso arrojé demonios, ordené a los peces que se metiesen en la red, a los panes multiplicarse, al agua convertirse en vino, a la tempestad calmarse, a las ondas del mar hacerse sólidas como tierra firme ? ¿ Qué cosa hay imposible para Dios ?

Antes de que Dios, el Mesías, Hijo de Dios, estuviese entre vosotros, ¿ no obró acaso el milagro por medio de sus siervos que obraban en su Nombre ? ¿ No se convirtieron en fecundas las entrañas de Sarai la esposa de Abraham para que fuese Sara y en su vejez diese a luz a Isaac destinado para ser con el que volviese a hacer el pacto [3] ? ¿ No se cambiaron en sangre las aguas del Nilo y se llenaron de animales inmundos por orden de Moisés ? Y por su palabra ¿ no acaso murieron de peste los animales y úlceras destrozaron las carnes de los hombres, y sus trigales fueron devastados por el terrible granizo, sus árboles los dejaron sin follaje las langostas, y por tres días no hubo luz, y los primogénitos fueron muertos, y se abrió el mar para que pasase Israel, se endulzaron las aguas que eran amargas, y vino abundancia de codornices y maná, y brotó agua de la roca árida ? [4] ¿ No acaso Josué detuvo al sol en su carrera [5] ? ¿ Y el joven David no echó por tierra acaso al gigante [6] y Elías multiplicó la harina y el aceite y resucitó al hijo de la viuda de Sarepta [7] ? ¿ No acaso a su mandato bajó lluvia sobre la árida tierra y fuego del cielo sobre el holocausto [8] ? ¿ Y el Nuevo Testamento no es acaso un bosque florido de milagros ? ¿ Quién es el señor del mila-

---

[2] Cfr. Lc. 18, 13.
[3] Cfr. Gén. 17, 15-21.
[4] Cfr. Ex. 7, 17 . . . 17, 7.
[5] Cfr. Jos. 10, 12-14.
[6] Cfr. 1ª. Rey. 17.
[7] Cfr. 3ª. Rey. 17, 7-24.
[8] Cfr. 3ª. Rey. 18, 19-46.

gro ? ¿ Qué cosa, pues, es imposible para Dios ? ¿ Quién como Dios ?

Doblegad la frente y adorad. Y si, debido a que los tiempos ya empiezan a madurar para la gran cosecha, y todo debe conocerse antes de que el hombre cese de existir, todo: las profecías dichas después de Cristo, las proferidas antes de El, y el simbolismo bíblico que tiene principio desde las primeras palabras del Génesis — y si os instruyo sobre un punto que hasta ahora no había sido explicado, aceptad este regalo y sacad el fruto, más bien que lo condenéis. No hagáis como los judíos de mi tiempo, cuando viví, que cerraron su corazón a mis instrucciones y no pudiendo comprender los misterios y las verdades sobrenaturales, me llamaban obseso y blasfemo.

Dije: " planta metafórica ". Ahora digo " planta simbólica ". Tal vez comprenderéis mejor [9]. Su simbolismo es claro: de cómo dos hijos de Dios se habrían comportado respecto a ella, se habría colegido cómo existía en ellos tendencia al bien y al mal. Como el agua regia que sirve para probar el oro y la balanza del orfebre que pesa los carates, esa planta que se había convertido en un " encargo " por mandato de Dios, fue la que dió la medida de la pureza del metal de Adán y Eva.

Me parece oir ya vuestra objeción: " ¿ No acaso fue mayor la condena e infantil el medio que se empleó para condenarlos ? "

No lo fue. Una desobediencia actualmente en vosotros que sois sus herederos, es menos grave que no en ellos. A vosotros os redimí. Pero el veneno de Satanás siempre está pronto a aparecer como ciertas enfermedades que no desaparecen nunca totalmente de la sangre. Ellos, los dos primeros padres, poseían la gracia sin haber estado privados de ella. Por lo tanto eran más fuertes. La gracia los sostenía mejor; la gracia que producía en ellos inocencia y amor. Infinito era el don que Dios les había otorgado. Por esto mayor fue su caída pese al don que tenían.

Simbólico también el fruto que se les ofreció y que comieron. Era el fruto de una *experiencia que querían realizar por instigación satánica, desobedeciendo el mandato de Dios.* Yo no había prohibido a los hombres amarse. Quería tan sólo que se amasen sin malicia; como los amaba Yo con mi santidad, así debían amarse, sin ninguna mancha de lujuria.

No se debe olvidar que la gracia es luz, y que quien la posee conoce lo que es útil y bueno de conocerse. La Llena de gracia co-

---

[9] " El árbol del bien y del mal, verdadero árbol por naturaleza y estructura era también un árbol simbólico ".

noció todo porque la Sabiduría la instruía, la Sabiduría que es gracia, y se dejó guiar santamente. Eva conocía pues, lo que era bueno conocer. No más de eso, *porque es inútil conocer lo que no es bueno.* No tuvo fe en la palabra de Dios y no fue fiel a su promesa de obediencia. Creyó a Satanás, quebrantó su promesa, quiso conocer lo que no es bueno, lo amó sin remordimiento, entrego su amor que se le había dado y que era tan santo, a una cosa corrupta, a una cosa que no valía nada. Angel caído, se arrastró por el fango y sobre la hierba seca cuando podía haber corrido dichosa por entre las flores del Paraíso terrestre y ver florecer a su alrededor su prole, así como una planta que se cubre de flores sin doblegar su copa en el pantano.

No seais como los niños necios que señalo en el evangelio [10], los cuales oyeron cantar y se taparon las orejas, oyeron sonar y no bailaron, oyeron llorar y prefirieron reirse. No seais tacaños, ni obstinados. Aceptad, aceptad sin malicia y testarudez, sin ironía ni incredulidad, la Luz.

Y esto es suficiente y para que podáis comprender cuán gratos debéis ser para con el que murió para levantaros al cielo y para vencer la concupiscencia de Satanás, he querido hablaros en este tiempo de prepración para la Pascua, de esto que fue el primer anillo de la cadena con que el Verbo del Padre fue llevado a la muerte, el Cordero divino al matadero. Quise hablaros de ello porque ahora el noventa por ciento de vosotros es semejante a Eva envenenada del hálito y palabras de Lucifer, y no vivís para amaros, sino para saciaros de los sentidos; no vivís para el cielo sino para el fango; no sois más creaturas dotadas de alma y razón sino perros sin alma y sin inteligencia. Habéis matado el alma y pervertido la razón. En verdad os digo que los brutos os superan en la honestidad de sus amores. »

[10] Cfr. Lc. 7, 31-32.

27. Isabel está en cinta

(Escrito el 25 de marzo de 1944)

Veo la casita de Nazaret. María está ahí. Jovencilla como cuando el ángel de Dios se le apareció. Tan sólo con verla el alma se me llena del perfume virginal de esta casa. Del perfume angélico del que todavía está impregnado el aire. Del perfume divino que se ha concentrado en María para hacer de ella una Madre y que de ella ahora se difunde.

Es tarde. Las tinieblas empiezan a invadir el lugar donde antes brillaba la luz del cielo.

María de rodillas, cerca de su cama, ruega con los brazos cruzados sobre su pecho y con su rostro muy inclinado hacia la tierra. Todavía está vestida como cuando la Anunciación. Todo está como entonces. Las flores en el jarrón, el ajuar en el mismo orden. Tan sólo la rueca y el huso están en un rincón con el resto del estambre.

María termina de orar. Se pone de pie con el rostro encendido como de una llama. La boca sonríe pero el llanto brilla en su mirada azul. Toma la lámpara de aceite y la enciende con el pedernal. Mira que todo esté ordenado en su pequeña habitación. Compone la manta del lecho que se había arrugado un poco. Pone agua en el jarrón donde están las flores y lo saca afuera, para que reciba el fresco de la noche. Entra nuevamente. Toma el recamo doblado que estaba sobre el anaquel y la lámpara y sale cerrando la puerta. Da unos cuantos pasos por el huertecillo, girando por la casa, luego entra en la habitacioncilla donde ví que Jesús se despidió de Ella. La reconozco aun cuando ahora le faltan algunos muebles que después tendrá.

María se va llevándose la lámpara a otro lugar pequeño y cercano, y yo me quedo allí con mi única compañía que es su labor que ha dejado sobre la extremidad de la mesa. Oigo su paso que ligero va y viene; oigo que mete las manos en el agua y que lava algo, que después rompe varas, me imagino que es leña. Oigo que enciende fuego.

Luego regresa. Vuelve al jardincito, entra con manzanas y verduras. Las manzanas las pone en una bandeja que parece de bronce bruñido que está sobre la mesa. Vuelve a la cocina (debe ser allí). Ahora la llama alegre del horno se ve fuera de la puerta abierta, y ensaya una danza sobre las paredes.

Pasa un poco de tiempo. María vuelve con un pequeño pan de color moreno y un tazón de leche caliente. Se sienta y moja pedazos de pan en ella. Se los come despacio. Luego, dejando mitad de leche entra nuevamente a la cocina y regresa con verduras, que rocía con aceite, y se las come con el pan. Toma la leche en lugar de agua. Luego se come una manzana. Una cena de niña. María come y piensa. Sonríe a algo que le llena su corazón. Levanta sus ojos. Mira las paredes y parece como si con ellas hablase de algún secreto. De cuando en cuando se pone seria, casi triste, pero luego torna la sonrisa.

Se oye que tocan en la puerta. María se levanta a abrir. Entra José. Se saludan. Luego José se sienta sobre un banquillo enfrente a María, al otro lado de la mesa.

José es un bello hombre en su edad madura. Tendrá unos treinta y cinco años a lo más. Sus cabellos castaño-oscuros y su barba también castaño-oscura le adornan la cara en la que hay dos dulces ojos de un castaño casi negro. Su frente es ancha y lisa. Su nariz delgada, un poquitín encurvada. Sus mejillas más bien redondas de un color moreno pero no de oliva, sino más bien colorado en los pómulos. No es muy alto, pero sí robusto y bien proporcionado.

Antes de sentarse se quita el manto en forma circular (el primero que veo de esta forma), y sostenido en la garganta con una especie de gancho o cosa semejante y que tiene su capucho. Es de color café ligero y parece hecho de lana tosca e impermeable. Parece un manto de algún montañés, propio para defenderse de las tempestades. Antes de sentarse ofrece a María dos huevos y un racimo de uvas un poquitín ajadas. Al ofrecérselas se sonríe: « Me las trajeron de Caná. Los huevos me los dió el centurión por un arreglo que hice en su carruaje. Tenía algo en la rueda, y su trabajador está enfermo. Están frescos. Los tomó de su gallinero. Bébetelos. Te hacen bien. »

« Mañana, José. Acabo de comer. »

« Pero cómete las uvas. Están buenas. Dulces como la miel. Las traje despacio para que no se maltratasen. Cómetelas. Tengo todavía más. Te las traeré mañana en un cesto. Ahora no podía porque me vine directamente de la casa del centurión. »

« Luego no has cenado. »

« No. Pero no importa. »

María se levanta al punto. Va a la cocina, vuelve con un tarro de leche, aceitunas y queso. « No tengo otra cosa » dice. « Bébete un huevo. »

José no acepta. Los huevos son para María. Come con gusto el pan y queso y bebe leche todavía tibia. Acepta una manzana. La cena ha terminado.

María toma su bordado, después de haber limpiado la mesa. José la ayuda y se queda en la cocina aun cuando ella regresa acá. Veo que pone todo en su lugar. Atiza el fuego, porque la noche es un poco fría.

Cuando viene, María le da las gracias. Hablan entre sí. José le cuenta cómo pasó el día. Le habla de sus sobrinos. Pregunta a María qué como le va con su labor y con sus flores. Promete traerle flores muy hermosas que el centurión le ha prometido. « Son flores que no tenemos. Las trajeron de Roma. Me prometió unos piecitos. Cuando llegue la luna buena, los trasplantaré aquí. Son muy bellas de color y despiden un perfume muy grato. Las ví en el verano pasado, porque sólo en verano florecen. Te perfumarán toda la casa. Luego las podaré cuando la luna sea propicia. Es tiempo. »

María sonríe y le da las gracias. Silencio. José mira la cabeza rubia de María inclinada sobre su tejido. Una mirada de amor angelical. No cabe duda que si un ángel fuese capaz de amar a una mujer, la miraría así.

María, como si tomase una decisión, pone sobre sus rodillas el hilado y dice: « José, también yo tengo algo que decirte. Casi nunca tengo nada, porque bien sabes que vivo solitaria, pero hoy tuve una noticia, y es que nuestra parienta Isabel, mujer de Zacarías, está por tener un hijo . . . »

José abre tamaños ojos y pregunta: « ¿ A esa edad ? »

« ¡ A esa edad! » responde sonriente María. « Todo lo puede el Señor. Ahora ha querido proporcionar a nuestra parienta esta alegría. »

« ¿ Cómo lo sabes ? ¿ Estás segura de la noticia ? »

« Vino un mensajero. Es uno que no dice mentiras. Quisiera ir a su casa para servirle y decirle que me congratulo con ella. Si me lo permites . . . »

« María tu eres la señora y yo el esclavo. Todo lo que hagas está bien hecho. ¿ Cuándo quieres partir ? »

« Lo más presto posible. Estaré ausente por algunos meses. »

« Y yo contaré los días esperándote. Ve tranquila. Cuidaré de la casa y del huertecillo. Encontrarás tus hermosas flores como si las hubieses regado. Sólo . . . espera. Debo ir antes de la Pascua a Jerusalén para comprar algunas cosas para mi trabajo. Si esperas algunos días te acompañaré hasta allá. Pero no más porque debo volver lo más pronto posible. Hasta allí podemos ir juntos. Me sentiré más tranquilo si sé que no vas sola por el camino. Me haces saber cuándo regresas, para que vaya a encontrarte. »

« Eres muy bueno, José. El Señor te pague con bendiciones y

aleje de tí el dolor. Siempre le pido esto. »

Los dos castos esposos se sonríen delicadamente. El silencio reina por un poco de tiempo, después José se levanta, se pone el manto y el capucho en la cabeza. Se despide de María que también se ha levantado y sale.

María lo mira salir con un suspiro de aflicción. Levanta los ojos al cielo. Ciertamente que está orando.

Cierra la puerta cuidadosamente. Dobla el recamo. Va a la cocina. Apaga, mejor dicho, tapa el fuego. Mira que todo esté en su lugar. Toma la lámpara y sale, cerrando la puerta. Defiende con su mano la llamita que tiembla al viento frío de la noche. Entra en su habitación y vuelve a orar.

La visión termina de este modo.

28. « Déjame, que Yo te justificaré ante tu esposo »

(Escrito el mismo día)

Dice María:

« Querida hija, cuando cesó el éxtasis que me llenaba de inefable alegría y volví a la tierra, el primer pensamiento, que me punzó como espina de rosa, que me punzó el corazón todavía envuelto en las rosas del Amor divino, fue el pensar en José.

Yo lo amaba. Era mi santo y providente custodio. Desde que quiso Dios, por medio de la palabra de su sacerdote, que me hubiese prometido a José, pude conocer y apreciar la santidad de este Justo. Junto a él había sentido que mi soledad de huérfana desaparecía. No extrañaba más mi permanencia en el Templo. Era tan bueno como mi padre a quien había yo perdido. Cerca de José me sentía segura, como si fuese el sacerdote. Toda duda había desaparecido. Y tanto era que había comprendido que no tenía qué temer de José. Más segura que un niño en los brazos de su mamá, así estaba mi virginidad confiada a José.

Y ahora ¿ cómo iba a decirle que era yo Madre ? Buscaba las palabras para darle la noticia, cosa difícil. No quería enorgullecerme del don de Dios y no podía de ninguna manera justificar mi maternidad sin decir: " El Señor me ha amado entre todas las mujeres y a mí su sierva me ha hecho Madre ". No podía engañarlo, ocultándole mi estado.

Yo oraba al Señor y el Espíritu de quien estaba llena me dijo: " Cálmate. Déjame, quo Yo te justificaré ante tu esposo ". ¿ Cuándo ? ¿ Cómo ? No se lo pregunté. Me confié a El como una flor se confía a la onda que la lleva. Jamás el Eterno me había dejado sin su ayuda. Su mano me había sostenido, protegido, guiado hasta aquí. Lo haría una vez más.

Hija mía, ¡cuán hermosa y consoladora es la fe en nuestro eterno y buen Dios ! Nos pone en sus brazos como en una cuna. Nos conduce como una barca al luminoso puerto del bien, nos conforta el corazón, nos consuela, nos nutre, nos da descanso y alegría, nos da luz y guía. Todo se encuentra al confiar en Dios y Dios da todo a quien confía en El: se da a Sí mismo.

Aquella noche mi confianza humana llegó a la perfección. Podía hacerlo porque Dios estaba en mí. Antes había tenido la confianza de una pobre creatura como lo era, siempre un nada, aun cuando era tan Amada hasta ser la mujer que no conocía pecado, pero ahora tenía la confianza divina porque Dios era mío: mi Hijo. ¡ Oh qué alegría ! Ser una sola cosa con Dios. No por gloria mía, sino para amarlo con una total unión, y así poder decirle : " Tú, Tú que estás en mí, ayúdame a hacer todas las cosas con tu divina perfección ".

Si El no me hubiera dicho: " Cálmate " me habría atrevido, poniendo mi rostro en el suelo a decir a José: " El Espíritu ha venido a mí, y en mí está el Germen de Dios "; y me habría creído, porque me quería y porque como todos los que no mienten jamás, no hubiera imaginado que yo mintiese. Sí, con tal de no causarle ningún dolor en lo futuro, habría vencido mi renuncia a alabarme. Pero obedecí al divino mandamiento, y por largos meses, a partir de aquel momento, sentí la primera herida que me sangraba el corazón.

El primer dolor de mi suerte de Corredentora. Lo ofrecí y lo sufrí para reparar y para daros una norma de vida en momentos análogos de sufrimiento cuando se impone el silencio, cuando os sucede algo que os pone en mala estima del que os ama.

Confiad en Dios completamente vuestros cuidados, vuestros intereses. Haceos merecedores con una vida santa de la protección de Dios y seguid seguros adelante. Aun cuando todo el mundo se

os opusiese, El os defenderá ante quien os ama y hará resplandecer la verdad.

Descansa, ahora, hija, y procura ser siempre más mi hija.»

29. María y José van a Jerusalén
(Escrito el 27 de marzo de 1944)

Asisto al momento de la partida a casa de Isabel. José con dos
borriquillos ha venido a tomar a María. Uno es para sí y el otro
para Ella.

Tienen sus sillas de costumbre y un arnés un poco raro, pero
que al verlo bien caigo en la cuenta de que es para llevar la carga: una especie de portaequipajes sobre el que José sujeta un pequeño cofre de madera: un baúl, diríamos, que trajo a María para
que ponga adentro sus vestidos y para que el agua no los bañe.
Oigo a María que se lo agradece mucho a José, porque así no
tiene que emplear un envoltorio que ella había preparado.

Cierran la puerta y se ponen en camino. Está apenas despuntando el día, porque veo la roja aurora aparecer en el oriente.
Nazaret todavía está durmiendo. Los dos madrugadores encuentran sólo a un pastorcillo que lleva sus ovejas trotando una detrás
de la otra, unidas la una y la otra, y que van balando. Los corde-
rillos son los que balan más que todos por el ansia de querer mamar; pero sus madres apresuran el paso para llegar a donde está
la hierba y los invitan a trotar con balidos más fuertes.

María mira y sonríe, y como se ha detenido para dejar pasar
el rebaño, se inclina sobre la silla y acaricia los mansos animales
que le pasan cerca. Cuando llega el pastor con un corderito que
trae entre sus brazos pues acaba de nacer, y se detiene a saludar-
la, María se sonríe. Acaricia la trompita de color de rosa del corderito que bala desesperadamente y dice: « Busca a su madre.
Está aquí. No te abandona, pequeñín. » De hecho la madre se restriega contra el pastor y se alza para lamer la trompita de su
recién nacido.

El rebaño pasa como rumor de agua en el bosque y detrás de
sí deja el polvo que han levantado con sus pezuñas, y el eco de

ellas en el camino.

José y María vuelven a emprender el camino. José trae su manto grande. María viene envuelta en una especie de chal a rayas porque la mañana es fresca.

Están ya en la campiña. El uno cerca del otro. Hablan poco. José piensa en sus negocios y María sigue su pensamiento, como recogida en él. Sonríe y sonríe a las cosas, cuando al salir de su ensimismamiento, mira las cosas que la rodean. De cuando en cuando mira a José y un velo como de tristeza oscurece su rostro; luego vuelve a él esa sonrisa y aun cuando mira a su esposo tan proveedor que poco habla, pero que si lo hace es para preguntarle si va cómoda o si necesita algo.

Ahora por el camino se ve gente, sobre todo cuando están cerca de algún poblado o dentro de él; pero ambos no ponen mucha atención a las personas que encuentran. Van sobre dos borriquillos que van llenando el aire con el ruido de sus cascabeles. Se paran una sola vez, en la sombra de un pequeño bosque, para comer un poco de pan y aceitunas y beber dé un arroyuelo que sale de una caverna. También se detienen otra vez y es para defenderse de un violento aguacero que de improviso los sorprende.

Se meten debajo de un gran peñasco que sobresale. José quiere que María se ponga el manto de lana impermeable y María cede a la insistencia amorosa de su esposo, y para asegurarle que está bien protegida, se pone sobre la cabeza y sobre las espaldas una pequeña manta gris que estaba sobre la silla, tal vez es la cubierta del borriquillo. Ahora María parece un frailecillo con el capucho que le llega al rostro y con el manto color café que le cierra en la garganta y la cubre toda.

El aguacero afloja, pero se convierte en lluvia persistente. Los dos emprenden el camino que está ahora lleno de lodo. Pero es primavera y después de un poco de tiempo el sol lo seca un poco. Ahora los dos borriquillos caminan mejor.

No veo otra cosa más y así cesa la visión.

30. De Jerusalén a la casa de Zacarías

(Escrito el 28 de marzo de 1944)

Estamos en Jerusalén. Reconozco muy bien la ciudad con sus calles y puertas.

Los dos esposos se dirigen al Templo ante todo. Reconozco el pesebre donde José dejó el borriquillo el día de la presentación al Templo. Aquí deja los asnos después de haberles dado su pastura y con María se va a adorar al Señor.

Salen. María y José van a una casa de personas conocidas por lo que parece. Allí reparan las fuerzas. María descansa hasta que José regresa con un viejecillo. «Este hombre va por el mismo camino. Para llegar a la casa de tu parienta caminarás sola. Confía en él, lo conozco.»

Vuelven a subir sobre los borriquillos. José acompaña a María hasta la puerta (no por la que entraron sino por otra) allí se despiden. María sigue con el viejecillo que habla por lo que José no habló y pregunta miles de cosas. María responde cortésmente.

Ahora tiene delante de su silla el pequeño cofre que antes había traído el borriquillo de José y no tiene puesto más el manto. No tiene siquiera el chal que lo lleva doblado sobre el cofre. Se ve muy bella con su vestido azul oscuro y con el velo blanco que la defiende del sol. ¡ Qué hermosa se ve !.

El viejecillo debe ser un poco sordo, porque María para hacerse oir, levanta la voz, Ella que está acostumbrada a hablar en voz baja. El viejecillo se ha cansado de hacer preguntas y de querer saber esto y aquello. Dormita sobre la silla, dejándose guiar del borrico que conoce muy bien el camino.

María aprovecha de este descanso para recogerse en sus pensamientos y para orar. Debe ser una plegaria que entona en voz baja, mirando el cielo azul y teniendo sus brazos sobre el pecho. Su rostro muestra una emoción interna que lo hace dichoso.

No veo más.

31. « No os despojéis jamás de la protección de la plegaria »

(Escrito el mismo día)

Dice María:

« Hablaré poco, porque estás muy cansada, hija. Quiero que tu atención y la del que lea esto se fije en la costumbre de José y mía de dar siempre el primer lugar a la oración. Cansancios, prisas, cruces, ocupaciones eran algo que no impedían la oración, sino la ayudaban. Era la reina de nuestras ocupaciones. Nuestras fuerza, nuestra luz, nuestra esperanza. Si en las horas tristes era consuelo, en las felices era un cantar. Era siempre la amiga constante de nuestra alma, que nos separaba de la tierra, del destierro, y nos llevaba a lo alto, hacia el cielo, la Patria.

No sola yo, que por otra parte tenía dentro a Dios y no tenía más que mirar mi seno para adorar al Santo de los Santos, sino también José se sentía unido a Dios cuando oraba, porque nuestra plegaria era adoración verdadera de todo nuestro ser, que se fundía en Dios adorándolo y que era abrazado por El.

Y ved que ni siquiera yo, que tenía en mí al Eterno, me sentí exenta de presentar mi respeto amoroso al Templo. La santidad más alta no exime de sentirse uno nada ante Dios, y de humillar esta nada, porque El lo permite, en una continua alabanza a su gloria.

¿ Sois débiles, pobres, llenos de defectos ? Invocad la santidad del Señor: " ¡ Santo, Santo, Santo ! ". Invocad al Santo sobre vuestra miseria. El os infundirá su santidad. ¿ Soi santos y ricos en méritos a sus ojos ? Invocad igualmente la santidad del Señor. Ella, infinita, aumentará siempre la vuestra. Los ángeles, seres superiores a las debilidades humanas, no dejan de cantar un instante su " Sanctus " y su belleza sobrenatural aumenta cada vez que invocan la santidad de Dios. Imitad a los ángeles.

No os despojéis jamás de la protección de la plegaria, contra la que se dirigen las armas de Satanás, la malicia del mundo, los apetitos de la carne y la soberbia de la inteligencia. No dejéis jamás esta arma por la que los cielos se abren y producen gracias y bendiciones.

La tierra tiene necesidad de un torrente de oraciones para limpiarse de las culpas que atraen los castigos de Dios. Y como pocos oran, esos pocos deben orar como si fueran muchos. Que multipliquen sus plegarias *vivas* para hacer de ella la suma necesaria para obtener gracias. Las plegarias son vivas cuando están alimentadas del verdadero amor y del sacrificio. »

32. María llega a la casa de Zacarías [1]

(Escrito el 1o de abril de 1944)

Me encuentro en un lugar montañoso. Los montes no son altos, pero tampoco son colinas. Tienen más bien la apariencia de montañas, como se ven en nuestros Apeninos de la Toscana y de la Umbría. La vegetación es espesa y buena. Hay mucha agua fresca, con que se alimentan verdes pastizales y huertos llenos de fruta en que hay manzanos, higueras y vides. Debe ser la estación de primavera porque los racimos están un poco crecidos; los manzanos que han acabado de florecer han hecho brotar sus frutitas, que son unas bolitas verdes, y encima de las ramas de las higueras se ven los primeros frutos en miniatura, pero ya bien delineados. Los prados son un verdadero tapete suave y de muchos colores. Por ellos pastan las ovejas o descansan y parecen manchas blancas en el color esmeralda de la hierba.

María sube con su borrico por un camino bastante bueno. Será el camino principal. Sube, porque el poblado, bien trazado, está más en alto. El que habla dentro de mí me dice: « Aquí es Hebrón ». Ud. me había dicho que se trataba de lugares montañosos. Yo no sé qué decir. A mí me dijeron este nombre. No sé si sea " Hebrón " toda la zona o el poblado. Oigo que así le llaman.

María entra en el poblado. Mujeres de pie en el umbral de sus puertas — es tarde ya — ven la llegada de la forastera y conversan entre sí. La siguen con los ojos y no quedan en paz sino hasta que ven que se detiene ante una de las mejores casas, situada en medio del poblado con un huerto-jardín que tiene por delante y con un huerto muy bien cultivado por detrás, y que luego se alarga en un extenso campo que sube y baja según las quebraduras

[1] Cfr. Lc. 1, 39-55.

del monte y termina en un bosque de altos árboles, más allá de los cuales no sé qué cosa haya. Todo está rodeado de una hilera de moras selváticas. No distingo bien, porque como Ud. sabe muy bien, la flor y la hoja de estos arbustos espinosos son muy semejantes, y hasta que no se ven los frutos es fácil engañarse. Por delante de la casa, por el lado que da al poblado, el lugar está rodeado de una pequeña valla blanca con rosales, pero que por ahora no tienen flores sino muchos botones. En el centro se ve un cancel cerrado de hierro. Se comprende que la casa sea de un principal del pueblo o de personas acomodadas, porque todo en ella dice que si no son realmente ricas, pasan la vida con holgura.

María baja de su asno y se acerca al cancel. Mira por entre las barras. No ve a nadie. Trata de hacerse oir. Una mujer, que ha sido la más curiosa de todas y que vino detrás de ella, le señala algo que sirve de campanilla. Son dos pedazos de hierro colocados en una especie de yugo y, al sacudir el yugo con un cordón, ellos chocan entre sí y producen el sonido de una campana o de un gong.

María tira del cordón, pero con tanta suavidad que el sonido es un leve retintín, y nadie lo oye. Entonces la mujer, que es una viejecilla toda nariz y de estatura pequeña con una lengua que vale por diez, toma el cordón y tira, y tira y tira de él. Es un ruido que puede despertar a un muerto. « Así se hace, mujer. De otro modo cómo nos iban a oir. Ten en cuenta que Isabel ya está vieja y viejo Zacarías. Y este ahora, además de mudo está sordo. ¿ Sabes ? Los siervos también ya son viejos. ¿ Nunca habías venido ? ¿ Conoces a Zacarías ? ¿ Has ... ? »

Un siervo viejo a toda prisa viene a salvar a María del diluvio de noticias y preguntas. Tal vez es el jardinero o el agricultor porque trae en la mano un escardillo y en la cintura colgando una podadera. Abre. María entra dando las gracias a la viejecilla, y dejándola sin respuesta. ¡ Qué desilusión para su curiosidad !

Apenas adentro, María dice : « Soy María hija de Joaquín y de Anna de Nazaret. Prima de vuestros patrones. »

El viejecillo se inclina y saluda. Luego con voz alta grita : « ¡ Sara, Sara ! » Vuelve a abrir el cancel para que entre el asno, porque María para librarse de la preguntona mujer, se ha entrado rápida y el jardinero, rápido como ella, cerró el cancel en las narices de la comadre. Y mientras hace pasar el asno, dice : « ¡ Gran felicidad y suma desgracia hay en este hogar ! El cielo ha concedido un hijo a la estéril y ¡ el Altísimo sea alabado ! Pero Zacarías volvió mudo hace unos seis o siete meses de Jerusalén. Se hace entender por señas o escribiendo. ¿ Lo sabías ? ¡ La patrona tánto que te ha deseado en esta alegría y en este dolor! Siempre habla de tí con Sara y dice: " ¡ Si estuviese aquí mi María ! Si hubiera estado todavía en el Templo. Hubiera dicho a Zacarías que la trajese. Pero el Señor quiso que se casase con José de Nazaret. Solo Ella puede darme consuelo en esta aflicción y ayuda para pedir a Dios, porque Ella es muy buena. En el Templo todos la extrañan. La fiesta pasada, cuando fui con Zacarías por última vez a Jerusalén a dar gracias a Dios porque me concedió un hijo, sus maestras me dijeron: ' El Templo parece como si no tuviera los querubines de la Gloria desde que la voz de María no resuena entre estos sus muros ' ". ¡ Sara ! ¡ Sara ! Mi mujer está un poco sorda. Pero ven, ven, que yo te conduzco. »

En vez de Sara se asoma sobre la escalera que está al lado de la casa, una mujer ya muy entrada en años, toda rugosa y completamente cana, aunque sus pestañas y cejas todavía están negras. El color de su cara es moreno. Constraste extraño con su edad avanzada, lo forma su estado manifiesto de que va a ser madre, no obstante el amplio vestido que trae suelto. Mira llevándose la palma a los ojos como para ver mejor, reconoce a María. Levanta sus brazos al cielo con un « ¡ Oh ! » lleno de admiración y de gozo, baja lo más rápido que puede, a encontrarse con María, y esta que en el caminar siempre es lenta, ahora corre, ligera como un cervatillo, llega a los pies de la escalera al mismo tiempo que Isabel, y María recibe sobre su corazón con una viva alegría a su prima que llora de gozo al verla.

Por unos instantes continúan abrazadas. Después Isabel se separa con un « ¡ Ah ! » mezcla de dolor, mezcla de alegría, y se pone las manos sobre su seno abultado. Baja la vista. Palidece y se sonroja alternativamente. María y el siervo extienden sus manos para sostenerla, porque vacila como si se sintiese mal.

Pero Isabel, después de haber estado como un minuto recogida en sí, levanta una cara llena de luz, que parece haber rejuvenecido, mira a María con una sonrisa de veneración, como si viese a un ángel, luego se inclina profundamente: « ¡ Bendita tu, entre todas las mujeres ! ¡ Bendito el Fruto de tu seno ! (dice estas frases bien separadas) ¿ Cómo es posible que haya sido digna tu sierva, de que vinieras a mí, tú la Madre de mi Señor ? Mira: al oir tu voz el niño se movió en mi seno como señal de alegría y cuando te abracé el Espíritu del Señor reveló cosas altísimas a mi corazón. Eres bienaventurada porque creíste que Dios puede hacer lo que la inteligencia humana cree que no es posible. Bienaventurada tú, que por tu fe harás que el Señor cumpla las cosas que te prometió y las que predijo a los Profetas para estos tiempos. Bienaventurada tú, porque trajiste la Santidad a mi hijo que siento cómo se mueve, como un cabrillo alegre, de júbilo en mi seno, porque se siente libre del peso de la culpa, y llamado a ser el que vaya delante, santificado antes por la Redención del Santo que en tí crece. »

María, con dos lágrimas que le bajan como perlas de sus ojos que ríen a Isabel que está llena de júbilo, con el rostro y brazos levantados al cielo, en la misma actitud que tomará su Hijo Jesús exclama: « Mi alma engrandece a su Señor » y continúa el cántico como lo conocemos. Al final, en el verso: « Ha socorrido a Israel su siervo, etc. » junta sus manos sobre su pecho, y se inclina profundamente hacia la tierra, adorando a Dios.

El siervo que prudentemente se había alejado cuando vió que Isabel no se sentía mal, pero no obstante hablaba con María, regresa del huerto con un imponente anciano todo blanco en su barba y cabellos, que con grandes gestos y sonidos guturales saluda desde lejos a María.

« Viene Zacarías » dice Isabel, tocando por la espalda a la Virgen absorta en su plegaria. « Mi Zacarías está mudo. Dios lo castigó por no haber creído. Luego te lo contaré. Ahora espero que Dios lo perdone porque viniste, Tú, la llena de gracia. »

María se yergue y va al encuentro de Zacarías, se inclina ante él profundamente hasta la tierra, besándole la orla de su blanca vestidura que roza el suelo. Es un vestido amplio. En la cintura lo sostiene una faja ancha, recamada.

Zacarías con gestos da la bienvenida, y juntos se van con Isabel. Entran en una habitación amplia y adornada. Dicen a María que se siente. Le hacen servir una taza de leche apenas ordeñada — todavía se ve la espuma — y unos panecillos.

Isabel dá órdenes a la sierva que se presenta con las manos todavía llenas de harina y con los cabellos todavía más blancos de cuanto no lo sean, por la harina que tiene en ellos. Tal vez estaba haciendo el pan. Dá órdenes también a su siervo, que oigo lo llama Samuel, de que lleve el cofre de María a una habitación que le indica. Todas las obligaciones de la dueña de casa para con su huésped.

María entre tanto responde a las preguntas de Zacarías que escribe sobre una tableta encerada con un estilo. Por las respuestas comprendo que le pregunta por José y cómo se siente con él ahora que está casada. Comprendo igualmente que a Zacarías no se le conceden luces sobrenaturales acerca del estado de María y de su condición de Madre del Mesías. Es Isabel la que acercándose a su marido y poniéndole con cariño una mano sobre la espalda, le dice: « María también es Madre. Alégrate de su felicidad. » No añade más. Mira a María y María también a ella pero no le invita a que diga más. Ella guarda silencio.

33. María revela el Nombre a Isabel

(Escrito el 2 de abril de 1944)

Parece ser de mañana. Veo que María está cosiendo, sentada en la sala de la planta baja. Isabel va y viene con los quehaceres de la casa. Cuando entra no deja de acariciar la cabeza rubia de María, que resalta todavía más cuanto que hace contraste con las paredes más bien sombrías y bajo los rayos del sol que entran por la puerta que da al jardín.

Isabel se inclina a mirar la labor de María — es el recamo que tenía en Nazaret — y alaba su primor.

« Tengo también hilo para tejer » dice María.

« ¿ Para tu Niño ? »

« No. Lo tenía todavía cuando no pensaba... » María no añade más. Pero comprendo: « ... cuando no pensaba que sería Madre de Dios. »

« Pero ahora lo emplearás en El. ¡ Es hermoso ! ¡ Fino ! A los niños, sabes, hay que ponerles telas muy delicadas. »

« Lo sé. »

« Yo comencé... tarde, porque quería estar segura de que no se trataba de algún engaño del Maligno, aun cuando... experimentaba en mí una tal alegría que no, que no podía proceder de Satanás. Luego... he sufrido tanto. Estoy vieja, María, para encontrarme en este estado. He sufrido *mucho*. Tú no sufres... »

« No. Nunca había estado mejor que ahora. »

« ¡ Oh, lo comprendo ! Tú... en tí no hay mancha, si Dios te escogió para ser su Madre, y por esto no estás sujeta a los sufrimientos de Eva. Lo que llevas en tu seno es Santo. »

« Me parece como si tuviera un ala en el corazón y no un peso. Me parece como si tuviera todas las flores, y todos los pajaritos que cantan en primavera, y toda la miel y todo el sol... ¡ Oh soy feliz ! »

« ¡ Bendita ! También yo, desde que te ví, no siento más el peso, ni casancio, ni dolor, sino que parece que fuese yo algo nuevo, joven, sin las miserias de mi cuerpo femenino. Mi niño, después de que se movió al oir tu voz, está quieto con su alegría. Me parece como si lo tuviera dentro de una cuna viva y que lo viese dormir satisfecho y feliz, respirar como un pajarito bajo el ala de su madre... voy a trabajar. No me molestará más. Veo poco, pero... »

« No te preocupes, Isabel, yo tejeré para tí y para tu niño. Soy rápida y veo muy bien. »

« Pero tú debes pensar en el tuyo... »

« ¡ Oh, tengo tiempo !... Primero me preocupo por tí que estás próxima a tener tu pequeñín, y luego pensaré en mi Jesús. »

Cuando María dice este nombre, cuán dulce es su voz, cuán expresivo su rostro, cómo se le asoma una lágrima de felicidad en sus pupilas, y cómo la sonrisa aparece al mirar el cielo luminoso y azul. En verdad que es algo imposible de describir. Parece que el éxtasis le arrebate con solo decir: « Jesús. »

Isabel dice: « ¡ Qué hermoso nombre ! El Nombre del Hijo de Dios, nuestro Salvador! »

« ¡ Oh, Isabel ! » María se pone triste. Toma las manos de su prima que las tenía sobre su vientre. « Dime, tú que, cuando vine, fuiste llena del Espíritu del Señor y profetizaste lo que el mundo ignora. Dime: ¿ qué tendrá que hacer mi Hijo para salvar al mundo ? Los Profetas... ¡ Oh, los profetas que hablan del Salvador ! Isaías... ¿ recuerdas a Isaías ? "El es el hombre de los dolores. Con sus llagas fuimos curados. Fué cubierto de heridas y golpes por nuestros crímenes... El Señor quiso agotar sobre El todos los padecimientos... Después de su sentencia fue puesto en alto..."[1]. ¿ De qué levantamiento habla ? Lo llamamos Cordero y

---

[1] Cfr. Is. 52, 13-15; 53.

pienso... en el cordero pascual [2], en el cordero de Moisés, y lo relaciono con la serpiente que Moisés levantó sobre una cruz [3]. ¡ Isabel... Isabel !... ¿ Qué harán de mi Hijo ? ¿ Qué cosa deberá padecer para salvar al mundo ? » María llora.

Isabel la consuela. « No llores, María. Es tu Hijo, pero también es Hijo de Dios. Dios pensará en El, y en tí que eres su Madre. Y si muchos serán crueles con El, otros muchos lo amarán. Muchos... Por los siglos de los siglos. El mundo contemplará a tu Hijo y te bendecirá con El. A tí: fuente de quien brota la redención. ¡ La suerte de tu Hijo ! Levantado como Rey de todo lo creado, y como tal, será Rey universal. Y también en la tierra, en el tiempo, será amado. Mi hijo precederá al tuyo y lo amará. Se lo dijo el ángel a Zacarías. El me lo escribió... ¡ Ah ! ¡ qué dolor ver mudo a mi Zacarías ! Pero espero que cuando el niño nazca, su padre se vea libre del castigo. Ruega por él tú que eres la sede de la Potencia de Dios y la causa de la alegría del mundo. Para obtener esta gracia, ofrezco al Señor como puedo mi creatura, porque es suya, pues la prestó a su sierva para darle la alegría de que la llamen " madre " y es el testimonio de cuanto Dios ha hecho en mí. Quiero que se llame " Juan " [4]. ¿ No es acaso una gracia, mi hijo ? ¿ Y no es Dios quien me la concedió ? »

« Y Dios te hará ese favor, estoy segura. Yo rogaré... contigo. »

« ¡ Sufro tanto con verlo mudo !... » Isabel llora. « Cuando escribe, porque no puede hablarme, me parece que entre yo y él haya de por medio montes y mares. Después de tántos años en que me decía palabras dulces, ahora no hay más que silencio en su boca. Sobre todo ahora en que sería tan bonito hablar de lo que va a suceder. Me abstengo hasta de hablar para no ver que él se esfuerza con gestos en responderme. ¡ Lo que he llorado ! ¡ Cuánto deseé que hubieras venido ! Los del poblado miran, chismean, critican. El mundo es así. Cuando se tiene un dolor o una alegría, se tiene necesidad de quien lo comprenda a uno, no de quien critique. Ahora me parece que la vida sea mejor. Siento la alegría en mí desde que estás conmigo. Siento que mi prueba está por superarse y que pronto seré feliz del todo. Será así ¿ no es verdad ? A todo me he resignado. ¡ Si Dios perdonase a mi esposo ! ¡ Poderlo oir nuevamente orar ! »

[2] Cfr. Ex. 12, 1-28; Núm. 28, 16-25; Deut. 16, 1-8.
[3] Cfr. Núm. 21, 4-9; Sab. 16, 5-7; Ju. 3, 14-15.
[4] En efecto, el término " Juan " significa: " gracia, favor, don de Dios ".

María la acaricia y la consuela. La invita, para distraerla a ir un poco al jardín bañado en sol.

Se van a un buen emparrado, cerca de una torrecita rústica, en la que hay palomos que hacen sus nidos.

María echa a los palomos de comer, porque estos se precipitan con gran ruído y revoloteos y forman a su alrededor círculos iridiscentes. Se posan sobre la cabeza, espalda, brazos, manos. Alargan sus picos rojizos para tomar la comida de las manos, picoteando graciosamente los rosados labios de la Virgen y sus dientes que le brillan al sol. María saca de una bolsita el dorado trigo y ríe de buena gana ante este apetito.

« ¡ Cómo te quieren ! » dice Isabel. « Pocos días hace que estás con nosotros y te quieren más que a mí, que siempre los he cuidado. »

El paseo continúa hasta un cercado, en el fondo del huerto, donde hay una veintena de cabras con sus cabritos.

« ¿ Has regresado del pastizal ? » pregunta María a un pastorcillo a quien acaricia.

« Sí, porque mi padre me dijo: "Vete a casa, porque dentro de poco va a llover, y hay algunas ovejas próximas a parir. Procura que tengan hierba seca y paja pronta". Es el que viene allá. » Y señala más allá del bosque de donde se oye venir un trémulo balar.

María acaricia un cabrito rubio como un niño, que se le restriega. Junto con Isabel bebe de la leche apenas ordeñada que el pastorcillo les ofreció.

Llegan las ovejas guiadas por un pastor irsuto como un oso. Debe ser bueno porque trae sobre sus espaldas una oveja que bala de dolor. La pone en el suelo con cuidado. Dice: « Está por tener su corderito. No podía caminar sino fatigosamente. Me la he echado encima. Tuve que correr para llegar a tiempo. » El pastorcillo lleva a la oveja, que renguea por los dolores, al redil.

María se ha sentado sobre una piedra y juguetea con los cabritos y corderitos, ofreciendo flores de trébol a sus trompitas sonrosadas. Un cabrito blanco y negro le pone las pezuñas sobre la espalda y le huele los cabellos. « No es pan » dice María sonriente. « Mañana te traeré un pedazo. Ahora pórtate bien, bien. »

Isabel ya tranquilizada, se ríe.

34. María habla de su Niño

(Escrito el mismo día)

Veo que María está tejiendo rápida, muy rápida, bajo el emparrado, donde las uvas crecen. Debe haber pasado ya algún tiempo, porque las manzanas comienzan a pintarse de rojo y las abejas revolotean por los higos ya maduros.

Isabel ha aumentado de mucho peso. Camina muy despacio. María la mira atenta y amorosamente. También María, cuando se levanta para recoger el huso que se le ha caído un poco lejos, parece más redonda en sus caderas, y la expresión de su rostro ha cambiado. Es más madura. Antes era la de una niña, ahora la de una mujer.

Las mujeres entran en casa porque se acerca la noche y en la habitación se prenden las lámparas. María teje, entre tanto se prepara la cena.

« ¿ Pero de veras no estás cansada ? » pregunta Isabel, señalando el telar.

« No. Te lo aseguro. »

« Este calor me mata. No he sufrido más, pero ahora el peso es demasiado para mis pobres riñones. »

« Ten valor. Pronto estarás libre. Y ¡ qué feliz te sentirás ! Yo no veo la hora de ser madre. ¡ Mi Niño ! ¡ Mi Jesús ! ¿ Cómo será ? »

« Hermoso, como tú, María. »

« ¡ Oh, no ! ¡ Más hermoso ! El es Dios. Yo su sierva. Pero quería decir: ¿ será rubio o moreno ? ¿ tendrá los ojos como el cielo sereno o como los de los ciervos de la montaña ? Me lo figuro más bello que un querubín, con los cabellos enriscados y color de oro, con los ojos del color de nuestro mar de Galilea cuando las estrellas empiezan a asomarse en el horizonte del firmamento, una boquita roja como el corte de una granada que acaba de abrirse para madurar al sol, y sus mejillas, mira, de color rosa como el de esta pálida flor. Dos manitas que cabrían en la corola de un lirio por lo pequeñitas y hermosas. Dos piececitos que pueden caber en la palma de la mano, tan delicados y lisos como el pétalo de una flor. ¿ Ves ? Yo lo pinto con todas las bellezas que me sugiere la tierra. Oigo su voz. Su llanto será — porque llorará por hambre o por sueño mi Hijito, y será siempre un gran dolor para su Mamá, que no podrá, ¡ oh ! no podrá oirlo llorar sin sentir que su corazón es traspasado — será su llanto algo así como aquel balido que lanza ese corderito que busca la teta de su madre y el calor de la lana materna para dormir. Su sonrisa llenará de cielo mi corazón enamorado por El. Sí, me sentiré enamorada por El, porque es mi Dios. Su sonrisa será como ese alegre arrullo de palomos que están contentos de haber comido, y de estar en su nido. Me lo imagino cuando dé los primeros pasos... Un pajarito que salta en medio de un huerto florido. El huerto será el corazón de su Mamá, que estará bajo sus piececitos de rosa con todo su amor para que no tropiece con algo que le pudiere producir dolor. ¡ Cuánto amaré a mi Hijito ! ¡ Mi Hijo ! ¡ También José lo amará ! »

« Sé lo deberás decir a José! »

María cambia un poco de color y suspira. « Deberé decírselo... Quisiera que el cielo se lo dijese, porque para mí es muy difícil ... »

« ¿ Quieres que se lo diga yo ? Le mandamos decir que venga para la circuncisión de Juan ... »

« No. He dejado que Dios tome a su cargo el decírselo, y el decirle que su destino dichoso es el de ser nutricio del Hijo de Dios. El lo hará. El Espíritu me dijo aquella noche: " Cálmate. Déjame justificarte ". Y lo hará. Dios nunca miente. Es una prueba grande, pero con la ayuda del Eterno será superada. Ninguno sabrá de mi boca, fuera de tí porque el Espíritu te lo reveló, cuánto la benignidad del Señor ha hecho a su sierva. »

« No se lo he dicho a Zacarías que se llenaría de júbilo. El cree que eres madre según el modo natural. »

« Lo sé. Y así he querido por prudencia. Los secretos de Dios son santos. El ángel del Señor no reveló a Zacarías mi maternidad divina. Podría haberlo hecho, si Dios hubiera querido, porque Dios sabía que se acercaba el tiempo de que se encarnase su Verbo en mí. Pero ocultó esta luz de júbilo a Zacarías que no aceptaba como posible que a vuestra edad pudieseis tener un hijo. Me he adaptado a la voluntad de Dios. Y lo ves. Tú escuchaste el secreto que vive en mí. El no advirtió cosa alguna. Hasta que no caiga la pared de su incredulidad ante el poder de Dios, estará separado de las luces sobrenaturales. »

Isabel suspira y calla.

Entra Zacarías. Presenta unos rollos a María. Es la hora de la

plegaria antes de la cena. María reza en voz alta en lugar de Zacarías. Luego se sientan a la mesa.

« Cuando no estés más ya con nosotros, cómo sentiremos el no tener más a quien rece en nuestro lugar » dice Isabel mirando a su marido mudo.

« Entonces tú rezarás, Zacarías » dice María.

El sacude su cabeza y escribe: « No podré nunca rezar por otros. Me hice indigno desde que dudé de Dios. »

« Zacarías, *tú orarás*. Dios perdona. »

El viejo se seca una lágrima y suspira.

Después de la cena María vuelve al telar. « Basta » dice Isabel. « Te estás cansando mucho. »

« El tiempo está cerca, Isabel. Quiero hacer a tu pequeñín un juego digno del que precede al Rey de la estirpe de David. »

Zacarías escribe: « ¿ De quién nacerá El ? ¿ Y dónde ? »

María contesta: « Donde los Profetas predijeron [1] y de quien el Eterno escoja. Todo lo que hace nuestro Altísimo Señor está bien hecho. »

Zacarías escribe: « ¡ Luego en Belén ! En Judea. Mujer, lo iremos a venerar. También tú irás con José a Belén. »

Y María, inclinando su cabeza sobre el telar: « Iré. »

La visión cesa de este modo.

[1] Cfr. Miq. 5, 2-5; Mat. 2, 2-6; Ju. 7, 41-42.

35. « El don de Dios nos debe hacer siempre mejores »

(Escrito el mismo día)

Dice María:

« La primera manifestación de la caridad es la que se ejercita para con el prójimo. Que no te parezca un juego de palabras.

La caridad es para con Dios y para con el prójimo. En la caridad para con el prójimo se contiene también la caridad para con nosotros mismos. Pero si nos amamos más que a los otros, no somos ya caritativos. Somos egoístas.

Aún en las cosas lícitas es menester ser muy santos para dar siempre la precedencia a las necesidades de nuestro prójimo. Estad seguros, hijos, de que Dios con medios de su poder y bondad viene al encuentro de los generosos. Esta seguridad me llevó a Hebrón para socorrer a mi parienta en el estado en que se encontraba. Y a mi intención de ayudarla, Dios, que siempre da más de lo que uno imagina, le dió un inesperado regalo sobrenatural.

Yo fui a ayudar materialmente. Dios santificó mi intención recta en hacerlo con santificar el fruto del seno de Isabel, y por medio de esta santificación con la cual el Bautista fue presantificado, quitó los sufrimientos físicos de Isabel que estaba en cinta, en edad no apropiada.

Isabel, mujer de fe intrépida y de entrega llena de confianza en la voluntad de Dios, se hizo digna de comprender el misterio que estaba encerrado en mí. El Espíritu le habló a través del movimiento de su hijo en sus entrañas. El Bautista pronunció su primer discurso de Anunciador del Verbo a través de los velos y paredes de venas y carne que lo separaban y lo unieron a su santa madre.

Tampoco yo niego, a quien es digno de ello y a quien la Luz se descubre, mi calidad de Madre del Señor. Negarla sería lo mismo que negar a Dios la alabanza que es justo darle, alabanza que llevaba en mí, y que no pudiendo decírsela a nadie, la decía a las hierbas, a las flores, a las estrellas, al sol, a las canoras avecillas y a las mansas ovejas, al agua parlanchina y a la luz de oro que me besaba bajando del cielo. Pero orar entre dos es más dulce que decir por una misma nuestras plegarias. Yo hubiera querido que todo el mundo supiese mi destino, no por mí, sino para que se uniese en alabar a mi Señor.

La prudencia me impidió revelar a Zacarías la verdad. Sería haber procedido contra la obra de Dios. Y si yo había sido escogida para ser la Madre de su Hijo, era siempre su sierva y no debía, por el hecho de que me había amado más allá de lo inimaginable, tratar de sustituirlo y de no observar su palabra. Isabel, que era una santa, lo comprendió y guardó el secreto, porque quien es santo siempre es humilde y sumiso.

El don de Dios nos debe hacer siempre mejores. Cuanto más recibimos de El tanto más debemos dar. Porque el recibir más, señal es de que está en nosotros y con nosotros. Y cuanto más El está en nosotros y con nosotros, tanto más debemos esforzarnos en llegar a su perfección. Esta es la razón por qué haciendo a un lado mi labor, la hago para Isabel.

No me da miedo no tener tiempo. Dios es dueño de él. Dios provee aun en las cosas comunes y corrientes a quien en El espera. El egoísmo no apresura: retrasa. La caridad no retrasa: apresura. Tenedlo presente.

¡Cuánta paz hay en la casa de Isabel! Si no hubiera venido a mi mente el recuerdo de José y el pensamiento, sí, el pensamiento, de que mi Niño era el Redentor del mundo, hubiera sido feliz. Pero la cruz proyectaba ya su sombra sobre mi vida y como un eco fúnebre me parecía oir las voces de los Profetas... Me llamaba a mí misma: María. La amargura estaba siempre derramada con las dulzuras que Dios vertía en mi corazón. Y fue siempre en aumento hasta la muerte de mi Hijo. »

36. El nacimiento del Bautista [1]

(Escrito el 3 de abril de 1944)

La casa es siempre la de Isabel. Es un bello atardecer de verano, con los últimos rayos del sol, y con la incipiente hoz de la luna que parece una coma pintada en un paño de azul celeste.

Las rosas despiden su intenso perfume y las abejas dan sus últimos revoloteos, cual gotas de oro, en medio de un aire tranquilo y caliente. De los prados llega un olor impregnado a heno seco bajo los rayos del sol: un olor también de pan casi salido del horno. Viene un olor a telas extendidas, puestas a secar aquí y allá, y que Sara ahora dobla.

María pasea despacio bajo el emparrado semioscuro llevando del brazo a su prima.

María está en todas partes. Aun cuando cuida de Isabel, mira que Sara está ocupada en doblar una tela larga que ha tomado de una valla. «Espérame aquí sentada» dice a su parienta. Va a ayudar a la vieja sirvienta, extendiendo la tela y así poder doblarla cuidadosamente. «Todavía tiene el recuerdo del sol. To-

[1] Cfr. Lc. 1, 57-58.

121

davía está caliente » dice con una sonrisa. Y dice a la mujer: « Esta tela después de que la blanqueaste es más bonita. Nadie mejor que tú sabe hacer las cosas tan bien. »

Sara llena de alegría se va con el montón de telas.

María vuelve a donde está Isabel y le dice: « Ahora unos cuantos pasos más. Te hará mucho bien. » Y como Isabel, que está cansada, no quisiera moverse le dice: « Vamos a ver sólo si tus palomos están en su nido y si el agua que beben está limpia. Luego regresamos a casa. »

Los palomos deben ser los predilectos de Isabel. Van a la rústica torrecina donde ya los palomos están todos en su lugar: las hembras en sus nidos, los machos ante ellos; no se mueven, pero al ver a ambas mujeres hacen una especie de ruido como si fuese un saludo. Isabel se siente conmovida. La debilidad de su estado la vence y le produce temores que la hacen llorar. Abre su corazón a su prima. « Si tuviese que morir... ¡ pobres palomos míos ! Tú no te quedas. Si te quedases en mi casa, no me importaría morir. He tenido la más grande alegría que mujer alguna hubiera tenido, una alegría que no pensaba conocer jamás. No puedo ni siquiera lamentarme de la muerte ante el Señor, porque El, y sea alabado, me ha llenado de su bondad. Pero está Zacarías... y estará el niño. Y está ya viejo y parecería, sin su mujer, un hombre perdido en el desierto. El pequeñín sería como una flor destinada a morir de frío porque no tiene a su mamá. ¡ Pobre niño sin las caricias de su madre ! ... »

« Pero ¿ por qué estás así tan triste ? Dios te ha dado la alegría de ser madre, y no te la quitará ahora que rebosas de ella. El pequeño Juan recibirá los besos de su madre y Zacarías tendrá todos los cuidados de su fiel esposa hasta una edad muy avanzada. Sois dos ramas de una misma planta. Una no morirá dejando a la otra sola. »

« Eres buena y me consuelas. Estaba ya vieja para dar a luz un hijo y ahora que voy a tenerlo, siento miedo. »

« ¡ Oh, no ! ¡ Está aquí Jesús ! No hay que tener miedo donde está Jesús. Mi Niño te quitó todo sufrimiento, tú lo dijiste, cuando era tan pequeñito como un botón. Ahora que cada vez más crece y vive como una creatura mía — siento palpitar su corazoncito en mi garganta, siento cómo late — El te librará de todo peligro. Ten fe. »

« La tengo. Pero si muriera... no vayas a dejar al punto a Za-

122

carías. Sé que piensas en tu casa, pero te quedarás todavía un poco, para ayudar a mi marido en los primeros días de su dolor. »

« Me quedaré para congratularme con tu alegría y con la de él. Me iré cuando te sientas con fuerzas y contenta. No te intranquilices, Isabel. Todo saldrá bien. Tu hogar no sufrirá ninguna cosa, mientras tu sufras. A Zacarías lo atenderá la más amorosa sierva, tus flores recibirán el cuidado que les dabas lo mismo que tus palomos, y encontrarás todo alegre y bello para que te festejen a tí, su patrona, que volverás contenta. Vamos a entrar ahora, porque veo que estás más pálida ... »

« Sí, parece que vuelvo a sufrir. Tal vez ha llegado la hora. María, ruega por mí. »

« Te ayudaré con mis oraciones hasta que tu trance no haya desembocado en la alegría. »

Las dos mujeres entran despacio en la casa.

Isabel va a sus habitaciones. María diestra y previsora da órdenes y prepara todo cuanto puede ser necesario. Consuela a Zacarías que está preocupadísimo.

En la casa que está en vela esta noche y donde se oyen voces extrañas de mujeres que fueron llamadas para ayudar, María permanece vigilante como un faro en una noche de tempestad. Toda la casa gira alrededor de María. Y Ella, dulce, sonriente, provee a todo. Ora. Cuando no se le llama para algo, se retira a la oración. Está en la habitación donde suelen reunirse para las comidas y el trabajo. Con Ella está Zacarías que preocupado pasea. Han rezado juntos. María continúa orando. Y ahora que el viejo, cansado, se ha sentado en un sillón cerca de la mesa, y somnoliento se queda, Ella ora todavía. Cuando ve que apoyando su cabeza sobre un brazo se ha dormido, se quita las sandalias y camina descalza para hacer lo menos posible ruido, como lo haría una mariposa que volara por la habitación. Toma el manto de Zacarías, se lo pone encima con tal delicadeza que sigue durmiendo al contacto de la lana que lo defiende del fresco de la noche, que entra a resoplidos por la puerta que frecuentemente se abre. Luego vuelve a la oración. Ora con más intensidad, de rodillas, con los brazos en alto, cuando los gritos de la parturienta son más agudos.

Sara entra y le hace señal de que salga. María sale descalza al jardín. « La patrona te desea ver » dice.

« Voy » y María atraviesa la casa, sube la escalera ... parece un ángel blanco que vague en una noche quieta y llena de estrellas. Entra a donde está Isabel.

« ¡ Oh, María ! ¡ Cuánto dolor ! No puedo más, María. ¡ Cuánto dolor se debe soportar para ser madre ! »

María la acaricia con amor y la besa.

« ¡ María ! ¡ María ! ¡ Déjame que ponga las manos sobre tu vientre! »

María toma las dos manos rugosas e hinchadas y se las pone sobre su vientre, las oprime contra él. Ahora que están solas habla despacio: « Aquí está Jesús que te siente y ve. Confía, Isabel. Su corazón santo palpita más fuerte porque El interviene ahora en tu favor. Lo siento palpitar como si lo tuviese en las manos. Comprendo las palabras que me dice mi Niño con su palpitar. Ahora me está diciendo: " Dí a la mujer que no tenga miedo. Un poco más de dolor, y luego, cuando despunte el sol, en medio de las rosas que esperan ese rayo matutino para abrirse, su casa tendrá la rosa más bella, y será Juan, mi Precursor ". »

Isabel pone su cara contra el vientre de María y llora despacio.

María se queda así por un poco de tiempo, porque parece que el dolor se calma. Dice a todos que estén tranquilos. Se queda de pie, blanca y bella en medio de la tenue luz de una lámpara de aceite, como un ángel cerca de alguien que sufre. Ora. Veo que mueve sus labios, pero aunque no los viera moverse, comprendería que ora por la expresión extática de su rostro.

El tiempo pasa. El dolor vuelve a apoderarse de Isabel. María la besa nuevamente y se retira. Rápida baja en medio de la luz de la luna y corre a ver si Zacarías todavía sigue durmiendo. Sí. Todavía sigue durmiendo, pero en su sueño gime. María siente compasión de él. Vuelve a orar.

Pasa el tiempo. Zacarías se despierta de su sueño. Levanta una cara como de atolondrado, como del que no se acuerda bien por qué está ahí. Luego recuerda. Hace un gesto y lanza una exclamación gutural. Luego escribe: « ¿ No ha nacido todavía ? » María hace señal de que no. Zacarías escribe: « ¡ Cómo habrá sufrido ! ¡ Pobre mujer mía ! ¿ Lo hará sin morirse ? »

María toma la mano del anciano y le da ánimos: « Cuando llegue el alba, dentro de poco, el niño habrá nacido. Todo saldrá bien. Isabel es fuerte. ¡ Qué bello será este día — porque dentro de poco lo es — en que tu niño verá la luz ! ¡ El más bello de tu vida ! Gracias muy grandes te tiene reservadas el Señor y tu niño será su presagio. »

Zacarías sacude tristemente la cabeza, señala su boca muda. Quisiera decir muchas cosas, pero no puede.

María comprende y dice: « El Señor hará que tu alegría sea perfecta. Pon en El toda tu confianza. Espera con todo tu corazón. Ama con toda tu alma. El Altísimo te escuchará, más de lo que no te atreves a esperarlo. El quiere esta fe tuya, total, como un purificación de tu desconfianza pasada. Dí en tu corazón conmigo: " Creo ". Dilo a cada palpitar de él. Los tesoros de Dios se abren a quien cree en El y en su bondad sin límites. »

La luz empieza a penetrar por la puerta semicerrada. María la abre. El alba blanquea toda la tierra mojada. Se siente un fuerte olor a tierra húmeda, a verde, y se oyen los primeros trinos de los pajarillos que se llaman de rama en rama.

Zacarías y María salen a la puerta. Están pálidos por la noche en vela y la luz del alba los hace aparecer todavía más pálidos. María se pone de nuevo sus sandalias, va al pie de la escalera y escucha. Nada ha pasado.

María va a una habitación y vuelve con leche caliente que da a Zacarías a beber. Luego va a los palomos, regresa y entra en la misma habitación. Tal vez es la cocina. Inspecciona todo. Parece como si hubiera dormido el mejor de los sueños, por lo ligera y serena que se le ve.

Zacarías pasea nerviosamente de arriba a abajo por el jardín. María lo mira con compasión; luego vuelve a entrar en esa habitación, y arrodillándose cerca de su telar, ora intensamente, porque los gritos de la parturienta son más agudos. Se inclina hasta la tierra para suplicar al Eterno. Zacarías vuelve a entrar. La ve de este modo postrada y llora, llora el pobre viejo. María se levanta, lo toma de la mano. Es muy joven, pero parece como si fuera la mamá de aquel hombre desolado y sobre él derrama sus consuelos.

Están al sol, que pinta de colores el aire matinal, cuando les llega el feliz anuncio: « ¡ Ya nació ! ¡ Ya nació ! ¡ Es un varoncito ! ¡ Padre feliz ! Un varoncito como una rosa, hermoso como el sol, fuerte y sano como su madre. Alégrate padre a quien el Señor bendijo, para que le ofrezcas en su Templo un hijo. ¡ Gloria a Dios que concedió un heredero a esta casa ¡ ¡ Bendición a tí y al hijo que te nació ! Pueda su descendencia perpetuar tu nombre por los siglos de los siglos, durante todas las generaciones, y siempre sea fiel a la alianza del Eterno Señor. »

María con lágrimas de gozo bendice al Señor. Luego traen al pequeñuelo para que lo bendiga el padre. Zacarías no va a donde está Isabel. Toma al niño que chilla con todos sus pulmoncitos, pero no va a donde está su mujer.

Va María y lleva al pequeñuelo, que se calla apenas lo toma en sus brazos. La comadre que la sigue, advierte lo sucedido. « Mujer » dice a Isabel. « Tu niño se calló tan pronto lo tomó Ella. Mira cómo duerme tranquilo. El cielo sabe cuán inquieto está y cuán fuerte lo es. Ahora, ¡ mira ! parece un palomito. »

María coloca al niñito cerca de su madre y la acaricia, componiéndole los cabellos grises. « Nació la rosa » le dice en voz baja. « Y tú estás viva. Zacarías es feliz. »

« ¿ Habla ? »

« Todavía no. Pero confía en el Señor. Descansa ahora. Estoy contigo. »

37. « Florece toda esperanza para quien apoya su cabeza sobre mi pecho de Madre »

(Escrito el mismo día)

Dice María:

« Si mi presencia había santificado al Bautista, no quitó a Isabel que no sufriera la condición a que estaba sujeta, según dijo a Eva el Eterno: " Parirás tus hijos con dolor " [1]. Yo he sido la única sin mancha y que no conocí el matrimonio humano, y por eso me ví libre de dar a luz con dolor. La tristeza y el dolor son frutos de la culpa. Yo que no tenía culpa alguna tuve que conocer también el dolor y la tristeza, porque era Corredentora. Pero no exprerimenté el dolor de dar a luz. No. Este sufrimiento no lo experimenté.

Pero créeme, hija, que no habrá un dolor de parturienta semejante al mío, de Mártir de una Maternidad espiritual: mi dolor al pie de la Cruz, a los pies del patíbulo del Hijo que moría. ¿ Y qué madre hay que se vea obligada a dar a luz en tales circunstan-

[1] Cfr. Gén. 3, 16.

126

cias ? ¿ Que mezcle el desgarro de las entrañas que se rompen al estertor de su Hijo agonizante, con el de las entrañas que se retuercen para poder superar el horror de tener que decir: "Os amo. Venid a mí que soy vuestra Madre" a los verdugos del Hijo que nació del más sublime amor que jamás los cielos hayan contemplado, del amor de Dios por una Virgen, del beso de Fuego, del abrazo de Luz que se hicieron Carne y conviertieron el vientre de una mujer en el Tabernáculo de Dios?

"¡ Cuánto dolor para ser madre !" dijo Isabel. Mucho. Pero nada con respecto al mío.

"¡ Déjame poner mis manos sobre tu seno". ¡ Oh !, si en vuestros sufrimientos me pidieseis siempre esto.

Yo soy la eterna Portadora de Jesús. Está en mi seno, como lo viste el año pasado, cual Hostia en la Custodia. Quien viene a mí, lo encuentra. Quien se apoya en mí, lo toca. Quien se vuelve a mí, habla con El. Yo soy su vestido. El es mi alma. Mucho más unido ahora que no cuando estuvo dentro de mí durante nueve meses. Se le mitiga todo dolor, florece toda su esperanza y mana toda clase de gracias a quien viene a mí y pone su cabeza sobre mi seno.

Yo ruego por vosotros. Recordadlo. La bienaventuranza de estar en el cielo, viva en los rayos de luz de Dios, no me borra el recuerdo de mis hijos que sufren en la tierra. Todo el cielo ruega, porque el cielo ama. El cielo es caridad que vive, y la Caridad tiene piedad de vosotros. Si no fuese más que yo, sería ya una plegaria suficiente en favor de las necesidades de quien espera en Dios. Porque nunca ceso de rogar por todos vosotros: santos y malvados, para dar a los santos la alegría, y a los malvados el arrepentimiento que salva.

Venid, venid, hijos de mi dolor. Os espero a los pies de la Cruz para repartiros gracias. »

38. La circuncisión del Bautista [1]

(Escrito el 4 de abril de 1944)

Veo que la casa está de fiesta. Es el día de la circuncisión. María ha hecho que todo esté bien y en orden. Las habitaciones resplandecen de luz, y las telas más hermosas, los más bellos utensilios brillan por donde quiera. Hay mucha gente.

María se mueve ligera entre los grupos. Hermosa con su blanca vestidura.

Isabel, a quien respetan como a una matrona, goza contenta de su fiesta. El niño descansa sobre sus rodillas, harto de leche.

Llega la hora de la circuncisión.

« Lo llamaremos Zacarías. Tú estás ya viejo. Es bueno que tu nombre se dé al niño » dicen varios hombres.

« ¡ No ! » exclama Isabel. « Su nombre es Juan. Su nombre debe dar testimonio del poder de Dios. »

« Pero jamás ha habido un Juan en vuestro parentesco. »

« No impora. El debe llamarse Juan. »

« ¿ Qué dices, Zacarías ? Tú quieres que se le de tu nombre ¿ o no es así ? »

Zacarías dice que no con la cabeza. Toma la tablilla y escribe: « Su nombre es Juan » y apenas acaba de escribirlo, cuando con su voz continúa: « porque Dios concedió un gran favor a mí, su padre, y a su madre y a este nuevo siervo suyo, que empleará su vida para la gloria del Señor. En los siglos y a los ojos de Dios será llamado grande, porque pasará convirtiendo los corazones al Altísimo Señor. El ángel lo dijo y yo no lo creí. Pero ahora creo y la Luz brilla en mí. Está entre nosotros y no la veis. Su destino es de no ser vista, porque los hombres tienen su corazón lleno de otras cosas y no quiere moverse. Pero mi hijo la verá y hablará de la Luz y ésta hará volver los corazones de los justos de Israel. Bienaventurados los que creyeren en ella y creyeren siempre en la palabra del Señor. Seas bendito, Señor eterno, Dios de Israel que has visitado y redimido a tu pueblo y nos has dado un poderoso Salvador en la casa de David tu siervo. Prometiste por boca de los santos Profetas [2] desde tiempos muy remotos que

---

[1] Cfr. Lc. 1, 59-79.
[2] Cfr. por ej.: Jer. 23, 5-6; 33, 14-26.

nos librarías de nuestros enemigos y de las manos de los que nos odian, para mostrar tu misericordia para con nuestros padres y para mostrar que te acuerdas de tu santa alianza. Este es el juramento que diste a Abraham, nuestro padre [3]: de concedernos que sin temor, al estar libres de las manos de nuestros enemigos, te sirvamos santa y justamente ante tu presencia por toda la vida» y así continúa hasta al fin.

Los presentes se quedan estupefactos del nombre, del milagro y de las palabras de Zacarías.

Isabel, que a la primera palabra de Zacarías tuvo un grito de júbilo, llora ahora, sosteniéndose abrazada a María que feliz la acaricia.

Llevan a otra parte al recién nacido para la circuncisión. Cuando lo vuelven a traer, Juanito da terribles chillidos. Ni siquiera la leche de la mamá lo calma. Patalea como un potro. María lo toma, y lo arrulla, y él se calla y no patalea más.

« Pero ved » dice Sara. « ¡ No se calla sino cuando Ella lo toma ! »

La gente se despide poco a poco. En la habitación se quedan María con el niño en brazos e Isabel que está dichosa.

Entra Zacarías, cierra la puerta, mira a María con lágrimas en los ojos. Quiere hablar, pero se calla. Se adelanta. Se arrodilla ante María. « Bendice al pobre siervo del Señor » le dice. « Bendícelo porque puedes hacerlo, tú que lo llevas en tu seno. La palabra de Dios vino a mí cuando reconocí mi error y creí en todo lo que se me había dicho. Te veo a tí y veo tu dichoso destino. Adoro en tí al Dios de Jacob. Tu, mi primer templo donde el sacerdote que regresa, puede nuevamente orar al Eterno. Bendita tú, que mereciste alcanzar la gracia para el mundo y para este fin llevas al Salvador. Perdona a tu siervo si al principio no vió tu majestad. Con tu venida nos has traído todas las gracias. Dondequiera que vas, ¡ oh Llena de gracia ! Dios obra sus prodigios y santas son las paredes en donde entras, santas se hacen las orejas que oyen tu voz y santos los cuerpos que tocas. Santos los corazones porque dispensas gracias, Madre del Altísimo, Virgen profetizada, y esperada para dar al pueblo de Dios el Salvador. »

María sonríe, sonrojada de humildad. Habla: « Sea alabado el Señor. El solo lo sea. Todas las gracias vienen de El, no de mí. El te las ha dado porque lo amas; sigue en el camino de la perfec-

[3] Cfr. Gén. 22, 15-18.

ción, en los años que te quedan, para merecer su reino que mi Hijo abrirá a los Patriarcas, a los Profetas, a los justos del Señor. Y ahora que puedes orar ante el Santo, ruega por la sierva del Altísimo. Ser Madre del Hijo de Dios es una felicidad sin igual, ser Madre del Redentor debe ser un dolor atroz. Ruega por mí, que hora tras hora siento que crece mi peso de dolor. Y lo llevaré por toda la vida. Y aun cuando no veo todos los pormenores, siento que será un peso más grande que si sobre mis espaldas de mujer descansase el mundo y tuviese que ofrecerlo al cielo. Yo, yo sola, ¡ una pobre mujer ! ¡ Mi Niño ! ¡ Mi Hijo ! Ahora no llora el tuyo porque lo arrullo. ¿ Pero podré arrullar al mío para calmarle el dolor ? . . . Ruega por mí, sacerdote de Dios. Mi corazón se estremece cual flor ante la tempestad. Miro a los hombres y los amo. Pero veo que detrás de sus caras se deja ver el Enemigo y que los hace enemigos de Dios, de mi Hijo Jesús . . . »

La visión cesa con la palidez que se apodera de María y con sus lágrimas que brillan en sus pupilas.

39. « Dispened vuestro corazón para que acoja la Luz »

(Escrito el mismo día)

Dice María:

« Dios perdona a quien reconoce su error, se arrepiente de él y lo confiesa humildemente. No sólo perdona: recompensa. ¡ Qué bueno es mi Señor con quien es humilde y sincero, con quien cree en El y a El se confía ! Desescombrad vuestro corazón de todo lo que lo hace sucio y perezoso. Disponedlo a aceptar la Luz. Como faro en las tinieblas la Luz es guía y consuelo santo. Amistad de Dios, bienaventuranza de sus servidores, riqueza que ninguna otra cosa puede igualar. Quien te posee no está jamás solo, ni siente la amargura de la desesperación. No anules el dolor, santa amistad, porque el dolor fue la suerte del Dios encarnado y puede ser la suerte del hombre. Antes bien convierte este dulce dolor en amargura, y pone luz y caricias que como prenda celestial ayudan con la cruz. Cuando la Bondad divina os dé alguna gracia, empleadla para dar gloria a Dios; no seais como los necios que hacen de una cosa buena un arma nociva, o como los pródigos que transforman sus riquezas en miseria.

Me proporcionais mucho dolores, ¡ oh hijos ! Detrás de vuestras caras veo asomarse el Enemigo, el que ataca a mi Jesús. ¡ Demasiado dolor ! Querría ser para todos la Fuente de la gracia. Pero muchos de vosotros no la deseais. Pedís " gracias " pero con el alma que no tiene la gracia. ¿ Y cómo puede esta socorreros si sois sus enemigos ?

El grande misterio del Viernes santo se acerca. Todo lo recuerda en los templos. Pero hay que celebrarlo y recordarlo en vuestros corazones, golpearse el pecho como los que bajaban del Gólgota y decir: " Este es realmente el Hijo de Dios, el Salvador [1] " y decir: " Jesús, sálvanos por tu Nombre " y decir: " Padre: perdónanos ". Y decir también: " Señor, no soy digno. Pero si Tú me perdonas y vienes a mí, mi alma será curada [2] y yo no quiero más pecar, para no volverme a enfermar y odiarte ".

Orad ¡ hijos ! con las palabras de mi Hijo. Decid al Padre por vuestros enemigos: " Padre, perdónalos " [3]. Llamad al Padre que se ha retirado, enojado por vuestros errores: " Padre, Padre ¿ por qué me has abandonado ? [4] Soy pecador. Pero si me abandonas, pereceré. Vuelve, Padre santo, para que yo me salve ». Poned en manos de Dios vuestro eterno bien, vuestro espíritu, porque es el único que puede conservarlo ileso del demonio: " Padre, en tus manos encomiendo mi espíritu " [5].

Si humildemente, si amorosamente entregáis vuestro corazón a Dios, lo conducirá como un padre guía a su pequeñuelo, y no permitirá que cosa alguna le haga mal. Jesús en sus dolores oró para enseñaros a orar.

Os lo recuerdo en estos días de Pasión. Tú, María, tú que ves mi gloria de Madre y con ella te extasías, piensa y recuerda que tuve a Dios a través de un dolor siempre creciente. Bajó juntamente con el Germen de Dios y cual gigante árbol creció hasta tocar el cielo con la copa y el infierno con sus raíces, cuando pusieron en mis rodillas los despojos mortales de la Carne de mi carne, y ví y conté las llagas y toqué su Corazón desgarrado para beber el dolor hasta la última gota. »

[1] Cfr. Mt. 27, 54; Mc. 15, 39.
[2] Cfr. Mt. 8, 8; Lc. 7, 6-7.
[3] Cfr. Lc. 23, 34.
[4] Cfr. Mt. 27, 46; Mc. 15, 34; Sal. 21, 2.
[5] Cfr. Lc. 23, 46.

40. La presentación del Bautista en el Templo.

(Escrito entre el 5 y 6 de abril de 1944)

De un carruaje, cómodo, detrás del que viene también el borriquillo de María, veo que bajan Zacarías, Isabel y Ella que trae en brazos a Juanito, Samuel con un cordero y un canasto con el palomo. Bajan enfrente al acostumbrado mesón que debe ser la parada de todos los peregrinos que vienen al Templo, donde dejan sus cabalgaduras.

María llama al hombrecillo, que es el dueño, y le pregunta si algún nazareno ha llegado el día anterior o en las primeras horas de la mañana. « Nadie, mujer » responde el viejecillo. María se queda sorprendida, pero no pregunta más.

Dice a Samuel que meta el borriquillo y luego se junta con Zacarías e Isabel, les da la razón probable del retardo de José: « Algo lo habrá detenido. Pero sin duda que hoy vendrá. » Toma a! niño que había entregado a Isabel y se dirigen al templo.

Los guardias reciben con honores a Zacarías, lo mismo que los otros sacerdotes. Zacarías con sus vestiduras sacerdotales es majestuoso, además de la alegría de ser padre. Parece un patriarca. Me imagino que se parece a Abraham cuando iba a ofrecer al Señor a Isaac [1].

Veo la ceremonia de la presentación del nuevo israelita y la de la purificación de la madre. Es mucho más pomposa que la de María, porque los sacerdotes hacen fiesta por el hijo de un sacerdote. Acuden en masa, y se apresuran en rodear a las personas que vienen.

También ha acudido alguna gente curiosa y oigo sus comentarios. Como María lleva en sus brazos al niño mientras se dirigen al lugar de costumbre, la gente cree que es la madre. Pero una mujer dice: « No puede ser. ¿ No veis que está en cinta ? El niño no tiene más que unos cuantos días y Ella está ya gruesa. »

« Y con todo » dice otro « no puede ser sino la madre. La otra está ya vieja. Será una parienta. Pero que sea madre a esta edad, no. »

« Sigámoslos y veremos quién tiene razón. »

Su admiración sale de lo normal cuando ven que la que cumple

[1] Cfr. Gén. 22, 1-18.

con el rito de la purificación es Isabel, que ofrece su corderito balante como holocausto y su palomo por el pecado.

« La madre es esa. ¿ Viste ? »

« ¡No ! »

« ¡ Sí ! »

La gente incrédula sigue haciendo comentarios, y tanto que un " Sst " se oye que viene del grupo de sacerdotes presentes al rito. La gente se calla por unos momentos, pero susurra mucho más fuerte cuando Isabel, radiante, orgullosa, toma a su niño, entra en el templo para presentárselo al Señor.

« Es en realidad ella. »

« La madre es la que ofrece. »

« ¿ Qué milagro será éste ? »

« ¿ Qué será ese niño que Dios concedió en edad tan tarde a esa mujer ? »

« ¿ De qué será señal ? »

« ¿ No lo sabéis ? » dice uno que llega jadeante. « Es el hijo del sacerdote Zacarías de la estirpe de Aarón, el que se quedó mudo cuando ofrecía el incienso en el Santuario. »

« ¡ Misterio, misterio ! ¡ Y ahora de nuevo habla ! El nacimiento de su hijo le desató la lengua. »

« ¿ Qué espíritu le habrá hablado y le habrá dejado inútil su lengua para acostumbrarlo a guardar silencio de los secretos de Dios ? »

« ¡ Misterio ! ¿ Qué cosa sabrá Zacarías ? »

« ¿ Será su hijo el Mesías que espera Israel ? »

« Nació en Judea; y no en Belén, ni de una virgen. No puede ser el Mesías. »

« Entonces ¿ qué será ? »

La respuesta se queda en los silencios de Dios y la gente con su curiosidad.

La ceremonia ha terminado. Los sacerdotes están ahora de fiesta. Lo mismo que la madre y el pequeñito. La única a quien menos se dirigen las miradas y hasta se le esquiva con un cierto desprecio al ver su estado [2], es María.

Terminan las felicitaciones. Todos vuelven a emprender el regreso. María regresa al mesón para ver si ha llegado José. No ha llegado. María se queda desilusionada y pensativa.

[2] Cfr. Lev. 12, 2.

Isabel se aflige por Ella. « Podemos quedarnos hasta las 12, pero después tenemos que partir para llegar a casa antes de la primera vigilia. Todavía está muy pequeño para estar afuera. »

María con calma pero triste: « Me quedaré en un patio del templo. Iré a la casa de mis maestras. No sé. Haré cualquier cosa. »

Zacarías interviene con una idea que se acepta como una buena solución. « Vamos a la casa de los parientes de Zebedeo. Con seguridad José te busca allí y si no hubiese llegado allí, te será fácil encontrar quien te acompañe a Galilea, porque en esa casa hay siempre un continuo ir y venir de pescadores de Genezaret. »

Toman el borriquillo y van a la casa de los parientes del Zebedeo, que no son otros más que aquellos en cuya casa se hospedaron José y María hace unos cuatro meses.

Las horas pasan veloces y José no aparece. María domina su tormento, arrullando al pequeñín, pero se ve que está preocupada. Como para ocultar su estado, no se ha quitado el manto, pese al calor intenso que hace sudar a todos.

Finalmente fuertes toques a la puerta anuncian a José. El rostro de María se serena y resplandece.

José la saluda, porque es la primera en salirle al paso y Ella a su vez lo saluda con respeto. « La bendición de Dios esté sobre tí, María. »

« Y sobre tí, José. ¡ Alabado sea el Señor que viniste ! Mira, Zacarías e Isabel estaban a punto de partir, para llegar a su casa antes de que anocheciese. »

« Tu mensaje llegó a Nazaret cuando estaba yo en Caná por algunos trabajos. Hace días al atardecer me enteré de él, y al punto partí. Pero aunque caminé sin detenerme, me tardé, porque mi borriquillo perdió una herradura. Perdóname. »

« No. Tu perdóname de haber estado tánto tiempo lejos de Nazaret [3]. Pero mira, se sentían felices con tenerme, y quise darles contento hasta ahora. »

« Hiciste bien, mujer. ¿ Dónde está el niño ? »

Entran en la habitación donde está Isabel que en esos momentos está dando de mamar a Juanito, antes de partir. José presenta sus respetos a los dos padres porque el niño es un niño fuerte, pero que quitándole la teta para mostrárselo a José, chilla y pa-

[3] Cfr. Lc. 1, 56.

talea como si lo despellejasen. Todos ríen de sus protestas. También los parientes de Zebedeo, que han acudido trayendo fruta fresca y leche y pan para todos y una palangana grande de pescado, se ríen y se unen a la charla de los demás.

María habla muy poco. Está tranquila y silenciosa. Se ha sentado en su rincón con las manos sobre sus rodillas bajo el manto. Aun cuando bebe su taza de leche y se come un racimo de uvas doradas con un poco de pan, habla poco y poco se mueve. Mira a José con una mezcla de aflicción y de sondeo.

También él la mira. Después de algunos minutos, se inclina sobre su espalda y le pregunta: «¿ Estás cansada o te duele algo ? Estás pálida y triste. »

« Siento separarme de Juanito. Lo quiero mucho. Apenas nacido, lo estreché contra mi corazón... »

José no pregunta más.

La hora de la partida de Zacarías ha llegado. El carruaje se detiene en la puerta, todos van a él. Las dos primas se abrazan con cariño. María besa y vuelve a besar al pequeñín antes de devolvérselo a su madre, que está sentada ya en el carruaje. Luego se despide de Zacarías y le pide su bendición. Al arrodillarse ante el sacerdote, el manto se le cae de la espalda y bajo la luz intensa de un sol de estío se le ven sus formas. No sé si José las haya notado en ese momento, pues estaba despidiéndose de Isabel. El carruaje parte.

José entra con María que vuelve a ocupar su rincón semioscuro. « Si no te desagrada viajar de noche, me gustaría que partiésemos al ponerse el sol. El calor es duro durante el día. La noche por el contrario es fresca y quieta. Lo digo por tí. A mí no me molesta nada el estar bajo el sol. Pero tú... »

« Como quieras, José. También yo creo que sea mejor caminar de noche. »

« La casa está toda en orden. También el huertecito ¡ Verás qué hermosas flores ! Vas a llegar a tiempo cuando empiezan a florecer. El manzano, la higuera, la vid están cargados de frutos como nunca, y he tenido que poner puntales al granado, que está cargadísimo de frutos tan bonitos como nunca se ven en esta temporada. Y luego, el olivo... Tendrás aceite en abundancia. Cuántas flores echó, que parecen un milagro y ni una de ellas se cayó. Todas se han convertido en aceitunas. Cuando habrán madurado, parecerá estar cargado de negras perlas. En Nazaret no hay huerto más bello que el tuyo. Hasta tus familiares se han admirado. Alfeo dice que eso es un prodigio. »

« Tus cuidados lo hicieron. »

« ¡ Oh no ! Soy un pobre hombre. ¡ Qué pude haber hecho ! Cuidé un poco las plantas y les eché un poco de agua a las flores ... ¿ Sabes ? Te he hecho una fuente en el fondo, cerca de la gruta, y construí un estanque. Así no tendrás que salir para tener agua. La traje de aquel manantial que está más arriba del olivar de Matías. Es limpia y suficiente. Llevé hasta allá un hilillo de agua. Hice un buen caño y lo cubrí, y ahora llega el agua cantando como un arpa. Me causaba aflicción que tuvieses que ir hasta la fuente y regresases cargando los cántaros llenos de agua. »

« Gracias, José. ¡ Eres bueno ! »

Los dos esposos guardan silencio, como cansados. José cabecea de sueño. María ora.

Llega la tarde. Los hospedadores insisten en que antes de que se pongan en camino, coman de una vez. José de hecho toma pan y pescado. María solo fruta y leche.

Luego se van. Suben sobre sus borriquillos. José ha puesto en el suyo, como antes lo hizo, el cofre de María, y antes de que ella suba, mira que la silla, esté bien segura. Veo que José observa a María cuando sube a la silla, pero no dice ni una palabra. El viaje empieza cuando las primeras estrellas comienzan a tintilar en el firmamento.

Se apresuran a llegar antes de que las puertas sean cerradas. Cuando salen de Jerusalén y toman el camino principal que va a Galilea, las estrellas pululan ya en el cielo sereno. La campiña duerme envuelta en el silencio. Tan sólo se oye cantar al ruiseñor, como también se oye el caminar de los dos borriquillos por el camino quemado del estío [4].

---

[4] Acerca de la permanencia de María en la casa de Isabel, parece que la Escritora afirme que estuvo 80 días: 40 antes del nacimiento del Bautista y 40 después.

41. « Si José hubiera sido menos santo, Dios no le hubiese concedido sus luces »

(Escrito el mismo día)

Dice María:

« También mi José tuvo su pasión [1]. Empezó en Jerusalén cuando vió mi estado. Y duró varios días lo mismo para él como para mí. Espiritualmente no fue menos dolorosa. Y tan sólo porque mi esposo era un Justo, se mantuvo dentro de una forma tan digna y tan silenciosa, que los siglos apenas si la han notado.

¡ Oh, nuestra primera pasión ! ¡ Quién puede describir su íntima y silenciosa intensidad ! ¡ Quién mi dolor al comprobar que el cielo no me había escuchado todavía, revelando a José el misterio ! Comprendí que lo ignoraba al verlo tan respetuoso conmigo como de costumbre. Si hubiera sabido que llevaba en mi seno al Verbo de Dios, hubiera adorado al Verbo encerrado en mi seno con actos solo dignos de Dios, y que él no habría faltado de mostrar, como también yo no habría dejado de aceptar, no por mí, y a quien llevaba de igual modo como el Arca de la Alianza llevaba las piedras de la ley y los vasos del maná [2].

¿ Quién puede describir mi descorazonamiento [3] que trataba de vencerme y de persuadirme que había esperado en vano en el Señor ? Pienso que fue la rabia de Satanás. Sentí que la duda se levantaba tras de mis espaldas y que alargaba sus zarpas heladas para aprisionar mi corazón y hacer que no orase. La duda que es tan peligrosa y letal al corazón. Letal porque es el primer microbio de la enfermedad mortal que lleva por nombre " desesperación " contra la que se debe de reaccionar con todas las fuerzas, para que el alma no se pierda, ni se pierda a Dios.

¿ Quién podrá describir con exactitud el dolor de José, sus pensamientos, la agitación de su alma? Como pequeña barca en medio de la borrasca, se encontró en el centro de una vorágine de ideas contrarias, en un afluir de reflexiones, la una más punzante y más dolorosa que las otras. Era un hombre aparentemente traicionado por su mujer. Veía que se derrumbaba su buen nombre

---

[1] Cfr. Mt. 1, 18-25.
[2] Cfr. Ex. 25, 10-22; 3°. Rey 8, 9; Hebr. 9, 3-5.
[3] Ninguna admiración causa esto, si se piensa en lo que sufrió Jesús en el Huerto de los Olivos.

y la estima que el mundo tenía por él, creía ver que se le señalaba con el dedo y se le compadecía en Nazaret. Veía que su cariño, la estima que tenía por mí se desbarataban ante la evidencia del hecho.

En este punto su santidad brilla más alta que la mía. Lo digo con afecto de esposa, porque quiero que améis a mi José, a este sabio y prudente hombre, a este hombre paciente y bueno, que no está separado del misterio de la Redención, antes bien muy unido a él porque por su causa sufrió hasta lo indecible, y os salvó al Salvador a costa de su sacrificio y de su santidad. Si hubiera sido menos santo, hubiera obrado humanamente, denunciándome como adúltera para que fuese lapidada y el hijo de mi pecado muriese conmigo. Si hubiera sido menos santo, Dios no le habría concedido sus luces como guías en semejante prueba.

Pero José era un santo. Su espíritu limpio vivía en Dios. Su caridad era grande y fuerte. Y por su caridad os salvó al Salvador, cuando no me acusó ante los ancianos, como cuando, dejando todo obedientemente, salvó a Jesús en Egipto. Breves en número, pero tremendos por su intensidad, fueron los tres días de la pasión de José y mía; de mi primer pasión, porque comprendía su sufrimiento, y no podía consolarlo porque tenía que obedecer la orden de Dios que me había dicho: " ¡ No digas nada ! ".

Y cuando llegamos a Nazaret y ví que se iba después de una lacónica despedida, inclinado y como si hubiera envejecido en tan poco tiempo, y que no había venido a verme por la tarde como solía hacerlo, os aseguro, hijos, que mi corazón lloró lágrimas de sangre. Encerrada en mi casa, sola, en la casa donde todo traía a mi recuerdo la Anunciación y la Encarnación, y donde todo me recordaba a José, unido a mí con una castidad intachable, tuve que hacer frente al desconsuelo, a las insinuaciones de Satanás y esperar, esperar, esperar. Orar, orar, orar. Y perdonar, perdonar, perdonar las sospechas de José, la agitación de su justo desdén [4].

Hijos: es menester esperar, orar, perdonar para obtener que Dios intervenga en nuestro favor. También vosotros vivís vuestra

---

[4] Para comprender bien, según esta Obra, la actitud interior y exterior de José para con María en lo que se refiere a su Maternidad, es menester tener igualmente presentes otros puntos más de vista. Una visión igual y de conjunto la presentamos en el Apéndice, pág. 258, que puede ver el lector.

pasión, que la habéis merecido por vuestras culpas. Os enseño a vencerla y a transformarla en alegría. Esperad contra toda esperanza. Orad confiadamente. Perdonad para ser perdonados. El perdón de Dios será la paz, hijos, que deseáis. »

42. María se explica con José

(Escrito el 31 de mayo de 1944)

Veo el huertecillo de Nazaret. María está tejiendo bajo la sombra de un manzano cargadísimo de fruta que empieza a teñirse de rojo, y parecen mejillas de niño por su aspecto rosado y redondo.

María en cambio no tiene este color. El que tenía en Hebrón ha desaparecido. Su rostro tiene el color de marfil, y en el que tan sólo los labios forman una curva de un pálido coral. Bajo los párpados se ven dos sombras oscuras y el borde de los ojos está hinchado como quien ha llorado. No se los veo porque tiene la cabeza inclinada, dedicada a su trabajo y sobre todo clavada en un pensamiento que debe afligirla, porque oigo que suspira como quien tiene una pena en el corazón. Está vestida de blanco, de un lino blanco, porque hace mucho calor, no obstante que la frescura de las flores me diga que no hace poco que acaba de amanecer. Tiene la cabeza descubierta, y el sol que juguetea con las ramas del manzano que mece un levísimo viento, y que pasa con sus rayos de luz hasta el suelo negruzco de las parterres, le forma círculos de luz en su cabeza rubia, y sus cabellos parecen cobrar el color de oro antiguo.

De la casa no sale ningún ruido, como tampoco de los lugares cercanos. Tan sólo se siente el murmullo del hilo de agua que cae en un estanque en el fondo del huerto.

María se estremece al oir un golpe dado en la entrada de la casa. Deja la rueca y el huso y se levanta para ir a abrir. Aun cuando su vestido es amplio y lo lleva suelto, no logra esconder completamente lo redondo de su seno.

Se encuentra ante José. Hasta sus labios palidecen. Su rostro parece una hostia de tan pálido que está. María mira con ojos interrogadoramente tristes. José mira con ojos que parecen suplicantes. No dicen nada. Se miran solo. Luego María: « ¿ A esta hora, José ? ¿ Tienes necesidad de algo ? ¿ Quieres decirme algo ? Ven. »

José entra y cierra la puerta. No ha dicho ni una palabra todavía.

« Habla, José. ¿ En qué te puedo servir ? »

« En que me perdones. » José se inclina como si quisiera arrodillarse, pero María, siempre reservada en tocarlo, lo toma de la espalda y se lo impide.

Los colores van y vienen al rostro de María, instantes en que está toda roja, instantes en que toda de nieve. « ¿ Mi perdón ? No tengo nada que perdonarte, José. No tengo sino que darte gracias por todo lo que hiciste aquí cuando estuve ausente, y por el amor que me das. »

José la mira. Dos gruesos lagrimones se asoman en lo interior de sus profundos ojos, llegan al borde, como si fuesen un vaso, y luego ruedan sobre sus mejillas y barba. « Perdón, María. Desconfié de tí. Ahora lo sé [1]. No soy digno de tener un tesoro tan grande. Falté a la caridad. Te acusé en mi corazón. Te acusé injustamente porque no te pregunté la verdad. Falté a la ley de Dios, porque no te amé como me habría yo amado a mí mismo [2] ... »

« ¡ Oh, no ! ¡ En nada has faltado ! »

« Sí, María. Si hubiera sido acusado de un crimen semejante, me habría defendido. Tú ... No quería que te defendieses, porque estaba para tomar mis decisiones sin preguntarte cosa alguna. Falté al haber sospechado de tí. Aun una sola sospecha es ofensa, María. Quien sospecha, no conoce. No te conocí como debía haberlo sido. Pero por el dolor que he sufrido ... tres días de suplicio, perdóname, María. »

« No tengo nada que perdonarte. Más bien: soy yo quien te pido me perdones por el dolor que te causé. »

« ¡ Oh, sí, que fue un dolor ! ¡ Qué dolor ! Mira: hoy mismo me dijeron que en las sienes he encanecido, y que tengo arrugas en la cara. Estos días han sido para mí más de 10 años de vida. ¿ Por qué, María has sido tan humilde en callar, en no decir a tu esposo tu gloria, y permitir que sospechase de tí ? »

[1] Cfr. Mt. 1, 19-24.
[2] Cfr. Lev. 19, 18 y pág. 138, not. 4.

José no está arrodillado, pero está tan inclinado que es como si lo estuviese y María le pone su manita sobre la cabeza y sonríe. Parece como si lo absolviera. Dice: « Si no lo hubiera sido de una manera perfecta, no habría merecido el haber concebido al Esperado, que viene a cancelar la culpa de soberbia que destruyó al hombre. Obedecí pues... Dios me pidió esta obediencia... Mucho me costó... por tí, por el dolor que sufrirías... Pero no tenía más que obedecer. Soy la Esclava de Dios y los esclavos no discuten las órdenes que se les dan. Las ejecutan, José, aun cuando hagan llorar sangre. » María llora quedo mientras dice esto, tan quedo que José, inclinado como está, no lo advierte hasta que una lágrima cae al suelo.

Levanta entonces su cabeza — es la primera vez que le veo hacer esto: — toma las manitas de María entre sus manos morenas y robustas y besa la punta de sus rosados y sutiles dedos, que parecen botoncitos de durazno que se asoman por el cerco de las manos de José.

« Ahora hay que tomar todas las providencias porque... » José no agrega más, pero mira el cuerpo de María, y esta se pone coloradísima, se sienta de un golpe, para no quedar expuesta a las miradas de quien la está observando. « Hay que hacerlo cuanto antes. Vendré aquí... Cumpliremos con la ceremonia del matrimonio [3]... La semana que entra... ¿Está bien? »

« Todo lo que haces, José, está bien. Eres el jefe de la casa, yo tu sierva. »

« No. Yo soy tu siervo. Soy el siervo bienaventurado de mi Señor que crece en tu seno. Bendita tú entre todas las mujeres de Israel. Esta noche avisaré a mis familiares. Y luego... cuando esté aquí, trabajaremos para su recibimiento... ¡Oh! ¿cómo podré recibir en mi casa a Dios? ¿En mis brazos a Dios? Me moriré de alegría... ¡Jamás me atreveré a tocarlo! »

« Lo podrás como yo también por la gracia de Dios. »

« Pero tú eres tú. Yo soy un pobre hombre, ¡el último de los hijos de Dios! ... »

« Jesús viene por nosotros los pobres, para hacernos ricos en Dios. Viene a nosotros dos porque somos los más pobres y reconocemos serlo. Alégrate, José. La estirpe de David tiene al Rey esperado y nuestra casa se hace más fastuosa que el palacio de

[3] Cfr. pág. 82, not. 1. Cfr. también Mt. 1, 24.

Salomón, porque aquí estará el cielo y nosotros compartiremos con Dios el secreto de la paz que más tarde los hombres conocerán. Crecerá entre nosotros y nuestros brazos servirán de cuna al Redentor que crecerá, y nuestras fatigas le darán un pedazo de pan... ¡Oh, José! Oiremos la voz de Dios llamarnos: "padre y Madre!" ¡Oh!...» María llora de alegría. Un llanto dichoso.

José arrodillado ahora a sus pies, llora con la cabeza escondida en el amplio vestido de María, que con sus pliegues toca los pobres ladrillos de la habitación.

La visión termina.

43. « Dejad al Señor el cuidado de proclamaros sus siervos »

(Escrito el mismo día)

Dice María:

« Nadie tome mi palidez de un modo equívoco. No se debía a que temiese a los hombres. Humanamente hablando me hubieran lapidado. Esto no lo temía. Sufría porque José sufría. No me causaba ningún temor el hecho de que me fuese a acusar. Solamente me desagradaba que pudiese, insistiendo en su acusación, faltar a la caridad. Cuando lo ví, la sangre se me fue del corazón por este motivo. Era el momento en que un justo habría podido ofender a la Justicia ofendiendo la caridad [1]. Y que un justo faltase, él, que nunca faltaba, me hubiera proporcionado un inmenso dolor.

Si no hubiese sido humilde hasta el extremo, como lo dije a José, no hubiera merecido llevar en mí a Dios que para borrar la soberbia humana se aniquilaba a Sí mismo, al humillarse en ser hombre. Te mostré esta escena que ninguno de los evangelios refiere, porque quiero llamar la atención frecuentemente equivocada de los hombres acerca de las condiciones esenciales para agradar a Dios y ser dignos de que venga al corazón:

Fe: José creyó ciegamente en las palabras del mensajero celestial. No pedía sino creer, porque estaba convencido sincera-

---

[1] Cfr. pág. 138, not. 4.

mente de que Dios es bueno y que él, que había esperado en el Señor, no permitiría que fuese objeto de traición, engaño, befa de su prójimo. No pedía sino poder confiar en mí porque, honesto como era, no podía pensar sino con dolor que otros no lo fuesen. *Vivía* la Ley y la Ley dice: "Ama a tu prójimo como a tí mismo". Nosotros nos amamos tanto que nos creemos perfectos aun cuando no lo seamos. ¿ Por qué entonces no amar al prójimo, teniéndolo por imperfecto ?

Caridad absoluta. Caridad que sabe perdonar, que quiere perdonar. Perdonar de antemano, excusando en el corazón las debilidades del prójimo. Perdonar al punto, procurando buscar todos los atenuantes.

Humildad absoluta como la caridad. Saber reconocer que se faltó aun con el siemple pensamiento, y no tener el orgullo, más nocivo que la culpa cometida, de no querer decir: "Me he equivocado". Fuera de Dios, todos los demás yerran. ¿ Quién es el que puede decir: "Jamás me equivoco" ? Y todavía es más difícil la humildad, la que sabe guardar el secreto de las maravillas de Dios realizadas en nosotros, cuando no hay necesidad de proclamarlas para alabarlo, para no humillar a nuestro prójimo que no ha recibido de Dios tales dones especiales. Si quiere, ¡ oh ! si quiere Dios se revela a Sí mismo en su siervo. Isabel me "vio" como era yo, mi esposo me conoció por lo que era, cuando llegó la hora de hacerlo.

Dejad al Señor el cuidado de proclamaros sus siervos. Tiene El una amorosa prisa, porque cualquiera que es llamado a una misión particular es una nueva gloria que se añade a la suya infinita, porque es testimonio de cuanto es el hombre, así como Dios lo quería: una perfección inferior que refleja a su Autor. Quedaos en la penumbra y en el silencio, vosotros amados de la gracia, para poder escuchar las *únicas* palabras que son de "vida", para poder merecer tener sobre vosotros y en vosotros al Sol que eternamente brilla.

¡ Oh Dios que eres Luz beatísima ! que eres la gloria de tus siervos, brilla sobre ellos para que se regocijen en su humildad, alabándote a Ti, a Ti solo, que destruyes a los soberbios y elevas hasta los resplandores de tu reino a los humildes que te aman. »

44. El edicto del censo [1]

(Escrito el 4 de junio de 1944)

Veo la casa de Nazaret. La pequeña habitación donde habitualmente María suele tomar sus alimentos. Ahora está trabajando en una tela blanca. Deja su labor para prender una lámpara, porque ya atardece y no puede ver bien con la luz verdosa que entra por la puerta semicerrada que da al huerto. Cierra, pues, la puerta. Veo que su seno está ya muy abultado, y sin embargo siempre bella. Su andar es ligero y majestuoso como cualquier cosa que hace. No se nota en ella ninguna de las acciones lentas que se notan en las mujeres cuando se ven en cinta y próximas a dar a luz. Tan sólo su rostro está cambiado.

Ahora es ya mujer. Antes, cuando la Anunciación, era una doncella de rostro sereno e inocente: un rostro de niña. Después, en la casa de Isabel, cuando nació el Bautista, su rostro se revistió de un aire maduro. Ahora es sereno, dulcemente majestuoso, como el de la mujer que ha llegado a su perfección por la maternidad.

María, pues es verdaderamente " una mujer ", llena de donaire, de dignidad. Su sonrisa también se ha cambiado en dulzura y majestad. ¡ Qué bella es !.

Entra José. Parece que regresa del poblado porque entra por la puerta de la casa y no por la de la calle. María levanta su cabeza y le envía una sonrisa. Lo mismo José, pero parece que lo haga forzado, como si estuviese preocupado. María lo mira con ojos interrogativos. Se levanta para tomar el manto que José se está quitando, lo dobla y lo pone sobre un arquibanco.

José se sienta junto a la mesa. Apoya su codo en ella y la cabeza sobre la mano, mientras con la otra, pensativo, se peina y despeina alternativamente la barba.

« ¿ Tienes algo que te atormenta ? » pregunta María. « ¿ Puedo consolarte ? »

« Tu siempre me consuelas, María, pero esta vez tengo una *gran* preocupación . . . por tí. »

« ¿ Por mí, José ? ¿ De qué se trata ? »

« Pusieron un edicto en la puerta de la sinagoga. Se ordena que

[1] Cfr. Lc. 2, 1-5.

144

todos los palestinenses se empadronen y hay que ir a empadronarse al lugar de origen. Debemos ir a Belén...»

«¡ Oh!» interrumpe María, poniéndose una mano sobre el vientre.

«¿ Te molesta, verdad? Es duro. Lo sé.»

«No, José. No es esto. Pienso... pienso en las Sagradas Escrituras: en Raquel, madre de Benjamín, y mujer de Jacob de la que nacerá la Estrella[2]: el Salvador. Raquel fue sepultada en Belén, del que está escrito: " Y tú, Belén de Efrata, eres el más pequeño entre los poblados de Judá, pero de tí saldrá el Dominador "[3]. El Dominador que fue prometido a la estirpe de David. El nacerá de ella...»

«¿ Crees... crees que llegó ya el tiempo? ¡ Oh! ¿ cómo haremos?» José está asustado. Mira a María con dos ojos llenos de compasión.

Ella cae en la cuenta. Sonríe. Sonríe más *consigo misma*, que con él. Una sonrisa que parece decir: «Es un hombre, justo, pero hombre. Ve tan sólo como hombre. Piensa como hombre. Compadécelo, alma mía, y guíalo a ver como espíritu.» Su bondad la empuja a serenarlo. No dice nada que no sea verdad, pero trata de despejar su preocupación. «José, José. El tiempo está ya muy próximo. Pero el Señor puede abreviarlo para quitarte esta preocupación. Sí que lo hará. No tengas miedo.»

«¡ Pero el viaje!... ¡ Quién sabe cuánta gente! ¿ Encontraremos alojo? ¿ Tendremos tiempo para regresar? Y si... dieses a luz allá ¿ cómo nos las arreglaremos? No tenemos casa... No conocemos a nadie...»

«No tengas miedo. Todo saldrá bien. Dios hace que los animales que El creó encuentren un refugio. ¿ No crees que no vaya a encontrar uno para su Mesías? Confiemos en El ¿ o no? Siempre hemos puesto nuestras esperanzas en El. Cuanto más fuerte es la prueba, tanto más confiemos en El. Como dos niños pongamos nuestra mano sobre la del Padre. El nos guía. De hecho nos hemos entregado a El. Mira cómo nos ha traído hasta acá bondadosamente. Un padre, aun el mejor, no lo hubiera podido haber hecho mejor. Somos sus hijos y siervos. Cumplimos con su voluntad. No nos puede pasar nada malo. También el edicto es su voluntad.

[2] Cfr. Núm. 24, 17; Gén. 35, 18-20; 48, 7.
[3] Cfr. Miq. 5, 2.

145

¿ Qué cosa es el César ? Un instrumento de Dios. Desde que el Padre determinó perdonar al hombre, arregló de antemano los sucesos para que su Mesías naciese en Belén. Belén, la pequeña ciudad no existía aún y su gloria ya estaba señalada. Para que esta gloria se realice y la palabra de Dios no deje de cumplirse — y acaecería si el Mesías naciese en otra parte — mira que un poderoso se ha erguido, muy lejos de aquí, y nos ha dominado y ahora quiere conocer el número de sus súbditos, *ahora*, mientras el mundo está en paz... ¡ Oh ¡ ¿ qué importa nuestra breve fatiga si pensamos en la belleza de esos instantes de paz? Piensa, José. ¡ Un tiempo en que no hay odio en el mundo ! ¿ Puede haber otro más dichoso para que surja la " Estrella " cuya luz es divina y que significa redención ? ¡ Oh, no tengas miedo, José ! Si los caminos son inseguros, si las muchedumbres hacen difícil el caminar, los ángeles nos ayudarán y protegerán. No a nosotros: a su Rey. Si no encontrásemos albergue, con sus alas formarán una tienda. No nos pasará ningún mal. No nos puede pasar: Dios está con nosotros. »

José la mira y escucha extático. Las arrugas de su frente desaparecen. La sonrisa vuelve. Se levanta sin cansancio ni aflicción. Sonríe. « ¡ Bendita tú, sol de mi espíritu ! ¡ Bendita tú que sabes ver todo a través de la gracia de la que estás llena ! No perdamos, pues, tiempo; porque hay que partir lo más pronto posible... y regresar también lo más presto, porque aquí todo está preparado para El... para El... »

« Para *nuestro* Hijo, José. *Tal lo debe ser a los ojos del mundo, recuérdalo*. El Padre ha rodeado con el misterio su venida, y no tenemos el derecho nosotros de levantar el velo. El, Jesús, lo hará cuando llegue la hora... »

Es imposible describir la belleza del rostro, mirada, expresión y la voz de María cuando pronuncia el nombre de « Jesús ». Es ya el éxtasis. Y con esto termina la visión.

45. « Amar es dar contento a quien se ama más allá de lo que pueden exigir los sentidos o la conveniencia »

(Escrito el mismo día)

Dice María:

« No voy a decir mucho, porque mis palabras son ya una enseñanza. Sin embargo llamo la atención de las casadas sobre un punto.

Muchos matrimonios se convierten en separaciones por culpa de las mujeres, que no poseen ese amor que es todo: bondad, compasión, consuelo para con el marido. Sobre el marido pesa el sufrimiento físico que pesa sobre la mujer, pero pesan todas las preocupaciones morales. Necesidad de trabajo, decisiones que tomar, responsabilidad ante los poderes establecidos y deberes para con la propia familia... ¡Oh! ¡cuántas cosas pesan sobre el marido! Y ¡qué necesidad tiene de consuelo! Pues bien: el egoísmo es tal que al marido cansado, sin fuerzas, humillado, preocupado, la esposa le añade el peso de inútiles y algunas veces injustos reproches. Y todo porque es una egoísta. No ama.

Amar no significa satisfacerse a sí mismo bien se refiera a los sentidos, bien a algo útil. Amar significa dar contento a quien se ama, más allá de lo que pueden exigir los sentidos o la conveniencia, concediendo a su corazón la ayuda de que tiene necesidad para poder tener siempre abiertas las alas en los cielos de la esperanza y de la paz.

Quiero llamar también la atención sobre el siguiente punto: Ya hablé de él, pero vuelvo a insistir. Es el que se refiere a la confianza en Dios. La confianza resume en sí las virtudes teologales. Quien la tiene, es señal que tiene fe. Quien la tiene, señal es de que espera. Quien la posee, señal es de que ama. Cuando uno ama, espera, cree en alguien, tiene confianza. De otro modo no se puede. Dios es merecedor de esta confianza nuestra. Si la damos a los pobres hombres capaces de fallar ¿por qué debe negarse a Dios que jamás falla?

La confianza es también humildad. El soberbio dice: "Yo lo hago por mí mismo. No me fío de este porque es incapaz, mentiroso, orgulloso..." El humilde dice: "Confío. ¿Por qué no debo confiar? ¿Por qué debo pensar que soy mejor que él?" Y con mayor razón dice de Dios: "¿Por qué debo desconfiar de El que es bueno ? ¿ Por qué debo pensar que sea yo capaz de hacerlo por mí mismo ? " Dios se entrega al humilde, pero se aleja del que es soberbio.

La confianza es también obediencia. Dios ama al obediente. La obediencia es señal por la que nos reconocemos hijos suyos y reconocemos a Dios como a Padre. Y un padre no puede sino amar cuando es un *verdadero* padre. Dios es para nosotros un verdadero Padre y un Padre perfecto.

El tercer punto que quiero que meditéis es el siguiente. Y siempre se apoya sobre la confianza. Cualquier cosa que suceda, no puede suceder si Dios no la permite. ¿ Eres por ventura poderoso ? Si es así, es porque Dios lo ha permitido. ¿ Eres acaso súbdito ? Lo eres porque Dios lo permitió.

Trata, pues, ¡ oh poderoso ! de no convertir tu poder para tu mal. Siempre sería " tu mal " aun cuando al principio parezca que es un mal de los demás. Porque si Dios permite, no permite más allá de la medida, y si tu pisas más allá de la señal, El castiga, te reduce a polvo. Trata, pues, ¡ oh, tú que eres súbdito ! de convertir tu estado en un imán que atraiga sobre tí la protección celestial. No maldigas jamás. Déjaselo a Dios. A El, que es Señor de todo, toca bendecir y maldecir lo que creó.

Quédate en paz. »

46. El viaje a Belén [1]

(Escrito el 5 de junio de 1944)

Veo un camino principal. Viene por él mucha gente. Borriquillos cargados de utensilios y de personas. Borriquillos que regresan. La gente los espolea. Quien va a pie, va aprisa porque hace frío.

El aire es limpio y seco. El cielo está sereno, pero tiene ese frío cortante de los días invernales. La campiña sin hojas parece más extensa, y los pastizales apenas si tienen hierba un poco crecida, quemada con los vientos invernales; en los pastizales las

[1] Cfr. Lc. 2, 4-5.

148

ovejas buscan algo de comer y buscan el sol que poco a poco se levanta; se estrechan una a la otra, porque también ellas tienen frío y balan levantando su trompa hacia el sol como si le dijesen: « Baja pronto, ¡ que hace frío ! » El terreno tiene ondulaciones que cada vez son más claras. Es en realidad un terreno de colinas. Hay concavidades con hierba lo mismo que valles pequeños. El camino pasa por en medio de ellos y se dirigen hacia el sureste.

María viene montada en un borriquillo gris. Envuelta en un manto pesado. Delante de la silla está el arnés que llevó en el viaje a Hebrón, y sobre el cofre van las cosas necesarias.

José camina a su lado, llevando la rienda. « ¿ Estás cansada ? » le pregunta de cuando en cuando.

María lo mira. Le sonríe. Le contesta: « No. » A la tercera vez añade: « Más bien tu debes sentirte cansado con el camino que hemos hecho. »

« ¡ Oh, yo ni por nada ! Creo que si hubiese encontrado otro asno, podrías venir más cómoda y caminaríamos más pronto. Pero no lo encontré. Todos necesitan en estos días de una cabalgadura. Lo siento. Pronto llegaremos a Belén. Más allá de aquel monte está Efrata. »

Ambos guardan silencio. La Virgen, cuando no habla, parece como si se recogiese en plegaria. Dulcemente se sonríe con un pensamiento que entreteje en sí misma. Si mira a la gente, parece como si no viera lo que hay: hombres, mujeres, ancianos, pastores, ricos, pobres, sino lo que Ella sola ve.

« ¿ Tienes frío ? » pregunta José, porque sopla el aire.

« No. Gracias. »

Pero José no se fía. Le toca los pies que cuelgan al lado del borriquillo, calzados con sandalias y que apenas si se dejan ver a través del largo vestido. Debe haberlos sentido fríos, porque sacude su cabeza y se quita una especie de capa pequeña, y la pone en las rodillas de María, la extiende sobre sus muslos, de modo que sus manitas estén bien calientes bajo ella y bajo el manto.

Encuentran a un pastor que atraviesa con su ganado de un lado a otro. José se le acerca y le dice algo. El pastor dice que sí. José toma el borriquillo y lo lleva detrás del ganado que está paciendo. El pastor toma una rústica taza de su alforja y ordeña una robusta oveja. Entrega a José la taza que la da a María.

« Dios os bendiga » dice María. « A tí por tu amor, y a tí por tu bondad. Rogaré por tí. »

« ¿ Venís de lejos ? »

« De Nazaret » responde José.

« ¿ Y vais ? »

« A Belén. »

« El camino es largo para la mujer en este estado. ¿ Es tu mujer ? »

« Sí. »

« ¿ Tenéis a donde ir? »

« No. »

« ¡ Va mal todo ! Belén está llena de gente que ha llegado de todas partes para empadronarse o para ir a otras partes. No sé si encontreis alojo. ¿ Conoces bien el lugar ? »

« No muy bien. »

« Bueno... te voy a enseñar... porque se trata de Ella (y señala a María). Buscad el alojo. Estará lleno. Te lo digo para darte una idea. Está en una plaza. Es la más grande. Se llega a ella por este camino principal. No podéis equivocaros. Delante de ella hay una fuente. El albergue es grande y bajo con un gran portal. Estará lleno. Pero si no podéis alojaros en él o en alguna casa, dad vuelta por detrás del albergue, como yendo a la campiña. Hay apriscos en el monte. Algunas veces los mercaderes que van a Jerusalén los emplean como albergue. Hay apriscos en el monte, no lo olvidéis: húmedos, fríos y sin puerta, pero siempre son un refugio, porque la mujer... no puede quedarse en la mitad del camino. Tal vez allí encontreis un lugar... y también heno para dormir y para el asno. Que Dios os acompañe. »

« Y a tí te dé su alegría » responde la Virgen. José por su parte dice: « La paz sea contigo. »

Vuelve a continuar su camino. Una concavidad más extensa se deja ver desde la cresta a la que han llegado. En la concavidad, arribo y abajo, a lo largo de las suaves pendientes que la rodean, se ven casas y casas. Es Belén.

« Hemos llegado a la tierra de David, María. Ahora vas a descansar. Me parece que estás muy cansada... »

« No. Pensaba yo... estoy pensando... » María aprieta la mano de José y le dice con una sonrisa de bienaventurada: « Estoy pensando que el momento ha llegado. »

« ¡ Que Dios nos socorra ! ¿ Qué vamos a hacer ? »

« No temas, José. Ten constancia. ¿ Ves qué tranquila estoy yo ? »

« Pero sufres mucho. »

« ¡ Oh no ! [2]. Me encuentro llena de alegría. Una alegría tal, tan fuerte, tan grande, incontenible, que mi corazón palpita muy fuerte y me dice: " ¡ Va a nacer ! ¡ Va a nacer ! " Lo dice a cada palpitar. Es mi Hijo que toca a mi corazón y que dice: " Mamá: ya vine. Vengo a darte un beso de parte de Dios ". ¡ Oh, qué alegría, José mío ! »

Pero José no participa de la misma alegría. Piensa en lo urgente que es encontrar un refugio, y apresura el paso. Puerta tras puerta pide alojo. Nada. Todo está ocupado. Llegan al albergue. Está lleno hasta en los portales, que rodean el patio interior.

José deja a María que sigue sentada sobre el borriquillo en el patio y sale en busca de algunas otras casas. Regresa desconsolado. No hay ningún alojo. El crepúsculo invernal pronto se echa encima y empieza a extender sus velos. José suplica al dueño del albergue. Suplica a viajeros. Ellos son varones y están sanos. Se trata ahora de una mujer próxima a dar a luz. Que tengan piedad. Nada. Hay un rico fariseo que los mira con manifesto desprecio, y cuando María se acerca, se separa de ella como si se hubiera acercado una leprosa [3]. José lo mira y la indignación le cruza por la cara. María pone su mano sobre la muñeca de José para calmarlo. Le dice: « No insistas. Vámonos. Dios proveerá. »

Salen. Siguen por los muros del albergue. Dan vuelta por una callejuela metida entre ellos y casuchas. Le dan vuelta. Buscan. Allí hay algo como cuevas, bodegas, más bien que apriscos, porque son bajas y húmedas. Las mejores están ya ocupadas. José se siente descorazonado.

« Oye, galileo » le grita por detrás un viejo. « Allá en el fondo, bajo aquellas ruinas, hay una cueva. Tal vez no haya nadie. »

Se apresuran a ir a esa cueva. Y que si es una madriguera. Entre los escombros que se ven hay un agujero, más allá del cual se ve una cueva, una madriguera excavada en el monte, más bien que gruta. Parece que sean los antiguos fundamentos de una vieja construcción, a la que sirven de techo los escombros caídos sobre troncos de árboles.

[2] Cfr. el principio del cap. 37, pág. 126.
[3] Cfr. Lev. 12, 2.

Como hay muy poca luz y para ver mejor, José saca la yesca y prende una candileja que toma de la alforja que trae sobre la espalda. Entra y un mugido lo saluda. « Ven, María. Está vacía. No hay sino un buey. » José sonríe. « Mejor que nada . . . »

María baja del borriquillo y entra.

José puso ya la candileja en un clavo que hay sobre un tronco que hace de pilar. Se ve que todo está lleno de telarañas. El suelo, que está batido, revuelto, con hoyos, guijarros, desperdicios, excrementos, tiene paja. En el fondo, un buey se vuelve y mira con sus quietos ojos. Le cuelga hierba del hocico. Hay un rústico asiento y dos piedras en un rincón cerca de una hendidura. Lo negro del rincón dice que allí suele hacerse fuego.

María se acerca al buey. Tiene frío. Le pone las manos sobre su pescuezo para sentir lo tibio de él. El buey muge, pero no hace más, parece como si comprendiera. Lo mismo cuando José lo empuja para tomar mucho heno del pesebre y hacer un lecho para María — el pesebre es doble, esto es, donde come el buey, y arriba una especie de estante con heno de repuesto, y de este toma José — no se opone. Hace lugar aun al borriquillo que cansado y hambriento, se pone al punto a comer. José voltea también un cubo con abolladuras. Sale, porque afuera vió un riachuelo, y vuelve con agua para el borriquillo. Toma un manojo de varas secas que hay en un rincón y se pone a limpiar un poco el suelo. Luego desparrama el heno. Hace una especie de lecho, cerca del buey, en el rincón más seco y más defendido del viento. Pero siente que está húmedo el heno y suspira. Prende fuego, y con una paciencia de trapista, seca poco a poco el heno junto al fuego.

María sentada en el banco, cansada, mira y sonríe. Todo está ya pronto. María se acomoda lo mejor que puede sobre el muelle heno, con las espaldas apoyadas contra un tronco. José adorna todo aquel . . . ajuar, pone su manto como una cortina en la entrada que hace de puerta. Una defensa muy pobre. Luego da a la Virgen pan y queso, y le da a beber agua de una cantimplora. « Duerme ahora » le dice. « Yo velaré para que el fuego no se apague. Afortunadamente hay leña. Esperamos que dure y que arda. Así podemos ahorrar el aceite de la lámpara. »

María obediente se acuesta. José la cubre con el manto de ella, y con la capa que tenía antes en los pies.

« Pero tu vas a tener firío . . . »

« No, María. Estoy cerca del fuego. Trata de descansar. Mañana será mejor. »

María cierra los ojos. No insiste. José se va a su rincón. Se sienta sobre una piedra, con pedazos de leña cerca. Pocos, que no durarán mucho por lo que veo.

Están del siguiente modo: María a la derecha con las espaldas a la... puerta, semi-escondida por el tronco y por el cuerpo del buey que se ha echado en tierra. José a la izquierda y hacia la puerta, por lo tanto, diagonalmente, y así su cara da al fuego, con las espaldas a María. Pero de vez en vez se voltea a mirarla y la ve tranquila, como si durmiese. Despacio rompe las varas y las echa una por una en la hoguera pequeña para que no se apague, para que dé luz, y para que la leña dure. No hay más que el brillo del fuego que ahora se reaviva, ahora casi está por apagarse. Como está apagada la lámpara de aceite, en la penumbra resaltan sólo la figura del buey, la cara y manos de José. Todo lo demás es un montón que se confunde en la gruesa penumbra.

47. Nacimiento de Nuestro Señor Jesucristo [1]

(Escrito el 6 de junio de 1944)

Veo el interior de este pobre albergue rocoso que María y José comparten con los animales.

La pequeña hoguera está a punto de apagarse, como quien la vigila a punto de quedarse dormido. María levanta su cabeza de la especie de lecho y mira. Ve que José tiene la cabeza inclinada sobre el pecho como si estuviese pensando, y está segura que el cansancio ha vencido su deseo de estar despierto. ¡Qué hermosa sonrisa le aflora por los labios! Haciendo menos ruido que haría una mariposa al posarse sobre una rosa, se sienta, y luego se arrodilla. Ora. Es una sonrisa de bienaventurada la que llena su rostro. Ora con los brazos abiertos no en forma de cruz, sino con las palmas hacia arriba y hacia adelante, y parece como si no se cansase con esta posición. Luego se postra contra el heno orando más intensamente. Una larga plegaria.

[1] Cfr. Lc. 2, 6-7.

José se despierta. Ve que el fuego casi se ha apagado y que el lugar está casi oscuro. Echa unas cuantas varas. La llama prende. Le echa unas cuantas ramas gruesas, y luego otras más, porque el frío debe ser agudo. Uno frío nocturno invernal que penetra por todas las partes de estas ruinas. El pobre José, como está junto a la puerta — llamemos así a la entrada sobre la que su manto hace las veces de puerta — debe estar congelado. Acerca sus manos al fuego. Se quita las sandalias y acerca los pies al fuego. Cuando ve que este va bien y que alumbra lo suficiente, se da media vuelta. No ve nada, ni siquiera lo blanco del velo de María que formaba antes una línea clara en el heno oscuro. Se pone de pie y despacio se acerca a donde está María.

« ¿ No te has dormido ? » le pregunta. Y por tres veces lo hace, hasta que Ella se estremece, y responde: « Estoy orando. »

« ¿ Te hace falta algo ? »

« Nada, José. »

« Trata de dormir un poco. Al menos de descansar. »

« Lo haré. Pero el orar no me cansa. »

« Buenas noches, María. »

« Buenas noches, José ».

María vuelve a su antigua posición. José, para no dejarse vencer otra vez del sueño, se pone de rodillas cerca del fuego y ora. Ora con las manos juntas sobre la cara. Las mueve algunas veces para echar más leña al fuego y luego vuelve a su ferviente plegaria. Fuera del rumor de la leña que chisporrotea, y del que produce el borriquillo que algunas veces golpea su pesuña contra el suelo, otra cosa no se oye.

Un rayo de luna se cuela por entre una grieta del techo y parece como hilo plateado que buscase a María. Se alarga, conforme la luna se alza en lo alto del cielo, y finalmente la alcanza. Ahora está sobre su cabeza que ora. La nimba de su candor.

María levanta su cabeza como si de lo alto alguien la llamase, y nuevamente se pone de rodillas. ¡ Oh, qué bello es aquí ! Levanta su cabeza que parece brillar con la luz blanca de la luna, y una sonrisa sobrehumana transforma su rostro. ¿ Qué cosa está viendo ? ¿ Qué oyendo ? ¿ Qué cosa experimenta ? Solo Ella puede decir lo que vió, sintió y experimentó en la hora dichosa de su Maternidad. Yo solo veo que a su alrededor la luz aumenta, aumenta, aumenta. Parece como si bajara del cielo, parece como si manara de las pobres cosas que están a su alrededor, sobre todo parece como si de Ella procediese.

Su vestido oscuro-azul, ahora parece estar teñido de un suave color de miosotis, sus manos y su rostro parecen tomar el azulino de un zafiro intensamente pálido puesto al fuego. Este color, que me recuerda, aunque muy tenue, el que veo en las visiones del santo paraíso, y el que ví en la visión de cuando vinieron los Magos, se difunde cada vez más sobre todas las cosas, las viste, purifica, las hace brillantes.

La luz emana cada vez cón má fuerza del cuerpo de María; absorbe la de la luna, parece como que Ella atrajese hacia sí la que le pudiese venir de lo alto. Ya es la Depositaria de la Luz. La que será la Luz del mundo. Y esta beatífica, incalculable, incomensurable, eterna, divina Luz que está para darse, se anuncia con un alba, un alborada, un coro de átomos de luz que aumentan, aumentan cual marea, que suben, que suben cual incienso, que bajan como una avenida, que se esparcen cual un velo...

La bóveda, llena de agujeros, telarañas, escombros que por milagro se balancean en el aire y no se caen; la bóveda negra, llena de humo, apestosa, parece la bóveda de una sala real. Cualquier piedra es un macizo de plata, cualquier agujero un brillar de ópalos, cualquier telaraña un preciosísimo baldaquín tejido de plata y diamantes. Una lagartija que está entre dos piedras, parece un collar de esmeraldas que alguna reina dejara allí; y unos murciélagos que descansan parecen una hoguera preciosa de ónix. El heno que sale de la parte superior del pesebre, no es más hierba, es hilo de plata y plata pura que se balancea en el aire cual se mece una cabellera suelta.

El pesebre es, en su madera negra, un bloque de plata bruñida. Las paredes están cubiertas con un brocado en que el candor de la seda desaparece ante el recamo de perlas en relieve; y el suelo... ¿qué es ahora? Un cristal encendido con luz blanca; los salientes parecen rosas de luz tiradas como homenaje a él; y los hoyos, copas preciosas de las que broten aromas y perfumes.

La luz crece cada vez más. Es irresistible a los ojos. En medio de ella desaparece, como absorbida por un velo de incandescencia, la Virgen... y de ella emerge la Madre.

Sí. Cuando soy capaz de ver nuevamente la luz, veo a María con su Hijo recién nacido entre los brazos. Un Pequeñín, de color rosado y gordito, que gesticula y mueve sus manitas gorditas como capullo de rosa, y sus piecitos que podrían estar en la corola de una rosa; que llora con una vocecita trémula, como la de un corderito que acaba de nacer, abriendo su boquita que parece una fresa selvática y que enseña una lenguita que se mueve contra el paladar rosado; que mueve su cabecita tan rubia que parece como si no tuviese ni un cabello, una cabecita redonda que la Mamá sostiene en la palma de su mano, mientras mira a su Hijito, y lo adora ya sonriendo, ya llorando; se inclina a besarlo no sobre su cabecita, sino sobre su pecho, donde palpita su corazoncito, que palpita por nosotros... allí donde un día recibirá la lanzada. Se la cura de antemano su Mamita con un beso inmaculado.

El buey, que se ha despertado al ver la claridad, se levanta dando fuertes patadas sobre el suelo y muge. El borrico vuelve su cabeza y rebuzna. Es la luz la que lo despierta, pero yo me imagino que quisieron saludar a su Creador, creador de ellos, creador de todos los animales.

José que oraba tan profundamente que apenas si caía en la cuenta de lo que le rodeaba, se estremece, y por entre sus dedos que tiene ante la cara, ve que se filtra una luz. Se quita las manos de la cara, levanta la cabeza, se voltea. El buey que está parado no deja ver a María. Ella grita: « José, ven. »

José corre. Y cuando ve, se detiene, presa de reverencia, y está para caer de rodillas donde se encuentra, si no es que María insiste: « Ven, José », se sostiene con la mano izquierda sobre el heno, mientras que con la derecha aprieta contra su corazón al Pequeñín. Se levanta y va a José que camina temeroso, entre el deseo de ir y el temor de ser irreverente.

A los pies de la cama de paja ambos esposos se encuentran y se miran con lágrimas llenas de felicidad.

« Ven, ofrezcamos a Jesús al Padre » dice María.

Y mientras José se arrodilla, Ella de pie entre dos troncos que sostienen la bóveda, levanta a su Hijo entre los brazos y dice: « Heme aquí. En su Nombre, ¡ oh Dios ! te digo esto. Heme aquí para hacer tu voluntad. Y con El, yo, María y José, mi esposo. Aquí están tus siervos, Señor. Que siempre hagamos a cada momento, en cualquier cosa, tu voluntad, para gloria tuya y por amor tuyo. » Luego María se inclina y dice: « Tómalo, José » y ofrece al Pequeñín.

« ¿ Yo ? ¿ Me toca a mí ? ¡ Oh, no ! ¡ No soy digno ! » José está terriblemente despavorido, aniquilado ante la idea de tocar a Dios.

Pero María sonriente insiste: « Eres digno de ello. Nadie más que tú, y por eso el Altísimo te escogió. Tómalo, José y tenlo mientras voy a buscar los pañales. »

José, rojo como la púrpura, extiende sus brazos, toma ese montoncito de carne que chilla de frío y cuando lo tiene entre sus brazos no siente más el deseo de tenerlo separado de sí por respeto, se lo estrecha contra el corazón diciendo en medio de un estallido de lágrimas: « ¡ Oh, Señor, Dios mío ! » y se inclina a besar los piececitos y los siente fríos. Se sienta, lo pone sobre sus rodillas y con su vestido café, con sus manos procura cubrirlo, calentarlo, defenderlo del viento helado de la noche. Quisiera ir al fuego, pero allí la corriente de aire que entra es peor. Es mejor quedarse aquí. No. Mejor ir entre los dos animales que defienden del aire y que despiden calor. Y se va entre el buey y el asno y se está con las espaldas contra la entrada, inclinado sobre el Recién nacido para hacer de su pecho una hornacina cuyas paredes laterales son una cabeza gris de largas orejas, un grande hocico blanco cuya nariz despide vapor y cuyos ojos miran bonachonamente.

María abrió ya el cofre, y sacó ya lienzos y fajas. Ha ido a la hoguera a calentarlos. Viene a donde está José, envuelve al Niño en lienzos tibios y luego en su velo para proteger su cabecita. « ¿ Dónde lo pondremos ahora ? » pregunta.

José mira a su alrededor. Piensa... « Espera » dice. « Vamos a echar más acá a los dos animales y su paja. Tomaremos más de aquella que está allí arriba, y la ponemos aquí dentro. Las tablas del pesebre lo protegerán del aire; el heno le servirá de almohada y el buey con su aliento lo calentará un poco. Mejor el buey. Es más paciente y quieto. » Y se pone hacer lo dicho, entre tanto María arrulla a su Pequeñín apretándoselo contra su corazón, y poniendo sus mejillas sobre la cabecita para darle calor.

José vuelve a atizar la hoguera, sin darse descanso, para que se levante una buena llama. Seca el heno y según lo va sintiendo un poco caliente lo mete dentro para que no se enfríe. Cuando tiene suficiente, va al pesebre y lo coloca de modo que sirva para hacer una cunita. « Ya está » dice. « Ahora se necesita una manta, porque el heno espina y para cubrirlo completamente ... »

« Toma mi manto » dice María.

« Tendrás frío. »

« ¡ Oh, no importa ! La capa es muy tosca; el manto es delicado y caliente. No tengo frío para nada. Con tal de que no sufra El. »

José toma el ancho manto de delicada lana de color azul oscuro, y lo pone doblado sobre el heno, con una punta que pende fuera del pesebre. El primer lecho del Salvador está ya preparado.

María, con su dulce caminar, lo trae, lo coloca, lo cubre con la extremidad del manto; le envuelve la cabecita desnuda que sobresale del heno y la que protege muy flojamente su velo sutil. Tan solo su rostro pequeñito queda descubierto, gordito como el puño de un hombre, y los dos, inclinados sobre el pesebre, bienaventurados, lo ven dormir su primer sueño, porque el calor de los pañales y del heno han calmado su llanto y han hecho dormir al dulce Jesús.

48. « Yo, María, redimí a la mujer con mi Maternidad divina »[1]

(Escrito el mismo día)

Dice María:

« Yo, María, redimí a la mujer con mi Maternidad divina. Pero no fue sino el principio de su redención. Al haberme negado a casarme por el voto de virginidad, había rechazado cualquier satisfacción de concupiscencia y así merecí la gracia de Dios. Pero no era suficiente. Porque el pecado de Eva era un árbol de cuatro ramas: soberbia, avaricia, glotonería, lujuria. Y las cuatro tenían que cortarse antes de que el árbol fuera hecho estéril en sus raíces.

Humillándome hasta lo profundo, vencí la soberbia. Me humillé delante de todos. No me refiero a mi humildad para con Dios, que toda creatura debe tributarle. Su Verbo la tuvo. También yo, mujer, tenía que tenerla. ¿ Pero has pensado qué humillación debí sufrir, y sin defenderme en modo alguno de parte de los hombres ?

Aun José, que era un hombre justo, me había acusado en su corazón.[2] Los demás, que no lo eran, habían pecado de murmuración

[1] Para lo dicho en este cap. cfr. pág. 89, not. 1.
[2] Cfr. pág. 138, not. 4.

contra mi estado, y el rumor de sus palabras había llegado cual amarga aura a romperse contra mi persona humana. Y fue el principio de las innumerables humillaciones que mi vida de Madre de Jesús y del linaje humano me proporcionaron. Humillaciones de pobreza, humillaciones de perseguida, humillaciones por los reproches de parientes y amigos que, ignorando la verdad, tomaban como débil mi modo de ser madre para con mi Jesús que se había convertido en un jovenzuelo, humillaciones en los tres años de su ministerio, humillaciones crueles en la hora del Calvario, humillaciones hasta reconocer que no tenía con qué comprar un lugar para sepultar a mi Hijo, ni aromas para envolver su cuerpo.

Vencí la avaricia de los Primeros Padres renunciando anticipadamente a mi Hijo.

Una madre jamás renuncia, a no ser que se vea forzada, a su hijo. Pídasele a su corazón la patria, el amor de esposa, o de Dios mismo, ella se opondrá a tal separación. Es natural. El hijo crece en el seno, y jamás se corta completamente el lazo que une su persona con la nuestra. Aun cuando se corta el ombligo, siempre queda un nervio que parte del corazón de la madre, un nervio espiritual más vivo, más sensible que un nervio físico, que se injerta en el corazón del hijo. Se siente extenderse hasta una aflicción sin nombre, si el amor de Dios o de una creatura, o las necesidades de la patria, alejan al hijo de la madre. Se despedaza hiriendo el corazón, si la muerte arranca a una madre su hijo.

Desde el momento que tuve a mi Hijo renuncié a El. Lo dí a Dios. Lo dí a vosotros. Yo me despojé del fruto de mi vientre para reparar el fruto que Eva robó a Dios.

Vencí la glotonería del saber y del gozar, aceptando saber sólo lo que Dios quería que yo supiese, sin preguntarme a mi o a El más de lo que me fuese dicho. Creí sin hacer preguntas.

Vencí la glotonería del placer porque me negué a cualquier experiencia de los sentidos. Mi carne la puse bajo mis pies. La carne, instrumento de Satanás, la puse con Satanás junta bajo mi calcañal para hacer de ella un escabel desde el cual subiese al cielo. El cielo: mi meta. Donde está Dios. Era mi única hambre, hambre que no es gula, sino necesidad que El bendice y que quiere que siempre lo deseemos.

Vencí la lujuria, que es glotonería llevada hasta la voracidad; pues cualquier vicio que no se refrena, conduce a otro peor. La glotonería de Eva, que era algo ya reprobable, la llevó a la lujuria. No le bastó haberse proporcionado a sí misma una satisfacción. Quiso llevar su crimen a una intensidad refinada y conoció y enseñó a su compañero la lujuria. Yo tergiversé los términos y en vez de descender, subí siempre. En lugar de hacer bajar, siempre he llamado a lo alto, y de mi compañero, que era un hombre justo, hice un ángel.

Ahora que tenía a Dios y con El sus infinitas riquezas, me apresuré a despojarme de ellas, diciéndole: " Mira: se cumpla en El y en mí tu voluntad ". Casto es el que tiene moderación no sólo en su cuerpo, sino también en sus afectos y pensamientos. Debía yo ser la Casta para borrar la mancha de la carne, del corazón, de la mente. No salí de mi discreción diciendo ni siquiera de mi Hijo — únicamente mío en la tierra como único de Dios en el cielo — " Esto es mío y lo quiero ".

Y sin embargo no era suficiente para obtener a la mujer la paz que Eva perdió, la obtuve al pie de la Cruz, cuando ví morir al que acabas de ver nacer. Cuando sentí desgarrarse mis entrañas al grito de mi Hijo que moría, me sentí vacía de todo feminismo: no más carne, sino ángel. María, la Virgen ante el Espíritu Santo, murió en ese momento. Quedó siendo la Madre de la gracia, la que con sus tormentos os la dió. La mujer que había vuelto yo a consagrar en la noche de Navidad, adquirió al pie de la Cruz los medios para convertirse en una creatura del cielo.

Esto lo hice por vosotros, absteniéndome de toda satisfacción aun la más santa. A vosotras mujeres a quienes Eva hizo compañeras no superiores a los animales, yo os he hecho, *con tal de que lo queráis,* las santas de Dios. Por vosotras subí. Os he hecho subir muy arriba como José. La roca del Calvario es mi monte de los Olivos. De allí subí llevando a los cielos el alma nuevamente santificada de la mujer junto con mi cuerpo glorificado por que llevó al Verbo de Dios y que canceló en mí los últimos vestigios de Eva, la última raíz de aquel árbol de las cuatro ramas venenosas y de la raíz derrotada en los sentidos que había arrastrado al linaje decaído, y que hasta el fin de los siglos y hasta la última mujer, os morderá las entrañas. Os llamo desde ahora, desde donde resplandezco en medio de los rayos del Amor y os señalo la medicina con que os podáis venceros a vosotras mismas: la gracia de mi Señor y la Sangre de mi Hijo. »

49. Adoración de los pastores [1]

(Escrito el 7 de junio de 1944)

Veo una extensa campiña. La luna está en el zenit. En un cielo recamado de estrellas va bogando. Parecen otras tantas chapitas de diamantes clavadas en un inmenso baldaquín de color azul subido, y la luna se ríe en medio de ellas con su cara blanquísima de la que bajan ríos de luz que blanquean la tierra. Los árboles que no tienen follaje parecen más altos y negros; mientras que las paredes que hay acá y allá parecen como si fueran de leche; y una casita lejana parece un bloque de mármol de Carrara.

A mi derecha veo un lugar rodeado de una valla de espinos por dos lados y de una pared baja y áspero por los otros dos. Sobre esta pared descansa el techo de una clase de tinglado largo y bajo, que por dentro está construído parte de piedra, parte de madera, algo así como si en el verano se quitase, y el tinglado se cambiase en portal. De este lugar sale de cuando en cuando un balido de muchas ovejas. Estarán durmiendo o tal vez crean que el día ya está cerca por el claror de la luna tan intenso, tan fuerte y que aumenta como si se acercase a la tierra o resplandeciese por un misterioso incendio.

Un pastor se asoma a la puerta, y levantando un brazo a la altura de su frente para ver mejor, mira hacia arriba. Parece imposible que deba protegerse de la claridad de la luna, pero es tan fuerte que deslumbra, sobre todo a quien sale de un lugar cerrado y oscuro. Todo está en calma. Pero esa luz es rara. El pastor llama a sus compañeros. Salen a la puerta. Un grupo de hombres irsutos, de diversas edades. Hay algunos que son jovencillos y otros con canas. Entre sí hablan del hecho extraño. Los más jóvenes tienen miedo, sobre todo uno, un niño de 12 años que se pone a llorar, atrayendo sobre sí las burlas de los otros.

« ¿ De qué tienes miedo, tonto ? » le reprocha el de mayor edad. « ¿ No ves qué aire tan tranquilo ? ¿ Nunca habías visto brillar la luna ? ¿ Has estado siempre bajo las enaguas de tu mamá como un pollito bajo el ala de la gallina ? ¡ Otras cosas verás ! Una vez fuí por los montes del Líbano, mucho más allá. Era joven entonces y no me costaba trabajo caminar. También era yo rico en-

[1] Cfr. Lc. 2, 6-20.

tonces... Una noche ví una luz tal que pensé que probablemente Elías volvía sobre su carro de fuego[2]. El cielo parecía estar ardiendo. Un viejo — entonces el viejo era él — me dijo: " Gran desventura está por venir al mundo ". Y lo fue, porque llegaron los soldados romanos. ¡ Oh, que verás cosas ! ... ¡ si vives ! »

Pero el pastorcillo no lo escucha. Parece como si no tuviese ya miedo, porque sale del umbral, se desliza por detrás de un nervudo pastor, detrás del cual se había refugiado, y avanza a un lugar de hierba que está enfrente del tinglado. Mira en alto, camina como sonámbulo, como hipnotizado por algo que lo atrae. En un cierto punto lanza un « ¡ Oh ! » y se queda como petrificado, con los brazos un poco abiertos. Los otros se miran estupefactos.

« ¿ Pero qué le pasa a ese tonto ? » pregunta uno.

« Mañana lo devuelvo a su madre. No quiero tontos que guarden las ovejas » dice otro.

El viejo que poco antes había hablado, dice : « Vamos a ver antes de juzgar. Llamad a los otros que están durmiendo y tomad garrotes. No sea que vaya a ser una fiera o algunos malhechores. »

Entran, llaman a los otros, salen con antorchas y garrotes. Alcanzan al niño.

« ¡ Allá, allá ! » murmura sonriente. « Más allá del árbol. Mirad esa luz que se acerca. Parece como si caminara sobre los rayos de la luna. Ved que se acerca. ¡ Qué bella ! »

« Yo veo tan solo una fuerte claridad. »

« Yo también. »

« También yo » dicen otros.

« No. Yo veo algo así como un cuerpo » dice uno y reconozco en él al pastor que dió la leche a María.

« ¡ Es un... es un ángel ! ... » grita el niño. « Mirad que baja... que se acerca... De rodillas todos ante el Angel de Dios! »

Un « ¡ oh ! » largo y lleno de veneración se levanta del grupo de los pastores, que caen de cara hacia el suelo, y los de mayor edad parecen más abatidos. Los más jóvenes están de rodillas, miran al ángel que se acerca cada vez más y que se detiene, sacudiendo sus grandes alas, candor de perla en la claridad de la luna que lo rodea, encima de la pared del lugar.

« No tengáis miedo. No os traigo ninguna desventura. Os traigo el anuncio de una gran alegría para el pueblo de Israel y para

[2] Cfr. 4ª. Rey. 2, 11.

todos los pueblos de la tierra.» La voz del ángel es armoniosa cual arpa en la que cantasen ruiseñores.

«Hoy en la ciudad de David, nació el Salvador.» Al decir esto, abre sus grandes alas, las mueve como muestras de alegría, y parece como si una lluvia de oro y piedras preciosas se desprendiesen de ellas. Un hermosísimo arco iris que forma un arco de triunfo en el pobre aprisco.

«El Salvador que es el Mesías.» El ángel brilla con una luz más extraordinaria. Sus dos alas, ahora firmes, extendidas de punta a punta hacia el cielo como dos velas inmóviles sobre el mar azul, parecen dos llamas que subiesen ardiendo.

«¡El Mesías, el Señor!» El ángel recoge sus dos resplandecientes alas, se pone como un manto de diamantes en su vestido de perlas, se inclina como si adorase, con los brazos sobre el pecho y su rostro que desaparece, pues lo tiene muy inclinado, entre la sombra de las puntas de las alas plegadas. No se ve sino una larga forma luminosa, inmóvil por el espacio de unos instantes.

Pero ved que se mueve. Abre nuevamente las alas, levanta su rostro en que la luz se une a una sonrisa hermosísima y dice: «Lo reconoceréis por estas señales: detrás de Belén, en un pobre establo encontraréis un niño envuelto en pañales, pues para el Mesías no hubo alojo en la ciudad de David.» El rostro del ángel se pone serio, como triste.

Pero de los cielos vienen muchos, ¡oh! muchos, pero muchos ángeles semejantes a él, un ejército de ángeles que baja alborozándose y opacando la luna con su resplandor de paraíso. Se unen al ángel que había dado la noticia con un agitar de alas, con un exhalo de perfumes, con arpegio de notas en cuya comparación todas las voces más bellas de la tierra juntas, no serían más que un remedo. Si la pintura es el intento de la materia para ser luz, aquí la melodía es el esfuerzo de la música para bañar completamente a los hombres en la belleza de Dios, y oir esta melodía es conocer el paraíso donde todo es armonía de amor que de Dios mana para alegrar a los bienaventurados, y que de ellos va a El para decirle: «Te amamos.»

El "Gloria" angélico se desparrama en ondas siempre más largas por la quieta campiña, y con ella la luz. Los pajaritos unen su cántico que es un saludo a esta luz que ha salido antes, y las ovejas lanzan sus balidos por este sol anticipado. Pero yo me imagino, como en la gruta al hablar del buey y del asno, que los animales saludan a su Creador, que ha venido en medio de ellos para amarlos como Hombre, además de como Dios.

El canto disminuye y la luz también, entre tanto que los ángeles vuelven a subir al cielo... Los pastores vuelven en sí.

« ¿ Oiste ? »

« ¿ Vamos a ver ? »

« ¿ Y los animales ? »

« Nada les pasará. ¡Vamos y obedezcamos la palabra de Dios! ...»

« ¿ Pero a dónde vamos ? »

« Dijo que nació hoy! Y que no encontró alojo en Belén ? » Es el pastor que dió la leche, el que ahora habla. « Venid, yo sé. Vi a la mujer y me dió compasión. Enseñé un lugar para Ella, porque pensé que no encontraría alojo, y al hombre le dí leche para Ella. Es muy joven y hermosa. Debe ser buena como el ángel que nos habló. Venid, venid. Vamos a tomar leche, quesos, corderos y pieles curtidas. Deben ser muy pobres... y ¡ quién sabe cuánto frío tendrá El a quien no me atrevo a nombrar ! ¡ Y pensar que yo hablé con su Madre como si fuese una pobre mujer ! »

Van al tinglado; poco después salen unos con jarros de leche, otros con redecillas de esparto entretejido y dentro quesos redondos, otros con cestas en una de las cuales hay un corderito, y otros con pieles curtidas.

« Yo le llevo una oveja. Hace un mes que parió. La leche le hará bien. Les podrá servir si la mujer no tiene leche, me pareció todavía muy joven y tan blanca... ¡ Un rostro de jazmín bajo los rayos de la luna! » dice el pastor del camino y los guía.

Van bajo la luz de la luna y de antorchas, después de que cerraron el tinglado y el recinto. Caminan por senderos entre vallas de espinos despojados de todo en el invierno. Dan vuelta por detrás de Belén. Llegan al establo, no por la parte por donde llegó María, sino por la parte contraria, de modo que no pasan por delante de los apriscos mejores, sino que es el primero que encuentran. Se acercan a la entrada.

« ¡ Entra ! »

« ¡ No me atrevo ! »

« ¡ Entra tú ! »

« No. »

« ¡ Asómate al menos ! »

« Tú, Leví, que fuiste el primero en ver al ángel, señal de que eres mejor que nosotros, mira. » Antes lo tacharon de tonto... ahora para su conveniencia quieren que haga algo a lo que no se atreven.

El niño titubea, pero se decide. Se acerca a la entrada, separa un poco el manto, mira... y se queda extático.

« ¿ Qué ves ? » le preguntan ansiosos en voz baja.

« Veo a una mujer joven y bella y a un hombre inclinados sobre un pesebre... oigo que llora un recién nacido, y la mujer le habla con una voz... ¡ oh ! qué voz ! ».

« ¿ Qué le dice ? »

« Dice: " ¡ Jesús mío ! Jesús, cariño de tu Mamá ! No llores, Pequeñín " Dice: " ¡ Oh ! pudiera decirte: ' Toma leche, Pequeñín ', pero todavía no tengo ! " Dice: " ¡ Tienes mucho frío, amorcito mío ! Te molesta el heno. ¡ Qué dolor para tu Mamita oirte llorar así y no poderte consolar ! " Dice: " ¡ Duerme, vidita mía ! ¡ Que se me rompe el corazón con oirte llorar y con verte esas lágrimas ! " lo besa, le calienta sus piececitos con sus manos, porque está agachada con los brazos en el pesebre. »

« ¡ Llama ! ¡ Haz que te oigan ! »

« Yo no. Tú que nos trajiste y la conoces. »

El pastor abre la boca y se limita tan sólo a dar una especie de gañido.

José se voltea, y viene a la puerta. « ¿ Quiénes sois ? »

« Pastores. Os traemos alimentos y lana. Vinimos a adorar al Salvador. »

« Entrad. »

Entran y el establo se hace más claro a la luz de las antorchas. Los mayores empujan a los jovenzuelos a que caminen ante ellos.

María se vuelve y sonríe. « Venid » dice. « Venid » y los invita con la mano, con la sonrisa, toma al que vió el ángel, lo acerca a sí, contra el pesebre. El niño mira cual un bienaventurado.

Los demás, a quienes también invita José, se acercan con sus presentes y los ponen con pocas palabras, pero llenas de emoción, a los pies de María. Luego contemplan al Niño que llora un poco y conmovidos y felices sonríen.

Uno al final se atreve a decir: « Toma, Madre. Es suave y limpia. La había preparado para mi hijo que va a nacerme, pero te la doy. Pon a tu Hijo en esta lana. Es delicada y caliente. » Le ofrece la piel de una oveja, una bellísima piel lanuda, blanca y grande.

María levanta a Jesús y lo envuelve en ella. Lo enseña a los pastores, que de rodillas sobre el heno del suelo lo contemplan extáticos.

Toman más confianza. Uno propone: « Sería bueno darle un poco de leche. Mejor: agua y miel. Pero no tenemos miel. Se da a los pequeñitos. Tengo siete hijos y conozco... »

« Aquí hay leche. Toma, Mujer. »

« Pero está fría. Se necesita caliente. ¿ Dónde está Elías ? El trae la oveja. »

Elías debe ser el hombre del camino. Pero no está. Se quedó afuera, mira por la rendija, y no se le vé por la oscuridad de la noche.

« ¿ Quién os trajo ? »

« Un ángel nos dijo que viniéramos y Elías nos guió hasta aquí. Pero ¿ dónde está ? »

La oveja lo denuncia con un balido.

« Acércate, se te necesita. »

Entra con su oveja, avergonzado de que todos le vean.

« ¿ Tú eres ? » dice José que lo reconoce y María con la sonrisa le dice: « Eres bueno. »

Ordeña la oveja y con la punta de un lienzo empapado en leche caliente y espumosa María baña los labios del Recién nacido que chupa. Todos se echan a reir y más cuando, con el pedacito de tela entre los diminutos labios, Jesús se duerme al calor de la lana.

« Pero no podéis estaros aquí. Hace frío y está húmedo. Y luego... huele mucho a animales. No está bien... y no hace bien al Salvador. »

« Lo sé » dice María con un gran suspiro. « Pero no hay lugar para nosotros en Belén. »

« No te desanimes, Mujer. Te buscaremos una casa. »

« Lo diré a mi dueña » dice el del camino, Elías. « Es buena. Os acogerá, aun cuando tuviera que daros su habitación. Apenas amanezca se lo diré. Tiene la casa llena de gente, pero os dará un lugar. »

« Para mi Hijo, al menos. Yo y José podemos estar en el suelo, pero mi Hijito... »

« No suspires, Mujer. Yo me encargo de ello. Diremos a muchos lo que se nos dijo. Nada os faltará. Por ahora tomad esto que nuestra pobreza os da. Somos pastores... »

« También nosotros somos pobres, y no podemos recompensaros con algo » dice José.

« ¡ Oh, no queremos ! ¡ Aunque lo pudieseis, no lo aceptaríamos ! El Señor ya nos recompensó. Ha prometido la paz a *todos*. Los ángeles decían: "Paz a los hombres de buena voluntad". *A nosotros ya nos la dió*, porque el ángel dijo que este Niño es el Salvador, que es el Mesías, el Señor. Somos pobres e ignorantes, pero sabemos que los Profetas dijeron que el Salvador será el Príncipe de la Paz[3]. A nosotros nos dijo que viniésemos a adorarlo, por esto nos dió su paz. ¡ Gloria a Dios en los altísimos cielos y gloria a este su Mesías, y bendita seas tú, Mujer, que lo engendraste! ¡ Eres santa, porque mereciste llevarlo en tu vientre ! Mándanos como Reina, que estaremos felices de servirte. ¿ qué podemos hacer por tí ? »

« Amar a mi Hijo y conservar siempre en el corazón los pensamientos de ahora. »

« Pero, ¡ tú no deseas nada ? ¿ No tienes familiares a los cuales quieras que se les haga hacer saber que ya nació El ? »

« Sí. Me gustaría, pero no están cerca. Están en Hebrón . . . »

« Yo voy », dice Elías. « ¿ Quiénes son ? »

« Zacarías el sacerdote e Isabel mi prima. »

« ¿ Zacarías ? ¡ Oh, lo conozco bien ! En el verano voy por aquellos montes porque los pastizales son buenos y grandes y soy amigo de su pastor. Cuando vea que te has acomodado, voy a ver a Zacarías. »

« Gracias, Elías. »

« No tienes por qué. Es una gran honra para mí, pobre pastor, ir a hablar al sacerdote y decirle: "Nació ya el Salvador". »

« No. Le dirás: "Dice María de Nazaret, tu prima, que nació ya Jesús, y que vengas a Belén". »

« Así se lo diré. »

« Dios te lo pague. Me acordaré de tí, y de todos vosotros . . . »

« ¿ Le hablarás a tu Hijito de nosotros ? »

« Le hablaré. »

« Yo soy Elías. »

« Yo Leví. »

« Yo Samuel. »

« Yo Jonás. »

« Yo Isaac. »

[3] Cfr. Is. 9, 6.

« Yo Tobías. »

« Yo Jonatás. »

« Yo Daniel. »

« Yo Simeón. »

« Yo me llamo Juan. »

« Yo soy José y mi hermano es Benjamín, somos gemelos. »

« Me acordaré de vuestros nombres. »

« Ya nos vamos, ... pero regresaremos ... Traeremos a otros a adorar ... »

« ¿ Cómo regresar al aprisco dejando al Niño ? »

« ¡ Gloria a Dios que nos lo mostró ! »

« Déjanos besar su vestidito » dice Leví con una sonrisa angelical.

María levanta despacio a Jesús, y sentada en el heno, ofrece los piececitos, envueltos en lino, para que los besen. Los pastores se inclinan hasta el suelo y besan esos diminutos pies, envueltos en tela. Quien tiene barba se la hace a un lado, y casi todos lloran y cuando están para irse, salen retrocediendo, sin dar la espalda, dejando dentro su corazón ...

La visión termina así: María sentada en la paja con el Niño sobre su seno; y José, apoyado en el pesebre sobre su brazo, lo mira y lo adora.

50. « En los pastores están todos los requisitos necesarios para ser adoradores del Verbo »

(Escrito el mismo día)

Dice Jesús:

« Los pastores fueron los primeros adoradores del Cuerpo de Dios. En ellos están todos los requisitos necesarios para ser adoradores de mi Cuerpo, almas eucarísticas.

Fe segura: creyeron pronta y ciegamente al ángel.

Generosidad: dieron toda su riqueza a su Señor.

Humildad: se acercan a más pobres que ellos, hablando humanamente, con modestia de gestos que no envilecen, y se profesan sus siervos.

Deseo: cuando no pueden dar porque no tienen, se industrian en buscar por medio del apostolado y de la fatiga.

Pronta obediencia: María desea que se le avise a Zacarías y Elías va al punto. No lo deja para otro día.

Amor, sobre todo no saben separarse de allí. Tu has dicho: "Dejan allí su corazón". Dijiste bien.

¿Pero no se necesitaría hacer igual cosa con mi Sacramento?

Y otra cosa y solo para tí: observa a quién se revela primeramente el ángel y quién merece ser el primero en sentir el cariño de María. Leví: el niño. Dios se muestra a quien tiene alma infantil y le muestra sus misterios y le concede que oiga las palabras divinas y de María. Quien tiene alma de niño, también tiene el santo atrevimiento de Leví, y dice: "Permíteme que bese el vestido de Jesús". Lo dice a María. Porque María es siempre la que os da a Jesús. Es Ella la que conduce a la Eucaristía. Es Ella el Copón viviente.

Quien va a María, me encuentra. Quien me pide por medio de Ella, por medio de Ella me recibe. La sonrisa de mi Madre cuando alguien le dice: "Dame tu Jesús, porque quiero amarlo" hace estremecer los cielos con un vivo esplendor de alegría, pues se siente feliz Ella. »

51. La visita de Zacarías

(Escrito el 8 de junio de 1944)

Veo el gran salón, donde ví que los Magos encontraron a Jesús y lo adoraron. Comprendo que estoy en la casa hospitalaria que ha acogido a la Sagrada Familia. Asisto a la llegada de Zacarías.

No viene Isabel. La dueña de casa corre afuera, por el corredor, al encuentro del huésped que llega, y lo lleva a una puerta y llama. Luego discreta, se retira.

José abre y lanza una exclamación de júbilo al ver a Zacarías. Lo hace entrar en una habitación como un corredor. «María está dando de mamar al Niño. Espera un poco. Siéntate que has de estar cansado» y le hace lugar para que se siente en el lecho, a su lado.

Oigo que José pregunta por Juanito, y que Zacarías dice: « Crece fuerte como un potro. Ahora sufre un poco por los dientes. Por esto no lo trajimos. Hace mucho frío. Por esto no vino ni siquiera Isabel. No lo podía dejar sin darle de mamar. Se afligió muchísimo. Pero ¡ la estación es muy dura! »

« Sí que lo es » contesta José.

« Me dijo el hombre que me enviasteis, que cuando nació, no teníais alojo. ¡ Quién sabe cuánto debísteis de haber sufrido! »

« Sí, mucho. Pero nuestro miedo era mayor que la incomodidad. Teníamos miedo de que fuese a hacer mal al Niño. Los primeros días estuvimos allí. No nos faltó nada, *a nosotros*, porque los pastores llevaron la buena nueva a los betlemitas y muchos vinieron con presentes, pero faltaba una casa, faltaba una habitación protectora, una cama... Y Jesús lloraba mucho, sobre todo de noche, por el viento que se colaba por todas partes. Prendía un poco de fuego, pero poco, porque el humo hacía toser al Niño... y todo quedaba helado. Dos animales calientan poco, sobre todo donde el aire entra por otras partes. Faltaba agua caliente para lavarlo, faltaban pañales para cambiarlo. ¡ Oh! ¡ se sufrió mucho! Y María sufría al verlo sufrir. Sufría yo... puedes imaginarte lo que Ella sufriría que es la Madre. Le daba leche y lágrimas, leche y amor. Ahora aquí estamos mejor. Había yo preparado una cuna tan cómoda y la había recubierto con un colchoncito suavísimo. Pero está en Nazaret. ¡ Ah, si hubiese nacido allí, hubiera sido diverso! »

« Pero el Mesías tenía que nacer en Belén. Estaba profetizado. »

Entra María que oyó las voces. Viene vestida de lana blanca. No trae el vestido oscuro que trajo en el viaje y que tuvo en la gruta. Ahora trae uno blanco, como otras veces la he visto. No tiene nada en la cabeza, y en los brazos trae a Jesús que duerme, satisfecho de la leche, envuelto en sus blancos pañales.

Zacarías se levanta y se inclina con veneración. Luego se acerca, mira a Jesús con señal del más grande respeto. Se queda inclinado no tanto por verlo mejor, cuanto por presentarle su adoración. María se lo ofrece, y Zacarías lo toma con tal veneración que parece levantase una custodia. Y en realidad, lo que toma en sus brazos es la Hostia, la Hostia ya ofrecida y que será consumada cuando se dé a los hombres en alimento de amor y redención.

Zacarías devuelve Jesús a María. Se sientan todos y Zacarías repite a María la razón por la que Isabel no vino y su aflicción. «Había preparado en estos meses tela para tu bendito Hijo. Te la traje. Está allá abajo en el carruaje.»

Se levanta y va afuera; regresa con un grueso envoltorio y otro más pequeño. Tanto del grueso, que desata José, como del pequeño, saca los regalos: una suavísima colcha de lana tejida a mano y piezas de lino, y pequeños vestidos; miel, harina blanquísima y mantequilla y manzanas para María y tortas que coció Isabel y otras muchas cositas que muestran el cariño maternal de la agradecida prima por la joven Madre.

«Dirás a Isabel que le quedo muy agradecida, lo mismo que a ti lo estoy. Me hubiera gustado verla, pero comprendo los motivos. Y también me hubiera gustado ver a Juanito...»

«Lo veréis en primavera. Vendremos a veros.»

«Nazaret está muy lejos» dice José.

«¿ Nazaret ? Debéis quedaros aquí. El Mesías debe crecer en Belén. Es la ciudad de David. El Altísimo lo trajo, valiéndose de la voluntad de César, a que naciese en la tierra de David, la tierra santa de la Judea. ¿ Por qué llevarlo a Nazaret ? Vosotros sabéis lo que los judíos piensan de los nazaretanos. El día de mañana este Niño será el Salvador de su pueblo. No conviene que la ciudad capital desprecie a su Rey porque viene de una tierra que desprecia. Vosotros sabéis como yo, cuán caviloso sea el Sanedrín y cuán altivas las tres castas principales... Y luego, aquí, cerca todavía de mí, os podré ayudar en algo, y poner todo lo que tengo, no sólo de bienes materiales, sino de influencias, al servicio de este Recién nacido. Y cuando haya llegado a la edad de comprender, me sentiré feliz en ser su maestro, como lo seré de mi hijo, para que cuando sea grande me bendiga. Debemos pensar que está destinado a un futuro muy grande y que por lo tanto debe presentarse al mundo con todas las cartas para ganar fácilmente la partida. El, no cabe duda, poseerá la Sabiduría. Pero sólo por el hecho de que un sacerdote fue su maestro, lo hará más acepto a los melindrosos fariseos y a los escribas, y se le facilitará su misón.»

María mira a José y este a Ella. Sobre la cabecita inocente del Niño que duerme sin caer en la cuenta de nada, se forma un mutuo intercambio de preguntas, y lo son de tristeza. María piensa en su casita. José en su trabajo. Aquí hay que hacer otra vez todo, en un lugar donde sólo pocos días antes, eran unos desconocidos.

Aquí no hay de las cosas queridas que se dejaron allá y preparadas con tanto amor para el Niño.

María lo dice: « ¿ Cómo vamos a hacer ? Allá hemos dejado todo. Tanto que José trabajó por mi Jesús, sin importarle ni fatiga ni dinero. Trabajó de noche, para poder trabajar para los demás durante el día y ganar así con qué comprar la madera más suave, el lino más blanco, todo para Jesús. Construyó unas colmenas y trabajó hasta de albañil para dar un cierto arreglo a la casa, para que la cuna pudiese estar en mi habitación, estar allí hasta que Jesús sea más grandecito, y luego dar lugar a su camita, porque Jesús estará conmigo hasta que sea jovencito. »

« José puede ir a traer todo lo que dejasteis. »

« ¿ Y dónde lo ponemos ? Tu sabes, Zacarías, que somos pobres. No tenemos más que el trabajo y la casa, que nos ayudan para vivir sin hambre. Pero aquí... tal vez encontremos trabajo, pero siempre tendremos que pensar en una casa. Esta buena mujer no nos puede dar hospitalidad siempre. Y yo no puedo sacrificar a José más de lo que hace por mí. »

« ¡ Oh, por mi parte no es nada ! Pienso en lo que sufrirá María al no vivir en su casa... »

María tiene dos gruesas lágrimas.

« Pienso que aquella casa le debe ser tan querida como el paraíso, por el prodigio que tuvo lugar allí y que se realizó... Habla poco, pero comprendo mucho. Si no fuese por esto, no me afligiría. Trabajaré el doble. Todavía estoy fuerte y soy joven para trabajar el doble de lo que he hecho y proveer a todo. Si María dice que no sufre mucho... si tú dices que está bien hacer así... por mí... estoy dispuesto. Hago lo que os parezca mejor. Basta con que sea útil a Jesús. »

« Util ciertamente lo será. Pensad y comprenderéis las razones. »

« Se dice también que el Mesías será llamado Nazareno[1]... » objeta María.

« Es verdad. Pero a lo menos hasta que no sea adulto, haced que crezca en la Judea. Dice el Profeta: " Y tu, Belén de Efrata, serás la mayor, porque de tí saldrá el Salvador ! "[2]. No dice nada de Nazaret. Tal vez ese apelativo se le dará por algún motivo que

---

[1] Cfr. Mt. 2, 23; Jue. 13, 5.
[2] Cfr. Miq. 5, 2; Mt. 2, 6.

ignoramos. Pero *su* tierra será esta. »

« Lo dices tú, sacerdote, y nosotros ... y nosotros ... te escuchamos con dolor ... y te damos la razón. Pero ¡ qué dolor ! ... ¿ Cuándo volveré a ver esa casa en que me convertí en Madre? » María llora quedo. Comprendo su llanto y ¡ vaya que si lo comprendo !

La visión cesa cuando María está llorando.

52. « José protector también de los consagrados »

(Escrito el mismo día)

Luego dice María:

« Lo comprendes. Lo sé. Pero me verás llorar, todavía mucho más. Por ahora consuelo tu corazón, mostrándote la santidad de José que era hombre, esto es, que no tenía otra ayuda para su corazón que su santidad. Yo tenía todos los dones de Dios en mi condición de Inmaculada. No sabía que lo fuera [1], pero en mi alma estaban activos y me daban fuerzas espirituales. Pero él no era inmaculado. Lo humano estaba en él con toda su pesantez, y él debía levantarse hacia la perfección con todo ese peso, a costa de una continua fatiga de todas sus facultades para querer llegar a la perfección y ser grato a Dios.

¡ Oh mi santo esposo ! Santo en todas las cosas, aun en las más humildes cosas de la vida. Santo por su castidad de ángel. Santo por su honradez de hombre. Santo por su paciencia, laboriosidad, serenidad inmutable, modestia; por todo. Esa santidad brilla también en este episodio. Un sacerdote le dice: " Está bien que te radiques aquí ", y él, pese a que sabe lo que le va a costar, responde: " Por mí no es nada. Pienso en el sufrimiento de María. Si no fuera por esto, no me afligiría. Basta con que sea útil para Jesús ". Jesús, María: sus únicos amores. No amó otra cosa sobre la tierra, mi santo esposo. Y se hizo siervo de este amor.

Lo han hecho protector de las familias cristianas y de los trabajadores y de otras clases. Pero se le debería hacer no sólo de

[1] Cfr. pág. 58, not. 3.

173

los agonizantes, de los trabajadores, de los esposos, sino también de los consagrados. ¿ Quién entre los consagrados de la tierra, al servicio de Dios, cualquiera que se haya consagrado al servicio de Dios, aceptando todo, renunciando a todo, soportando todo, cumpliendo todo con prontitud, con espíritu alegre, con siempre buen humor, lo hizo como él ? No, no ha habido nadie.

Y quiero que observes una cosa, mejor dicho, dos. Zacarías es sacerdote. José no. Pero observa con todo que el que no lo es, tiene su corazón en el cielo más que el sacerdote. Zacarías piensa humanamente, y humanamente interpreta las Escrituras porque no es la primera vez que lo haga. Se deja guiar fácilmente de su sentido común. Se le castigó, pero reincide, aunque con menor gravedad. Cuando se trató del nacimiento de Juan, dijo: " ¿ Cómo puede suceder esto si ya soy viejo y mi mujer es estéril ? " [2]. Ahora dice: " Para allanarse el camino, el Mesías debe crecer aquí " y con ese tufillo de orgullo que persiste aun en los mejores, piensa que podrá ser útil *él* a Jesús. No útil, como José quiere serlo, sirviéndole, sino útil, haciéndose su maestro... Dios le perdonó su buena intención. ¿ Pero tenía necesidad el " Maestro " de tener maestros ?

Traté de hacerle ver la luz en las profecías; pero él se creía más docto que yo, y emplaba esta preponderancia a su modo [3]. Podía haber insistido y vencerlo, pero — he aquí la segunda observación que quiero hacerte — respeté al sacerdote por su dignidad, no por su saber.

Al sacerdote *generalmente* Dios lo ilumina. Dije " generalmente ". Cuando es un *verdadero* sacerdote. No es la vestidura que consagra: es el *alma*. Para juzgar si uno es *verdadero* sacerdote, es menester juzgar lo que sale del alma. Como ha dicho Jesús [4]: del corazón salen las cosas que santifican o que manchan, *las que modelan todo el modo de obrar de un individuo.* Así pues: cuando alguien es un *verdadero* sacerdote, generalmente es inspirado por Dios. *De los que no lo son, conviene tener una caridad sobrenatural y rogar por ellos.*

Pero mi Hijo te ha puesto ya al servicio de esta redención y no digo más. Alégrate de sufrir para que aumenten los *verdaderos* sa-

[2] Cfr. Lc. 1, 18.
[3] Zacarías como la generalidad de los hebreos de su tiempo tomaba al Mesías a la humana (aun cuando él creía, que fuera el verdadero Mesías) y por lo tanto creía que tuviese necesidad de maestro.
[4] Cfr. Mt. 15, 11 y 17-18. Mc. 7, 15.

cerdotes. Tú fíate de la palabra que te guía. Cree y obedece su consejo.

El obedecer siempre salva, aun cuando no sea un consejero perfecto[5]. Ves. Obedecimos. Y estuvo bien. Es verdad que Herodes hizo matar a los niños de Belén y de sus alrededores ¿ pero Satanás no habría podido incitar y propagar estas ondas de rabia más allá de Belén, y persuadir a los poderosos de Palestina a cometer crimen semejante con tal de suprimir al futuro Rey de los judíos ? Lo habría podido. Y hubiera sucedido en los primeros años del Mesías, cuando la repetición de prodigios había despertado la atención de las multitudes y de los poderosos. ¿ Cómo hubiéramos podido, en caso de haber sucedido, atravesar la Palestina para ir de la lejana Nazaret a Egipto, tierra hospitalaria a los hebreos perseguidos, y hacerlo con un niño, y mientras la persecución arreciaba? Más fácil era huir de Belén, aunque también fue doloroso. La obediencia siempre salva. Recuérdalo. El respeto al sacerdote siempre es señal de formación cristiana.

¡ Ay de los sacerdotes — Jesús lo dijo[6] — que pierden su llama apostólica ! Pero ¡ ay también del que cree que tiene derecho a despreciarlos ! Porque ellos consagran y distribuyen el Pan verdadero que del cielo desciende. Y ese contacto los hace santos como un cáliz consagrado, aun cuando no lo sean. Responderán ante Dios. Tenedlos por tales y no os preocupéis de otra cosa. No seáis intransigentes. Jesús no lo es, el cual deja el cielo a su mandato y desciende para que sus manos lo eleven. Aprended de El. Si están ciegos, si están sordos, si tienen un alma paralítica y un modo de pensar enfermo, si son leprosos de culpas muy en contradicción con lo que son, si son otros Lázaros en un sepulcro, llamad a Jesús para que los cure, para que los resucite.

Llamadlo con vuestras oraciones y sacrificios ¡ oh almas víctimas ! Salvar un alma sacerdotal es salvar un gran número de almas, porque cada sacerdote *santo* es una red que atrapa almas para Dios. Y salvar a un sacerdote, esto es, hacer que se *santifique*, es lo mismo que fabricar esta mística red. Cada presa que haga es un rayo de luz que se añade a vuestra corona.

Que la paz sea contigo. »

---

[5] Difícilmente Dios deja sin luces a un sacerdote, aun cuando sus luces se tiñan del modo de pensar humano. Queda en el fondo algo de luz verdadera y por esto pueden seguirse sus consejos. Los dos esposos, María y José obedecieron por este fondo de luz sobrenatural que había en los consejos humanos de Zacarías.

[6] Una cosa semejante cfr. Mt. 5, 13-16; Lc. 12, 49.

53. Presentación de Jesús en el Templo [1]

(Escrito el 1º de febrero de 1944)

Veo que sale de una casa muy modesta una pareja. De una escalera exterior baja una joven madre con un niño en los brazos, envuelto en un lienzo blanco.

Reconozco a la Virgen. Es siempre Ella, pálida y rubia, ligera y tan gentil en su moverse. Está vestida de blanco con un manto de azul pálido. Sobre la cabeza un velo blanco. Lleva con mucho cuidado a su Hijito. A los pies de la escalera la espera José con un borriquillo de color gris. Tanto el vestido de José como su manto son de color café pálido. Mira a María y le sonríe. Cuando María llega cerca del borriquillo, José se pasa las riendas del asno por el brazo izquierdo y toma por un momento al Niño que tranquilo duerme, para dejar que María se acomode lo mejor que pueda en la silla. Luego se lo devuelve, y se ponen en camino.

José camina al lado de María, teniendo siempre al borrico por la brida, y pone atención que camine derecho y que no vaya a tropezarse. María lleva sobre su seno a Jesús, y como teme que el frío pueda hacerle daño, le cubre con una parte de su manto. Hablan poco los dos esposos, pero con frecuencia se envían sonrisas.

El camino, que no es una gran cosa, se desenvuelve en medio de una campiña que la estación ha despojado de todo. Alguno que otro viajero ve a estos dos, o los alcanza, pero son raros.

Después se ven casas y los muros que circundan una ciudad. Los dos esposos entran en ella por una puerta y siguen por un empedrado de la ciudad (muy separadas las losas una de otra). El camino se hace mucho más difícil, bien por el tráfico que hace que a cada momento se detenga el asno, bien porque ya sobre las piedras, ya en los agujeros en que estas faltan, como que tambalea, lo que perturba a María y al Niño.

La calle no es plana. Sube ligeramente. Se halla metida entre casas altas con puertas estrechas y bajas, con pocas ventanas que dan a la calle. Arriba, el cielo se asoma con tajadas de azul entre casa y casa, mejor dicho, entre terraza y terraza. Abajo, en la calle hay gente, se oye el vocerío; unos a pie se cruzan, otros sobre su asno, o con ellos cargados de mercancías, otros vienen detrás de

[1] Cfr. Lc. 2, 21-38.

176

una caravana de camellos que impide todo el paso. En un cierto punto pasa, metiendo mucho ruido de pisadas y armas, una patrulla de legionarios romanos, que desaparecen detrás de un arco, puesto a horcajadas sobre una calle muy estrecha y pedregosa.

José da vuelta a la izquierda y toma por una más ancha y más bella. Veo la muralla coronada de almenas que ya antes había visto y que está al fondo de la calle[2].

María baja del borrico cerca de la puerta donde hay una especie de lugar apropiado para los borriquillos. Digo "lugar apropiado" porque es una especie de barraca, mejor dicho, de tinglado, donde hay paja derramada y estacas con argollas para amarrar a los animales. José da algunas monedas a un hombrecillo que ha acudido y con ellas compra un poco de heno y saca agua de un pozo rudimentario que está en el rincón y da de beber al asno.

Luego se une a María, y ambos entran en el recinto del templo. Se dirigen luego a un pórtico largo donde están aquellos que Jesús más tarde castigó severamente: los vendedores de tórtolas y corderos y los cambistas. José compra dos palomos blancos. No cambia dinero. Se comprende que tiene lo que le hará falta.

José y María se dirigen a una puerta lateral que tiene 8 gradas, como me parece tengan todas las puertas, porque el cubo del templo está elevado sobre el resto del suelo. Esta puerta tiene un gran atrio, como los portones de nuestras casas de ciudad, para dar una idea, pero más amplio y adornado. En él hay a derecha e izquierda dos como especie de altares, esto es, dos fabricaciones restangulares, que para qué sirvan no lo comprendo al principio. Parecen conchas bajas, porque la parte interior es más baja que el borde exterior que es superior unos cuantos centímetros.

No sé si José lo llamó o si viene voluntariamente, pero el caso es que acude un sacerdote. María ofrece los dos palomos y yo, que sé lo que les espera, vuelvo los ojos a otra parte. Observo los adornos del ciclópeo portal del techo, del atrio. Pero me parece ver con el rabo del ojo, que el sacerdote rocía a María con agua. Y debe de serlo, porque no veo ninguna mancha sobre su vestido. Luego Ella, que junto con los palomos había dado unas cuantas monedas al sacerdote (me había olvidado de decirlo)

---

[2] La muralla del lado occidental. Jerusalén se ve en el fondo de ella.

entra con José en el verdadero templo, acompañada del sacerdote.

Miro por todas partes. Es un lugar muy adornado. Esculturas con cabezas de ángeles y palmas y se ven adornos en las columnas, en las paredes y en el techo. La luz entra por raras ventanas alargadas, estrechas, claro que sin vidrios, y cortadas diagonalmente sobre la pared. Supongo que sea para impedir que cuando llueva, entre el agua.

María se adelanta hasta un cierto punto. Luego se detiene. A unos metros de Ella hay otras gradas y terminadas, una especie de altar, más allá del cual hay otra fabricación.

Caigo en la cuenta de que creía que estaba en el Templo y por el contrario estoy en lo que lo rodea, esto es, el Santo, al que parece que nadie fuera de los sacerdotes, pueda entrar. Lo que yo pensaba que era Templo no lo es, pues, sino un atrio cerrado que por tres partes rodea el Templo, donde está el Tabernáculo. No sé si me he explicado bien, pues no soy arquitecta, ni ingeniera.

María ofrece el Niño, que se ha despertado y que vuelve sus ojitos inocentes, como suelen hacerlo los niños de su edad al sacerdote que lo toma en sus brazos, y lo eleva con los brazos extendidos hacia el templo, enfrente de esa clase de altar que está en las gradas. La ceremonia ha terminado. El Niño vuelve a la Mamá y el sacerdote se va.

Hay gente curiosa que mira. De entre ella se abre paso un anciano encorvado y que cojea apoyándose en un bastón. ¡Quién sabe cuántos años tenga! Pienso que más de los 80. Se acerca a María, le pide que por unos momentos le permita el Niño y María sonriente se lo da.

Simeón, no es un hombre que perteneciese a la clase sacerdotal, como siempre había yo pensado, sino un simple fiel, como se ve por su modo de vestir. Toma a Jesús y lo besa. Jesús le sonríe con la sonrisa de los infantes que no se sabe qué quieran. Parece que lo mira con curiosidad, porque el anciano llora y ríe al mismo tiempo y las lágrimas le forman un tejido de brillantes entre las arrugas y le corren hasta la barba larga y blanca, a la que Jesús extiende sus manitas. Es Jesús, pero siempre un infante, y lo que se mueve, le llama la atención y siente ganas de asir lo que ve, para saber qué es. María y José sonríen, también los que se han acercado alaban la belleza del Infante.

Oigo las palabras del santo anciano y veo que José se admira, que María se conmueve y también los que se han acercado, algunos de ellos se admiran, otros se conmueven con las palabras del anciano, otros finalmente se ríen. Entre estos hay algunos barbudos y orgullosos sinedristas que mueven la cabeza, al mirar a Simeón con una sonrisa de compasión irónica. Pensarán que está fuera de seso por su edad.

La sonrisa de María termina en una palidez cuando Siméon le anuncia su dolor[3]. Aun cuando lo *sepa*, estas palabras le atraviesan el alma. Se arrima a José para encontrar refugio, se estrecha con ansias al Niño y bebe, como un alma sedienta, las palabras de Anna[4] la que como mujer que es — siente piedad del sufrimiento de la Virgen y le promete que el Eterno la consolará con una fuerza sobrenatural cuando llegue la hora de padecer.

« Mujer, quien ha dado el Salvador a su pueblo, no dejará de tener el poder de dar su ángel que consuele tu llanto. Jamás faltó la ayuda del Señor a las grandes mujeres de Israel y tú eres mayor que Judit y Yaliel[5]. Nuestro Dios te dará un corazón de tanta delicadeza y fuerza que puedas resistir a las ondas de dolor, por lo que serás la mujer más grande de la creación, serás la Mamá. Y Tú, Pequeñín, acuérdate de mí en la hora de tu misión. »

La visión termina.

[3] Cfr. Lc. 2, 34-35.
[4] Cfr. Lc. 2, 36-38.
[5] Cfr. Jud. 13; Jue. 4, 17-23.

54. Enseñanzas que nacen de la escena anterior

(Escrito el 2 de febrero de 1944)

Dice Jesús:

« Dos enseñanzas nacer para todos de lo anterior.

La primera: la verdad se manifiesta no al sacerdote sumergido en sus ritos, y ausente en el espíritu, sino a un sencillo fiel.

El sacerdote que siempre estaba en contacto con la Divinidad, que no tenía otro cuidado más que lo que se refiere a Dios, que siempre tenía los ojos puestos en lo alto, debía haber comprendido quién era el Niño que se ofrecía en el templo esa mañana. Pero para que lo hubiese comprendido, era necesario que hubiese tenido un corazón despierto, no uno medio somnoliento. El Espíritu de Dios puede, si quiere, sacudir y hacer estremecer como un rayo y un terremoto aún al corazón más endurecido. Lo puede, pero generalmente, como es un Espíritu de orden, como Dios es Orden en su ser y en su obrar, se derrama y habla no digo ya donde hay razón suficiente de recibir su efusión — y si es así pocas veces se derramaría, y tú no conocerías sus luces — sino donde ve la " buena voluntad " de merecer su efusión.

¿ Cómo se explica esta buena voluntad ? Con una vida, en lo que es posible, según Dios. Con la fe, obediencia, pureza, caridad, generosidad, oración. *No con las acciones exteriores sino con la oración.* Hay menor diferencia entre la noche y el día, que no entre las acciones exteriores y la oración. Esta es una *comunicación del alma* con Dios, de la que salís vigorizados y decididos a pertenecer más a Dios. La otra es *una costumbre* cualquiera, que se hace con diversos motivos y siempre egoístas, que os deja como sois, aun más os carga con culpa que es de mentira y pereza.

Simeón tenía una buena voluntad. La vida no le había ahorrado ni trabajos ni pruebas. Sin embargo nunca perdió su buena voluntad. Los años y las vicisitudes no habían arrancado ni sacudido su fe en el Señor, en sus promesas, ni fatigado su buena voluntad para hacerse siempre más digno de Dios. Y Dios, antes que los ojos de su fiel siervo se cerrasen a la luz del sol en espera de abrirse al Sol de Dios que brilla desde el cielo abierto después de que Yo subí con mi muerte, le mandó el rayo del Espíritu que lo guiase al templo, para ver la Luz que había llegado al mundo.

" Llevado del Espíritu Santo " dice el Evangelio [1]. ¡ Oh, si los hombres supiesen qué perfecto Amigo es el Espíritu Santo ! ¡ Qué Guía ! ¡ Qué Maestro ! Si amasen e invocasen a este Amor de la Santísima Trinidad, a esta Luz de Luz, a este Fuego del Fuego, a esta Inteligencia, a esta Sabiduría ! ¡ Cuánto más sabrían de lo que saben !

Mira, María; mirad, hijos. Simeón llevó una larga vida antes de " ver la Luz ", de saber que las promesas se habían cumplido. Jamás dudó. Jamás se dijo : " Es inútil que siga esperando y que siga orando ". Perseveró. Obtuvo " ver " lo que no vió el sacerdote,

---

[1] Cfr. Lc. 2, 27.

lo que no vieron los sinedristas ensoberbecidos: al Hijo de Dios, al Mesías, al Salvador en forma de niño, que no hacía más que sonreir. Simeón obtuvo que Dios le sonriese, como primer premio de su vida honesta y piadosa, por medio de mis labios infantiles.

Segunda lección: las palabras de Anna. También ella, que era profetisa, vió en Mí, recién nacido, al Mesías. Y ésto, teniendo en cuenta su dote de profecía, es natural, pero piensa, pensad en lo que, movida por su fe y caridad, dice a mi Madre. Y procurad iluminar vuesto espíritu que se estremece en estos tiempos de tinieblas, y en esta fiesta de la Luz.

"Quien ha dado el Salvador a su pueblo, no dejará de tener el poder de dar su ángel que consuele tu espíritu y *vuestro* espíritu". Pensad que Dios se entregó a Sí mismo para destruir la obra de Satanás en los espíritus, ¿y no podrá *ahora* vencer a los "satanaces" que os atormentan? ¿No podrá enjugar vuestro llanto, desconcertar a estos "satanaces" y enviar la paz de su Cristo? ¿Por qué no se lo pedís con fe? Fe verdadera, prepotente, una fe ante la que la severidad de Dios, irritado con tantas culpas vuestras, caiga con una sonrisa y llegue el perdón que es ayuda, y venga su bendición cual arco iris sobre la tierra que se inunda bajo un diluvio de sangre que vosotros mismos habéis provocado?

Pensad: el Padre, después de que castigó a los hombres con el diluvio, se dijo a Sí mismo y a su Patriarca: "No maldeciré más la tierra por causa de los hombres, porque los sentidos y deseos del corazón humano están inclinados al mal desde su adolescencia; así pues, no castigaré más a ningún ser viviente como lo hice" [2]. Y ha guardado su palabra. No ha enviado otro diluvio, pero cuántas veces se os dijo y habéis dicho a Dios: "Si nos salvamos *esta* vez, si nos salvas, no haremos más guerras, jamás", y luego hacéis peores. ¡Cuánta veces habéis sido falsos y mentirosos para con el Señor! Y con todo Dios os ayudaría una vez más si la gran masa de los fieles lo invocase con fe y con un grande amor.

Vosotros — que aunque pocos para contrabalancear a quienes hacen que el Señor siga irritado, seguid siéndole fieles en esta hora terrible que tenemos encima y que de momento en momento crece — poned vuestras cuitas a los pies de Dios. El os manda-

[2] Gén. 8, 21.

rá su ángel, como mandó el Salvador al mundo. No temáis. Seguid unidos a la Cruz. Ella siempre ha vencido las asechanzas del demonio, que llega a través de la ferocidad humana y las tristezas de la vida a tratar de aumentar la desesperación, esto es, de separar de Dios los corazones que de otra manera no podría acaparar.»

55. Canción de cuna de la Virgen
(Escrito el 28 de noviembre de 1944)

Esta mañana ví la Virgen en la casa de Belén, en la habitación en que estaba, arrullar a Jesús para que su durmiera. En dicha habitación está el telar de María y otras labores de costura. Parece como que María hubiese dejado su trabajo para dar de mamar al Niño, cambiarle los pañales. El Niño debe de tener ya alguos meses, unos seis, al máximo, ocho. Cuando termine de arrullarlo tornará a su trabajo.

Es ya tarde, el crepúsculo que había cubierto el cielo con guedejas de oro, se ha ocultado ya. Las ovejas han regresado de un hermoso prado y levantando su trompa, balan.

Parece que el Niño no pueda dormirse, está como un poco intranquilo por los dientes que le empiezan a salir y por lo propio de la niñez.

He escrito, como he podido, en medio de la semipenumbra de la hora, este canto en un pedazo de papel y ahora lo copio aquí.

« Nubecillas, todas de oro — parecen del Señor sus greyes.
En el prado todo flor — otra grey mirando está.
Si todas las greyes tuviese yo — que sobre la tierra hay
el corderito más amado — siempre serías Tú ...
       Duerme, duerme, duerme, duerme ...
       No llores más ...
Miles de brillantes estrellas — en el cielo a mirar se asoman.
Tus delicadas pupilas — no las hagan llorar.
Tus ojos de zafiro — son estrellas del corazón.
Tus lágrimas, mi dolor — ¡ Oh ! no llores más ...
       Duerme, duerme, duerme, duerme ...
       No llores más ...

Todos los rutilantes ángeles — que en el paraíso hay
te rodean, ¡Oh Pequeñito! — para verse en tu mirada.
Pero Tu lloras. Quieres que Mamá — quieres que Mamá,
                                        [Mamá, Ma...
te cante dulce canción — dulce canción, dulce canción.
        Duerme, duerme, duerme, duerme...
        No llores más...
Después el cielo se pondrá rojo — con el regreso de la aurora.
Y Mamá todavía no descansa — para no hacerte llorar.
Cuando despiertes dirás: "Mamá" — "Hijo" yo te diré,
y un beso, amor y vida — con la leche te daré.
        Duerme, duerme, duerme, duerme...
        No llores más...
Sin tu Mamá no puedes estar — aun cuando sueñas el cielo.
¡Ven, ven! Bajo mi velo — podrás dormirte.
Mi pecho tendrás por almohada — mis brazos serán tu cuna.
No tengas miedo alguno — Contigo estoy yo...
        Duerme, duerme, duerme, duerme...
        No llores más...
Yo siempre contigo estaré — Eres vida del corazón...
Duerme... Parece una flor... recostada sobre mi pecho...
Duerme... No hagáis ruido — Tal vez ve a su Padre Santo...
Esa mirada seca el llanto... de mi dulce Jesús...
        Duerme, duerme, duerme, duerme...
        y no llores más...»

No es posible describir la belleza de la escena. No es sino una
madre que arrulla a su pequeñuelo. Pero es esa Madre y es ese
Pequeñuelo. Ud. no tiene idea de la gracia, del amor, pureza celestial que hay en esta pequeña, soberbia y delicada escena que
me alegra con su recuerdo, y cuya melodía me la sigo repitiendo,
para que Ud. puede oirla. Yo no tengo esa voz argentina, purísima de María, la voz *virginal* suya... Pareceré un órgano desafi-
nado, no importa, haré como pueda. ¡Qué hermosa pastorela, para cantarse en Navidad!
    María primero mecía lentamente la cuna de madera, luego, al
ver que Jesús no se tranquilizaba, lo tomó en sus brazos, junto
al cuello, se sentó cerca de la ventana abierta, teniendo a su lado
la cunita, y balanceándola levemente con el ritmo de su canto.
Dos veces repitió la canción, hasta que el niño Jesús cerró sus

ojitos, reclinó la cabeza sobre el pecho materno y se durmió, con la carita pegada en el pecho; una manita apoyada sobre un pecho materno, junto a su mejilla de color rosa, y la otra colgando. El velo de María cubre a su Hijito. Después se levanta con mucho cuidado, pone a su Jesús en la cuna, lo cubre con tela de lino, extiende un velo para defenderlo de las moscas y del aire, y así sigue contemplando a su Tesoro que duerme.

María tiene una mano sobre su corazón, y la otra apoyada sobre la cuna, pronta a quitarla si el Niño fuese a despertarse. Sonríe dichosa, un poco inclinada, mientras las sombras y el silencio caen sobre la tierra y penetran en la habitación.

¡ Qué paz ! ¡ Qué belleza ! ¡ Estoy feliz !

56. Adoración de los tres Reyes [1]

(Escrito el 28 de febrero de 1944)

Veo a Belén, ciudad pequeña, ciudad blanca, recogida como una pollada bajo la luz de las estrellas. Dos caminos principales la cruzan en forma de cruz. La una viene del otro poblado y es el camino principal que continúa, la otra que viene de otro poblado, ahí se detiene. Varias callejuelas dividen este poblado, en que no se puede ver ningún plano con que se haya edificado, como nosotros pensamos, sino que ha seguido las conformaciones del terreno, lo mismo que las casas han seguido los caprichos del suelo y de su constructor. Volteadas unas a la derecha, otras a la izquierda, otras fabricadas en el ángulo respecto del camino que pasa cerca de ella, hacen que él tome la forma de una cinta que se tuerce, y no la de línea recta. Acá y allá se ve alguna plazoleta, que bien puede servir para mercado, bien para dar cabida a una fuente, o también porque se le construyó sin ningún plan, y se ha quedado allí como un trozo de tierra oblicuo, sobre el que no es posible construir algo.

Me parece que en el punto donde estoy es una de esas plazoletas irregulares. Debió haber sido cuadrada o al menos rectan-

[1] Cfr. Mt. 2, 1-11.

gular, pero se ha convertido en un trapecio, tan raro, que parece un triángulo agudo, achatado en el vértice. En el lado más largo, la base del triángulo, hay una construcción larga y baja. La más grande del poblado. Por fuera hay una valla lisa por la que se ven dos portones, que están ahora cerrados. Por dentro, en el cuadro, hay muchas ventanas que dan al primer piso, mientras abajo hay pórticos que rodean el patio en que hay paja y excrementos esparcidos; también hay estanques donde beben agua los caballos y otros animales. Sobre las rústicas columnas hay argollas donde se atan los animales, y a un lado hay un largo tinglado para meter rebaños o cabalgaduras. Caigo en la cuenta de que es el albergue de Belén.

En los otros dos lados iguales hay casas y casuchas, algunas que tienen enfrente algún huerto, otras que no lo tienen. Entre ellas hay unas que con su fachada dan a la plaza y otras con su parte posterior. En la otra parte más estrecha, dando de frente al lugar de las caravanas, hay una sola casita, con una escalera externa que llega hasta la mitad de la fachada de las habitaciones. Todas las casas están cerradas, porque es de noche. No se ve a nadie por la calle.

Veo que en el cielo aumenta la luz de las estrellas, tan hermosas en el suelo oriental, tan resplandecientes y grandes que parecen estar muy cerca, y que sea fácil llegar a ellas, tocarlas. Levanto la mirada para saber cuál es la razón de que aumente la luz. Una estrella, de insólito tamaño que parece ser una pequeña luna, avanza en el cielo de Belén. Las otras parecen eclipsarse y hacerse a un lado, como las damas cuando pasa la reina, pues su esplendor las domina, las anula. De la esfera, que parece un enorme zafiro pálido, al que por dentro encendiera un sol, sale un rayo al que además de su color netamente zafiro, se unen otros, cual el rubio de los topacios, el verde de las esmeraldas, el de ópalos, el rojizo de los rubíes, y los dulces centelleos de las amatistas. Todas las piedras preciosas de la tierra están en ese rayo que rasga el cielo con una velocidad y movimiento ondulante como si fuese algo vivo. El color que predomina es el que mana del centro de la estrella: el hermosísimo color de pálido zafiro, que pinta de azul plateado las casas, los caminos, el suelo de Belén, cuna del Salvador.

No es ya la pobre ciudad, que por lo menos para nosotros no pasa de ser un rancho. Es una ciudad fantástica de hadas en que todo es plata. Y el agua de las fuentes, de los estanques es un líquido diamantino.

La estrella con un resplandor mucho más intenso se detiene sobre la pequeña casa que está en el lado más estrecho de la plazuela. Nadie la ve porque todos duermen, pero la estrella hace vibrar más sus rayos y su cola vibra, ondea más fuerte trazando como semicírculos en el cielo, que se enciende todo con esta red de astros que arrastra consigo, con esta red llena de piedras preciosas que brillan tiñendo con los más vagos colores las otras estrellas, como para decirles una palabra de alegría.

La casucha está sumergida en este fuego líquido de joyas. El techo de la pequeña terraza, la escalerilla de piedra oscura, la puertecilla, todo es como si fuese un bloque de plata pura, espolvoreado con diamantes y perlas. Ningún palacio real de la tierra jamás ha tenido ni tendrá una escalera semejante a esta, por donde pasan los ángeles, por donde pasa la Madre de Dios. Sus piececitos de Virgen Inmaculada pueden posarse sobre ese cándido resplandor, sus piececitos destinados a posarse sobre las gradas del trono de Dios.

Pero la Virgen no sabe lo que pasa. Vela junto a la cuna de su Hijo y ora. En su alma tiene resplandores que superan en mucho los resplandores de la estrella que adorna las cosas.

Por el camino principal avanza una caravana. Caballos enjaezados y otros a quienes se les trae de la rienda, dromedarios y camellos sobre los que alguien viene cabalgando, o bien tirados de las riendas. El sonido de las pezuñas es como un rumor de aguas que se mete y restriega las piedras del arroyo. Llegados a la plaza, se detienen. La caravana, bajo los rayos de la estrella, es algo fantástico. Los arreos, los vestidos de los jinetes, sus rostros, el equipaje, todo resplandece al brillo de la estrella, metales, cuero, seda, joyas, pelambre. Los ojos brillan, de las bocas la sonrisa brota porque hay otro resplandor que ha prendido en sus corazones: el de una alegría sobrenatural.

Mientras los siervos se dirigen al lugar donde se hospedan las caravanas, tres bajan de sus respectivos animales, que un siervo lleva a otra parte, y van a la casa a pie. Se postran, con la frente en el suelo. Besan el polvo. Son tres hombres poderosos. Lo indican sus riquísimos vestidos. Uno de piel muy oscura que bajó de un camello, se envuelve en una capa de blanca seda, que se sostiene en la frente y en la cintura con un cinturón precioso, y de este pende un puñal o espada que en su empuñadura tiene piedras preciosas. Los otros dos han bajado de soberbios caballos. El uno está vestido con una tela de rayas blanquísimas en que predomina el color amarillo. El capucho y el cordón parecen una sola pieza de filigrana de oro. El otro trae una camisola de seda de largas y anchas mangas unida al calzón, cuyas extremidades están ligadas en los pies. Está envuelto en finísimo manto, que parece un jardín por lo vivo de los colores de las flores que lo adornan. En la cabeza trae un turbante que sostiene una cadenilla engastada en diamantes.

Después de haber venerado la casa donde está el Salvador, se levantan y se van al lugar de las caravanas, donde están los siervos que pidieron albergue.

* * *

Es después del mediodía. El sol brilla en el cielo. Un siervo de los tres atraviesa la plaza, por la escalerilla de la pequeña casa entra, sale, regresa al albergue.

Salen los tres personajes seguidos cada uno de su propio siervo. Atraviesan la plaza. Los pocos peatones se voltean a mirar a esos pomposos hombres que lenta y solemnemente caminan. Desde que salió el siervo y vienen los tres personajes ha pasado ya un buen cuarto de hora, tiempo suficiente para que los que viven en la casita se hayan preparado a recibir a los huéspedes.

Vienen ahora más ricamente vestidos que en la noche. La seda resplandece, las piedras preciosas brillan, un gran penacho de joyas, esparcidas sobre el turbante del que lo trae, centellea.

Un siervo trae un cofre todo embutido con sus remaches en oro bruñido. Otro una copa que es una preciosidad. Su cubierta es mucho mejor, labrada toda en oro. El tercero una especie de ánfora larga, también de oro, con una especie de tapa en forma de pirámide, y sobre su punta hay un brillante. Deben pesar, porque los siervos los traen fatigosamente, sobre todo el que trae el cofre.

Suben por la escalera. Entran. Entran en una habitación que va de la calle hasta la parte posterior de la casa. Se va al huertecillo por una ventana abierta al sol. Hay puertas en las paredes, y por ellas se asoman los propietarios: un hombre, una mujer, y tres o cuatro niños.

María está sentada con el Niño en sus rodillas. José a su lado, de pie. Se levanta, se inclina cuando ve que entran los tres Magos. Ella trae un vestido blanco que la cubre desde el cuello hasta los pies. Trenzas rubias adornan su cabecita. Su rostro está intensamente rojo debido a la emoción. En sus ojos hay una dulzura inmensa. De su boca sale el saludo: " Dios sea con vosotros ". Los tres se detienen por un instante como sorprendidos, luego se adelantan, y se postran a sus pies. Le dicen que se siente.

Aunque Ella les invita a que se sienten, no aceptan. Permanecen de rodillas, apoyados sobre sus calcañales. Detrás, a la entrada, están arrodillados los siervos. Delante de sí han colocado los regalos y se quedan en espera.

Los tres Sabios contemplan al Niño, que creo que tiene ahora unos nueve meses o un año. Está muy despabilado. Es robusto. Está sentado sobre las rodillas de su Madre y sonríe y trata de decir algo con su vocecita. Al igual que la mamá, está vestido completamente de blanco. En sus piececitos trae sandalias. Su vestido es muy sencillo: una tuniquita de la que salen los piececitos intranquilos, unas manitas gorditas que quisieran tocar todo; sobre todo su rostro en que resplandecen dos ojos de color azul oscuro. Su boquita se abre y deja ver sus primeros dientecitos. Los risos parecen rociados con polvo de oro por lo brillantes y húmedos que se ven.

El más viejo de los tres habla en nombre de todos. Dice a María que vieron en una noche del pasado diciembre, que se prendía una nueva estrella en el cielo, de un resplandor inusitado. Los mapas del firmamento que tenían, no registraban esa estrella, ni de ella hablaban. Su nombre era desconocido. Nacida por voluntad de Dios, había crecido para anunciar a los hombre una verdad fausta, un secreto de Dios. Pero los hombres no le habían hecho caso, porque tenían el alma sumida en el fango. No habían levantado su mirada a Dios, y no supieron leer las palabras que El trazó — siempre sea alabado — con astros de fuego en la bóveda de los cielos.

Ellos la vieron y pusieron empeño en comprender su voz. Quitándose el poco sueño que concedían a sus cansados cuerpos, olvidando la comida, se habían sumergido en el estudio del zodíaco. Las conjunciones de los astros, el tiempo, la estación, el cálculo de las horas pasadas y de las combinaciones astronómicas les habían revelado el nombre y secreto de la estrella. Su nombre: «Mesías.» Su secreto: «Es el Mesías venido al mundo.» Y vinieron a adorarlo. Ninguno de los tres se conocía. Caminaron por montes y desiertos, atravesaron valles y ríos, hasta que llegaron a Palestina porque la estrella se movía en esta dirección. Cada uno, de puntos diversos de la tierra, se había dirigido a igual lugar. Se habían encontrado de la parte del Mar Muerto. La voluntad de Dios los había reunido allí, y juntos habían continuado el camino, entendiéndose, pese a que cada uno hablaba su lengua, y comprendiendo y pudiendo hablar la lengua del país, por un milagro del Eterno.

Juntos fueron a Jerusalén, porque el Mesías debe ser el Rey de Jerusalén, el Rey de los judíos. Pero la estrella se había ocultado en el cielo de dicha ciudad, y ellos habían experimentado que su corazón se despedazaba de dolor y se habían examinado para saber si habían en algo ofendido a Dios. Pero su conciencia no les reprochó nada. Se dirigieron a Herodes para preguntarle en qué palacio había nacido el Rey de los judíos al cual habian venido a adorar. El rey, convocados los príncipes de los sacerdotes y los escribas, les preguntó que dónde nacería el Mesías y que ellos respondieron: «En Belén de Judá.»

Ellos vinieron hacia Belén. La estrella volvió a aparecerse a sus ojos, al salir de la Ciudad santa, y la noche anterior había aumentado su resplandor. El cielo era todo un incendio. Luego se detuvo la estrella, y juntando las luces de todas las demás estrellas en sus rayos, se detuvo sobre esta casa. Ellos comprendieron que estaba allí el Recién nacido. Y ahora lo adoraban, ofreciéndole sus pobres dones y más que otra cosa su corazón, que jamás dejará de seguir bendiciendo a Dios · por la gracia que les concedió y por amar a su Hijo, cuya Humanidad veían. Después regresarían a decírselo a Herodes porque él también deseaba venir a adorarlo.

«Aquí tienes el oro, como conviene a un rey; el incienso como es propio de Dios, y para tí, Madre, la mirra, porque tu Hijo es Hombre además de Dios, y beberá de la vida humana su amargura, y la ley inevitable de la muerte. Nuestro amor no quisiera decir estas palabras, sino pensar que fuese eterno en su carne, como eterno es su Espíritu, pero, ¡ oh mujer !, si nuestras cartas, o mejor dicho, nuestras almas, no se equivocan, El, tu Hijo, es el Salvador, el Mesías de Dios, y por ésto deberá salvar la tierra, tomar en Sí sus males, uno de los cuales es el castigo de la muerte. Esta mirra es para esa hora, para que los cuerpos que son santos no conozcan la putrefacción y conserven su integridad hasta que resuciten. Que El se acuerde de estos dones nuestros, y salve a sus siervos dándoles su reino. Por tanto, para ser nosotros santificados, Vos, la Madre de este Pequeñuelo nos lo conceda a nuestro amor, para que besemos sus pies y con ellos descienda sobre nosotros la bendición celestial. »

María, que no siente ya temor ante las palabras del Sabio que ha hablado, y que oculta la tristeza de las fúnebres invocaciones bajo una sonrisa, les presenta su Niño. Lo pone en los brazos del más viejo, que lo besa y lo acaricia, y luego lo pasa a los otros dos.

Jesús sonríe y juguetea con las cadenillas y las cintas. Con curiosidad mira, mira el cofre abierto que resplandece con color amarillento, sonríe al ver que el sol forma una especie de arco iris, al dar sobre la tapa donde está la mirra.

Después los tres entregan a María el Niño y se levantan. También María se pone de pie. Se hacen mutua inclinación. después que el más joven dió órdenes a su siervo y salió. Los tres hablan todavía un poco. No se deciden a separarse de aquella casa. Lágrimas de emoción hay en sus ojos. Se dirigen en fin a la salida. Los acompañan María y José.

El Niño quiso bajar y dar su manita al más anciano de los tres, y camina así, asido de la mano de María y del Sabio, que se inclinan para llevarlo de la mano. Jesús todavía tiene ese paso bamboleante de los pequeñuelos, y ríe golpeando sus piececitos sobre las líneas que el sol forma sobre el piso.

Llegados al dintel — no debe olvidarse que la habitación es muy larga — los tres arrodillándose nuevamente, besan los pies de Jesús. María se inclina al Pequeñuelo, lo toma de la manita y lo guía, haciendole que haga un gesto de bendición sobre la cabeza de cada Mago. Es una señal algo así como de cruz, que los deditos de Jesús, guiados por la mano de María, trazan en el aire.

Luego los tres bajan la escalera. La caravana está esperándolos. Los enjaezados caballos resplandecen con los rayos del atardecer. La gente está apiñada en la plazoleta. Se acercó a ver este insólito espectáculo.

Jesús ríe, batiendo sus manecitas. Su Madre lo ha levantado en alto y apoyado sobre el pretil que sirve de límite al suelo, y lo ase con un brazo contra su pecho para que no se caiga. José ha bajado con los tres Magos, y les detiene las cabalgaduras, mientras sobre ellas suben.

Los siervos y señores están sobre sus animales. Se da la orden de partir. Los tres se inclinan profundamente sobre su cabalgadura en señal de postrer saludo. José se inclina. También María, y vuelve a guiar la manita de Jesús en un gesto de adiós y bendición.

57. Consideraciones acerca de la fe de los tres Reyes
(Escrito el mismo día)

Dice Jesús:

« ¿ Y ahora ? ¿ Qué puedo deciros, oh almas, que sentís que la fe muere ? Aquellos Sabios del Oriente no tenían nada que les hubiese asegurado la verdad. Ninguna cosa sobrenatural. Tan solo sus cálculos astronómicos y sus reflexiones que una vida íntegra las hacían perfectas.

Y sin embargo tuvieron fe. Fe en todo: fe en la ciencia, fe en su conciencia, fe en la bondad divina. Por medio de la ciencia creyeron en la señal de la nueva estrella que no podía ser sino "la esperada" durante siglos por la humanidad: *el Mesías*. Por medio de su conciencia tuvieron fe en la voz de la misma, que, recibiendo "voces" celestiales, les decía: "Esa estrella es la señal de la llegada del Mesías". Por medio de la bondad divina tuvieron fe en que Dios no los engañaría, y como su intención era recta, los ayudaría en todos los modos para llegar a su objetivo.

Y lo lograron. Solo ellos, en medio de tantos otros que estudiaban las señales, comprendieron esa señal, porque solo ellos tenían en su alma el ansia de conocer las palabras de Dios con un fin recto, cuyo pensamiento principal era el de dar inmediatamente alabanza y honra a Dios.

No buscaron su utilidad propia; antes bien las fatigas y los gastos no los arredraron, igualmente que no pidieron ninguna recompensa humana. Pidieron solamente que Dios se acordase de ellos y que los salvase para siempre. Como no pensaron en ninguna recompensa humana, de igual modo decidieron emprender su viaje sin ninguna preocupación humana. Vosotros os hubierais puesto a hacer miles de cavilaciones: "¿ Cómo podré hacer un viaje en naciones y pueblos de lenguas diversas ? ¿ Me creerán, o bien, me tomarán como espía ? ¿ Qué ayuda me darán cuando tenga que pasar desiertos, ríos, montes ? ¿ Y el calor ? ¿ Y el viento de las altiplanicies ? ¿ y las fiebres palúdicas ? ¿ Y las avenidas ? ¿ Y las comidas diferentes ? ¿ Y el diverso modo de hablar ? Y . . . y . . . y . . .". Así pensáis vosotros. Ellos no. Dijeron con una audacia sincera y santa: "Tu, ¡ oh Dios ! lees nuestros corazones y ves qué fin nos proponemos. Nos ponemos en tus manos. Concédenos la alegría sobrehumana de adorar a la Segunda Persona, hecha Carne, para la salvación del mundo ".

Basta. Se pusieron en camino desde las Indias lejanas [1]. Desde las cordilleras mongólicas por las que pasean tan sólo las águilas y los cóndores y Dios habla con el ruido de los vientos y torrentes y escribe palabras de misterio en las páginas inmensas de los nevados. Desde las tierras en que nace el Nilo y corre, cual cinta verde-azul, al encuentro del Mediterráneo. Ni picos, ni selvas, ni arenales, océanos secos y mucho más peligrosos que los de agua, los detienen en su camino. Y la estrella brilla en sus noches, y no los deja dormir. Cuando se busca a Dios, las costumbres naturales deben ceder su lugar a las impaciencias y a las necesidades sobrehumanas.

La estrella los llama desde el norte, desde el oriente, desde el sur, y por un milagro de Dios los guía hacia un punto, los reune después de tantas distancias en ese punto, y por otro milagro, les anticipa la sabiduría de Pentecostés, el don de entenderse y de hacerse entender como acaece en el paraíso, donde se habla una sola lengua: la de Dios.

Hubo un momento en que el susto se apoderó de ellos y fue cuando la estrella desapareció. Y humildes porque eran *realmente grandes*, no pensaron que fuese por la mala voluntad de otros, por los de Jerusalén que no merecían ver la estrella de Dios, sino que pensaron haber ellos mismos desagradado en algo a Dios, y se examinaron con temblor y contrición prontos a pedir ser perdonados.

Su conciencia los serena. Almas acostumbradas a la meditación, tienen una conciencia delicadísima, siempre atenta, dotada de una introspección aguda, que hace de su interior un espejo en que se reflejan las más pequeñas manchas de los aconteci-

---

[1] La Escritora añade la siguiente nota: " Jesús me dice después, que por Indias quiere señalar el Asia meridional, que comprende ahora el Turquestán, Afganistán y Persia ".

mientos diarios. La hicieron su maestra, esa voz que advierte y grita, no digo ya, al menor error, sino a la posibilidad de error, a lo que es humano, a la complacencia de lo que es el ser humano. Por esto, cuando se ponen frente a esta maestra, a este espejo límpido y claro, saben que no mentirá. Ahora los tranquiliza nuevamente y emprenden el camino.

"¡Oh qué dulce cosa es sentir que en nosotros no hay nada que desagrade a Dios! Saber que El mira con agrado el corazón del hijo fiel y que lo bendice. De esto viene aumento de fe y de confianza, como de esperanza, fortaleza, paciencia. Ahora la tempestad ruge, pero pasará porque Dios me ama y sabe que lo amo, y no dejará de ayudarme otra vez". Así hablan los que tienen la paz que nace de una conciencia recta, que es reina de sus acciones.

Dije que eran "humildes porque eran realmente grandes". Pero ¿qué sucede en vuestras vidas? Que uno, no porque es grande, sino porque abusa de su poder, por su orgullo y por vuestra necia idolatría, jamás es humilde. Hay algunos desventurados que, solo por ser mayordomos de un poderoso, jefes de una oficina, o empleados en algún departamento, en una palabra, siervos de quienes los han hecho, se dan aires de semidioses. Y que si causan lástima...

Los tres Sabios eran realmente grandes. Ante todo por una virtud sobrenatural, después, por su ciencia, y finalmente por sus riquezas. Pero se tienen por nada: por polvo de la tierra, en comparación al Dios Altísimo que crea los mundos con su sonrisa y los esparce como granos para que los ojos de los ángeles se alegren con esos collares hechos de estrellas.

Se sienten nada respecto al Dios Altísimo que creó el planeta en que viven, y ha puesto en él toda clase de variedades. El Escultor infinito de obras sin fin, acá con un dedo puso una corona de colinas de suaves pendientes, allá picos y escarpaduras, cual si vértebras tuviese la tierra, y como si fuese un cuerpo gigantesco en que las venas son los ríos, la pelvis los lagos, el corazón los océanos, el vestido las forestas, los velos las nubes, los adornos los glaciales, gemas las turquesas y las esmeraldas, los ópalos y los berilos de todas las aguas que cantan, con las selvas y los vientos, cual un inmenso coro, las alabanzas a su Señor.

Pero sienten que valen nada por su saber con respecto al Dios Altísimo de quien les llega su sabiduría, y que les ha dado ojos más potentes que los de sus pupilas: ojos del alma que sabe leer en las cosas las palabras que la mano humana no escribió, sino el pensamiento de Dios.

Se sienten nada pese a sus riquezas, que son un átomo en comparación de la riqueza del Dueño del universo, que esparce metales y joyas en los astros y planetas y riquezas sobrenaturales, riquezas inexhaustas, en el corazón de quien lo ama.

Y llegados ante una pobre casa, en la más pobre de las ciudades de Judá, no mueven la cabeza como diciendo: " Imposible ", sino inclinan su cuerpo, se arrodillan, pero sobre todo inclinan el corazón y adoran. Allí detrás de esas pobres paredes, está Dios, el Dios a quien siempre han invocado, a quien jamás pensaron verlo ni por sueños. Lo invocaron por toda la humanidad, por " su " bien eterno. ¡ Oh ! solo deseaban poder verlo, conocerlo, poseerlo en la vida que no tiene ni auroras, ni crepúsculos.

El está allá, detrás de aquellas paredes. ¿ Quién sabe si el corazón del Niño, que siempre es el corazón de un Dios, no sienta palpitar estos tres corazones inclinados sobre el polvo del camino con: " Santo, Santo, Santo. Bendito el Señor Dios nuestro. Gloria a El en los cielos y paz a sus siervos. Gloria, gloria, gloria y bendición "? Ellos lo piden con un corazón tembloroso. Durante toda la noche y al siguiente día preparan su corazón por medio de la plegaria para entrar en comunión con el Niño-Dios. No se acercan a este altar que es un regazo virginal que lleva la Hostia divina, como vosotros soléis acercaros con el alma llena de preocupaciones humanas.

Se olvidan del sueño, de la comida. Y si se ponen los vestidos más hermosos, no es por orgullo humano, sino para honrar al Rey de reyes. En los palacios de los soberanos, los dignatarios entran con sus mejores vestiduras ¿ y no debían presentarse ante este Rey con sus vestiduras de fiesta ? ¿ Y qué fiesta más grande para ellos que esta ?

¡ Oh cuántas veces en sus lejanas tierras tuvieron que haberse arreglado por causa de los hombres, para ofrecerles alguna fiesta, para honrarlos. Justo era pues poner a los pies del Rey supremo la púrpura y los joyeles, las sedas y las plumas preciosas. Poner ante los pies, ante los delicados piececitos, las fibras de la tierra, sus piedras preciosas, sus plumas, sus metales — obras que son de El — para que también todo adorara a su Creador. Y serían felices si el Pequeñito les ordenase extenderse por el suelo y formar una incomparable alfombra para que caminase sobre todo,

El que ha dejado las estrellas, por su causa.

Humildes y generosos. Obedientes a los "voces" de lo alto. Ordenan que se presenten sus dones al Recién nacido. Y los llevan. No dicen: "El es rico y no tiene necesidad. Es Dios y no conocerá la muerte". Obedecen. Fueron ellos los primeros en haber socorrido la pobreza del Salvador. ¡Cuán necesario será el oro cuando tenga que huir! ¡Cuán significativa esa mirra cuando tenga que morir! ¡Cuán santo ese incienso que olerá la hediondez de la lujuria humana que hala alrededor de su pureza infinita.

Humildes, generosos, obedientes y respetuosos el uno para con el otro. Las virtudes siempre producen otras virtudes. Las virtudes que miran a Dios, son las que miran al prójimo. Respeto, que es después caridad. Al de mayor edad se le deja que hable por todos, que sea el primero en recibir el beso del Salvador, de tomarlo por su manita. Los otros lo podrán volver a ver, pero él, no. Está viejo y su día en que regrese a Dios está cercano. Verá al Mesías después de su terrible muerte y lo seguirá, en el ejército de los salvados, cuando regrese al cielo, pero no lo verá sobre esta tierra; y así pues, como por viático, le concede que toque su manita y que la estreche.

Los otros no tienen ninguna envidia, antes bien su respeto hacia el viejo sabio aumenta. Más que ellos ha sido hecho digno, y por largo tiempo. El Niño-Dios lo sabe. Todavía no habla, El, la Palabra del Padre, pero sus acciones son palabra; y sea bendita su inocente palabra que señala a este como a su predilecto.

Hijos, hay otras dos enseñanzas que nacen de esta visión.

La actitud de José que sabe estar en "su" lugar. Presente cual custodio y tutor de la Pureza y Santidad; pero que no usurpa sus derechos. María con Jesús recibe los homenajes y oye las palabras. José se regocija con ello y no se inquieta por ser una figura secundaria. José es un justo: *es el Justo*. Y es siempre justo, aun en esta hora. Los humos no se le suben a la cabeza. Permanece humilde y justo.

Ve con gusto los regalos, porque piensa que con ellos podrá hacer que la vida de su Esposa y del dulce Niño sea más llevadera. José no los desea por ambición. Es un trabajador y seguirá trabajando. ¡Pero que sus dos amores tengan desahogo y consuelo! Ni él, ni los Magos saben que esos dones servirán cuando llegue la hora de huir y cuando vivan en el destierro, en esas circunstancias en que las riquezas se esfuman, cual nubes empujadas por los vientos, y para cuando regresen a la patria, después de que todo perdieron, clientes y muebles, y tan sólo quedaron las paredes de la casa, que Dios protegió porque allí la Virgen recibió el Anuncio.

José es humilde, él, el custodio de Dios y de la Madre de Dios, hasta tomar las riendas cuando subían sobre sus cabalgaduras estos vasallos de Dios. Es un pobre carpintero, porque la fuerza de los poderosos le ha quitado su herencia cual merece por ser descendiente de David. Pero siempre es de estirpe real y sus acciones lo son. También de él está dicho: " Era humilde porque era realmente grande ".

La última enseñanza, que es muy consoladora.

Es María la que toma la mano de Jesús, que no sabe todavía bendecir, y hace que lo haga.

María es siempre la que toma la mano de Jesús y la que la guía. Aun ahora. Ahora que Jesús sabe bendecir. Algunas veces su mano llagada cae cansada y como sin esperanza porque sabe que es inútil bendecir. Vosotros echáis a perder mi bendición. Irritada se baja, porque me maldecís. Y entonces María es la que quita la ira de esta mano con besarla. ¡ Oh, el beso de mi Madre ! ¿ Quién puede resistir a ese beso ? Y luego toma con sus delgados y finos dedos, pero tan amorosamente imperiosos, mi pulso y me obliga a bendecir. No puedo rechazar a mi Madre, es menester ir a Ella para que sea vuestra Abogada.

Es mi Reina antes de que sea la vuestra; y su amor por vosotros tiene benevolencias, que ni siquera el mío conoce. Y Ella, aun sin palabras, pero con las perlas de su llanto y con el recuerdo de mi Cruz, cuya configuración me hace trazar en el aire, habla por vuestra causa y me dice: " Eres el Salvador. Salva ".

Este es, hijos, el " Evangelio de la fe " en la aparición de la escena de los Magos. Meditadlo e imitadlo para vuestro bien. »

58. Huída a Egipto [1]

(Escrito el 9 de junio de 1944)

Mi espíritu ve la siguiente visión.

Es de noche. José duerme en su camastro, en la pequeña habitación. Tiene un sueño plácido, cual lo tienen después del trabajo los hombres honrados y diligentes.

Lo veo en la oscuridad del lugar, en que se ve apenas un rayo de luz que pasa por el agujeron de una especie de claraboya, no cerrada completamente, como si José tuviese calor en su habitación, o quisiese que ese rayo de luz le ayudase a calcular las horas y levantarse prontamente. Está acostado sobre un lado. Como que sonríe porque está viendo algo encantador, pero su sonrisa se cambia en angustia. Suspira profundamente como quien hace cuando está sufriendo una pesadilla y se despierta con sobresalto.

Se sienta sobre su camastro. Se restriega los ojos y mira a su alrededor. Mira hacia la ventanilla de donde viene ese rayo de luz. Es muy noche. Toma sus vestidos que estaban a los pies de la cama, y sin pararse, se los pone sobre la blanca túnica de mangas cortas. Hace a un lado las cobijas, pone los pies en tierra y busca las sandalias. Se las pone. Se las amarra. Se pone en pie y va a la puerta que está enfrente de su cama, no a la que está al lado de ella, y que conduce al salón donde estuvieron los Magos. Toca despacio, quedo, apenas un tac-tac, con la punta de los dedos.

Debe oir que se le dice que pase, porque abre con cuidado la puerta y la cierra sin hacer ruido. Antes de haber ido, encendió una lámpara pequeña de aceite, de una sola llama y con ella se ilumina. Entra. Es una habitación un poco más ancha que la suya, en la que hay un lecho cerca de la cuna, y una lamparita en un rincón que arde con su flamita que se mueve, y que parece una estrellita de luz tenue y dorada que ayuda a ver sin molestar a quien duerme.

María no está durmiendo. Está arrodillada orando cerca de la cuna con su vestido claro, vigilando a Jesús que tranquilo duerme. Jesús tiene la edad que ví tenía en la visión de los Magos. Un infante de cerca de un año, hermoso, rubicundo, dormido con su cabecita de rizos apoyada en la almohada y con una mani-

[1] Cfr. Mt. 2, 13-14.

ta cerrada bajo su garganta.

« ¿ No estás durmiendo ? » pregunta José en voz baja y misteriosa. « ¿ Por qué ? ¿ No está bien Jesús ? »

« Sí. Está bien. Estaba orando. Pero después me voy a acostar. ¿ A qué viniste, José ? » María habla siguiendo en la posición en que estaba.

José habla en voz muy baja para no despertar al Niño, pero agitada : « Tenemos que irnos pronto de aquí. *Pero pronto*. Prepara el cofre y un saco con cuanto puedas meter en él. Yo prepararé lo demás, llevaré lo que pueda... Huiremos al alba. Lo haría antes, pero debo primero hablar con la dueña de casa... »

« ¿ Pero por qué huir ? »

« Luego te lo diré más detalladamente. Se trata de Jesús. Un ángel me ha dicho: "Toma al Niño y a su Madre y huye a E-gipto". No hay que perder tiempo. Voy a preparar lo que puedo. »

No hay necesidad de decir a María que no se pierda tiempo. Apenas oyó hablar de ángel, de Jesús, de la huída, comprendió que un peligro se cierne sobre su Hijo. Se ha puesto en pie. Su rostro es más blanco que una cera. Angustiada se lleva la mano a su pecho. Y ha empezado a moverse ligera y rápida, a poner los vestidos en el cofre y en un ancho saco que ha extendido sobre el lecho en donde aún no se había ni siquiera recostado. Ciertamente está angustiada pero no pierde la cabeza. Hace las cosas prontamente, pero en orden. Al pasar cerca de la cuna, mira a su Hijito que ignorante de lo que pasa, duerme.

« ¿ Quieres que te ayude ? » pregunta algunas veces José al asomar su cabeza por entre la puerta semicerrada.

« No, ¡ gracias ! » responde siempre María.

Solamente cuando el saco está listo y debe pesar, llama a José para que la ayude a cerrarlo y a bajarlo de la cama. José no quiere que se le ayude y lo hace por sí mismo. Lo toma y lo lleva a su habitación.

« ¿ Llevo también las cobijas de lana ? » pregunta María.

« Las que más puedas. Las que sobren, se quedarán. Pero toma las que más puedas. Nos servirán... ¡ porque el camino es largo, María! ... » José siente en el alma el decir estas palabras. ¡ Que se puede decir de María ! Dobla los cobertores suyos y los de José y éste los ata con un lazo.

« Dejaremos las colchas y las esteras » dice mientras lía los cobertores. « Aunque voy a llevar tres borriquillos, no puedo cargarlos mucho. Nuestro camino es largo y duro, parte entre montes y parte por el desierto. Cubre bien a Jesús. Las noches serán frías tanto en una parte como en la otra. Llevo conmigo los regalos de los Magos porque nos servirán. Todo lo demás lo voy a vender para comprar dos borricos. No puedo devolverlos y por esto debo comprarlos. Voy sin esperar el alba. Sé dónde pueden buscarse. Tú termina de preparar todo. » Y sale.

María recoge alguna cosilla. Después de haber visto otra vez a Jesús, sale y regresa con vestiditos todavía húmedos, tal vez lavados el día anterior. Los dobla y envuelve en un lienzo y los pone con las demás cosas. No hay otra cosa más. Vuelve su mirada hacia un rincón y ve un juguete de Jesús: una ovejita hecha de madera. Lo toma con un sollozo y lo besa. En la madera se ven rastros de los dientecitos de Jesús y las orejas de la ovejita están todas mordisqueadas. María acaricia este juguete sin valor, hecho de madera pobre, pero que para Ella es de gran valor, porque le habla del cariño que José tiene por Jesús y le habla de su Hijito. Lo pone también junto a las demás cosas en el cofre cerrado.

Ahora no hay más. Sólo Jesús en su cunita. María piensa que es mejor preparar también al Niño. Va a la cuna, lo mueve un poco para despertarlo. El emite algo así como un refunfuño, y se voltea del otro lado durmiendo. María le acaricia sus rizos. Jesús abre la boquita con un bostezo. María se inclina y lo besa en la mejilla. Jesús se despierta. Abre sus ojitos. Ve a la Mamá, le sonríe y le extiende sus manecitas.

« Sí, vidita mía. Sí. Leche. Antes de lo acostumbrado... ¡ Pero Tu, corderito mío siempre quieres mamar ! »

Jesús ríe. Mueve sus piececitos fuera de las mantas. Mueve sus brazos con esas manifestaciones de alegría de los niños, que son tan bellas. Apoya sus piececitos contra el estómago de su Madre, se inclina en forma de arco y apoya también la cabecita rubia sobre su pecho, y se estrecha a él. Ríe y se ase con sus manitas al cordoncito que sostiene el vestido al cuello de María, tratando de desatarlo. Vestido con su camisoncito de lino se ve muy hermoso: es gordito, sonrosado como una flor.

María se inclina y en esta posición contra la cuna como si fuese protección, llora y sonríe al mismo tiempo, mientras el Niño trata de balbucir algo, algo que parece asemejarse al sonido de "Mamá". La mira extrañado de verla llorar. Extiende una manecita hacia las lágrimas y se las acaricia. Es gracioso, se vuelve apoyar contra el pecho, y se encoge todo, acariciándolo con su manecita.

María le besa los cabellos. Se lo lleva al cuello. Se sienta, le pone el vestidito de lana; luego las pequeñitas sandalias. Da de mamar a Jesús que ávidamente come, y cuando le parece que del seno derecho llega poco, busca el izquierdo, y ríe al hacerlo, mirando de abajo a arriba a la Mamá. Luego se adormece con la cabeza sobre el pecho. Su mejilla rubicunda y gordita sigue todavía contra el seno blanco y redondo.

María se levanta poco a poco y lo pone sobre la colcha de su lecho. Lo cubre con su manto. Vuelve a la cuna y dobla las pequeñas mantas. Piensa si estará bien llevar el colchoncito. ¡Es tan pequeño! Se puede llevar. Lo pone con la almohadita, junto a las cosas que están sobre el cofre. Llora sobre la cuna vacía la pobre Madre, a guien persiguen al perseguir a su Hijo.

Regresa José. « ¿ Estás pronta ? ¿ Y Jesús ? ¿ Tomaste sus cobijitás, y su lecho ? No podemos llevar la cuna, pero sí su colchoncito. ¡Pobre Niño a quien quieren matar ! »

« ¡ José ! » María da un grito y se ase al brazo de él.

« Sí, María, lo quieren matar. Herodes quiere verlo muerto... porque tiene miedo de él... por su reino humano tiene miedo de este Inocente esa fiera inmunda. No sé qué hará cuando sepa que El ha huído. Estaremos ya lejos. No creo que se vengue, buscándolo hasta Galilea. Sería muy difícil que logre saber que somos galileos y menos de Nazaret, y *quiénes somos* exactamente. A menos que Satanás no lo ayude en agradecimiento de tener un fiel siervo. Pero... si esto llegase a suceder... Dios de todos modos nos ayudará. No llores, María. Me causa un gran dolor el verte llorar más que el tener que ir al destierro. »

« Perdóname ¡ José ! No lloro por mí, ni por lo poco que pierdo. Lloro por tí... ¡Tánto que te has sacrificado ! Ya no vas a tener ahora clientes, ni casa. ¡Cuánto te cuesto, José ! »

« ¿ Cuánto ? No, María. No me cuestas. Me consuelas. Siempre. No pienses en el mañana. Tenemos lo recibido de los Magos. Nos servirá en los primeros meses. Buscaré trabajo. Un obrero honrado y capaz se abre paso inmediatamente. Ya viste aquí. No me alcanzan las horas para terminar los trabajos que tengo. »

« Lo sé. ¿ Pero quién te consolará en la nostalgia ? »

« ¿ Y a tí, quién de la nostalgia de esa casa que tánto quieres ? »

200

« Jesús. Teniéndolo a El, tengo todavía lo que poseí. »

« Y yo, teniendo a Jesús, tengo la patria, que hasta hace pocos meses siempre he esperado volver a ver. Tengo a mi Dios. Ves que no dejo nada de lo que me está en el corazón sobre todo. Basta salvar a Jesús y todo lo demás *no importa*. Aunque no viéramos mas este cielo, estas campiñas, ni aquellas más queridas de Galilea, siempre tendremos todo, porque lo tendremos a El. María, que el alba ya empieza. Es hora de despedirnos de la dueña y de cargar nuestras cosas. Todo saldrá bien. »

María se levanta obediente. Se envuelve en su manto, mientras José hace el último envoltorio que se lo carga.

María toma delicadamente al Niño, lo envuelve en un chal y lo estrecha al corazón. Mira las paredes que le dieron hospitalidad por tantos meses y con una mano las toca. ¡ Dichosa casa, que mereció que María la hubiese amado y bendecido !

Sale, atraviesa la habitación que era de José, entra en el salón. La dueña de la casa con lágrimas la besa y saluda. Levanta una extremidad del chal, besa en la frente al Niño que tranquilo duerme. Bajan por la escalera exterior.

Ya se acerca el primer claror del alba con el que se puede ver algo. En la poca luz se distinguen tres borriquillos. El más robusto carga los trastos y vestidos. Los otros tienen silla. José se las ingenia para acomodar hasta el cofre y los envoltorios sobre el primero. Veo que arriba van bien atados sus utensilios de carpintero. Nuevamente despedidas y lágrimas. María sube a su borriquillo, mientras la dueña tiene a Jesús en su cuello y lo besa nuevamente. Luego se lo da a María. Sube también José, que lleva amarrado su asno al que va cargando con las cosas, para poder llevar de las riendas al de María.

Salen de Belén que todavía recuerda la llegada pomposa de los Magos, y que ahora duerme tranquila, ignorante de lo que le espera.

De este modo termina la visión.

59. « El dolor fue el amigo fiel y tuvo varias formas y nombres »

(Escrito el mismo día)

Dice Jesús:

« El Decálogo es la Ley; mi Evangelio es la Doctrina que os hace más clara esta ley más digna de ser amada. Esta Ley, esta Doctrina bastarían para hacer santos a los hombres.

Pero estáis tan embarazados con vuestra humanidad que — en verdad avasalla bastante al espíritu — no podéis seguir estos caminos y caéis; o bien os detenéis descorazonados. Decíos a vosotros y a quien quisiera llevaros adelante, citándoos los ejemplos del Evangelio: " Pero Jesús y María y José (y así con todos los demás santos) no eran como nosotros. Eran fuertes, al punto fueron consolados en sus dolores, aun de aquellos pocos que tuvieron; no sentían las pasiones. Eran seres que vivían fuera de la tierra ".

¡ Cuán poco dolor ! ¡ No sentían las pasiones !

El dolor fue el amigo fiel y tuvo varias formas y nombres. Las pasiones... No empléeis un vocabulario con el que queráis llamar pasiones a vuestros vicios que os arrastran. Llamadlos sencillamente " vicios " y capitales, por añadidura.

No es que los ignorásemos. Teníamos ojos y orejas para ver y oir, y Satanás nos los presentaba por delante y por los lados estos vicios, mostrándonoslos con su asquerosidad o tentándonos con sus insinuaciones. Pero la voluntad no quería otra cosa más que agradar a Dios y por esto la suciedad y las insinuaciones en lugar de obtener la meta que Satanás se proponía, alcanzaba lo contrario. Y cuanto más él trabajaba, tanto más nos refugiábamos en la luz de Dios, ante el asco que experimentábamos de las tinieblas fangosas que nos mostraba a los ojos del cuerpo o del alma.

Las pasiones, en el sentido filosófico, no dejaron de existir en *nosotros*. Amamos nuestra patria, y en ella nuestra ciudad, nuestra pequeña Nazaret más que cualquier otra ciudad de Palestina. Sentimos cariño por nuestra casa, parientes, amigos. ¿ Por qué no debíamos no haberlo sentido? No nos convertimos en sus esclavos, porque *nada* debe ser el señor sino Dios. Pero nos hicimos buenos compañeros.

Mi Madre dió un grito de alegría cuando, cerca de cuatro años después, volvió a Nazaret y entrò en su casa, y besó aquellas paredes que le oyeron decir el " Sí ", por el cual se encarnó el Hijo de Dios. José saludó con júbilo a sus parientes y sobrinos, que habían crecido en número y años, y tuvo la satisfacción de ver que sus conciudadanos lo recordaban, y que lo buscaban inmediatamente por su habilidad. Yo fui sensible a las amistades y sufrí como una crucifixión moral la traición de Judas. ¿ Y qué con esto ? Ni mi Madre, ni José prefirieron su casa o sus familiares a la voluntad de Dios.

No dejé decir aquello, aun cuando me atraía el odio de los israelitas y la mala voluntad de Judas. Sabía que bastaba el dinero para que fuese mi servidor y lo podía haber hecho. Pero no me serviría a Mí como Redentor, sino a Mí, como a un rico. Yo que multipliqué los panes, podía haber multiplicado también el dinero, si hubiera querido. Pero no había venido para procurar satisfacciones humanas a nadie, mucho menos a los llamados. Prediqué sacrificio, desapego, vida casta, lugares humildes. ¿ Qué clase de Maestro hubiera sido y qué clase de Justo, si a uno, sólo porque no había otro medio para tenerlo cerca, se le hubiese dado dinero para su sensualidad mental y física ?

En mi reino se hacen grandes, los que se hacen " pequeños ". Quien quiera ser " grande " a los ojos del mundo, no es apto para reinar en mi reino. Es paja para el lecho de los demonios, porque la grandeza del mundo está en oposición a la ley de Dios.

El mundo llama " grandes " a los que, con medios casi siempre ilícitos, saben apoderarse de los mejores lugares, y para esto, convierten a su prójimo en el peldaño sobre el que suben, aplastándolo. Llama " grandes " a los que saben matar para gobernar, bien maten moral o físicamente y extorsionan lo que pueden y engordan, llenándose con las riquezas de los demás, ya se trate de individuos como de naciones. El mundo llama frecuentemente "grandes " a los criminales. No. La " grandeza " no es crimen. Ella consiste en la bondad, honradez, amor, justicia. Ved a vuestros " grandes " ofreceros frutos tóxicos, que cortaron en el jardín perverso y demoníaco de su corazón.

La última visión, porque quiero hablar de ella y no de otra cosa - que es muy útil, porque el mundo *no quiere* oir la verdad que le conviene - ilumina un lugar citado del Evangelio de Mateo, una frase repetida dos veces: " Levántate, toma al Niño y *a su*

Madre y huye a Egipto"[1]; "levántate, toma al Niño y a su Madre y regresa a la tierra de Israel"[2]. Tu viste que María estaba sola en su habitación con el Niño.

Mucho han debatido aquellos que por ser fango pestilente no admiten que alguno de ellos puede ser ala y luz: la virginidad de María después del parto y la castidad de José. Son unos desgraciados en su corrompido corazón y en su mente tan servil al cuerpo, para que puedan pensar que uno como ellos pueda respetar a la mujer viendo en ella el alma y no la carne; y elevarse viviendo en una atmósfera sobrenatural, apeteciendo no lo que es de la carne, sino lo de Dios.

Pues bien, a estos que niegan la belleza, a estos gusanos incapaces de convertirse en mariposas, a estos reptiles cubiertos con la baba de su sensualidad, incapaces de comprender la belleza de un lirio, Yo afirmo que María *fue y permaneció virgen*, y que sólo su alma se casó con José como su espíritu se unió *únicamente* con el espíritu de Dios y por obra de El concibió al Hijo, esto es, a Mí, Jesucristo, Unigénito de Dios y de María.

No se trata de una tradición adornada con el correr del tiempo, que haya querido brindar a mi Madre un respeto amoroso. Es una verdad y desde los primeros tiempos fue por tal reconocida.

Mateo no nació siglos después. Fue contemporáneo de María. Mateo no fue un pobre ignorante que hubiera vivido en las selvas y que a la ligera hubiera creído en cualquier patraña. Era un empleado de los impuestos, un aduanero, diríamos ahora. Sabía ver, oir, entender, discernir lo verdadero de lo falso. Mateo no oyó las cosas a través de un tercero, las oyó de los labios de María, a la que le preguntó llevado de su amor hacia el Maestro y hacia la verdad.

No creo que estos negadores de la inviolabilidad de María lleguen a pensar que Ella pudo haber mentido. Mis mismos parientes la hubieran desmentido, si hubiera tenido otros hijos: Santiago, Judas, Simón y José que fueron condiscípulos de Mateo. Por esto hubiera sido fácil confrontar los dichos, si hubieran existido otros hijos. Mateo no escribió jamás: "Levántate y toma a tu mujer". Dice: "Toma a su Madre". Antes dijo: "Una virgen pro-

[1] Cfr. Mt. 2, 13.
[2] Cfr. Mt. 2, 20.

204

metida a José " [3]; " José su esposo " [4].

No vengan a decirme estos tales, que esto era un modo de hablar de los hebreos, como si decir " mujer " hubiese sido una infamia. No, negadores de la Pureza. Se lee en las primeras líneas del Libro: " ...y se unirá a su *mujer* " [5]. Es llamada " compañera " hasta el momento de la unión matrimonial, y luego se le llama " mujer " en diversos lugares y capítulos. Y esto mismo de las esposas de los hijos de Adán. Y así de Sara que es llamada " mujer " de Abraham: " Sara tu *mujer* " [6]. Y: " Toma a tu *mujer* y a tus dos hijas " se dice de Lot [7]. En el libro de Rut está escrito: " La moabita, *mujer* de Mahalón " [8]. Y en el libro de los Reyes está dicho: " Elcana tuvo dos *mujeres* " [9] y más adelante: " Elcana conoció después a su *mujer* Anna " [10]; y: " Elí bendijo a Elcana y a su *mujer* " [11]. Y en el mismo libro de los Reyes: " Betsabé, mujer de Urías el Eteo, se convirtió en *mujer* de David y le dió a luz un hijo " [12]. Y ¿ qué se lee en el hermoso libro de Tobías, el que emplea la Iglesia en vuestras nupcias, para aconsejaros a que seais santos en el matrimonio ? Se lee: " Así pues cuando Tobías con su *mujer* y con el niño llegó ... " [13] y más adelante: " Tobías logró huir con su hijo y con su *mujer* " [14].

En los Evangelios, esto es, en tiempos de Jesucristo, en que se escribía con un lenguaje moderno respecto a sus tiempos, y por lo tanto en que no puede haber sospecha de transcripción, se dice en Mateo, cap. 22: " ...y el primero, habiendo tomado mujer, murió y dejó su mujer a su hermano " [15]. Y Marcos en el cap. 10: " Quien repudia a su *mujer* ... " [16]. Lucas llama a Isabel *mujer* de Zacarías cuatro veces seguidas [17], y en el cap. octavo dice: " Juana, *mujer* de Cusa " [18].

[3] Cfr. Mt. 1, 18.
[4] Ib. 1, 16.
[5] Cfr. Gén. 2, 24.
[6] Ib. 17, 15.
[7] Ib. 19, 15.
[8] Cfr. Ruth 4, 10.
[9] Cfr. 1ª. Rey. 1, 1-2.
[10] Ib. 1, 19.
[11] Ib. 2, 20.
[12] Cfr. 2ª. Rey. 11, 27.
[13] Cfr. Tob. 1, 11.
[14] Ib. 1, 23.
[15] Cfr. Mt. 22, 25.
[16] Cfr. Mc. 10, 11.
[17] Cfr. Lc. 1; 5; 13; 18; 24.
[18] Ib. 8, 3.

Como veis, este vocablo no era un término proscrito por los que vivían en la ley del Señor, ni una palabra inmunda que hubiera sido indigna de proferirse y de que no se hubiese empleado en cosas que se refieren a Dios, y a sus obras admirables. El ángel al decir: "El Niño y su *Madre*" os demuestra que María fue su verdadera Madre, que *no fue mujer* de José. Permaneció siempre: *La Virgen prometida y casada con José.*

Esta es la última enseñanza de estas visiones. Es una aureola que brilla sobre las cabezas de María y José. La Virgen pura. El hombre justo y casto. Los dos lirios entre los que crecí oliendo su fragancia de pureza. »

60. La Sagrada Familia en Egipto [1]

(Escrito el 25 de enero de 1944)

La delicada visión de la Santa Familia. Es en un lugar de E-gipto. No tengo ninguna duda porque veo el desierto y una pirámide.

Veo una casa. El suelo es blanco. Una casa pobre de una *gente muy pobre*. Las paredes apenas si están revocadas y cubiertas con una mano de cal. La casa tiene dos puertas, la una cerca de la otra, que llevan a las dos únicas habitaciones, en las que por ahora no entro. La casa está en medio de un terreno arenoso rodeada de una cerca de cañas clavadas en el suelo, una cerca inútil para los ladrones; puede servir a lo más para que no entre algún perro o gato solitario. Pero ¿ quién va a tener ganas de robar donde se ve claro que no hay ni sombra de riquezas ?

Para que el terreno se vea menos triste y miserable, sobre la valla se ven enredaderas. A un lado y dentro del recinto hay un árbol de jazmín y rosas comunes. Gracias al cuidado y paciencia, el terreno que de sí es arenoso y seco se ha convertido en un pequeño huerto. Veo unas verduras muy pequeñas en su centro, bajo un árbol de tronco grueso, que no sé de qué clase sea, que

---

[1] Cfr. Mt. 2, 14-15.

da un poco de sombra al terreno ardiente y a la casita. Al tronco del árbol está amarrada una cabra blanquinegra, que mastica y rumia las hojas de algunas ramas tiradas en el suelo.

Y cerca, sobre una estera, está el Niño Jesús. Me parece que tiene dos años y medio al máximo. Juega con algunos pedacitos de madera tallados, que parecen ovejitas o caballitos y con algunas virutas de madera blaquecina, menos enrizadas que sus rizos de oro. Con sus manitas gorditas trata de poner estas virutas en forma de collar en el cuello de sus juguetes.

Está sano. Sonríe. Es muy hermoso. Una cabecita con rizos tupidos y dorados. Su piel es blanca y hermosa de color rosa, ojitos vivos, brillantes, de un azul oscuro. La expresión naturalmente es diversa, pero reconozco el color de los ojos de mi Jesús: dos zafiros oscuros y hermosísimos. Tiene una camisita blanca que debe ser su tuniquita. Las mangas le llegan hasta los codos. En sus piececitos no tiene nada. Sus pequeñas sandalias están en la estera, y le sirven también de juguete, pues pone sus animalitos dentro y los jala de la correa como si fuesen un carrito. Son unas sandalias muy sencillas: una suela y dos correas que parten una de la punta y otra del calcañal. La de la punta se bifurca en un cierto punto y un trozo pasa entre el agujero de la correa del calcañal para unirse con la otra, formando una especie de anillo sobre el empeine.

Un poco más allá, y también bajo la sombra, está la Virgen. Teje en un rústico telar y cuida al Niño. Veo las manos delgadas y blancas que van y vienen metiendo la lanzadera en el tejido, y con sus pies que traen sandalias, mueve el pedal. La túnica que viste es de color de malva: un violeta-rosado como ciertas amatistas. No tiene nada sobre su cabeza, y así puedo ver que su cabellera rubia está dividida en dos partes y que su peinado son unas trenzas sencillas que le forman un adorno en la nuca. Las mangas de su túnica son largas y estrechas. Ningún adorno fuera de su belleza y de su dulcísima expresión. El color de su rostro, de sus cabellos y ojos, la forma de su rostro siempre son los mismos desde que los veo. Aquí parece muy joven. Tal vez frisa los veinte años.

Algunas veces se levanta, se inclina sobre el Niño, al que vuelve a poner sus sandalias y se las amarra con cuidado, luego lo acaricia y le besa en la cabecita y en sus ojitos. El Niño trata de decir algunas palabritas y Ella responde, pero no comprendo las palabras. Luego regresa a su telar, extiende sobre él y sobre la tela un lienzo, toma el banco en que estaba sentada y lo lleva dentro. El Niño la sigue con la mirada, sin importunarla porque lo deja solo.

Se ve que el trabajo ha terminado, que llega la noche. De hecho el sol se esconde entre los desnudos arenales. Es un verdadero incendio que invade todo el cielo detrás de la lejana pirámide.

María regresa. Toma de la mano a Jesús y lo levanta de donde estaba sentado. El Niño obedece sin resistencia. La Mamá recoge los juguetes y la estera y los lleva dentro. El corre con sus piernecitas curvas a donde está la cabrita, y le echa los brazos al pescuezo. La cabrita bala y restriega su hocico contra la espalda de Jesús.

María regresa. Trae ahora un largo velo sobre su cabeza y un cántaro en la mano. Toma a Jesús de la manita y se van los dos, dando vuelta por la casita.

Yo los sigo, admirando la gracia del cuadro. La Virgen que regula su paso con el del Niño y este que trota a su lado. Veo que sus calcañales sonrosados se levantan y se posan sobre la arena de la vereda con la gracia propia de los niños al caminar. Noto que su tuniquita no le llega hasta los pies, sino hasta la mitad de las pantorrillitas. Es muy linda, sencilla, sostenida en la cintura con un cordón muy blanco.

Veo que en la valla, por delante de la casa, hay una entrada tosca, que María abre para salir. Es un pobre camino en la extremidad de una ciudad o pueblo, no sé bien, y a cuyo lado se ve alguna que otra casita pobre como esta, con su huertecillo también. No veo a nadie. María mira hacia el centro, no hacia la campiña, como que si esperase a alguien, luego se dirige hacia un estanque o pozo, o lo que sea, que está a una decena de metros más allá y donde se ven palmas que hacen sombra. Veo que también hay allí hierba verde.

Veo que viene por el camino un hombre no muy alto, pero robusto. Reconozco a José, que sonríe. Es más joven de como lo ví en la visión del paraíso. Parece tener al máximo cuarenta años. Tiene los cabellos y la barba tupidos y negros, la piel más bien requemada, los ojos oscuros. Una cara honrada y paciente, una cara que inspira confianza. Al ver a Jesús y a María apresura el paso. Trae sobre el hombro izquierdo una especie de sierra y una especie de garlopa, y en la mano otros instrumentos de su oficio, no como los de ahora, pero muy semejantes. Parece que regresa de haber hecho algún trabajo en casa de alguien. Su túnica es entre color de nuez y café, no muy larga — le llega un poco más arriba del tobillo — las mangas cortas hasta el codo. En la cintura una correa, como me parece. Su vestido es de trabajo. En los pies trae sandalias entrelazadas sobre el empeine.

María sonríe y el Niño lo saluda con grititos de alegría y extiende su brazo derecho que está libre. Cuando los tres se encuentran, José se inclina para ofrecer al Niño una fruta que me parece manzana, por el color y forma. Luego le tiende los brazos y el Niño deja a la Mamá y se sube en ellos, inclinando su cabecita contra el cuello de José que lo besa. Jesús también lo besa. Un cuadro de gracia sin par.

Olvidaba decir que María había sido muy atenta en tomar los instrumentos de trabajo de José para que libremente pudiese tener al Niño en sus brazos.

Después José, que se había acuclillado para estar al tamaño de Jesús, se levanta, toma con su mano izquierda sus instrumentos y con su brazo derecho al pequeño Jesús. Se dirige a casa, mientras María va a la fuente a llenar el cántaro.

Ya dentro del recinto, José baja al Niño, toma el telar de María, lo mete dentro, y ordeña la cabra. Jesús observa atentamente todo esto y cómo encierra la cabra en un cuchitril que está al lado de la casa.

El crepúsculo poco a poco va tornándose en noche. Veo lo rojizo que se convierte en color morado sobre la arena, que parece temblar debido al calor. La pirámide se ve más oscura.

José entra en la casa, en una habitación que debe ser taller, cocina y comedor. Se ve que la otra es para dormir, pero no entro en ella. Hay un horno encendido. Hay un banco de carpintero, una pequeña tabla con bancos, lugar donde se ponen los trastos, y dos lámparas con aceite. En un rincón, el telar de María. Hay mucho, mucho orden y limpieza. Una mansión paupérrima pero muy limpia.

Voy a decir algo que he observado: en todas las visiones referentes a la vida humana de Jesús, he notado que tanto El como María, así como José y Juan, fueron *siempre* ordenados y sus vestidos fueron limpios, modestos y no caros, pero limpios que los hacen aparecer elegantes.

María vuelve con el cántaro. Cierran la puerta, pues el crepúsculo ha desaparecido. José prende una lámpara que ilumina la habitación y la pone sobre el banco, donde se inclina para seguir trabajando en pequeños anaqueles, mientras María prepara la cena. También el fuego ilumina la habitación. Jesús, con sus manitas apoyadas sobre el banco y la cabecita volteada hacia arriba, mira fijamente lo que está haciendo José.

Después de haber orado, se sientan a la mesa. No se hacen, como es natural, la señal de la cruz, pero oran. José dice una parte de la oración y María responde con la otra. No comprendo nada. Debe tratarse de algún salmo. Lo dicen en una lengua que no conozco para nada.

Se sientan. Ahora la lámpara está sobre la mesa. María tiene sobre sus rodillas a Jesús al que da de beber la leche de la cabra en la que mete pedazos de pan, de una torta grande y redonda, de costra oscura, y oscura también por dentro. Parece un pan hecho de centeno y cebada. Tiene mucho salvado porque se ve grisáceo. José come pan y queso, una rebanada de queso y mucho pan. María sienta a Jesús sobre un banquito cercano a Ella y trae a la mesa verduras cocidas — me parece que están hervidas y preparadas como lo solemos hacer nosotros — y come también de ellas después de que José se sirvió. Jesús mordisquea su manzana y sonríe descubriendo sus blancos dientecitos. Termina la cena con aceitunas y dátiles. No sé bien, porque para ser aceitunas son demasiado claras y para ser dátiles muy duros. Nada de vino. La cena de una gente pobre.

Pero es tanta la paz que se respira en esta habitación, que ningún palacio real me la podría proporcionar. Y ¡ qué armonía !

61. « En aquella casa se observó un gran orden »

(Escrito el 26 de enero de 1944)

Dice Jesús:

« Las cosas que ves te dan a tí y a los demás una lección. Es de humildad, resignación y buena armonía, propuesta como ejemplo a todas las familias cristianas, sobre todo a las familias cristianas en este particular y doloroso momento.

Viste una pobre casa. Y lo que es doloroso, una casa pobre en un país extraño.

Muchos, tan sólo porque son de los "fieles más o menos buenos" oran y me reciben en la eucaristía, oran y participan a la comunión por "sus" necesidades, no por las del alma y por gloria de Dios — porque es muy raro quien al orar no sea un egoísta; — muchos pretenderían tener una vida material y fácil, defendida contra la menor aflicción, próspera y feliz.

José y María me tenían a Mí, Dios verdadero, para ellos, su Hijo, y con todo no tuvieron ni siquiera la satisfacción de ser pobres en su patria, en el lugar donde eran conocidos, donde por lo menos tenían "su" casita y donde no existía la preocupación de buscar alojo, pues eran conocidos, y era fácil encontrar trabajo y comprar lo necesario para la vida. Son dos prófugos que han huído para que Yo siguiera viviendo. Clima diverso, país diferente, costumbres raras, en medio de una gente que no los conoce, y que no deja de desconfiar de quienes han huído y son desconocidos.

Privados de los muebles tan queridos de "su" casita, de tantas cosas pequeñas y necesarias que tenían allí que no parecían ser muy útiles, mientras que acá, donde no tienen nada, parecen realmente útiles como lo superfluo hace aparecer bellas las casas de los ricos. Con la nostalgia de la patria y del hogar, con el pensamiento de las cosas dejadas allá, del huertecillo que nadie cuidará ahora tal vez, de la vid y del higo y de otras plantas necesarias. Con la necesidad de trabajar para el sustento diario, para los vestidos, para la leña, para Mí, que era niño, que no podía comer de lo que los adultos comen. Y tantas penas en el alma. La nostalgia, lo que traería el día siguiente, la desconfianza de las personas reacias, sobre todo en los primeros días, a dar trabajo a dos desconocidos.

Y sin embargo lo viste. En aquella casa había *serenidad, sonrisa, concordia* y de común acuerdo se trataba de hacerla más bella, aun en el pobre huertecillo, para que todo fuese lo más semejante posible a la que dejaron y más cómoda. No hay sino un solo pensamiento: el de que esa tierra me fuese menos dura, menos miserable a Mí, Hijo de Dios. Era el amor de padre que se manifiesta en mil modos: tenían una cabra que compraron con muchas horas de trabajo; me habían hecho mis juguetes, me llevaban fruta sólo para Mí, sin que ellos la probasen.

¡Amado padre mío, el de la tierra, cuánto te amó Dios, cuánto

Dios Padre que está en los cielos, cuánto el Hijo suyo que había venido a la tierra como Salvador !

En esa casa no hubo nerviosismos, altercados, caras fruncidas. Nunca el reproche mutuo, y mucho menos se reprochó algo a Dios porque no los colmaba con bienes materiales. José no echa en cara a María que sea la causa de su molestia, y María a José el de no saber proporcionarle mejores comodidades. *Se amaban santamente*, esta es la razón. Y por esto su preocupación no consistía en buscar su propio bien, sino el del cónyuge. El verdadero amor no conoce egoísmo. El verdadero amor siempre es casto, aunque no sea perfecto en la castidad, como el de aquellos dos esposos vírgenes. La castidad unida a la caridad trae consigo un cortejo de otras virtudes, hace de dos que se aman castamente, dos perfectos y santos cónyuges.

El amor de María y de José era perfecto, por esto incitaba a cualquier otra virtud, sobre todo a la de la caridad para con Dios — alabado sea en todo momento — pese a que su santa voluntad fuese dolorosa al cuerpo y al corazón, bendito porque en estos dos santos el espíritu tenía siempre una viveza y poderío inmenso, y esto era un agradecimiento al Señor por haberlos elegido por custodios de su eterno Hijo.

En aquella casa se oraba. Muy poco se ora en los hogares de ahora. Se levanta el sol, viene la noche; se empiezan los trabajos; se sienta a la mesa sin un pensamiento hacia el Señor, que os ha permitido ver un nuevo día, el poder llegar a una nueva noche, que ha bendecido vuestras fatigas y concedido que se convirtiesen en medio de adquirir esa comida, ese fuego, esos vestidos, ese techo, que son cosas necesarias para la vida humana. Siempre es "bueno" lo que viene del buen Dios. Aunque las cosas sean pocas y pobres, el amor les da sabor y fuerza, el amor que os hace ver en el que os ama al Padre, el Eterno Creador.

En esa casa había frugalidad. La hubiera habido aun cuando no hubiese faltado el dinero. Se come para vivir, no se come para dar placer a la garganta, ni para saciarse de manjares caprichosos hasta no poder más y no se tiene ni siquiera un pensamiento para aquellos que apenas si tienen algo que comer, o bien que no tienen nada, ninguna reflexión de que si ellos tuviesen moderación, muchos podrían ser ayudados en su hambre.

En aquella casa se amaba el trabajo. Hubiera sido amado, aun cuando hubiera habido dinero en abundancia, porque con el trabajo el hombre obedece la orden de Dios y se ve libre del vicio que como hiedra tenaz se pega y ahoga a los ociosos, semejantes a inmóviles peñascos. La comida es sabrosa, el descanso también, así como también el corazón siente la felicidad, cuando se ha trabajado en conciencia y se ha gozado de un poco de descanso entre un trabajo y el otro. El vicio de las múltiples garras no vegeta ni en la casa, ni en el corazón de quien ama el trabajo. Y al no vegetar, prospera el amor, la estima, el respeto recíproco y crecen en una atmósfera pura los tiernos vástagos, que se convierten en semillas de futuras famillias santas.

En aquella casa reinaba la humildad. Cuántas lecciones de humildad para vosotros ¡ soberbios ! María habría podido tener, humanamente hablando, miles y miles de razones para ensoberbecerse, y hacerse venerar de su esposo. Muchas de las mujeres lo hacen tan sólo por ser un poco más cultas, o más nobles por nacimiento, o más ricas que el marido. María es Esposa y Madre de Dios y sin embargo — sirve — no se hace servir del esposo y esto por amor hacia él. José es el jefe de la casa. Dios lo juzgó digno de ser cabeza de familia, de recibir de El el encargo de custodiar al Verbo Encarnado y a la Virgen, complacencia del Espíritu Santo. Y sin embargo se preocupa por socorrer a María en sus fatigas y trabajos, y él hace los más humildes quehaceres para que María no se fatigue, y cuanto le es posible se industria para hacerle cómoda la casa y para que el jardín tenga flores.

En aquella casa se observó el orden. El orden sobrenatural, moral y material. Dios es la Cabeza Suprema y a El se debe dar culto y amor: *orden sobrenatural.* José es la cabeza de la familia y a él se le debe dar afecto, respeto y obediencia: *orden moral.* La casa es un don de Dios como los vestidos y los muebles. En todas las cosas está la Providencia de Dios, del Dios que provee de lana a las ovejas, de plumaje a los pájaros, de hierba a los prados, de pasto a los animales, de semillas y hierbecita a las aves, y teje el vestido con que se cubren los lirios del campo. La casa, los vestidos, los muebles se deben recibir con gratitud, bendiciendo la mano divina que los da, y tratándolos con respeto como un don del Señor, sin mirarlos con mal humor porque son pobres, sin destruirlos, abusando de la Providencia: *orden material.*

No pudiste comprender las palabras que se pronunciaron en dialecto nazaretano, ni las palabras que se dijeron en la oración.

Pero lo que viste *es una gran lección*. Meditadla, vosotros que ahora sufrís mucho por haber faltado en muchas cosas contra Dios. Imitad a los santos Esposos que fueron para Mí: Madre y padre. »

62. Jesús recibe su primera lección de trabajo

(Escrito el 21 de marzo de 1944)

Veo aparecer a mi Jesús, cual un rayo de sol en un día de tempestad, un niño de unos cinco años de edad, rubio y hermoso con su vestidito de color azul que le llega hasta las redondas pantorrillas. Está jugando con tierra en el huertecillo. Hace unos montoncitos y sobre ellos planta ramitas como si quisiera hacer un bosque en miniatura; con piedrecitas hace unos caminitos. Quiere ahora hacer un pequeño lago a los pies de sus pequeñas colinas, y para esto toma el fondo de algún trasto viejo y lo entierra hasta el borde, luego lo llena de agua con un jarrito que mete en el depósito de agua, destinado para el lavadero o para regar el huertecillo. Pero no hace más que mojarse la ropa, sobre todo las mangas. El agua se escapa del plato que está roto... y el lago se seca.

José sale a la puerta y sin hacer nada de ruido mira por algunos minutos lo que el Niño está haciendo y sonríe. Y en realidad es algo que provoca a reir de alegría. Después para que Jesús no vuelva a mojarse, lo llama. Jesús se vuelve sonriendo y al ver a José corre a él con los brazos extendidos. José seca con una punta de su corta túnica las manitas llenas de tierra y mojadas y las besa. Entre ambos se traba una hermosa conversación.

Jesús explica su trabajo, sus juegos y las dificultades en hacer todo ello. Quería hacer un lago como el de Genesaret. (De esto supongo que le habrán hablado o llevado). Quería hacerlo para pasar el rato. Aquí está Tiberíades, allí Mágdala, más allá Cafarnaum. Este sería el camino que pasando por Caná, llevaría a Nazaret. Quería echar al agua pequeñas barcas en el lago. Estas hojas serían las barcas, y quería ir hasta la otra orilla, pero el agua se va...

José observa y se interesa como si se tratase de una cosa seria.

214

Luego le dice que al día siguiente le haría un pequeño lago, no con un plato roto, sino con una pequeña batea de madera, bien embreada, en la que Jesús podría echar verdaderas barquitas, de madera que él le enseñaría a hacerlas. Ahora mismo le traía unas pequeñas herramientas, propias para El, para que sin fatiga aprendiese a usarlas.

« ¡ Así te ayudaré ! » dice Jesús con una sonrisa.

« Así me ayudarás y te harás un buen carpintero. Ven a verlas. »

Entran en el taller. José enseña un pequeño martillo, una pequeña sierra, pequeños desatornilladores, una garlopa, lo que está sobre un banco de carpintero, adaptado a la estatura de Jesús.

« Mira: para segar se pone este pedazo de leño apoyado así. Se toma la sierra así, procurando no cortarse uno el dedo. Haz la prueba . . . »

La lección empieza. Jesús se pone rojo con el esfuerzo, aprieta sus labios, con cuidado corta y luego empareja la tabla con la garlopa y aunque está un poco torcida, le parece buena. José lo alaba y le enseña a trabajar con paciencia y amor.

Regresa María, que había salido fuera de casa, se asoma a la entrada y mira. Los dos no la ven, porque tienen las espaldas vueltas. La Mamá sonríe al ver el entusiasmo con que Jesús trabaja con la garlopa y el cariño con que José le enseña.

Jesús presiente esa sonrisa, se vuelve, ve a su Mamá y corre hacia Ella con su tablita semi-emparejada y se la muestra. María la ve atentamente, y se inclina para dar un beso a Jesús. Le compone los cabellos desordenados, le seca el sudor que corre por su rostro sudato, escucha con amor a Jesús que le promete hacerle un banquito para que esté más cómoda cuando trabaje. José, derecho junto al pequeño banco, con la mano en la cintura, mira y sonríe.

Asistí a la primera lección de trabajo que recibió mi Jesús. Toda la paz de esta Familia santa está en mí.

63. « Quise observar las etapas de mi edad »

(Escrito el mismo día)

Dice Jesús:

« Se dice que José fue mi padre adoptivo. ¡ Oh ! ¡ qué no me hubiera dado ! Se hizo pedazos en el trabajo para darme pan y consuelos y tuvo un corazón maternal. De él aprendí — y nunca discípulo alguno ha tenido semejante maestro — todo lo que hace de un niño un hombre, y un hombre que debe ganarse el pan.

Si mi inteligencia de Hijo de Dios era perfecta, es necesario reflexionar y creer que quise observar las etapas de mi edad. Por esto, humillando mi perfección intelectual de Dios al nivel de una perfección intelectual humana, me sujeté[1] a tener como maestro a un hombre, y a tener necesidad de quien me enseñase. Si después aprendí rápidamente y con gusto, eso no me resta ningún mérito de haberme sujetado a un hombre, al hombre justo que llenó mi pequeña inteligencia con las nociones necesarias de la vida.

Las caras horas pasadas al lado de José, que como si se tratase de juego, me hizo capaz de trabajar, no las olvido ni siquiera ahora que estoy en el cielo. Y cuando miro a mi padre putativo, vuelvo a ver el pequeño huerto, el taller ahumado, y me parece ver asomarse a mi Mamá con su sonrisa que llenaba de oro el lugar y nos hacía felices.

¡ Cuánto deberían aprender las familias de estos perfectos Esposos que se amaron como ningún otro !

José era la cabeza. Su autoridad familiar era indiscutible. Ante ella reverente se inclinaba la de la Esposa y Madre de Dios y a ella se sujetaba el Hijo de Dios. Todo lo que José decidía hacerse, se aceptaba sin discusiones, sin porfías, sin resistencia. Su palabra era nuestra pequeña ley. Y no obstante esto, ¡ cuánta humildad en él ! Jamás abusó de su poder, ni quiso hacer algo contra la razón por ser el jefe. Su Esposa era su dulce consejera. Y si Ella en su profunda humildad se tenía por sierva de su esposo, este sacaba de la sabiduría de la Llena de gracia, luz que sirviese de guía en todos los sucesos.

Y Yo crecía cual flor protegida por dos robustos árboles; en

[1] Para comprender esta idea cfr. Mc. 13, 32; Rom. 8,3; Fil. 2, 7-8; Gal. 3, 13.

216

medio de estos dos amores que se entrelazaban entre sí para protegerme y amarme.

¡No! Hasta que el tiempo en que tuve que conocer el mundo, no extrañé el Paraíso. Dios Padre y el Espíritu Divino no estaban ausentes, porque María estaba llena de Ellos. Los ángeles allí tenían su mansión porque nada los podía alejar de ella. Y uno, podría decir, se había encarnado y era José, alma angelical, libre del peso de la carne, y sólo preocupado en servir a Dios y a su causa y amarlo como lo aman los serafines. ¡La mirada de José! Plácida y pura como la de una estrella que ignora las concupiscencias terranas. Era nuestro descanso, nuestra fuerza.

Muchos creen que como Hombre no sufrí cuando la muerte apagó aquella mirada de santo, que velaba por nuestra casa. Como Dios y José lo sabía bien, no me dolió su partida, porque después de un poco de tiempo de estar en el Limbo le abriría las puertas del cielo, pero como Hombre lloré en la casa en que ya no estaba su amorosa presencia. Lloré por el amigo muerto ¿y no iba a llorar por este santo mío, sobre cuyo pecho dormí de pequeño y que por tantos años me amó?

En fin quiero hacer notar a los padres de familia cómo José sin esos adminículos de pedagogía supo hacer de Mí un buen obrero.

Apenas llegué a la edad en que podía usar los instrumentos, sin dejar que me entregase al ocio, me encaminó hacia el trabajo y utilizó mi amor por María para estimularme al trabajo. Hacer objetos que necesitaba la Mamá. De este modo se inculcaba el debido respeto que cada hijo debe tener por su respectiva mamá, y sobre esta respetuosa y amorosa palanca se apoyaba la enseñanza del futuro carpintero.

¿Dónde están las familias en que se haga que los hijos amen el trabajo como un medio de agradar a sus propios padres? Ahora los hijos son los déspotas del hogar. Crecen duros, indiferentes, malcriados para con sus padres. Los tienen por sus criados, por sus esclavos. No los aman ni tampoco ellos son amados. Porque mientras hacéis de vuestros hijos unos abusivos e iracundos, os separáis de ellos con una falta de presencia vergonzosa.

Los hijos son de todos, menos de vosotros, ¡oh padres del siglo veinte! Son de la nodriza, de la profesora, del colegio, si sois ricos. Son de los compañeros, de la calle, de la escuela, si sois pobres. Pero no son vuestros. Vosotras las mamás los engendráis y basta. Vosotros, padres, hacéis lo mismo. Pero un hijo no es solo carne, es inteligencia, corazón, alma. Tened en cuenta que nadie mejor que un padre, o una madre tienen el deber y derecho de formar esa inteligencia, ese corazón, esa alma.

La familia existe y debe existir. No hay teoría o progreso que pueda destruir esta verdad sin acarrear la ruina. De un hogar resquebrajado no pueden salir sino futuros hombres y futuras mujeres cada vez más perversos y causa de mayores ruinas. Y en verdad os digo que sería mejor que no hubiese más matrimonios y prole sobre la tierra, que el que haya familias menos unidas de lo que no lo son las tribus de monos. Familias donde no existe la escuela de la virtud, del trabajao, del amor, de la religión, sino que son un caos en que cada uno vive para sí, como engranajes sin trabazón, que terminan por hacerse pedazos.

Y así es. Así estáis viendo y soportando los frutos de este mal vuestro con que habéis despedazado vuestra vida social. Seguid, si os place, pero no os lamentéis si esta tierra se convierte cada vez más en un infierno, en una cueva de monstruos que devoran familias y naciones. Lo quisisteis, y se haga vuestro deseo. »

64. María, maestra de Jesús, de Judas y de Santiago [1]

(Escrito el 29 de octubre de 1944)

Veo la habitación donde se suele comer y donde María trabaja en su telar o en la costura; es la habitación contigua al taller de José, de donde sale el rumor de que está trabajando. En dicha habitación no hay más que silencio. María está cosiendo pedazos de lana que tejió sin duda, de unos cincuenta centímetros de ancho por un metro de largo, y me parece que son para hacer a José un manto. De la puerta que da al jardín que al mismo tiempo es un huerto se ven sobre la valla margaritas azul-moradas, que solemos llamar " Marías " o " cielo estrellado ". Su nombre técnico lo ignoro. Están en flor y por lo tanto debemos estar en otoño. Las plantas todavía conservan su verde follaje, y las abejas, que salen de dos colmenas apoyadas contra el muro, van y vienen luciendo su belleza al sol; van y vienen de la higuera a la

[1] Cfr. Lc. 2, 40.

vid, de esta al membrillo cargado con sus granadas redondas, algunas de ellas se han abierto y dejan ver sus collares de rubíes llenos de jugo, en medio de compartimientos verde-rojizos con fondo amarillo.

Debajo de los árboles Jesús está jugando con otros dos niños más o menos de la misma edad. Tienen cabello rizado, pero no son rubios. Más bien uno de ellos es realmente moreno. Su cabecita es de color negro y resalta con el color blanco de su carita redonda, en que hay dos ojos azules, que tienden a violáceo. Ojos muy hermosos. El otro tiene cabellos menos rizados y de color castaño oscuro. Sus ojos son castaños y el color de su cara es moreno, pero con matices rosados en sus mejillas. Jesús, de cabeza rubia entre estos dos morenos, parece como si un nimbo lo rodease. Están jugando con carretoncitos en los que hay... mercancías diversas: hojas, piedrecitas, virutas, pedacitos de palo. Juegan a mercaderes. Jesús hace compras para su Mamá, a la que le lleva ahora una cosa, ahora otra. María acepta con una sonrisa las compras.

Pero después el juego cambia. Uno de los dos niños propone: « Juguemos a salir de Egipto. Jesús será Moisés, yo Aarón y tú .. María. »

« ¡ Pero yo soy hombre ! »

« ¡ Qué importa ! Haz lo que digo. Tu eres María y bailarás delante del becerro de oro [2], que será la colmena que está allí. »

« Yo no bailo. Soy hombre y no quiero ser mujer. Soy un fiel y no quiero bailar delante del ídolo. »

Jesús interviene: « No juguemos a esto. Juguemos a cuando Josué fue elegido sucesor de Moisés [3], y así no hay ese pecado feo de idolatría y Judas estará contento de ser hombre y mi sucesor. ¿ No es verdad que te gusta ? »

« Sí, Jesús. Pero entonces deberás morir, porque Moisés muere poco despues. Yo no quiero que mueras, Tú que me quieres mucho. »

« Todos morimos ... Antes de morir bendeciré a Israel y como no hay otros más que vosotros, os bendeciré por todo Israel. »

Se acepta. Pero luego surge una dificultad, y es que si Israel, después de haber caminado tanto, conservaba todavía sus carros

[2] Cfr. Ex. 32.
[3] Cfr. Núm. 27, 12-23; Deut. 31-34.

que tenía cuando salió de Egipto. Cada quien tiene su opinión. Se acude a María.

« Mamá, Yo digo que los israelitas conservaban todavía sus carros. Santiago dice que no. Judas no sabe a quién dar la razón ¿ Lo sabes tú ? »

« Sí, Hijo. El pueblo nómada conservaba todavía sus carros En las estaciones que hacía, eran reparados. Sobre ellos subían a los más débiles y se ponían sobre ellos las mercancías o las cosas que eran necesarias para el pueblo. Menos el Arca, que se llevaba sobre los hombros. »

La dificultad es resuelta. Los niños van al fondo del huerto y de allá cantando se dirigen a la casa. Jesús viene delante y su voz argentina es un hermoso cuadro de los salmos. Detrás de El vienen Judas y Santiago que traen una carretita cual si fuese el Tabernáculo. Pero como deben hacer de pueblo, además de Aarón y Josué, se amarraron a los pies con sus cintas, los otros carritos y así prosiguen, serios como si fueran los verdaderos actores. Recorren todo el emparrado, pasan delante de la puerta de la habitación donde está María y Jesús dice: « Mamá, saluda al Arca que pasa. » María se levanta con una sonrisa y se inclina ante su Hijo que pasa radiante en un nimbo de sol.

Luego Jesús trepa por el lado de la colina que limita la casa, más bien el jardín, sobre la gruta; se pone de pie y habla a... Israel. Repite las órdenes y promesas de Dios, señala a Josué como el jefe, lo llama a Sí, y Judas sube a su vez. Le infunde ánimos y lo bendice. Luego se hace dar una... tablilla (es una hoja larga de higuera) y escribe el cántico y lo lee. No todo, sino una gran parte, y parece como si lo estuviese leyendo en la hoja. Luego se despide de Josué a quien abraza llorando y sube más arriba, sobre la cresta de la loma. De allá bendice a todo Israel, esto es, a los dos niños postrados en tierra, y luego se tiende sobre la corta hierba, cierra los ojos y... muere.

María, que está en la puerta sonriendo, cuando lo ve tendido y rígido grita: « ¡ Jesús, Jesús ! ¡ Levántate ! ¡ No estés así ! ¡Mama no quiere verte muerto ! »

Jesús se yergue sonriendo y corre a Ella y la besa. Se acercan también Santiago y Judas, a los que María acaricia igualmente.

« ¿ Cómo se acuerda Jesús de ese cántico tan largo y difícil y de todas esas bendiciones ? » pregunta Santiago.

María sonríe y sencillamente responde: « Tiene una buena memoria y está muy atento cuando leo. »

« Yo en la escuela lo estoy, pero luego me viene el sueño con todos esos lamentos ... ¿ Podré aprenderlo alguna vez ? »

« Lo aprenderás. Tranquilízate. »

Tocan a la puerta. José ligero atraviesa el huertecillo y la habitación y abre.

« ¡ La paz sea con vosotros, Alfeo y María ! »

« Y también con vosotros, lo mismo que las bendiciones. »

Es el hermano de José con su mujer. En la calle está parado un carro tirado de un fuerte asno.

« ¿ Tuvisteis buen viaje ? »

« Bueno. ¿ Y los niños ? »

« Están en el huerto con María. »

Los niños han corrido ya a saludar a su mamá. Viene también María, trayendo a Jesús de la mano. Las cuñadas se besan.

« ¿ Se han portado bien ? »

« Muy bien y son muy queridos. ¿ Están bien todos nuestros parientes? »

« Todos. Os mandan sus saludos y de Caná os mandan muchos regalos. Uvas, manzanas, quesos, huevos, miel. Y ... ¡ José ! encontré lo que querías para Jesús. Está en el carro, en la canasta redonda. » La mujer de Alfeo ríe. Se inclina sobre Jesús que la mira con sus ojos abiertos, los besa y dice : « ¡ A que no adivinas qué te traje ! »

Jesús piensa, pero no da. Pienso que lo hace a propósito para que José se alegre con la sorpresa. Y así es. José entra trayendo un cesto redondo. Lo pone en el suelo ante Jesús, desata el lazo que tiene en la cubierta, lo levanta ... y aparece una ovejita blanquísima, una espuma de lana que está durmiendo entre la limpia paja.

Jesús da un « ¡ Oh ! » de sorpresa y de gusto y hace intentos de echarse sobre el animalito, pero luego se vuelve y corre a donde está José, todavía inclinado sobre el suelo, lo abraza y lo besa dándole las gracias.

Los primitos miran con gusto el pequeño animal, que ya se despertó y que levanta su trompita y bala en busca de su madre. La sacan fuera del cesto, le ofrecen un manojo de tréboles. Se los come mirando a su alrededor con sus mansos ojitos.

Jesús sigue diciendo : « ¡ Para Mí ! ¡ Para Mí ! ¡ Papá, gracias ! »

« ¿ Te gusta ? »

« Sí, mucho. Blanca, limpia... una ovejita... ¡oh!» le echa los brazos, reclina su rubia cabeza sobre ella y se está así, feliz.

« También a vosotros os hemos traído dos » dice Alfeo a sus hijos. « Pero son de color negro. No sois tan ordenados como Jesús y hubierais hecho a vuestras ovejas sucias, si fuesen blancas. Serán vuestra grey. Las tendréis con vosotros y así no estaréis de callejeros, vosotros dos pilletes, ni echando pedradas. »

Los niños corren al carro y miran las otras dos ovejitas, más negras que blancas.

Jesús se ha quedado con la suya. La lleva al jardín, le ofrece de beber, y el animalito lo sigue como si siempre lo hubiera conocido. Jesús la llama. Le pone el nombre de « Nieves » y ella responde con un balido.

Los huéspedes están sentados a la mesa. María les ofrece pan, aceitunas y queso. Pone también una jarra con sidra o agua de miel, no lo sé: veo que es de un color café claro. Hablan entre sí, mientras los niños juegan con las tres ovejitas que quiso Jesús que estuviesen juntas para darles a las otras dos de beber y ponerles nombre. « La tuya, Judas, se llamará "Estrella" porque tiene esa señal sobre la frente. Y la tuya, "Flama" porque tiene color de fuego de brezos marchitos. »

« Aceptado. »

Los adultos están conversado. Habla Alfeo y dice: « Espero haber resuelto de este modo los pleitos de muchachos. Fue tu idea, José, la que me iluminó. Dije: "Mi hermano quiere una ovejita para Jesús, para que juegue un poco. Yo compraré dos para los míos, para que estén un poco quietos y no tenga ya más dificultades con los demás de la familia porque alguien les pegó en la cabeza o en las piernas. Un poco a la escuela y un poco a las ovejas. De este modo los tendré sosegados". Este año tendrás que enviar también a Jesús a la escuela. Ya es tiempo. »

« No mandaré nunca a Jesús a la escuela » dice María resueltamente. Es increíble oirla hablar de este modo, y hablar antes de José.

« ¿ Por qué ? El Niño debe aprender para que pueda, cuando llegue su tiempo, sostener el examen de uno que ha llegado a mayor de edad... »

« Lo hará. Pero no va a ir a la escuela. Está decidido. »

« Serás la única en Israel que obre de este modo. »

« Lo seré. Pero así se hará. ¿ No es verdad, José ? »

222

« Es verdad. No hay necesidad de que Jesús vaya a una escuela. María fue educada en el templo, y es una doctora en el conocimiento de la Ley. Será su maestra. También yo así lo quiero. »

« Así echáis a perder al Muchacho. »

« No puedes afirmarlo. Es el mejor de Nazaret. ¿ Lo has oído alguna vez llorar, hacer berrinches, no obedecer, faltar al respeto ? »

« Eso no. Pero lo hará si continuáis consintiéndolo. »

« Tener los hijos cerca de sí, no es echarlos a perder, antes bien es amarlos con buen modo y buen corazón. De este modo amamos a nuestro Jesús, y como María es más instruída que el maestro, Ella será la maestra de Jesús. »

« Cuando crezca tu Jesús, será una mujercilla que tiemble ante una mosca. »

« No. María es una mujer de valor y lo educará virilmente. Yo tampoco soy un cobarde, y he dado muestras de valor. Jesús no tiene defectos físicos ni morales. Crecerá, pues, recto y fuerte en su cuerpo y en su espíritu. Puedes estar seguro de ello, Alfeo. No desacreditará a la familia. Por otra parte así se ha decidido y así se hará. »

« Lo decidió María, pues tú ... »

« Y aunque lo hubiese decidido Ella ¡ qué importa ! ¿ No acaso está bien que dos que se aman, tengan el mismo modo de pensar y de querer, porque mutuamente se comprenden ? Si María quisiera hacer algo que no está bien, le diría : " No ". Al contrario pide cosas muy en razón, y yo las apruebo, y hago como si fueran mías. Nos seguimos queriendo como en el primer día ... y así lo seguiremos haciendo hasta el último de nuestra vida. ¿ No es verdad, María ? »

« Lo es, José. Y ojalá no suceda, pero si sucediese que uno muriera antes que el otro, nos seguiremos amando. »

José acaricia la cabeza de María como si fuese su hija, y Ella lo mira con sus ojos serenos y llenos de cariño.

La cuñada interviene : « Tenéis toda la razon. ¡ Si yo pudiese enseñar ! En la escuela aprenden el bien y el mal nuestros hijos. En casa sólo el bien. No comprendo ... si María ... »

« ¿ Qué quieres, cuñada ? Dilo francamente. Sabes que te amo y cualquier cosa que te gusta, me alegra. »

« Quería decir ... Santiago y Judas son un poco mayores que Jesús. Están yendo a la escuela ... ¡ pero para lo que aprenden ! ...

Jesús sabe muy bien lo de la Ley... Quisiera... que si pudieran estar contigo, cuando enseñas a Jesús. Creo que aprenderán mejor y serán mejores. Por otra parte son primos, y no está mal que se quieran entre sí... ¡Estaría yo muy contenta!»

«Si José quiere, y también tu marido, lo haré con gusto. Me da lo mismo hablar para uno, que para tres. Repasar toda la Escritura es una gran satisfacción. Pueden venir.»

Los tres niños que habían entrado muy despacio, oyen y esperan la respuesta.

«Te harán perder la paciencia, ¡María!» dice Alfeo.

«¡No! Conmigo siempre se portan bien. ¿No es verdad que os portaréis bien, si os enseño?»

Los dos corren, uno a la derecha y el otro a la izquierda, recargan sus bracitos y cabecitas sobre su espalda y prometen *todo*.

«Déjalos que hagan la prueba, Alfeo, y permítemelo. Pienso que no te va a disgustar nunca esto. Cada día vendrán después del mediodía. Será más que suficiente. Créeme. Conozco el arte de enseñar sin cansar. Los niños están quietos y se recrean al mismo tiempo. Hay que comprenderlos, amarlos y hacer que lo amen a uno, para conseguir algo de ellos. Vosotros me queréis ¿no es verdad?»

Dos besos son la respuesta.

«¿Lo estás viendo?»

«Lo veo. No tengo más que decirte: "gracias". Y ¿qué dirá Jesús al ver a su Madre entretenida con otros? ¿Qué dices, Jesús?»

«Por mi parte digo: "Bienaventurados los que se acercan a escucharla y se quedan con ella para oirla"[4]. Así como son bienaventurados los que buscan la Sabiduría, de igual modo lo es el que es amigo de mi Madre. Yo me siento feliz de que a quienes amo, la amen también a Ella.»

«Pero ¿quién es el que pone en los labios del Niño tales palabras?» pregunta Alfeo sorprendido.

«Nadie, hermano. Nadie que sea de este mundo...»

La visión termina aquí.

* * *

[4] Cfr. Prov. 8, 34.

Dice Jesús:

« Y María fue mi maestra, y maestra también de Santiago y Judas. Por esto nos amamos como hermanos además del parentesco, porque juntos crecimos y juntos aprendimos, como si hubiéramos sido tres ramas de un solo tronco. Mi Madre. No hubo igual a Ella en Israel. Trono de la Sabiduría y de la verdadera Sabiduría, nos enseñó para el mundo y para el cielo. Digo: " Nos enseñó " porque Yo fuí su alumno, como lo fueron mis primos. Dios mantuvo su " secreto " contra la perspicacia de Satanás, porque siempre se guardó bajo la apariencia de una vida común y corriente. »

65. Los vestidos de Jesús para cuando sea mayor de edad

(Escrito el 19 de diciembre de 1944)

Veo a María inclinada sobre una batea, mejor dicho, sobre una concha de tierra cocida, y que pone algo que saca como humo en el frío y sereno aire que llena el huerto de Nazaret.

Estamos en invierno. Los árboles, menos los olivos, están desnudos de follaje. Arriba, un firmamento limpísimo y un radiante sol. El cierzo que sacude las ramas sin hojas y las verdes de los olivos, no tiempla el ambiente.

La Virgen trae un vestido grueso de color café oscuro, y delantal. Saca de la tinaja el palo con que movía lo que había dentro. Veo que gotea algo de color bermellón. María lo mira. Pone su dedo entre las gotas que caen, y prueba el color en su delantal. Parece que está contenta de ello.

Entra en la habitación y sale trayendo madejas de lana blanquísima. Las mete una por una en la batea y con mucho cuidado.

Mientras está haciendo esto, llega su cuñada, María de Alfeo, que viene del taller de José. Se saludan. Conversan.

« ¿ Sale bien ? » pregunta María de Alfeo.

« Así lo espero. »

« La pagana aquella me aseguró que es la tinta y el modo que emplean en Roma. Me lo dijo y me la dió porque se trata de tí, y porque has hecho trabajos semejantes. Me dijo que ni siquiera en Roma hay quien borde como tú. Habrás puesto todo el cuidado en hacer tus labores . . . »

María sonríe y mueve su cabeza como si dijese: « ¡ No es nada ! »

La cuñada, antes de entregar a María las últimas madejas, las mira. « ¡ Qué bien las tejiste ! Parecen cabellos por lo fino y por lo igual. Todo lo haces bien . . . y ¡ con rapidez ! ¿ Estas serán menos oscuras o no ? »

« Sí. Para el vestido. El manto tiene un color más oscuro. »

Las dos mujeres trabajan juntas en la batea. Sacan las madejas que tienen un color de púrpura y corren a metarlas dentro del agua helada del estanque, del delgado chorro que con notas risueñas cae. Enjuagan una y otra vez. Después sobre las cañas extienden las madejas, y las amarran entre las ramas de los árboles.

« Con este aire pronto se secarán » dice la cuñada.

« Vamos a ver a José. Hay fuego. Estarás muerta de frío » dice María. « Mucho me ayudaste. Terminé todo y sin trabajo. ¡ Gracias ! »

« ¡ Oh, María ! ¡ Qué cosa no haría por tí ! Es una alegría estar cerca de tí . . . y además . . . es para Jesús. ¡ Cuán bueno es tu Hijo ! . . . Quiero ser también su mamá, al hacer lo mismo, para cuando cumpla su mayor edad. »

Las dos mujeres entran en el taller, que huele a un lugar de carpinteros.

La visión se detiene por un momento . . .

. . . para continuar cuando parten para Jerusalén, cuando Jesús tiene 12 años.

Es muy bello, y muy desarrollado de manera que parece como si fuera hermano menor de la Virgen. Le llega a los hombros. Su cabellera no es corta, como cuando pequeño, sino larga, hasta más abajo de las orejas. Da la impresión de un casco semioscuro labrado en oro.

Su vestido es de color rojo. Un rojo de rubí-claro. Le llega hasta los tobillos de modo que apenas se ven los pies calzados con sandalias. El vestido está suelto. Sus mangas son largas y anchas. En el borde del cuello, como en el de las mangas se ven adornos muy bellos . . .

66. Parten de Nazaret.
Jesús ha llegado a ser mayor de edad

(Escrito el 20 de diciembre de 1944)

Veo entrar a Jesús con la Virgen, a lo que pudiéramos llamar, el comedor.

Jesús es un hermoso jovencillo de doce años. Alto, fornido sin ser gordo. Parece de mayor edad de lo que es, tal vez por su complexión. Es alto, y llega a los hombros de su Madre. Todavía tiene el rostro redondo y rosado de cuando era pequeño, rostro que después en la juventud y cuando llegará a la edad madura, se alargará y tomará un color que no es color, un color de cierto alabastro, de color amarillo-rosa.

Sus ojos todavía son los de un niño. Grandes, abiertos, en los que brilla una centella de alegría que se pierde en su modo de mirar tranquilo. *Después* no estarán ya más abiertos... Sus párpados se cerrarán hasta la mitad para ocultarle el mal que hay en el mundo, a El que es el Puro y el Santo. Sólo cuando llegue la hora de hacer milagros se abrirán y brillarán más que ahora... o bien para arrojar los demonios y la muerte como cuando cure a enfermos y pecadores. Pero no tendrán esa centella de alegría mezclada con la seriedad... La muerte y el pecado estarán cada vez más cerca, y con ellos el conocimiento, también humano, de lo inútil del sacrificio por voluntad propia del hombre. En muy raros momentos de alegría, cuando esté con los redimidos y sobre todo con los puros, como son los niños en general volverán a resplandecer de gozo estos ojos santos y buenos.

Ahora está con su Mamá, en su casa, y en frente de El está san José que le sonríe amorosamente y también están sus primos que lo admiran como también María de Alfeo que lo acaricia... Está feliz. Tiene necesidad de amor mi Jesús, para ser feliz y en este momento lo tiene.

Su vestido le cae suelto hasta abajo. Es de color rubí claro. Su tejido es perfecto. En el cuello por delante, y abajo en las manos anchas y largas, hasta abajo, apenas viéndose los pies calzados con sandalias nuevas, sin las acostumbradas correas — hay un adorno, que no está bordado sino tejido con hilo más oscuro sobre el color rubí del vestido. Probablemente la hizo su Madre, porque la cuñada la admira y la alaba. Los cabellos rubios son más abundantes de lo que eran cuando pequeño y le llegan hasta las orejas. No son más los cabellos rizados y húmedos de la niñez. Tampoco es la cabellera ondulada y larga hasta los hombros, de cuando sea grande, sin embargo su color poco o poco se va haciendo un poco oscuro.

« Mira a nuestro hijo » dice María levantando su mano derecha en la que está la izquierda de Jesús. Parece como si lo presentara a toda la familia y confirmase la paternidad del Justo que sonríe. Añade: « Bendícelo, José, antes de ir a Jerusalén. No hubo necesidad de la bendición ritual para ir a la escuela, primer paso en la vida; pero ahora que va al templo para ser declarado mayor de edad, hazlo. Y con El bendíceme a mí también. Tu bendición... (María lanza un suspiro reprimido) fortificará a El y me dará fuerzas para separarlo de mí un poco más... »

« María, Jesús siempre es tuyo. Las palabras que diga el sacerdote, no romperán nuestras mutuas relaciones. Tampoco te disputaré a este Hijo nuestro tan querido. ¡Nadie mejor que tú, merece guiarlo en la vida, María! »

María se inclina, toma la mano de José y la besa. Es la esposa respetuosa y cariñosa para con su marido.

José acoge esta señal de respeto y de amor con dignidad. Luego levanta la mano que le besó la Virgen, la pone sobre su cabeza y le dice: « Sí. Te bendigo. ¡Oh bendita! y a Jesús contigo. Venid, vosotros que sois mis joyeles, mi gloria, mi vida. » José es majestuoso. Con los brazos extendidos y con las palabras vueltas hacia las dos cabezas inclinadas, rubias y santas, pronuncia la bendición: « El Señor os guarde y os bendiga. Tenga misericordia de vosotros y os dé paz. El Señor os dé su bendición. » Y luego añade: « Ahora vámonos. Es el momento oportuno para partir. »

María toma un ancho paño de color granada oscuro y lo pone sobre su Hijo. ¡Cuán delicada es al hacerlo!

Salen. Cierran. Se ponen en camino. Otros peregrinos van hacia el mismo lugar. Fuera del poblado las mujeres se separan de los hombres. Los niños van con quien quieren. Jesús vo con su Madre.

Los peregrinos van cantando casi siempre salmos por las bellas campiñas en estos días de hermosa primavera. La pradera es fresca, y frescura respiran las ramas de los árboles. Se oyen los cantares de los hombres por los campos y con los cantares se mezclan los trinos de los pajarillos. Arroyos claros que hacen de espejo a las flores, corderitos que van saltando junto a sus madres... Paz y alegría bajo el cielo más hermoso de abril.

La visión termina de este modo.

67. Jesús y su examen en el templo [1]

(Escrito el 21 de diciembre de 1944)

El templo está como suele estarlo en los días de fiesta. Gente que entra y sale por las puertas de la muralla, que atraviesa patios y pórticos, que desaparece en este o aquel lugar de la gigantesca construcción.

Entra también cantando salmos la comitiva de la familia de Jesús. Primero los hombres, luego las mujeres. A ella se han unido otras tal vez de Nazaret, tal vez amigos de Jerusalén. No lo sé.

José se separa, después de haber adorado con los demás al Altísimo desde el lugar en que, se comprende, podían hacerlo los varones (las mujeres se han quedado atrás) y con su Hijo atraviesa, vuelve a atravesar los patios, luego da vuelta por una parte y entra en una amplia habitación que tiene la forma de sinagoga. No sé cómo pueda ser. ¿Había también en el templo sinagogas [2]? Habla con un levita que desaparece detrás de una cortina con pliegues, y regresa con dos sacerdotes de edad, creo que lo son; en todo caso son expertos en el conocimiento de la Ley y tienen por oficio examinar a los fieles.

José presenta a Jesús. Primero se inclinaron profundamente ante los diez doctores, que con toda dignidad se han sentado sobre bancos de madera.

« Aquí está mi Hijo » dice. « Hace 3 lunas y 12 días se ha cumplido el tiempo que la Ley exige para ser mayor de edad. Quiero que lo sea según lo ordena la Ley [3]. Ved por su complexión que no es ya un niño. Os ruego que lo examinéis con benevolencia y

[1] Cfr. Lc. 2, 42.
[2] La misma Escritora dice en nota correspondiente: " Al punto comprendí que a los lados de los patios había habitaciones donde enseñaban los rabinos duando el día era malo, y había estantes para los rollos, tribunas y velas colocadas en forma de triángulo ".
[3] Cfr. Deut. 16, 16; Ex. 12, 24.

así podáis juzgar que cuanto yo su padre, he dicho, es verdad. Lo he preparado para este examen y para esta dignidad suya de hijo de la Ley. El conoce los preceptos, tradiciones, decisiones, costumbres de los bordes y filacterias [4], sabe recitar las oraciones y bendiciones diarias. Puede comportarse como un varón, pues conoce la Ley en sí misma y en sus tres formas de Halascia, Midrash y Aggada [5]. Por tal motivo deseo verme libre de la responsabilidad de sus acciones y de sus pecados [6]. De ahora en adelante se sujete a los mandamientos y pague por sus faltas contra ellos. Examinadlo. »

« Lo haremos. Acércate, muchacho. ¿ Cómo te llamas ? »

« Jesús, hijo de José de Nazaret. »

« Nazareno ... ¿ Sabes leer ? »

« Sí, rabí. Sé leer las palabras escritas y las que se esconden en las mismas palabras. »

« ¿ Qué quieres decir ? »

« Quiero decir que comprendo también el significado de la alegoría o símbolo que se oculta; algo como la perla no se ve si no en la concha fea y cerrada. »

« Respuesta no común e inteligente. Rara vez se oyen estas palabras en labios de adultos; y menos en un niño y por añadidura, ¡ nazareno ! ... »

Los diez han comenzado a poner más atención. Sus ojos no dejan de ver al rubio adolescente que los mira con franqueza, pero sin descaro, ni temor.

« Honras a tu maestro que debe ser muy docto. »

« La Sabiduría de Dios se ha depositado en su corazón de justo. »

« ¡ Pero escuchad ! Feliz, tú, que eres padre de un tal Hijo. »

José, que está en el fondo de la sala, sonríe y se inclina.

Dan a Jesús tres rollos: « Lee el que está envuelto con una cinta dorada. »

Jesús abre el rollo y lee. Es el decálogo [7]. Después de las primeras palabras, uno de los jueces le quita el rollo y le dice: « Continúa sin ver. »

---

[4] Cfr. Ex. 13, 9 y 16; Núm. 15, 37-40; Deut. 6, 6-8; 11, 18; Mt. 9, 20; 23, 5.

[5] Esto es los comentarios rabínicos sobre la Biblia. Véase por ejemplo: Sab. 16-19.

[6] La Escritora añade una nota que dice que es de Jesús: " No había llegado la hora de que se le conociese. Para desorientar a Satanás y a sus instrumentos, José responde como habría respondido cualquier judío al tratarse de su hjio ".

[7] Cfr. Ex. 20, 1-17.

Jesús lo dice tan seguro como si estuviese leyendo. Cada vez que nombra al Señor, se inclina profundamente.

« ¿ Quién te ha enseñado esto ? ¿ Por qué lo haces ? »

« Porque santo es su Nombre y debe pronunciarse con reverencia externa e interna. Ante el rey, polvo como es, se inclinan sus súbditos. ¿ No deberá acaso inclinarse toda creatura ante el Rey Altísimo, Señor de Israel, que está presente aunque visible solo al alma, en reconocimiento de que es súbdita suya ? »

« ¡ Bravo, hombre ! Te aconsejamos que Hilel o Gamaliel instruyan a tu Hijo. Es nazareno... pero sus respuestas son presagio de un gran doctor. »

« Mi Hijo es mayor de edad. Obrará según le plazca. Si se tratare de algo honesto, no se lo impediré. »

« ¡ Escucha, muchacho ! Dijiste: "Acuérdate de santificar las fiestas, y no solo tu, sino tu hijo e hija, tu siervo y sierva, hasta el mismo asno no deben de trabajar en el sábado ". Así pues, díme: si una gallina pone un huevo en sábado o una oveja pare, ¿ será lícito tomar lo que han dado, o bien considerarlo como algo malo ? »

« Sé que muchos rabinos, entre ellos Schiammai, dicen que el huevo puesto en sábado es contrario al precepto; pero Yo pienso que una cosa es el hombre y otra el animal o quien hace cosas propias del animal, por ejemplo, dar a luz. Si obligo a trabajar a mi burro, cometo igual pecado que él, porque con mi fuerza lo obligo a trabajar; pero si una gallina pone un huevo, o una oveja pare su cordero en día de sábado, porque así debe ser, esto no es pecado ni ante los ojos de Dios, y el huevo y el cordero no pueden ser considerados pecado, aunque hayan venido en día de sábado. »

« ¿ Cómo puede ser esto, si todo lo que se hace en sábado es pecado ? »

« Porque concebir y dar a luz está sujeto a la voluntad del Creador y está regulado por leyes que El ha impuesto. La gallina no hace otra cosa que obedecer la ley que dice que después de que el huevo se ha formado, debe ser puesto; y la oveja también no hace más que obedecer a las leyes que el Creador de todo puso, y que determinó que dos veces al año, cuando la primavera se pasea por los prados en flor, y cuando los bosques se despojan de su vestidura y el hielo tortura el pecho del hombre, las ovejas deben aparejarse, para que a determinado tiempo, produzcan leche, carne y ricos quesos, en los meses en que realmente se tiene necesidad de estas cosas. Así pues, si una oveja, llegada su hora pare su fruto bien puede tenerse como sagrada y ofrecerse ante el altar, porque es un fruto de obediencia al Creador. »

« No quisiera seguirlo examinando. Su sabiduría supera a las inteligencias adultas y deja a uno admirado. »

« Yo no. Dijo que es capaz de comprender hasta los símbolos. Preguntémosle. »

« Primero que diga un salmo, las bendiciones y las oraciones. »

« También los preceptos. »

« Está bien. Oye, dí los midrasciotes [8]. »

Jesús recita una letanía de « no hacer esto... no hacer aquello... » Si tuviésemos que hacer todo esto nosotros que somos tan rebeldes, le aseguro que nadie saldría con bien...

« Basta. Desenrolla el rollo que tiene la cinta verde. »

Jesús desenrolla y empieza a leer.

« Más adelante, un poco más. »

Jesús obedece.

« Basta. Lee y explica si te parece que hay algún símbolo. »

« Raramente deja de haber en la palabra santa. Somos nosotros que la ignoramos. Voy a leer: cuarto libro de los Reyes, cap. 22, vers. 10: " Safán, escriba, que hablaba al rey, añadió: ' El Sumo Sacerdote Elcías me ha dado un libro '. Al haberlo leído Safán ante la presencia del rey, este, después de haber oído las palabras de la Ley del Señor, se rasgó las vestiduras y después dió... " »

« Omite los nombres. »

« " ...esta orden: ' Id a consultar al Señor por mí, por el pueblo, por todo Judá, respecto a las palabras de este libro que se ha encontrado, porque Dios se ha irritado mucho contra nosotros, porque nuestros padres no escucharon las palabras de este libro, ni siguieron sus órdenes '... ". »

« Basta. Hace siglos que sucedió esto. ¿ Qué símbolo encuentras en un hecho referido, en una antigua crónica ? »

« Encuentro que no hay tiempo para lo que es eterno. Eterno es Dios y eterna nuestra alma, eternas las relaciones entre Dios y el alma. Por esto lo que atrajo el castigo de aquel entonces, y lo que provoca los de ahora son la misma cosa, como iguales son los efectos de la culpa. »

[8] Cfr. pág. 230, not. 5.

« ¿ Esto es ? »

« Israel no conoce más la Sabiduría que viene de Dios. A Dios hay que pedirle la luz y no a nosotros pobres hombres, y esta luz no se obtiene sino con la justicia y fidelidad para con El. Por esta razón se peca, y Dios en su ira, castiga. »

« ¿ Que no conocemos más ? Pero ¡ qué estás diciendo, muchacho ! ¿ Y los seicientos trece preceptos ? »

« Los preceptos existen, pero son palabras. Los conocemos, pero no los practicamos, por lo tanto *no conocemos*. El símbolo es este : cada hombre en todas las ocasiones de su vida tiene necesidad de consultar al Señor para conocer su voluntad, y obrar según ella, para no atraerse su ira. »

« El muchacho tiene toda la razón; ni siquiera con la engañifa perdió la serenidad. Que se le lleve a la verdadera sinagoga. »

Pasan a una sala ancha bien adornada. Aquí se le cortan los cabellos. José recoge los rizos. Después le aprietan el vestido rojo con una larga faja que le da varias vueltas a la cintura, le ponen las tiras sobre la frente, en el brazo y en el manto. Se las fijan con una especie de chapitas. Luego entonan unos salmos y José recita una larga oración al Señor e invoca todo bien para su Hijo.

La ceremonia termina. Jesús sale con José. Vuelven al lugar donde habían estado antes, se reunen con sus familiares varones, y ofrecen un cordero; luego con la víctima degollada, se acercan a donde están las mujeres.

María besa a su Jesús. Parece como si hubieran pasado muchos años que no lo viera. Lo mira. Es un hombre por el vestido y cabellos; lo acaricia...

Salen y todo termina.

68. Jesús con los doctores en el Templo [1]

(Escrito el 28 y 29 de enero de 1944)

Veo a Jesús. Es ya un adolescente. Su túnica me parece que sea de blanco lino, que le llega hasta los pies. Sobre ella trae una

[1] Cfr. Lc. 2, 46-51.

especie de tela color rojo pálido. Sobre la cabeza no trae nada. Sus cabellos le llegan hasta la mitad de las orejas, mucho más oscuros de cuando lo ví cuando era un infante. Es un jovenzuelo robusto y muy alto para su edad, su rostro parece muy delicado.

Me mira y me sonríe teniéndome las manos. Su sonrisa es como la que veo cuando ha llegado a ser adulto: dulce, pero seria. Está solo. No veo ninguna otra cosa. Está apoyado sobre una valla de una callejuela de subidas y bajadas, llena de piedras y con un hoyo en el medio, que cuando es el tiempo de agua, se transforma en charco. Ahora está seco, porque el día es sereno.

Me parece como si también yo me acercase a la valla, y que mire yo alrededor y hacia abajo como hace Jesús. Veo un montón de casas. Un conglomerado sin orden. Hay casas altas, otras bajas, pero sin un plan fijo. Si la comparación que voy a proponer fuese correcta, parecen un puñado de guijarros arrojado sobre el suelo. Las calles y callejuelas parecen venas de color blanco. En algunos lugares se ve que cerca de las paredes crecen árboles. Muchos están floreando, otros están cubiertos de hojas nuevas. Debe ser primavera.

A mi izquierda, se ve un conglomerado, con tres clases de terrazas sobrepuestas por construcciones y también torres, y patios y pórticos, en el centro de los cuales se levanta muy en alto una que es majestuosa, muy ricamente fabricada con una cúpula redonda, que resplandece al sol y las demás como si estuviesen cubiertas de oro. Todo el conjunto está rodeado por una muralla almenada. Sus murallas parecen tener la forma de M. Una torre más alta que las demás se yergue en una calle más bien estrecha y de subida y que domina el vasto conglomerato. Parece un centinela.

Jesús está mirando fijamente este lugar. Luego se voltea, apoyando su espalda contra la valla como estaba antes, y mira un montecillo que está en frente del conglomerado. En el montecillo hay casas hasta su falda. Después no se ve ninguna otra construcción. Veo que allí termina una calle hecha con lozas cuadrangulares e irregulares y separadas entre sí. No son muy grandes como las lozas de los caminos consulares romanos; parecen más bien las acostumbradas piedras de las calles de Viareggio (no sé si todavía existan), pero puestas sin orden. Una callejuela. El rostro de Jesús se torna serio, tanto que también yo me pongo a mirar el montecillo, causa de su tristeza, pero no veo nada de especial. Es solo un monte desnudo y no más. Sin embargo pierdo a Jesús de vista, porque cuando torno, ya no está más. Me lleno de asombro con esta visión.

...Cuando me despierto con el recuerdo de ella, después que he recobrado un poco mis fuerzas y tranquilidad, porque todos están durmiendo, me encuentro en un lugar que nunca he visto. Hay patios y fuentes y pórticos y casas, esto es, pabellones o tiendas porque tienen más bien las características de estas que de casas. Hay mucha gente vestida según la usanza hebrea, y se oye mucho alboroto. Al mirar a mi alrededor caigo en la cuenta que era el aglomerado que Jesús miraba, porque veo la muralla que lo rodea, la torre que hace de guardia y la gigantesca construcción que se yergue en el centro y a cuyo alrededor se estrechan los pórticos muy hermosos y amplios, bajo los cuales hay mucha gente que mira ya una cosa, ya otra.

Comprendo encontrarme dentro del Templo de Jerusalén. Veo a fariseos con sus largos y ondeantes vestidos, a sacerdotes vestidos de lino y con una placa preciosa sobre el pecho y la frente. Los vestidos son amplios y pomposos, ligados en la cintura con una faja preciosa. Se ven otros que no traen vestidos tan ricos, pero deben pertenecer a la casta sacerdotal y a quienes rodean discípulos más jóvenes. Comprendo que son los doctores de la Ley.

Me encuentro perdida en medio de todos estos personajes, y no sé qué hacer. Me acerco al grupo de los doctores donde se ha trabado una disputa teológica. Mucha gente hace lo mismo

Entre los " doctores " hay un grupo que capitanea un hombre llamado Gamaliel y otro que es ya viejo, y casi ciego a quien ayuda Gamaliel en la disputa.

El personaje llamado Hilel (la *h* es espirada) parece ser maestro o pariente de Gamaliel, porque lo trata con confianza y con respeto al mismo tiempo. El grupo de Gamaliel tiene puntos de vista más amplios mientras el otro grupo, y es más numeroso, tiene como jefe a uno que llaman Sciammai, hombre de una intransigencia odiosa de lo que en los evangelios tenemos huellas [2].

Gamaliel, a quien rodea un nutrido grupo de discípulos, está hablando de la venida del Mesías y apoyándose en la profecía de

---

[2] Cfr. por ej.: Mt. 9, 1-17; 12, 1-14; 22-32; 38-39; 15, 1-9; 16, 1-4; 19, 1-9; 21, 23-27; 22, 15-22, etc. Cfr. los lugares paralelos en Mc y Lc.; en cuanto al cuarto Ev. cfr. 5, 9-18; 8, 2-11; 9, 1-41; 11, 45-54, etc.

Daniel[3], sostiene que debe de haber nacido ya, porque hace unos 10 años que las setenta semanas profetizadas se han cumplido, desde que se promulgó el decreto de la reconstrucción del templo. Sciammai lo contradice, diciendo que si es verdad que el templo ha sido ya reedificado, también es verdad que la esclavitud de Israel es mayor y que la paz que debería traer, al que los Profetas llaman " Príncipe de la Paz "[4], no sólo no existe en el mundo, pero ni siquiera en Jerusalén, a quien oprime un enemigo que se atreve a extender su dominación hasta dentro del recinto del templo, en que domina la torre Antonia llena de legionarios romanos, prontos a anegar en sangre cualquier intento de independencia.

La disputa, llena de cavilaciones, tiene trazas de seguir adelante. Cada maestro hace ostentación de erudición no tanto porque quiera convencer al rival, cuanto por atraerse la admiración de los oyentes. Es claro que esto es su objetivo.

Del grupo tupido de fieles se oye la voz de un adolescente: « Gamaliel tiene razón. »

Movimiento de la gente y del grupo de doctores. Se busca al que interrumpió la disputa, pero no es necesario seguirlo haciendo. No se esconde. Se abre paso y se acerca al grupo de los " rabinos ". Reconozco a mi Jesús. Se nota en El la seguridad y el aplomo con sus ojos que centellean inteligencia.

« ¿ Quién eres ? » le preguntan.

« Un hijo de Israel que vino a cumplir con lo que la Ley prescribe. »

La respuesta intrépida y sin titubeos se atrae sonrisas de aprobación y de benevolencia. Todos ponen sus ojos en el adolescente israelita.

« ¿ Cómo te llamas ? »

« Jesús de Nazaret. »

La benevolencia se hiela en el grupo de Sciammai. Pero Gamaliel más benévolo, prosigue el diálogo con Hilel. Más bien es Gamaliel que con respeto dice al anciano: « Pregúntale algo. »

« ¿ Sobre qué cosa apoyas tu aplomo ? » pregunta Hilel (pongo al principio los nombres para ser más breve y para que sea más claro el diálogo).

JESUS: « En la profecía que no puede equivocarse del tiem-

[3] Cfr. Dan. 9.
[4] Cfr. Is. 9, 5-6.

236

po, ni de las señales que la acompañaron cuando se cumplió. Es verdad que César nos domina; pero el mundo estaba en paz y muy tranquila Palestina cuando se cumplieron las setenta semanas, de modo que pudo César ordenar el censo en sus dominios. No lo hubiera podido haber hecho si hubiera habido guerra en el imperio o rebeliones en Palestina. Como se cumplió aquel tiempo, así ahora se está cumpliendo el otro de las sesenta y dos más una, desde la terminación del templo, para que el Mesías sea ungido y se cumpla la profecía en el pueblo que no lo quiso. ¿ Podéis dudar de esto ? ¿ No os acordáis que Sabios del Oriente vieron la estrella y que fue a pararse en el cielo de Belén de Judá, y que las profecías y visiones, a partir de Jacob en adelante, señalan ese lugar como el destinado para que en él naciera el Mesías, hijo del hijo de Jacob a través de David que era de Belén ? ¿ No recordáis a Balam ? "Una estrella nacerá de Jacob" [5]. Los Sabios de Oriente a quienes la pureza y la fe hacían que sus ojos y orejas estuviesen iluminados, vieron la Estrella y comprendieron su Nombre: "Mesías", y vinieron a adorar a la Luz que había bajado al mundo. »

SCIAMMAI, con la cara pálida de ira: «¿ Afirmas que nació el Mesías en tiempo de la Estrella, en Belén de Efrata ? »

JESUS: « Lo afirmo. »

SCIAMMAI: « Entonces ya no existe. ¿ No sabes, Muchacho, que Herodes mandó matar a todos los niños hasta la edad de dos años tanto en Belén como en sus alrededores ? Tú que te glorías de conocer las Escrituras, deberías saber también que: "Se ha oído un grito en lo alto... Raquel llora a sus hijos" [6]. Los valles y crestas de las colinas de Belén, que oyeron el grito de llanto de Raquel que agonizaba, quedaron regados con lágrimas que las madres derramaron sobre sus hijos muertos. Entre ellas estaba ciertamente la Madre del Mesías. »

JESUS: « Te equivocas. El llanto de Raquel se convirtió en grito de júbilo, porque donde dió a luz ella al "hijo de su dolor", la nueva Raquel dió al mundo el Benjamín del Padre celestial, el Hijo que está a su derecha, el que está destinado a reunir el pueblo de Dios bajo su cetro y a librarlo de una esclavitud mucho más dura. »

SCIAMMAI: «¿ Cómo lo hará, si lo mataron ? »

[5] Cfr. Núm. 24, 17.
[6] Cfr. Jer. 31, 15.

JESUS: «¿No has leído lo de Elías? Fue arrebatado en un carro de fuego[7]. ¿Y no habrá podido el Señor Dios haber salvado a su Emmanuel para que fuese el Mesías de su pueblo? El, que abrió el mar ante los ojos de Moisés para que Israel pasase a pie enjuto hacia su tierra[8], ¿no habría podido haber mandado sus ángeles para que salvasen a su Hijo, a su Mesías, de la ferocidad de los hombres? En verdad os digo: el Mesías vive y está entre vosotros, y cuando llegue su hora se manifestará cual poderoso es.» Jesús al decir estas palabras que subrayo, llena con su voz el ancho espacio. Sus ojos son todavía más brillantes, y con un gesto de imperio y de promesa extiende el brazo derecho, y lo baja como para jurar. Es un adolescente, pero muy majestuoso como si fuera un adulto.

HILEL: «Muchacho, ¿quién te ha enseñado estas cosas?»

JESUS: «El Espíritu de Dios. No tengo maestro humano. Esta es la Palabra del Señor que os habla por mis labios.»

HILEL: «Acércate para que te vea, Muchacho, y mi esperanza se avive al contacto de tu fe y se ilumine mi alma ante el sol radiante de la tuya.»

Jesús se va a sentar sobre un alto banco entre Gamaliel y Hilel. Le presentan rollos para que los lea y explique. Es un examen en forma. La multitud se apiña y escucha.

La voz juvenil de JESUS se oye: «"Consuélate, ¡oh pueblo mío! Hablad al corazón de Jerusalén, consoladla porque su esclavitud ha terminado... Se oye la voz de alguien que en el desierto grita: preparad los caminos del Señor... Entonces aparecerá la gloria del Señor"[9].»

SCIAMMAI: «¿Lo ves, nazareno? Aquí se habla de esclavitud terminada. Pero nunca como antes habíamos sido más esclavos. Aquí se habla de un precursor. ¿Dónde está? Disparatas.»

JESUS: «Te digo que a tí más que a muchos otros se dirige la invitación del Precursor. A tí y a tus iguales a tí; de otro modo no verás la gloria del Señor, ni comprenderás la palabra de Dios, porque la vileza del corazón, la soberbia, la falacia te impedirán ver y oir.»

SCIAMMAI: «¿Así hablas a un masetro?»

JESUS: «Así, y así hablaré hasta mi muerte. Porque sobre mi

---

[7] Cfr. 4ª. Rey. 2, 11.
[8] Cfr. Ex. 14, 15-22.
[9] Cfr. Is. 40, 1-5.

238

ventaja personal está el interés del Señor y el amor a la Verdad de quien soy Hijo. Y debo añadir ¡ oh rabí ! que la esclavitud de la que habla el Profeta, y de la que también hablo, no es esa que crees, y tampoco la realeza no será la que te imaginas. Por los méritos del Mesías se verá libre el hombre de la esclavitud del Mal que lo separa de Dios, y la señal del Mesías estará en los espíritus libres de todo yugo y hechos súbditos del reino eterno. Todas las naciones inclinarán su cabeza ¡ oh estirpe de David ! ante el Retoño nacido de tí, y convertido en árbol que cubrirá toda la tierra y se yerguerá al cielo. Y en el cielo y en la tierra todos los hombres alabarán su Nombre y se arrodillarán ante el Ungido de Dios, ante el Príncipe de la paz, ante el Jefe, ante el que será el consuelo de toda alma cansada y saciará a todo el que tiene hambre, ante el Santo que hará una alianza entre la tierra y el cielo. No como la que fue estipulada con los Padres de Israel cuando Dios los sacó de Egpito [10] y los trató todavía como a esclavos, sino que imprimirá su paternidad celestial en el espíritu de los hombres con la gracia nuevamente infundida por los méritos del Redentor, por quien todos los hombres conocerán al Señor y el Santuario de Dios no será jamás abatido, ni destruído. »

SCIAMMAI: « No digas necedades ¡ Muchacho ! Acuérdate de Daniel [11]. El dice que después de la muerte del Mesías, el templo y la ciudad serán destruídos por un pueblo y por un jefe que vendrá. Y Tú sostienes que el Santuario de Dios no será jamás destruído ! ¡ Respeta a los Profetas ! »

JESUS: « En verdad te digo que hay Alguien que es más que los Profetas, y no lo conoces, ni lo conocerás porque te falta voluntad. Te aseguro que lo que dije es verdad. *El verdadero Santuario jamás será destruído.* Y como su Santificador resucitará a vida eterna, y al final de los días del mundo vivirá en el cielo. »

HILEL: « Escúchame, Muchacho. Ageo dice: "...Vendrá el Deseado de las gentes... Grande será entonces la gloria de esta casa, mayor que la que cupo a la primera " [12]. ¿ Se refiere al Santuario del que hablas ? »

JESUS: « Sí, maestro. A él se refiere. Tu rectitud te lleva a la Luz y Yo te aseguro: cuando el Sacrificio del Mesías se haya cum-

[10] Cfr. Ex. 24.
[11] Cfr. Dan. 9, 26.
[12] Cfr. Ageo 2, 8-10.

plido, vendrá a tí la paz, porque eres un israelita sin malicia. »

GAMALIEL: « Dime, Jesús. La paz de la que hablan los profetas ¿ cómo puede esperarse si este pueblo será destruído en la guerra ? Habla y también dame a mi luz. »

JESUS: «¿ No recuerdas, maestro, lo que dijeron los que estuvieron presentes en la noche del nacimiento del Mesías ? Los ejércitos celestiales cantaron: "Paz a los hombres de buena voluntad". Pero este pueblo no la tiene y no tendrá paz. Desconocerá a su Rey, al Justo, al Salvador, porque lo espera como si fuese un rey humano, y El no lo es más que del corazón. No lo amará, porque el Mesías predicará al pueblo lo que a él no le gusta oir. El Mesías no derrotará a los enemigos con carros, y caballos, sino a los enemigos del alma, que tratan de apoderarse del hombre, a quien creó el Señor, para hacerlo presa suya en el infierno. Y esta victoria no es la que espera Israel de El. Vendrá, Jerusalén, tu Rey montado sobre " la borrica y el borrico " [13], esto es, sobre los justos de Israel y sobre los gentiles. Y el borrico, Yo os lo digo, le será fiel, y lo seguirá delante de la borrica y crecerá en el camino de la Verdad y de la Vida. Israel por su mala voluntad perderá la paz y padecerá en sí, por siglos, lo que hará sufrir a su Rey al que convertirá en el Rey de los dolores, del que habla Isaías [14]. »

SCIAMMAI: « Tu boca conoce la leche y la blasfemia, nazareno. Responde: ¿ Dónde está el Precursor ? ¿ Cuándo lo tendremos ? »

JESUS: « El está. ¿ No acaso dice Malaquías: " Ved que envío a mi ángel a preparar delante de Mí el camino; y llegará a su templo el Dominador que buscáis y el Angel del Testamento por quien suspiráis " [15] ? Así pues, el Precursor llega un poco antes del Mesías. El ya está, como lo está el Mesías. Si pasasen de los años entre el que prepara los caminos al Señor y el Mesías, todos los caminos se llenarían de escombros y obstáculos. Dios sabe y ha dispuesto que el Precursor se anticipe una hora al Maestro. Cuando veais a este Precursor, podréis decir: "La misión del Mesías ha empezado". Yo te digo a tí: Muchos ojos verán al Mesías y muchas orejas lo oirán cuando venga por estos caminos. Pero no los tuyos, ni los que sean iguales a tí. Le daréis la muerte en cambio de la vida que os trae. Pero cuanto más alto que este

[13] Cfr. Zac. 9, 9; Mt. 21, 5. Ju. 12, 15.
[14] Cfr. Is. 42, 13; 43, 12.
[15] Cfr. Mal. 3, 1.

240

templo, más alto que el tabernáculo encerrado en el Santo de los Santos, más alto que la gloria que sostienen los Querubines, se siente el Redentor en su trono y en su altar, de los miles de heridas que reciba, brotarán maldiciones para los deicidas y vida para los gentiles, porque El, ¡oh maestro que ignoras!, no será, lo repito, rey de un reino humano, sino de un Reino espiritual, y sus súbditos serán los que por su amor sepan regenerarse en el espíritu, y como Jonás [16], después de haber ya nacido, renazcan en otras playas: "los de Dios", por medio de la generación espiritual que traerá el Mesías, el cual dará a la humanidad la verdadera Vida. »

SCIAMMAI Y SUS DISCIPULOS: « ¡Este nazareno es Satanás! »

HILEL Y LOS SUYOS: « No. Este es un profeta de Dios. Quédate conmigo, Niño. Mi vejez transfundirá cuanto sabe en tu saber. Tu serás Maestro del pueblo de Dios. »

JESUS: « En verdad te digo que si muchos fuesen como tú eres, vendría la salvación sobre Israel. Pero no ha llegado mi hora. A Mí me hablan voces del cielo y en la soledad las debo acoger hasta que no llegue mi hora. Entonces con los labios y con la sangre hablaré a Jerusalén, y mi suerte será la de los Profetas a quienes ella lapidó y mató. Sobre mi ser está el del Señor Dios, a quien me someto cual siervo fiel para que de Mí haga el escabel de su gloria y del mundo el de los pies de su Mesías. Esperadme en mi hora. *Estas piedras volverán a oir mi voz y se estremecerán con mis últimas palabras.* Bienaventurados los que ante aquella voz habrán escuchado a Dios y creído en El por medio de ella. A estos el Mesías dará el reino que vuestro egoísmo imagina ser humano, y no lo es, sino celestial, por lo que Yo digo: "He aquí a tu siervo, Señor, que vino a hacer tu voluntad, y muero de ansias por realizarla". »

Aquí termina la visión. El rostro de Jesús está inflamado de un ardor espiritual y levantado en alto, con los brazos abiertos, de pie entre los doctores admirados.

[16] Cfr. Jon. 2.

69. Dolor de María cuando perdió a Jesús

(Escrito el 22 de febrero de 1944)

Dice Jesús:

« Mira la angustia de María cuando, reunidos los grupos de hombres y mujeres, vió que no estaba Yo con José. No levanta su voz ni lanza reproches al esposo. Las mujeres lo hubieran hecho. Lo hacéis por cosas de menor importancia, olvidando que el marido siempre es la cabeza del hogar.

El dolor que traspasa el rostro de María, traspasa también a José más que cualquier reproche. María no se entrega a escenas dramáticas. Vosotras lo hacéis por cosas de menor importancia y para que se os compadezca. Pero su dolor refrenado es tan claro por la emoción que hace presa de ella, por su rostro que palidece, por sus ojos que se agrandan, que conmueve más que cualquier otra escena en que hubiera llanto y gritos.

No siente más ni la fatiga ni el hambre. La caminata había sido larga y durante muchas horas ¡ no había comido nada ! Ella deja todo: el lecho que se estaba preparando, la comida que le van a dar. Regresa. Es de noche. No importa. Cada paso que dé, es un paso que la acerca a Jerusalén. Detiene caravanas, peregrinos. Pregunta. José la sigue, la ayuda. Un día de camino de regreso, y luego la angustiosa búsqueda en la ciudad.

¿ Dónde ? ¿ dónde puede estar su Jesús ? Dios permite que Ella no sepa por muchas horas dónde debería buscarme. Buscar a un niño en el Templo no era algo que pudiera imaginarse. ¿ Qué tenía que hacer un niño en el Templo ? Al máximo si se hubiera perdido por la ciudad y hubiera llegado al Templo con sus pasitos, con sus lloros y gritos hubierado llamado a su madre y hubiera atraído la atención de los adultos, de los sacerdotes, quienes hubieran tratado de buscar a los padres, poniendo bandos en las puertas. Pero no había ningún bando. En la ciudad nadie sabia nada de este Niño. ¿ Hermoso ? ¿ Rubio ? ¿ Robusto ? ¡ Si hay tantos ! y ¿ quién podía afirmar: " Lo ví. Está allí ? ".

Después de tres días, símbolo de los otros de la futura angustia, María del todo cansada entra en el Templo, recorre los patios y los pórticos. ¡ Nada ! Corre, corre la pobre Mamá, a donde oye la voz de un niño. Hasta los corderos con sus balidos le parecen ser su Hijo quien llora y quien la busca. Pero Jesús no llora.

242

Está enseñando. Y María oye que de un grupo de personas sale la voz amada que dice: "Estas piedras se estremecerán ...". Trata de abrirse paso por entre el grupo, y después de muchos esfuerzos lo logra. Ahí está su Hijo con los brazos extendidos, de pie, entre los doctores.

María es la Virgen prudente, pero esta vez la ansiedad vence su reserva. Es un dique que rompe cualquier cosa. Corre a su Hijo, lo abraza. Lo toma de su asiento y lo pone en el suelo al mismo tiempo que exclama: "¡ Oh ! ¿ por qué nos hiciste esto ? Hace tres días que te hemos andando buscando. Tu Mamá está muriéndose de dolor, Hijo. Tu padre está muerto de cansacio. ¿ Por qué, Jesús ? "

No se preguntan los " por qué " a Quien sabe. Los " por qué " de su modo de obrar. A los llamados no se pregunta " por qué " dejan todo para seguir la voz de Dios. Yo la Sabiduría lo sabía. Yo era " llamado " a una misión y la cumplía. Sobre el padre y la madre está Dios, el Padre divino. Sus intereses son superiores a los nuestros, sus afectos a cualquier otro. Digo esto a mi Madre. Termino mi enseñanza a los doctores con una enseñanza a mi Madre, Reina de los doctores. Y jamás se olvidó de ella. El sol ha vuelto a su corazón al tomarme de la mano, humilde y obediente, pero mis palabras también las conserva en su corazón.

Muchos soles alumbrarán y muchas nubes cubrirán el cielo durante los veintiún años en que estaré todavía sobre la tierra. El gozo y el llanto se alternarán en su corazón por otros veintiún años. Pero no volverá a preguntar " ¿ Por qué, Hijo mío, nos has hecho esto ? ".

Aprended, hombres necios. »

70. Muerte de San José

(Escrito el 5 de febrero de 1944)

Veo el interno de un taller de carpintero. Me parece que dos de sus paredes sean de roca, como si se hubiese aprovechado de alguna gruta natural para hacer una habitación. Las paredes que dan al norte y poniente son de roca; las del sur y oriente son de revoque como las nuestras.

En la parte norte, en un hueco de la roca, hay un pequeño horno rudimentario, en el que hay un botecito con barniz o cola, no sé bien. El humo durante tantos años ha terminado por pintar las paredes de negro. Un agujero en la pared, sobre el que hay una gruesa teja curva, quiere hacer las veces de chimenea, pero no lo logra, porque también las otras paredes están negras de humo, y aun en estos momentos se ve que dentro del taller lo hay.

Jesús está trabajando. Con la garlopa empareja tablones que después pone contra el muro, a sus espaldas. Luego toma algo como taburete, que está en medio de un tornillo, lo quita, mira si está bien, lo examina atentamente con la escuadra, va a la chimenea, toma el botecito, mueve dentro con un palito o pincel, no sé. Tan sólo veo la parte que sale y que es semejante a un palito para mover algo.

El vestido de Jesús es del color café de nuez. Es una túnica bastante corta. Las mangas arremangadas hasta el codo. Trae una especie de mandil, en el que se limpia los dedos después de haber tocado el botecito. Está solo. Trabaja con fuerza, pero sin impaciencia. Nada de desorden, nada de precipitación. No se fastidia de nada, ni del nudo de una tabla que le cuesta trabajo emparejarlo, ni de un desatornillador (por lo que me parece) y que se le cae dos veces del banco, ni del humo que le debe entrar en los ojos.

De cuando en cuando levanta su cabeza y mira hacia la parte del sur, donde hay una puerta cerrada, y lo hace como si tratase de escuchar. En cierto momento se asoma por una puerta que da al oriente, y a la calle. Veo un trozo de una callejuela polvorienta. Parece como si Jesús esperase a alguien. Cierra la puerta. Torna al trabajo. No está triste, pero sí como preocupado.

Mientras está trabajando en algo que me parece que sean trozos de una rueda, entra la Virgen. Entra por una puerta de la parte sur. Entra de prisa y corre a Jesús. Su vestido es de azul oscuro y no lleva nada en la cabeza. Una sencilla túnica ceñida a la cintura con una faja de igual color. Con ansia apoya ambas manos en un brazo como en forma de súplica y de dolor. Jesús la acaricia, poniéndole su brazo sobre su espalda, la consuela, luego se va con Ella, dejando el trabajo y quitándose antes el mandil.

Me imagino que Ud. quiere saber lo que le dijo. Fueron pocas

244

palabras: «¡Oh Jesús! ¡Ven, ven! ¡Está muy mal!» Las dice con sus labios que tiemblan y con lágrimas en sus ojos enrojecidos y cansados. Jesús no dice sino: «¡Mamá!» pero hay todo en esa palabra.

Entran en la habitación del lado, bañada del sol que entra por una puerta abierta y que da al huertecillo también lleno de luz y de verdor, por el que revolotean palomos entre un ondear de ropa puesta a secar. La habitación es pobre pero ordenada. Un lecho con una especie de colchonetas (digo colchonetas porque es algo grueso y muelle, pero no como las de nuestros lechos). En él, recostado entre almohadones está José. Está agonizando. Su cara pálida, su mirar apagado, su pecho que palpita anhelante, el cuerpo suelto, señal son de que agoniza.

María se pone a su izquierda, le toma la mano arrugada y lívida en las suyas, se la frota, la acaricia, la besa, le seca con un pañuelo el sudor que corre por sus hundidas sienes, la lágrima que se le congela en el ángulo del ojo, le humedece los labios con un trozo de lino mojado en un líquido que parece vino blanco.

Jesús se pone a su derecha. Endereza cuidadosamente el cuerpo que se deja caer, lo vuelve a poner sobre almohadones que también acomoda María. Acaricia en la frente al agonizante y trata de reanimarlo.

María llora en voz baja. Sus lágrimas corren por sus pálidas mejillas y le bañan su vestido. Parecen relucientes zafiros.

José vuelve en sí por unos cuantos minutos, mira a Jesús, le da la mano como para decirle algo o para recibir al contacto divino, fuerzas en la última prueba. Jesús se inclina y le besa la mano. José sonríe. Luego vuelve sus ojos para buscar con la mirada a María y también Ella sonríe. Se arrodilla junto al lecho tratando de seguir sonriendo, pero no lo logra e inclina su cabeza. José le pone la mano sobre la cabeza con una casta caricia que parece una bendición.

No se oye más que el revoloteo, y arrullo de las palomas; el crujir de las hojas, el caer del agua, y en la habitación, el respiro del agonizante.

Jesús mira alrededor del lecho, toma un banquito, y hace que se siente María, diciéndole solamente: «Mamá». Regresa a su lugar y vuelve a tomar entre sus manos la mano de José. Es tan real la escena, que lloro por la aflicción de María. Después Jesús se inclina sobre el agonizante, y dice en voz baja un salmo. Sé que es un salmo, pero ahora no puedo decirle cuál sea [1].

Empieza de este modo: « " Protégeme, Señor, porque en Ti he puesto mi confianza...

En favor de los santos que hay en la tierra, ha satisfecho admirablemente mis deseos...

Bendeciré al Señor que me da consejos...

Tengo siempre delante de mí al Señor. Está a mi derecha para que no caiga.

Por esto mi corazón se alegra, y mi lengua se regocija, también mi cuerpo descansará en la esperanza.

Porque no abandonarás mi alma en la mansión de los muertos, ni permitirás que tu santo experimente la corrupción.

Me permitirás que conozca los caminos de la vida, me colmarás de alegría con tu rostro ". »

José se reanima y con una sonrisa mayor mira a Jesús y le oprime los dedos. Jesús le responde con otra sonrisa, le estrecha la mano, y suavemente inclinado sobre su padre putativo continúa: [2]

« " Cuán hermosas son tus tiendas ¡ oh Señor !

Bienaventurados los que viven en tu casa... Bienaventurado el hombre que encuentra en Tí sus fuerzas. El se ha propuesto subir del valle de lágrimas, al lugar amado.

¡ Oh Señor ! escucha mi plegaria...

¡ Oh Dios ! vuelve tus ojos y mira el rostro de tu Ungido...". »

José con un sollozo mira a Jesús y hace como que quisiera bendecirlo. Pero no puede. Es claro que comprenda, pero no puede hablar. Sin embargo está feliz. Mira con animación y confianza a Jesús.

[3] « " ¡ Oh Señor ! " » continúa diciendo Jesús. « " Tú eres propicio a tu tierra, has librado de la esclavitud a Jacob...

Muéstranos, Señor, tu misericordia y concédenos a quien nos salve.

Quiero saber lo que dentro de mí dice el Señor Dios. Sin duda que hablará de paz a su pueblo debido a sus santos y a los que de corazón vuelven a El.

Sí. Tu salvación no está lejana... la gloria habitará sobre la tierra... La bondad y la verdad se han encontrado; la justicia

[1] La Escritora despúes añadió en una nota: Salmo 15.
[2] En una nota se añade: salmo 83.
[3] La Escritora añadió después: Salmo 84.

y la paz se han dado el beso. La verdad ha despuntado de la tierra, y la justicia asomádose desde los cielos.

Sí. El Señor se mostrará benigno y nuestra tierra producirá sus frutos. La justicia caminará delante de El y en los senderos dejará sus huellas ".

La has visto ahora, padre, y por ella trabajaste fatigosamente. Has ayudado para que llegase esta hora, y el Señor te dará su premio. Yo te lo digo » añade Jesús, secando una lágrima de alegría que lentamente baja por las mejillas de José.

Luego prosigue [4]: « " ¡ Oh Señor !, acuérdate de David en el tiempo de su adversidad.

Cómo juró al Señor: no entraré a mi casa, no me acostaré, no dejaré que mis ojos se cierren al sueño, lo mismo que mis párpados, ni descanso daré a mis sienes, *hasta que no haya encontrado un lugar para el Señor, una mansión para el Dios de Jacob* . . .

Levántate, Señor, *y ven al lugar de tu descanso, Tú y tu santa Arca* (María comprende y solloza).

Revístanse de justicia tus sacerdotes y celebren fiesta tus santos.

Por amor de David tu siervo, no dejes de mostrar el rostro de tu Ungido.

El Señor hizo una promesa a David y la mantendrá: ' Pondrá sobre tu trono al fruto de tu seno '.

El Señor tiene elegida su morada . . .

Haré que florezca el poder de David, preparando una antorcha encendida para mi Ungido ".

Gracias, padre mío, en nombre mío y en el de mi Madre. Fuiste un padre bueno. El Eterno te puso para que tuvieses cuidado de su Mesías y de su Arca. Fuiste la antorcha encendida para El, y tuviste entrañas de caridad para con el Fruto del seno santo. Ve en paz, padre. A mi Madre no le faltará ayuda. El Señor ha dispuesto que no esté sola. Ve tranquilo a tu descanso. Yo te lo digo. »

María está con el rostro inclinado sobre las cobijas (parecen colchas) extendidas sobre el cuerpo de José que se enfría. Jesús prodiga más consuelo porque el aliento se hace fatigoso y la mirada se va nublando.

[5] « " Feliz el hombre que teme al Señor y pone todo su gusto

[4] Se añadió: Salmo 131.
[5] Se añadió: Salmo 111.

en sus mandamientos...

Su rectitud permanece por los siglos de los siglos.

Entre los hombres rectos surge, como entre las tinieblas la luz, el misericordioso, el benigno, el justo...

El justo será siempre recordado... Su justicia es eterna, su poder llegará hasta la gloria...".

Tu tendrás esta gloria, padre. Pronto iré a traerte con los Patriarcas que te han precedido, a la gloria que te espera. Alégrese tu alma con mis palabras.

[6] " Quien se apoya en la ayuda del Altísimo vive bajo la protección del Dios del cielo ".

Tu estás allí, padre mío.

" El me soltó del lazo de los cazadores y de las palabras duras.

Te cubrirá con sus alas y bajo sus plumas encontrarás refugio.

Su verdad te defenderá como escudo, no temerás los fantasmas nocturnos...

El mal no se acercará a tí... porque sus ángeles han recibido la orden de guardarte en todos tus caminos.

Te llevarán en sus palmas, para que tu pie no se pegue contra las piedras.

Caminarás sobre el áspid y el basilisco y aplastarás el dragón y el león.

Porque esperaste en el Señor, El te dice ¡ oh padre ! que te libertará y te protegerá.

Porque levantaste a El tu voz, te escuchará. Estará contigo en la última tribulación, te glorificará después de esta vida, haciéndote ver ya desde esta su Salvación ", y en la otra haciéndote entrar por el Salvador que ahora te consuela y que pronto, ¡ oh, muy pronto ! irá, te lo repite, a darte el abrazo divino y llevarte consigo a la cabeza de todos los Patriarcas, a donde está preparado el lugar para el Justo que fue mi padre bendito.

Adelántate a decir a los Patriarcas que la Salvación está en el mundo, y que el Reino de los cielos pronto les estará abierto. Ve, padre. Mi bendición te acompañe. »

Jesús ha alzado su voz para que José en la niebla de la agonía pueda oirla. El fin es inminente. Respira ansiosamente. María lo acaricia. Jesús se sienta sobre el lado del lecho, abraza y atrae hacia Sí al agonizante que se extingue sin ningún movimiento.

---

[6] Se añadió: Salmo 90.

Es una escena maravillosamente serena. Jesús vuelve a colocar al Patriarca y abraza a María que se le había acercado presa del dolor.

71. « María en la muerte de José sufrió muchísimo »

(Escrito el mismo día)

Dice Jesús:

« A todas las mujeres a quienes el dolor tortura, les digo que imiten a María en su viudez: uniéndose a Jesús.

Los que piensan que María no haya sufrido en su corazón, están equivocados. *Mi Madre sufrió.* Sabedlo. *Santamente*, porque todo en Ella era santo, pero *agudamente*.

Los que piensan que María amó a José con un sencillo amor, porque era su esposo en el espíritu y no para el cuerpo, están también equivocados. María amó intensamente a José, a quien dedicó seis lustros de una vida fiel. José fue para Ella padre, esposo, hermano, amigo, protector.

Ahora se sentía sola como sarmiento arrancado de la vid. Su casa parecía como si sobre ella hubiera caído un rayo. Se dividía. Primero formaba un núcleo en que los miembros se sostenían mutuamente. Ahora faltaba el muro principal, y era el primer golpe dado a la Familia, señal de que pronto la abandonaría su amado Jesús. La voluntad del Padre que quiso fuera la Madre, ahora le imponía el peso de la viudez y le ordenaba entregase a su Hijo. María vuelve a pronunciar entre lágrimas su sublime " Sí ". " Sí, Señor. Hágase de mí lo que tu palabra quiera ".

Y para tener fuerza en esos momentos, se abrazó a Mí. Siempre se abrazó a Dios en las horas más arduas de su vida. En el templo cuando fue llamada para sus nupcias; en Nazaret cuando fue llamada para ser Madre; nuevamente en Nazaret entre lágrimas de viudez; en Nazaret cuando tuvo que separarse de su Hijo; en el Calvario con el tormento de verme morir.

Aprended de Ella, vosotros que lloráis. Aprended vosotros que vais a morir. Aprended, vosotros que vivís para morir. Tratad de haceros dignos de las palabras que dije a José. Serán vuestra paz en vuestra agonía. Aprended, vosotros que debéis morir, a haceros dignos de que Jesús esté cerca de vosotros, que sea vuestro consuelo. Y si todavía no os hacéis dignos de ellos, tened la osadía de llamarme no obstante lo seáis. Yo vendré con las manos llenas de gracias, y de consuelos, con el Corazón lleno de perdón y amor, con los labios llenos de palabras de absolución y de valor.

La muerte pierde toda su dureza si morís en mis brazos. Creedlo. No puedo abolir la muerte, pero hago que sea dulce para que se muera confiando en Mí.

Lo dije por todos vosotros en la Cruz: " Señor, Te confío mi espíritu " [1]. Lo dije pensando *en mi agonía* y en las vuestras, en vuestros temores, en vuestros errores, en vuestros deseos de perdón. Lo dije con el corazón desgarrado por el dolor, antes que por la lanza. Un dolor espiritual más duro que el físico, para que las agonías de los que mueren pensando en Mi se dulcificasen, y su espíritu pasase de la muerte a la Vida, del dolor al gozo eterno. »

[1] Cfr. Lc. 23, 46; Sal. 30, 6.

72. A modo de conclusión de la vida privada

(Escrito el 10 de junio de 1944)

Dice María:

« Desde la Anunciación hasta el momento que deja Nazaret para ir a predicar, tenéis no sólo los dictados, sino también la ilustración de los hechos de la vida familiar de Jesús.

La infancia, la adolescencia de mi Hijo ocupan unas cuantas líneas en el vasto cuadro de su vida descrita en los Evangelios. En ellos es el Maestro, en estos el Hombre. El Dios que se humilla por amor al hombre, y que obra milagros aun en el aniquilamiento de una vida común. Los obra en mí, que siento que mi alma es llevada a la perfección al contacto del Hijo que crece en mi seno. Los obra en casa de Zacarías santificando al Bautista, ayudando las fatigas de Isabel, devolviendo la facultad de la palabra y la fe a Zacarías. Los obra en José abriendo su espíritu a la luz de una verdad de tal manera excelsa que por sí mismo no podía comprender no obstante fuese justo. Y después de mí, el que se sintió más beneficiado de los favores divinos fue José. Ten en cuenta el camino que recorre, camino espiritual, desde el momento en que viene a mi casa hasta el momento de la huída a Egipto.

Al principio no era sino un hombre justo de su tiempo. Después por etapas sucesivas se convierte en el justo del tiempo cristiano. Cree en Cristo y se entrega a esta fe segura. De las palabras que dijo al empezar el viaje de Nazaret a Belén: " ¿ Cómo haremos ? " y en las que se reconoce al hombre con sus temores y preocupaciones, pasa a la esperanza. En la gruta, antes del nacimiento, dice: " Mañana estará mejor ". Jesús que se acerca lo fortifica ya con esta esperanza que de entre los dones de Dios es uno de los más bellos. Y de esta esperanza, cuando el contacto de Jesús lo santifica, pasa al ardimiento. Siempre quiso que yo lo dirigiera, por el respeto que me tenía. Ahora dirige él las cosas materiales y lo demás, y decide como cabeza de la Familia, cuando se debe hacerlo. En la hora penosa de la fuga, después de que los meses de estar con mi Hijo divino lo habían llenado de santidad, es él quien consuela mi dolor y me dice: " Aunque llegásemos a no tener nada, siempre tendremos todo al tenerlo a El ".

Obra mi Jesús milagros de gracia en los pastores. El ángel va a donde está el pastor a quien el fortuito encuentro conmigo predispuso a la gracia, y lo lleva a la gracia para que con ella se salve. Los obra por donde pasa, tanto en el destierro como cuando regresa a su pequeña ciudad de Nazaret. Donde estaba, se extendía la santidad como aceite sobre el lino y como la fragancia de las flores en el aire. Y quien era tocado, si no era un demonio, sentía ansias de ser santo.

Donde está esta ansia, está la raíz de la vida eterna, porque quien *quiere* ser bueno llega a la bondad, y esta lo lleva al reino de Dios.

Ahora tenéis, descrita bajo puntos diversos, la santa Humanidad de mi Hijo. Desde su nacimiento hasta su muerte. »

* * *

« Los regalos de los Magos sirvieron de mucho para los fugitivos; para comprar una casita con el mínimo del ajuar necesario para la vida, para comprar los alimentos. Nos sirvieron de mucho hasta que encontramos trabajo.

La comunidad hebrea siempre se ha ayudado mutuamente; pero la de Egipto estaba casi toda compuesta de fugitivos, y por lo tanto de pobres como nosotros. Y un poco del dinero que queríamos ahorrar para Jesús, para cuando El creciera, que sobró de los gastos hechos en Egipto para vivir, sirvió de ayuda al regreso y *apenas fue suficiente* para reorganizar la casa y el taller en Nazaret. Los tiempos cambian, pero la ambición humana siempre es la misma, y suele aprovecharse de la necesidad de los demás para sacar su parte de una manera odiosa.

El haber tenido a Jesús con nosotros no nos procuró bienes materiales. Muchos de vosotros pretendéis esto, cuando apenas estáis un poco unidos a Jesús. ¿ Olvidáis que dijo : " Buscad las cosas del alma ? " [1]. Todo lo demás es superfluo. Dios provee de comida aun, a los hombres y pájaros, porque sabe que tenéis necesidad de comer mientras la carne sea la armadura de vuestra alma. Pedid ante todo su gracia para vuestro espíritu. El resto se os dará por añadidura. José que vivía unido a Jesús, humanamente hablando no tuvo más que preocupaciones, fatigas, persecuciones, hambre. No cosa diversa. Pero porque tenía a Jesús, todo se cambió en una paz espiritual, en una sobrenatural alegría. Quisiera llevaros hasta el punto que digáis como mi José : " Aunque llegásemos a no tener nada, sin embargo todo tendremos teniendo a Jesús ". »

[1] Cfr. por ej.: Mt. 6, 25-34; y especialmente 6, 33.

APÉNDICE

EL PECADO ORIGINAL

Para conocer el pensamiento de esta Obra con respecto al Pecado original, conviene tener presente el Génesis, y reunir ordenadamente varios elementos diseminados en estos y en otros escritos de la misma autora, y sobre todo en los capítulos 24-26 (págs. 89-99) y 48 (pág. 158).

1. Dios creó buenos a todos los ángeles. Uno de ellos se hizo malo y arrastró consigo una multitud de otros espíritus angélicos: «Lucifer era un ángel, el más bello de los ángeles. Espíritu perfecto, inferior tan sólo a Dios. Y con todo, en su ser luminoso nació un vapor de *soberbia* que él no dispersó, antes bien lo fomentó, y de aquí nació el Mal» (pág. 90). En otro escrito se dice que tal pecado de soberbia consistió en el deseo desordenado de ser semejante a Dios, de ser como Dios, esto es: *creador*. Los ángeles que, siguiendo el ejemplo divinamente mostrado con anticipación de la humildísima, obedientísima y castísima Madre (pro-creadora) de Dios, permanecieron humildes, obedientes y espiritualmente dueños de sí, obtuvieron en premio una mansión fija en el cielo de Dios; Lucifer por su parte y los otros espíritus, soberbios, desobedientes y espiritualmente fuera de sí, fueron castigados con ser arrojados para siempre del paraíso celestial.

2. Además de ellos Dios creó el universo que se ve, y en él, el mundo con minerales, plantas, animales: y todas las cosas fueron buenas (Gén. 1, 1-25).

3. Finalmente Dios creó a su imagen y semejanza al hombre y de este sacó a la mujer, los bendijo y les dijo que fuesen fecundos, que se multiplicasen, llenasen la tierra, y fuesen dueños de todos los animales. Adán intuyó y profetizó que por la mujer el hombre debería abandonar a su padre y madre, se uniría a su esposa, y los dos formarían una sola carne. Los dos vivían desnudos y no tenían vergüenza de sí. Dios los colocó en el paraíso terrestre para que lo cultivasen y lo guardasen y les dió por alimento hierbas y plantas (Gén. 1, 26; 2,35), pero no los animales (sino hasta después del pecado y del diluvio: Gén. 9, 1-7).

4. Entre las plantas estaban el árbol de la vida y el árbol del conocimiento del bien y del mal (Gén. 2, 9). ¿Arboles verdaderos o solamente simbólicos? ¿Arboles verdaderos, y además símbolo y causa de la realidad o efectos reales? Parece que la Escritora se incline por lo primero, esto es, por árboles reales con frutos verdaderos, pero con alcance también simbólico. Por ejemplo págs.: 90, 94, 96, 98; cfr. también cap. 26, pág. 98, not. 3, en

que se dice: el árbol del bien y del mal, *verdadero* árbol por naturaleza y estructùra, era también un árbol simbolico.»

5. Dios que había permitido que el hombre comiese de cualquier árbol o planta, le prohibió por el contrario bajo pena de muerte comer del fruto del árbol del conocimiento del bien y del mal (Gén. 2, 16-17). El sentido profundo de tal prohibición, según la Escritora sería este: «...Dios había dicho al hombre y a la mujer: "Conocéis todas las leyes y misterios de lo creado. No queráis usurparme el derecho de ser el Creador del hombre. Para propagar la estirpe humana bastará mi amor que vivirá en vosotros y sin concupiscencia por un anhelo de caridad, suscitará nuevos Adanes. Os entrego todo. Tan sólo me reservo este misterio de la formación del hombre"»... (pag. 90). Según la Escritora, pues, este «conocimiento» se refería a la procreación, al misterio y al rito procreativo, algo así como en Gén. 4, 1 y luego a través de toda la Biblia. Y hasta que no tuvieron este «conocimiento» particular no se avergonzaron de su desnudez, como universalmente y aun hoy en día los pequeños no se sonrojan hasta que son capaces de discernir entre el bien y el mal moral o al menos de advertirlo.

6. Pero como en Lucifer nació espontáneamente un vapor de *soberbia* (deseando ser como Dios, esto es, *creador*), así por odio, envidia, y rabia de querer tener al hombre socio suyo en el pecado y de no estar en el paraíso, por instigación satánica nació en Eva un vapor de *soberbia*, deseando desordenadamente ser semejante a Dios, igual a Dios (pro) *creadora...* Para llegar a conocer este misterio, estas leyes de la vida, presumiendo de sí, no se alejó de la planta del conocimiento del bien y del mal, sino se acercó a ella: dispuesta a recibir la revelación del misterio no de la enseñanza pura y del influjo divino, sino de la enseñanza impura e influjo satánico: «Eva fue al árbol... Su presunción la llevó a la ruina. La presunción es el fermento de la soberbia» (pág. 94).

7. En el árbol del conocimiento del bien y del mal Eva encontró al Seductor que mentirosamente la indujo a la *desobediencia*, esto es, a traspasar la orden de Dios (Gén. 3, 1-5). Esto es, según la Escritora, a desear desordenadamente ser semejante a Dios creador en la procreación (soberbia), por lo tanto a desobedecerlo (desobediencia) comiendo del fruto del árbol del conocimiento del bien y del mal: «En el árbol encuentra al Seductor, el cual canta la canción de la mentira: "¿Piensas que hay aquí algo de mal? No. Dios te lo prohibió porque quiere teneros como esclavos de su poder. ¿Creeis ser reyes? No sois ni siquiera libres como lo es la fiera. Ella puede amar con un verdadero amor... *ser creadora como Dios...*: la vida verdadera consiste en conocer las leyes de la vida. Entonces seréis semejantes a dioses y podréis decir a Dios: 'Somos tus iguales'".» (pág. 94).

8. Eva, con tal de alcanzar el fin de la prometida y decantada semejanza o igualdad con Dios creador, por medio de la procreación; engañada con tales palabras y cediendo a los halagos del Seductor, no rehusa los medios: por lo tanto traspasa el divino mandamiento o la divina prohibición (Gén. 3, 6), se entrega al placer de la glotonería y de la carne. Por esto,

254

además de soberbia, pecó de *desobediencia, glotonería, lujuria*: «...Dios había dicho al hombre y a la mujer: "Os doy todo, tan sólo me reservo este misterio de la formación del hombre". Satanás quiso arrebatar esta virginidad intelectual al hombre y con su lengua viperina acarició y fascinó los miembros y ojos de Eva, creando en ella reflejos y exitaciones que antes no tenía porque la malicia no la había envenenado todavía. Ella "vió". Y al ver quiso probar. La carne se había excitado. ¡ Oh, si hubiera invocado a Dios!... El Padre la habría... curado... Pero Eva no fue al Padre. Volvió sus ojos a la serpiente. Era una sensación dulce para ella. "Al ver que el fruto del árbol era bueno para comerse y que era bello y atrayente, lo cortó y se lo comió". Y "comprendió". Ya la malicia había bajado a moderle las entrañas. Vió con ojos nuevos y oyó con oídos nuevos los instintos y las voces de los animales y sintió arder en ella algo raro. Fue la primera en pecar. Condujo a su compañero a igual cosa...» (págs. 90-91).

9. Amaestrada y seducida por Satanás, por la Serpiente, Eva cayó en un pecado de cuatro ramas: soberbia, desobediencia, glotonería, lujuria. Y ya seducida y hecha discípula del demonio, se convierte para Adán en maestra y seductora: el pecado cuádruple que Eva había cometido por instigación diabólica, Adán lo cometió por instigación de la mujer: «Fue la primera en pecar. Condujo a su compañero a igual cosa. Por esto sobre la mujer pesa una sentencia mayor. Por Eva el hombre se rebeló contra Dios y por ella conoció la lujuria y la muerte. Por ella no pudo más dominar sus tres estadios o reinos: el del espíritu, porque permitió que las pasiones se enseñoreasen de él; el de la carne, porque se envileció hasta seguir los instintos de los brutos. "La Serpiente me engañó" dijo Eva. "La mujer me presentó el fruto y comí de él" dijo Adán. Desde aquel momento la concupisciencia triple se apoderó de los tres estadios o reinos del hombre» (pág. 91). Y en otra parte: «...y el árbol prohibido se convierte en realidad para el género humano en algo mortal, porque de sus ramas pende el fruto del saber amargo que proviene de Satanás. Y la mujer se convierte en hembra, y con el fermento del conconcimiento satánico en el corazón, va a corromper a Adán...» (pág. 94).

10. A consecuencia de este cuádruple pecado (esto es, de soberbia, desobediencia, glotonería, lujuria) y particularmente por causa del cuarto (lujuria) remate de toda infeliz obra pecaminosa, como cosa que se puede conectar con la culpa de soberbia o desobediencia o glotonería, pero que se une mejor con la de lujuria, los ojos de Adán y Eva se abren y caen en la cuenta de estar desnudos, se hacen taparrabos con hojas de higuera y se los ponen (Gén. 3, 7).

11. Así pecando los dos *mueren en el espíritu* a la gracia, y en castigo del pecado Dios castiga a los primeros padres y descendientes con la pena de la muerte y la destrucción *del cuerpo* que se realiza a su tiempo: además castiga a la mujer en su condición de madre y esposa; al hombre en la de trabajar (Gén. 3, 16-19). Además de condenarlos los arroja del paraíso terrestre (imagen de la exclusión del paraíso celestial) y por lo tanto la per-

dida de la amistad divina (Gén. 3, 22-24). «...llegada a este nivel la carne, corrompido lo moral, degradado lo espiritual, conocieron el dolor y la muerte del espíritu privado de la gracia, y de la carne privada de la inmortalidad. La herida de Eva engendró el sufrimiento, que no terminará sino hasta cuando muera la última pareja sobre la tierra » (págs. 94-95). Y en otro lugar: « El Padre Creador concedió la maternidad también a Eva, libre de todo cuanto ahora la envilece. Una maternidad dulce y pura sin el lastre de los sentidos... ¡ De cuánta riqueza se despojó Eva! ¡Más que de la inmortalidad!... Pero la maternidad, que me dejó intocable, yo la nueva Eva, la conocí para que pudiese decir al mundo cuál hubiera sido la dulce suerte de la mujer al dar a luz sin ningún sufrimiento...» (pág. 93).

12. El Génesis narra el pecado de los primeros padres y el castigo que Dios infligió a ellos y a sus descendientes. Ha sido sobre todo S. Pablo (Rom. 5) quien puso en luz la culpa que de los primeros padres se transmite a sus descendientes, esto es, a la humanidad de generación en generación, y que es exactamente el pecado original. El apóstol, propone su doctrina estableciendo una especie de paralelismo o parangón entre Adán y Jesús, entre el primero y el Segundo Adán. Muy pronto los Santos Padres, por ejemplo Sn. Justino, Sn. Ireneo a fines del siglo II, extendieron este paralelismo y así, teniendo ante sus ojos la Anunciación, compararon a Eva y a María, esto es, a la primera y a la segunda Eva. Nuestra Escritora procede en modo análogo y pone en boca de María las siguientes expresiones: « Yo he recorrido al contrario el camino de los dos pecadores... Obedecí en todas las formas... "...semejante a Dios, creando la carne que tendrá Dios"... me aniquilé en mi humildad... Escala de Dios... Dije el "sí" que anuló el "no" de Eva al mandamiento de Dios... De mi seno nacerá el nuevo Arbol que producirá el Fruto que conocerá todo el mal por haberlo padecido en Sí y producirá todo el bien...» (págs. 95-96).

13. Este paralelismo o comparación entre María y Eva, retocado o completado en algún punto por razón de claridad, puede expresarse brevemente así:
   a) a María se le aparece y le habla un ángel bueno, a Eva uno malo;
   b) a María el ángel le habla de una Maternidad divina, a Eva de una procreación humana;
   c) María, con su Maternidad divina, se haría semejante a Dios Engendrador de su Verbo y Creador de todos los seres; Eva, con la procreación humana, sería semejante al Dios Creador;
   d) María a tal propuesta se humilla profundamente, Eva se ensoberbece mucho;
   e) María obedece a Dios y resiste al Seductor; Eva desobedece a Dios (que se reserva la revelación del misterio de la formación del hombre) y obedece al Seductor;
   f) en María no hay ninguna golosidad espiritual por el Fruto, en Eva sí una desenfrenada glotonería por el fruto (físico y simbólico);
   g) Dios hace que María sea fecunda y sublima su castidad. La Virgen permanece castísima tanto en su corazón como en su cuerpo; la Serpiente seductora fascina a Eva, y ella que era virgen cae de su estado, se hace

lujuriosa tanto en el corazón como en su cuerpo;

h) María permanece para siempre como Dios la pensó, como quiso y como la creó. Aun más la Llena de gracia se convierte en Portadora de ella, y de la Vida en sí misma para darla a la humanidad; Eva, por el contrario, se vacía de la gracia, y se convierte en causa de la pérdida de la misma para Adán y mediante este, para la humanidad;

i) María permanece hija de Dios y no quiere tener ningún trato con el padre de la mentira; Eva se convierte en hija pródiga y rebelde y hace caso al padre de la mentira;

l) María por enseñanza e intervención divinas es elevada para ser la creatura más amada de Dios y Madre del Verbo Encarnado. Dios no abandona a Eva en la creación, antes bién continúa influyendo en todo matrimonio comunicando al esposo la energía humana fecundante, y presidiendo de una manera misteriosa la formación del cuerpo, creando e infundiendo el alma de cada hijo de Eva hasta el fin del mundo; y así puede decirse que es padre más que todo padre humano. Pero Eva y por lo tanto Adán y la raza humana que es heredera de los dos primeros padres por generación netamente humana, amaestrada y seducida por Satanás, traicionó y abandonó a Dios y se convirtió como dicen los profetas en esposa infiel, que comete adulterio con Satanás, que continúua inyectando siempre y sin cesar ese deseo de soberbia, de desobediencia, de glotonería y de lujuria de procrear no según la voluntad divina sino contra ella, contento que en el instante en que Dios crea — pura — el alma y la infunde en una carne que en la de los primeros padres se alió con Satanás, en ese mismo momento el alma misma contraiga también un oscurecimiento (por la privación de la belleza de la gracia) del parentesco filial con Dios. (Por lo cual la mujer, después del parto, en el Antiguo Testamento siente la necesidad de sujetarse a la purificación y en el Nuevo Testamento el deseo de hacerla).

14. *a*) Dios, pues, por medio de un ángel, trata con María de una generación o maternidad divina; Satanás, por medio de una serpiente, trató con Eva de una generación o maternidad humana.

b) María, pues, espera que Dios le revele el misterio de la Encarnación de Dios; Eva no espera que Dios lo haga, sino acepta le revele un ser usurpador, sin esperar al tiempo establecido por Dios, el misterio de la formación del hombre.

c) Dios, pues, penetra más profundamente en María, y se hace dueño de Ella, y así el parentesco de ésta con El es grandísimo: pues no sólo es madre, sino también hija, y el ser más amado; Satanás profana a Eva, y esta cae bajo su poder: a los ojos de Dios se convierte en hija pródiga, en mujer, como dicen los profetas, adúltera, en un ser a quien Dios no puede amar, pues traba parentesco con el demonio que es el padre de la mentira y un seductor.

d) En este parentesco de María con Dios se halla la raíz de toda su grandeza, de todas las bendiciones que recibimos; en el parentesco de Eva con Satanás se halla la raíz de todas sus calamidades y de todas las maldiciones que recibimos.

e) Debido a las sublimes gracias del Espíritu Santo, esto es, en virtud de la eterna predestinación y de la Inmaculada Concepción, María fue preservada de cualquier parentesco con Satanás y por lo tanto del pecado original; en virtud de estos mismos privilegios y además de la Maternidad divina, de su íntima asociación con la vida y sacrificio de Jesús y de la Asunción en cuerpo y alma al cielo, el parentesco admirable de María con Dios ha encontrado su origen y perfeccionamiento.

f) Debido a otros dones del Espíritu Santo, y por lo tanto en virtud de la buena voluntad (en cuanto es posible) y del acto y sacramento de la fe, se realiza una obra de muerte y de vida; de muerte, porque se destruye el parentesco con Satanás (aunque en esta tierra se queda el Seductor y la creatura conserva tendencia hacia él); en la Iglesia esposa de Cristo y madre y maestra con Cristo: obra de restablecimiento que otros sacramentos, sacramentales, toques de la divina gracia incesantemente nutrirán e intensificarán; y encontrará en el Purgatorio, en la resurrección de la carne y en su ingreso en el cielo, con la plenitud de la humana substancia, un coronamiento al cual jamás el hombre hubiera llegado, si a consecuencia del pecado, Cristo no lo hubiese regenerado.

15. Estas comparaciones, paralelismos y explicaciones no valdrían nada o sólo parte, si se demostrase como imposible, o si se rechazase que el ángel malo hubiera hablado a Eva de una generación humana (fruto), como después el Angel bueno habló a María de una generación divino-humana (Fruto).

SAN JOSE

Para comprender bien, en esta Obra, la actitud interior y exterior de San José para con María, desde el momento en que cayó en la cuenta del estado de Ella hasta el momento en que el Angel le reveló el misterio sobrenatural, es menester tener presentes los capítulos 18-21 (págs. 63-79), 28 (pág. 103), 40-43 (págs. 132-143), 48 (pág. 158), 52 (pág. 173), 57 (pág. 191), 63 (pág. 216), 72 (pág. 250). Juntando alguno que otro elemento que hay aquí y allá, resulta lo siguiente:

1. Jesús, como Hijo de Dios, hecho hombre, María Santísima como Inmaculada y Madre de Dios, Juan Bautista como santificado desde el seno materno, cooperando a las prerrogativas divinas que se les dieron, fueron siempre perfectos y estuvieron exentos de cualquier imperfección moral, aun la mínima. El único de quien se podría dudar, hablando con precisión, sería de Juan Bautista, pero no consta que haya cometido imperfección alguna. José, por el contrario, pese a la sublime misión a la que había sido destinado y para la que había sido preparado, pese a la gran santidad y justicia iniciales, no habiendo recibido privilegios como los que se concedieron a María y al Bautista, por lo menos en una única y terrible circunstancia, esto es en el momento de la prueba establecida por Dios, antes de que viviese con el Dios-Hombre y su Madre, *tal vez no se vió* exento de alguna imperfección moral.

2. José conocía perfectamente la santidad de María y su propósito de conservarse virgen para siempre, por esto, cuando cayó en la cuenta de que estaba en cinta, no creyó que fuese una pecadora adúltera, ni la expuso a que fuera apedreada según estaba prescrito (Lev. 20, 10; Deut. 22, 22-24). El que creía en la virtud de María, hubiera dejado de ser justo (Mt. 1, 19) si la hubiese hecho lapidar ... « Hubiera sido menos santo, hubiera obrado humanamente, denunciándome como adúltera para que fuese lapidada y el hijo de mi pecado muriese conmigo. Hubiera sido menos santo, Dios no le habría concedito sus luces como guías en semejante prueba » (pág. 138).

3. Pero José, antes de que el ángel se le apareciera en sueños (Mat. 1, 20-23) ignora la causa por la cual su esposa está en cinta y no puede explicarse el hecho. Es en este momento en que *tal vez* incurre en una triple imperfección:

a) por no haber preguntado, como era su deber, a su esposa. Esto es, por no haberle pedido explicación de lo ocurrido (Gén. 3, 9);

b) por un « pensamiento » de sospecha que pudo haberle pasado por la cabeza y causado dolor, tal vez sin persistir en él voluntariamente y sin transformar el simple pensamiento en « juicio »: « ... me desagradaba que pudiese, insistiendo en su acusación, faltar a la caridad » (pág. 142);

c) por una decisión (Mat. 1, 19-20), efecto e indicio del sobredicho « pensamiento » decisión tomada sin haber preguntado y que si no era físicamente grave como la lapidación, era penosa moralmente y humillante a lo más respecto de la Virgen, y en un punto, coincidía con la lapidación en lo que se refiere al efecto: el de no haber intentado realizar el rito de las nupcias, y así, prácticamente, quebrantar el vínculo de los esponsalicios.

4. Es Dios, quien por medio de un ángel, dice a José en sueño que no despida a su esposa, y lo exhorta a que la tome consigo, porque la maternidad que se verifica en Ella, debe atribuirse a Dios mismo.

5. La santidad de José, esto es, del justo que si comete alguna imperfección se levanta al punto (Prov. 24, 16), resplandece inmediatamente con una luz mucho más brillante:

a) porque al punto hizo caso al ángel (Mt. 1, 24);

b) porque sin dejar pasar el tiempo, con toda humildad se acusó ante María, y no se excusó como nuestros primeros padres (Gén. 3, 12-13), sino que con toda claridad dijo: « Perdóname, María. Desconfié de tí. Ahora lo sé. No soy digno de tener un tesoro tan grande. Falté a la caridad. Te acusé en mi corazón. Te acusé injustamente porque no te pregunté la verdad. Falté a la ley de Dios, porque no te amé, como me habría amado yo mismo ... No quería que te defendieses, porque estaba para tomar mis decisiones sin preguntar cosa alguna. Falté al haber sospechado de tí. Aun una sola sospecha es ofensa, María. Quien sospecha no conoce. No te conocí como debía haberlo sido ... » (pág. 140);

c) porque al punto tomó la decisión de cumplir la voluntad de Dios (Mt. 1, 24): « ... cumpliremos con la ceremonia del matrimonio ... » (pág. 141).

6. La santidad de María resplandece de una manera indecible en esta terrible circunstancia:

a) porque obedeció a Dios, que se reservó el derecho de revelar a José el misterio. No dijo nada a él, aun cuando sufría dolorosamente por la angustia larga y penosísima de su esposo, y por el peligro « que faltase un justo, él, que nunca faltaba...» (pág. 142);

b) en que no permitió a José que le pidiese perdón, que lo excusó completamente, que aprovechó de la ocasión para manifestarle, como tal vez nunca había sucedido, su cariño de Virgen y su estima que por él tenía.

Verdaderamente María y José, también en esta dolorosa circunstancia y prueba, aparecen como dos santos cuales el mundo no ha tenido (cfr. pág. 216).

El primer año de la vida pública
(primera parte)

1. El adiós a la madre y partida de Nazaret

(Escrito el 9 de febrero de 1944)

Veo el interior de la casa de Nazaret. Veo una pieza, que parece el comedorcito en donde la familia suele tomar los alimentos y descansar en los momentos de reposo. Es una pieza pequeña con una sencilla mesa rectangular al frente de una especie de armario y recargada contra la pared, con el asiento de un lado. Junto a las otras paredes hay un telar con banco, además, otros bancos y un escritorio, sobre el que hay lámparas de aceite y otras cosas. Una puerta abierta da al huertecillo. Debe de ser tarde, pues el único vestigio que queda del sol es un rayo de luz sobre la cima del alto árbol, cuyas primeras hojas comienzan a reverdecer.

Jesús está sentado a la mesa. Come y María le sirve yendo y viniendo por una puertecilla, que me imagino lleve al lugar en donde está la cocina, de la que apenas se ve el brillo de la puerta cerrada. Jesús dice dos o tres veces a María que se siente y que coma también ella, pero no quiere, sacude la cabeza con una sonrisa triste y trae después las verduras molidas, que me parecen hagan las veces de caldo, luego peces fritos y después un queso blando y fresco hecho de leche de oveja, de forma redonda, como una de esas piedras que se ven en los ríos y finalmente, olivas pequeñas y negruscas. Los panecillos de tamaño pequeño y redondo, están ya colocados a la mesa en un plato común. Los panecillos tienen el color negruzco, como si no les hubiese quitado la costra. Jesús tiene ante si una jarra con agua y un vaso. Come en silencio, mientras que con dolor amorosamente mira a la Mamá.

María, se ve claramente, lleva una pena. Va y viene para darse valor. Prende una lámpara, aunque todavía hay luz suficiente, la pone cerca de Jesús y al alargar el brazo, furtivamente acaricia la cabeza de su hijo; abre una alforja de color de nuez, que me parece de esa clase de tela hecha de lana pura e impermeable y mete la mano dentro y registra, sale al huertecillo y va hasta el fondo, a algo así como una alacena, de donde toma unas manzanas más bien secas, que se conservaron ahí desde el verano y las mete en la alforja; en seguida toma un pan y un queso pequeño, que los pone dentro también aunque Jesús protesta diciendo que ya tiene más que suficiente.

A continuación, María se sienta a la mesa, en el ángulo, a la izquierda de Jesús y le mira comer. Lo observa con amor, con adoración, con el rostro todavía más pálido que de costumbre, pues el dolor la ha hecho como envejecer y sus ojos sombreados y enrojecidos dan indicios de haber llorado. Parecen más limpios que de ordinario como si la lágrima que está a punto de caer, los hubiera lavado. Son dos ojos llenos de dolor y llenos de cansancio.

Jesús come despacio, algo así como contra su voluntad y tan solo para dar gusto a su Madre; está más pensativo que de costumbre, levanta la cabeza y la mira. Y se encuentra con una mirada llena de lágrimas. Baja la cabeza para no estorbarla y tan sólo le toma las manos delgadas que tiene puestas sobre la orilla de la mesa. Toma una mano de María con su mano izquierda y se la lleva a la mejilla, la oprime contra ella y la detiene así un momento, para brindar una caricia a la pobre Mamacita que tiembla, y después la besa en el cuello con tanto amor como respeto.

Veo que María se lleva a la boca la mano izquierda que está libre para ahogar un sollozo, después, con los dedos se seca una lágrima que saliéndole del ojo, viene bañando la mejilla. Termina Jesús de comer y María sale pronto, al huertecillo donde ya hay poca luz y desaparece.

Apoya Jesús el codo izquierdo sobre la mesa y sobre la mano apoya la frente y se sumerje en sus pensamientos. Deja de comer. Después escucha y se levanta.

También El sale al huertecillo y después de haber mirado alrededor, toma a la derecha, respecto del lado de la casa y entra a través de una hendidura que hay en la pared rocosa, al lugar en donde El trabajaba de carpintero. Todo allí está en orden. No se ven pedazos de madera, ni birutas, ni fuego. Está tan solo el banco y las herramientas de trabajo. No hay otra cosa. María inclinada sobre el banco, llora. Parece una niña. Tiene la cabeza sobre el brazo izquierdo doblado y llora en silencio amargamente. Jesús entra despacito se le acerca delicadamente y sólo cae en la cuenta de que El está allí, cuando el Hijo le pone la mano sobre la cabeza y le dice " Mamá " con una voz de queja amorosa.

María levanta la cabeza y mira a Jesús en medio de un velo de lágrimas. Se reclina sobre El, con las dos manos juntas, sobre su brazo derecho. Jesús le enjuga el rostro con la orilla de su manga y después la abraza; la atrae sobre su corazón y la besa en la frente. Jesús es majestuoso, parece más viril que de costumbre y María parece muy niña, sin contar con el dolor que se di buja en su rostro.

« Ven Mamá » le dice Jesús, y sin soltarla con su brazo derecho se dirige al huerto, donde se sienta en una banca que está pegada a la pared de la casa. El huerto está silencioso, la oscuridad lo invade. Hay tan solo un rayo de luna y el fulgor que sale del comedorcito. La noche es serena. Jesús habla a María. Al principio no puedo entender las palabras que apenas articula, a las que María contesta que sí con la cabeza. Después oigo: « Haz que vengan los familiares. No te quedes sola. Estaré más tranquilo, Mamá, y tú sabes que necesito de tranquilidad para llevar a cabo mi misión. Mi amor no te dejará. Vendré lo más que pueda a verte y te avisaré cuando esté en Galilea y no pueda venir a casa. Entonces tú me vendrás a ver, Mamá, esta hora tenía que llegar. Empezó cuando el Angel se te apareció y ahora ya ha sonado y tenemos que vivirla ¿ no es así Mamá ? Después vendrá la paz y alegría, porque la prueba ha sido vencida. Primero es menester atravesar este desierto como los antiguos patriarcas para poder entrar en la Tierra Prometida [1]. El Señor Dios nos ayudará, como ayudó a ellos y nos dará su ayuda como un maná espiritual para alimento de nuestra alma que luchará para vencer la prueba. Vamos a decir juntos el Padre Nuestro ... [2]. »

Jesús se pone de pié, María también lo hace y ambos levantan el rostro al cielo. Dos hostias vivientes que brillan en la oscuridad. Jesús reza despacio, pero con voz clara, dejando caer poco a poco las palabras de la oración dominical. Hace hincapié en las frases: « Venga tu reino. Hágase tu voluntad » separándolas una de otra. Ora con los brazos abiertos, no como si estuviera en cruz, sino como hacen los sacerdotes cuando dicen : « El Señor sea con vosotros ». María tiene las manos juntas.

[1] Cfr. Ex. 15, 22 - 18, 27; Núm. 9-14; 20-25; 31-33; Josué 1-12.
[2] Si Jesús enseño el " Padre Nuestro " a sus discípulos, ¿ no padría haberlo enseñado antes a su Madre ? ¿ A su Madre que al irlo a concebir había prorrumpido en las palabras " Hágase según tu palabra " (cfr. Lc. 1, 38) y que había repetido este " Fiat " también a su Hijo ? La oración del " Pater " no fué algo que Jesús improvisase para sus discípulos. Era su oración ordinaria, tanto es así, que los apóstoles le dijeron: " Enséñanos a orar como Tú sueles hacerlo ". " Y tal era la oración de ambos, de Jesús y de María ".

Entran en casa y Jesús a quien no he visto nunca beber vino, vacía de una jarra que hay en la alacena en una copa, un poco de vino blanco y la pone sobre la mesa.

Toma a María de la mano y la hace que se siente cerca de sí y que beba del vino en que moja un pedazo de pan que le da a comer. Después abraza a la Mamá contra su pecho, contra su corazón. Están sentados no según la costumbre de su tiempo, sino como nosotros lo hacemos. No dicen ni una palabra. Escuchan. María acaricia la mano derecha de Jesús y sus rodillas. Jesús acaricia a María en el brazo y en la cabeza. Después Jesús se pone de pié y también María; se abrazan y se besan amorosamente una y otra vez. Parece como si quisieran ya dejarse. Pero María vuelve a estrechar contra de sí a su Hijo. Es la Señora, porque al fin de cuentas es una Madre, una Madre que debe separarse de su Hijo y que sabe en qué va a parar la separación. Que no se me venga a decir que María no sufrió. Antes, así lo creía yo un poco, pero ahora no.

Toma Jesús su manto azul marino, se lo hecha sobre las espaldas y sobre la cabeza a manera de capucha. Después se tercia la alforja de modo que no le estorbe al caminar. María lo ayuda y no termina nunca de arreglarle el vestido, el manto y el capucho y así lo acaricia una vez más.

Jesús se dirige a la puerta después de haber hecho en el aire algo así como una bendición sobre la pieza. María lo sigue y en el umbral ambos se dan el último beso. El camino está silencioso y solitario, bañado en la luz de la luna. Jesús se pone en camino. Vuelve su rostro dos veces para mirar a la Mamá que apoyada sobre la puerta, aparece más blanca que la luna y se ve que un llanto silencioso es vertido de sus ojos mientras Jesús se aleja por la blanquecina callejuela. María sigue llorando apoyada contra la puerta. En un recodo del camino Jesús desaparece. Ha empezado su camino de predicador, que terminará en el Gólgota. María entra en casa llorando y cierra la puerta. También para Ella ha empezado el camino que la llevará al Gólgota... y para nosotros...

2. María lloró porque era Corredentora

(Escrito el mismo día)

Dice Jesús:

« Este es el *cuarto* dolor de María, Madre de Dios. El *primero*, la Presentación en el Templo; el *segundo*, lo huida a Egipto; el *tercero* la muerte de José; *el cuarto*, mi separación de Ella.

La enseñanza que se desprende de la contemplación de mi separación, se dirige ante todo a los padres y a los hijos, a los cuales la voluntad de Dios llama a una renuncia mutua por un amor más sublime. En segundo lugar se dirige a todos los que tienen que enfrentarse a una renuncia dolorosa. ¡ Y cuántas hay en el camino de la vida! Son las espinas de la tierra, que atraviesan el corazón. Lo sé. Pero quien las acepta con resignación — ved que no digo: " A quien las desea y las acepta con alegría " que esto es ya perfección; digo " con resignación " — se convierten en rosas eternas.

Pero pocos son quienes las aceptan resignadamente. Como asnillos rebeldes que os oponéis a la voluntad del Padre y os herís, aunque si es verdad que no tratáis de dar coces ni mordiscos, o sea con rebelión y blasfemia contra Dios.

Y no digais: " Yo no tenía más que este bien mío y Dios me lo ha quitado. No tenía más que este cariño y Dios me lo ha arrebatado ". También María, mujer sensible y amante de la perfección, pues que llena toda de gracia, sus formas afectivas y sensitivas eran perfectas y no tenía más que *un* bien y *un* amor sobre la tierra: su Hijo. No le quedaba otra cosa más que El. Sus padres habían muerto hacía mucho tiempo; José, no hacía mucho. No había otro más Yo que la amase y le hiciese experimentar que no estaba sola.

Los parientes, por causa mía, que ignoraban mi origen divino, no la querían mucho, como cuando se trata de una mamá que no sabe guiar al hijo que se separa del sentido común, que rechaza el matrimonio propuesto que podría dar gloria a la familia y también sostén.

Los parientes, voz del sentido común, del sentido humano — vosotros lo llamáis buen sentido, pero no es más que sentido humano, esto es egoísmo — hubieran querido que yo hubiera aceptado tales cosas en mi vida. En el fondo existía siempre el temor de que un día tuviesen que sufrir molestias por mi causa, porque ya empezaba a exponer ideas muy idealistas, según ellos, las cuales podían hacerse sospechosas a la Sinagoga. La historia hebrea estaba llena de enseñanzas de lo que pasó a los Profetas [1]. No era una misión fácil la del profeta y a este se le solía quitar de enmedio con la muerte y a los parientes cargarlos de molestias. En realidad flotaba en el aire siempre el pensamiento de que un día ellos tendrían que hacerse cargo de mi Madre.

A ellos les molesta que Ella no me estorbe en nada y que parece estar en continua adoración ante su Hijo. Esta indisposición fué creciendo en los tres años del ministerio hasta llegar a reproches abiertos, cuando en medio de las multitudes se me juntaban y se avergonzaban de mi manía — según ellos — de atacar a las clases poderosas. ¡ Reproches para Mí ! ¡ Reproches para mi pobre Mamá ! Y a pesar de que ella conocía la mala voluntad que le tenían ya que no todos eran como Santiago, Judas, Simón, ni como la madre de ellos, María de Cleofás y de que ya preveía en el futuro la suerte que correría durante aquellos tres años y la que le esperaba al final de ellos, y de mi suerte, no se opuso como vosotros lo hacéis. Lloró. ¿ Y quién no habría llorado en la separación de un Hijo que la amaba como Yo la amaba ? Además teniendo en cuenta los largos días que no estaría con Ella, en la casa solitaria y el porvenir del Hijo al combatir la mala voluntad de los culpables y precisamente por culpables ofenderían al Inocente hasta matarlo.

Lloró porque era la Corredentora y la Madre del género humano vuelto a nacer para Dios, y *debía* llorar, por todas las más que no sabrían convertir, sus dolores de madres, en una corona de gloria eterna. ¡ Cuántas madres hay en el mundo a quien la muerte les ha arrancado de los brazos a sus criaturas ! ¡ Cuántas madres hay a quienes un querer sobrenatural les arranca del lado a su hijo ! Por todas estas hijas, como madres de los cristianos; por todas sus hermanas, unida con ellas por el dolor de madre abandonada, María tuvo que llorar. Y por todos los hijos que, nacidos de mujer, estaban destinados a ser apóstoles de Dios o mártires por amor de Dios, por fidelidad a Dios o por la brutalidad de los hombres.

[1] Cfr. 2 Paralip. 36, 14-16; Mat. 23, 34-35; Hech. 7, 52.

Mi sangre y el llanto de mi Madre son la bebida que fortifica a los que están señalados para sobrellevar una suerte heroica, es la bebida que en ellos borra todas sus imperfecciones o aun más, las faltas cometidas por debilidad, y les dan, junto con el martirio sufrido, la paz de Dios y si el martirio se sufre por Dios, la gloria del cielo. Así la encuentran los misioneros cual llama que calienta en las regiones donde la nieve todo lo cubre; la encuentran como un rocío allí donde el sol quema. Esas lágrimas son derramadas por la caridad de María que brota de un corazón de lirio. Por lo tanto reciben de la caridad virginal desposada al Amor, el fuego; y de la pureza virginal, la frescura perenne semejante a la del agua que queda en el cáliz de un lirio después de una noche lluviosa.

La encuentran los consagrados en aquel desierto que es la vida monástica *bien entendida*: desierto porque no existe otra cosa más que la unión con Dios, y cualquier otro afecto deja de existir para ser caridad sobrenatural; por sus padres, amigos, superiores e inferiores. La encuentran los consagrados en el mundo, en ese mundo que no los entiende ni ama; y también es desierto para ellos, pues en él viven como si estuviesen solos, sin ser comprendidos siendo objeto de burla por amor mío.

La encuentran mis queridas "víctimas» porque María es la primera de ellas por mi amor y Ella da a los que le siguen, con mano de Madre y de médico, sus lágrimas que vigorizan e infunden valor para el mayor sacrificio. ¡Oh santo llorar de María!

María ora. No se rehusa a orar porque Dios le da un dolor. ¡Recordadlo! Ruega juntamente conmigo, ruega al Padre que es nuestro y vuestro. El primer "Padre Nuestro" fué pronunciando por primera vez en el huerto de Nazaret para consolar la pena de María, para ofrecer "nuestras" voluntades al Eterno en el momento en que empezaba por voluntad suya el período de una renuncia siempre en aumento, que llegaría a ser para tí, vida y para María, la muerte de su Hijo.

Y aún cuando nosotros dos no teníamos que pedir *ningún* perdón lo pedimos del Padre para ser perdonados aunque sea de un suspiro, para poder enfrentarnos dignamente a nuestra misión. Y esto para enseñarnos que entre más se está en gracia de Dios, tanto más la misión es bendecida y fructuosa. Para enseñarnos el respeto a Dios y la humildad. Delante de Dios Padre, también nuestras perfecciones de hombre y de mujer se sintieron *nada* y pidieron perdón. Así como también pidieron " el pan diario ".

¿ Cual era nuestro pan ? ¡ Oh ! No era el que amasaban las manos puras de María y el que era cocido en el pequeño horno, para el que tantas veces acarrié leña. Sino que " nuestro " pan diario era el cumplir diariamente nuestra misión. Dios nos la daba día tras día y al cumplirla nos daba también el gozo de nuestro día. ¿ No es así, Juanito ? [2] ¿ No dices también tú que te parece vacio el día, como si no hubiese existido si la bondad del Señor te deja un día sin tu misión de dolor?

María ruega juntamente conmigo. Soy yo quien os justifica. ¡ Oh hijos! Soy yo quien hace dignas y fructuosas vuestras oraciones ante el Padre. Yo lo dije: " Todo lo que pidiéreis al Padre en mi nombre, El os lo concederá " [3], y la Iglesia da valor a sus oraciones al decir: " Por Jesucristo Nuestro Señor " [4].

Cuando oreis, uníos siempre, siempre a Mí. Yo rogaré en voz alta por vosotros, cubriendo vuestras voces de hombres con la mía de Hombre-Dios. Pondré en mis manos traspasadas vuestra plegaria y la presentaré al Padre. Se convertirá en una hostia de precio infinito. Mi voz unida con la vuestra subirá como un beso filial al Padre y se convertirá en una hostia de precio infinito. La púrpura de mis heridas hará que vuestras oraciones sean preciosas. Estad en Mí si quereis tener al Padre en vosotros, con vosotros y por vosotros.

Has terminado la narración diciendo: ... y por nosotros " y querías decir " ... por nosotros que somos tan ingratos para con esos Dos que por nosotros subieron al Calvario. " Hiciste bien en escribir estas palabras. Escríbelas cada vez que te permita ver nuestro dolor. Sea como la campana que suena y que invita a meditar y a arrepentirse.

¡ Basta por ahora ! ... descansa. La paz sea contigo ».

[2] Advierta el lector de una vez por todas, que la escritora, que se llamaba María, frecuentemente es llamada con el nombre de " Juanito ".

[3] Ju. 16, 23.

[4] De hecho esta es la fórmula sustancial con que terminan casi todas las oraciones de la Misa, de los Sacramentos y Sacramentales de la Liturgia Romana y Ambrosiana.

3. Bautismo de Jesús en el Jordán [1]

(Escrito el 3 de febrero de 1944)

Veo una llanura en donde no hay casas, solo vegetación. No hay campos cultivados, las pocas plantas en grupo que aparecen aquí y allá como mechones o como si formasen una familia, se encuentran donde el sol es menos ardiente. Haga Ud. de cuenta [2] que este terreno seco y sin cultivo está a mi derecha, teniendo el norte a mi espalda, y se prolonga hacia el sur, respecto a mí.

Por el contrario a mi izquierda veo un rio de bajas riberas, que lentamente corre también de norte a sur y tan lentamente corre que creo que no debe de haber desniveles en su lecho y que en tal forma es plana que forma una depresión. Hay apenas un deslizamiento de aguas que hace que el río no quede en la llanura. El agua no es profunda. Veo el cauce, no creo que tenga más de un metro; o tal vez al máximo metro y medio. Es ancho como el Arno cuando se dirige hacia S. Miniato-Empoli: algo así como unos 20 metros de anchura. Yo no soy muy buena calculadora. El río es de un azul ligeramente verde y alegra la vista cansada del terreno lleno de piedras y arenoso que se extiende ante de ella.

Aquella voz íntima, de la que le he hablado a usted que oigo y que me ordena lo que debo anotar y saber, me dice que estoy viendo el valle del Jordán. Digo valle, porque se llama así el lugar donde corre un río, pero ciertamente no debería llevar tal nombre, porque un valle tiene siempre montes, y yo aquí no veo ninguno. Pero en fin estoy cerca del Jordán y el lugar árido que veo a mi derecha es el desierto de Judá.

Si damos el nombre de desierto a un lugar en donde no hay casas o trabajo de hombre, estamos en lo justo; pero no lo es según el concepto que tenemos de desierto. No hay ondulaciones de arena, como nos imaginamos que tiene un desierto. Es la tierra desnuda, cubierta de tierra y carroña como se ven los terrenos por donde va pasando un camino. En la lejanía hay colinas.

Junto al Jordán existe una gran tranquilidad, un algo muy especial y raro, como lo que suele llamar la atención en las riberas del Trasimeno. Es un sitio que parece acordarse de ángeles

[1] Cfr. Mt. 3, 13-17; Mc. 1, 9-11; Lc. 3, 21-22; Ju. 1, 29-34.
[2] Advierta el lector que la escritora de este modo se dirige a su Padre Espíritual.

que volaron sobre de él y de voces celestiales. No puedo explicar exactamente lo que experimento. Pero siento que me encuentro en un lugar que habla al espíritu.

Mientras estoy contemplando esto, veo que la escena se llena de gente a lo largo de la ribera (respecto de mí) en el Jordán. Hay muchos hombres vestidos de diversas maneras. Algunos parecen de la campiña, otros ricos y no faltan algunos que parecen fariseos por el vestido adornado de franjas y de tiras.

En medio de ellos, de pié sobre un peñasco, hay un hombre que, aunque es la primera vez que lo veo, al punto reconozco en él al Bautista. Habla a las multitudes y le aseguro que no es un sermón dulce. Si Jesús llamó a Santiago y a Juan "Hijos del Trueno"[3] ...¿Qué nombre podría dar a este vehemente orador? ... Juan Bautista merece el nombre de rayo, avalancha, terremoto; es tan impetuoso y duro en el hablar y en el gesticular.

Está hablando del Mesías y exhortando a preparar los corazones para su venida para que estirpen de ellos todos los obstáculos y enderecen los caminos. Pero es un hablar duro, férreo. Al Precursor le falta la mano ligera de Jesús en las llagas de los corazones. Es un médico que desnuda, que rasga y corta sin piedad.

Mientras lo escucho — y no repito las palabras por ser las mismas que los Evangelistas nos refieren, tan sólo que con mayor amplitud — veo una vereda larga, que está al borde de la hilera de orbustos que la sombrean a lo largo del Jordán, ahí veo a mi Jesús. Este camino agreste, más bien vericueto que camino, parece que durante años y siglos lo hubieran recorrido para buscar un sitio en donde fuera posible vadear el río, precisamente por ser la parte menos profunda. El sendero continúa a la otra parte del río y se pierde entre el verdor de la ribera opuesta.

Jesús viene solo. Camina despacio, avanza a espaldas de Juan. Se acerca sin hacer ruido y escucha la voz fulmínea del Penitente del desierto, como si también El fuese uno de tantos que se llegasen a Juan para recibir el bautismo y prepararse para la venida del Mesías. En Jesús no hay nada que lo distinga de los demás. Parece uno del pueblo por el vestir, aunque señor por el porte y belleza, pero ninguna señal divina lo diferencia de los demás.

[3] Cfr. Marc. 3, 13-18; Luc. 9, 54.

Podría decirse que Juan siente una emanación espiritual del todo diversa. Se vuelve y reconoce al punto al que es fuente de aquella emanación. Al punto desciende del peñasco que le servía de púlpito y veloz se dirige a Jesús, que se ha parado como a un metro de distancia del grupo apoyándose en el tronco de un árbol. Jesús y Juan se miran por un momento. Jesús con su mirada azul, que es tan dulce. Juan con sus negrísimos ojos de mirar severo, llenos de fulgor. Los dos, vistos de cerca son diferentes el uno del otro. Ambos de estatura elevada — es lo único en que se parecen — son completamente diferentes entre sí. Jesús es rubio, de larga y bien peinada cabellera. Su rostro tiene el color del marfil, ojos azules, vestido sencillo pero majestuoso. Juan es hirsuto, los cabellos negros le caen sueltos por la espalda, desiguales de tamaño. La poca barba le cubre casi todo el rostro que sin embargo no impide ver en las mejillas las oquedades que el ayuno ha dejado. Los ojos vivaces de Juan son negros y su piel está quemada por el sol, la intemperie y por la abundancia de pelaje que la cubre. Su vestido consiste en una piel de camello que lo deja casi semidesnudo, sostenida con un cinturón de cuero, le cubre el dorso bajando apenas hasta los flancos descarnados y dejando al descubierto el costado derecho, cuya piel está tostada por el viento. Parecen un salvaje y un ángel vistos de cerca.

Juan, después de haberlo mirado atentamente con su penetrante pupila grita: « He aquí al Cordero de Dios. ¿ Cómo es posible que venga a mí, El que es mi Señor? » Jesús tranquilamente le responde: « Para cumplir con el rito de penitencia. »

« Jamás, Señor mío. Soy yo quien debo de venir a Tí para ser santificado, y eres Tú el que vienes a mí ». Jesús, que le pone la mano sobre la cabeza, pues Juan se ha inclinado ante El, le dice: « Deja que se haga como Yo quiero, para que se cumpla toda justicia y tu rito se convierta en el principio de otro misterio mucho más alto y se avise a los hombres que la víctima está ya en el mundo. »

Juan lo mira con unos ojos que una lágrima ablandece y lo precede hacia la ribera, donde Jesús se quita el manto y la túnica, quedándose con una especie de calzoncillos cortos, para poder entrar en el agua en donde está ya Juan, que lo bautiza echando sobre El, agua del río, que toma con una especie de tazón que lleva colgado a la cintura y que parece como una concha o la

273

mitad de una calabaza seca y vacía.

Jesús es exactamente el Cordero. Cordero en la pureza de su carne, en la modestia de su trato, en la mansedumbre de su mirar. Mientras Jesús torna a subir a la ribera, se viste y se recoge en oración, Juan lo señala a las turbas, a las que les dice que lo reconoció por la señal [4] que el Espíritu de Dios le había dado, señal que era prueba infalible del Redentor.

Mas yo estoy entretenida en ver solo a Jesús que ora, y no me quedo con otra cosa que con esta figura de luz, recalcada sobre el verdor de la ribera.

[4] La paloma divina y la voz del cielo.

4. Juan no tenia necesidad de ninguna señal
(Escrito el 4 de febrero de 1944)

Dice Jesús:

« Juan personalmente no tenía necesidad de la señal. Su alma presantificada desde el vientre de su madre [1] poseía aquella mirada de inteligencia sobrenatural que todos los hombres hubieran tenido de no haber mediado el pecado de Adán.

Si el hombre hubiese permanecido en gracia, en su inocencia, si hubiese sido fiel a su Creador, hubiera visto a Dios a través de las apariencias externas. En el Génesis [2] se lee que el Señor Dios hablaba familiarmente con el hombre inocente, este no temblaba de miedo ante aquella voz, ni se engañaba en conocerla. Tal era la suerte del hombre: ver y entender a Dios exactamente como un hijo conoce a su padre. Después vino la culpa y el hombre no ha osado mirar más a Dios.

No ha sabido ver y comprender a Dios. *Y cada día lo conoce menos.* Pero mi primo Juan había quedado limpio de la culpa cuando la Llena de *gracia* se había inclinado amorosamente para abrazar a Isabel que antes había sido estéril pero luego fecunda. El pequeñín en su seno había saltado de alegría al sentir que de

[1] Cfr. Lc. 1, 15 y 41.
[2] Cfr. Gén. 1, 26-29; 2, 16-19.

su alma caía la costra de la culpa, como cae la de una herida. El Espíritu Santo, que había hecho a María la Madre del Salvador, empezó su obra de salvación, por medio de María, Copón vivo de la Salvación Encarnada, en este pequeñín destinado a unirse conmigo no tan sólo por la sangre, sino por la misión, algo así como los labios que pronuncian la palabra. Juan era " Los labios " y Yo "La Palabra". El, el Precursor al anunciar el Evangelio y por su destino de mártir. Yo, que con mi perfección divina completo el Evangelio que Juan comenzó y su martirio en defensa de la Ley de Dios.

Juan no tenía ninguna necesidad de señal. Pero fué necesaria debida a la falta de inteligencia en los demás. ¿ Sobre qué podría haber fundado Juan su afirmación, sino sobre una prueba innegable que pudiesen haber percibido los cegatones ojos y las orejas cerradas de la gente?

Igualmente Yo no tenía necesidad de bautismo. Pero la sabiduría del Señor había decretado que aquel fuese el momento y el modo de encontrarnos. Trajo a Juan de su cueva del desierto y a Mí de mi casa y nos juntó en aquella hora para que se abriesen sobre Mí los Cielos y descendiese El mismo, Paloma Divina, sobre El que habría de bautizar a los hombres con la misma Paloma y bajase el anuncio de mi Padre aun más potente del que dieron los ángeles en Belén: " He aquí a mi Hijo muy amado en quien tengo todas mis complacencias ". Y esto fué para que los hombres no tuviesen excusa o duda en seguirme.

Las manifestaciones del Cristo han sido muchas. La primera, después de su nacimiento, fué la de los Magos. La segunda en el Templo, la tercera sobre la ribera del Jordán. Después se sucedieron otras inumerables que te daré a conocer, porque mis milagros son manifestaciones de mi naturaleza divina, hasta las últimas de la Resurrección y Ascensión al Cielo. Mi patria estuvo llena de manifestaciones. Como semilla que se arroja a los cuatro puntos cardinales llegó a toda clase de vida social: a pastores, poderosos, doctos, incrédulos, pecadores, sacerdotes, dominadores, niños, soldados, hebreos y gentiles.

Todavía ahora las manifestaciones se repiten. Pero así como entonces, así también ahora el mundo no las acepta. Aún mucho más, no recoge las actuales y olvida las pasadas. Y sin embargo Yo no cejo. Vuelvo a tratar de salvaros, para que tengais fé en Mí. »

5. Las tentaciones de Jesús en el desierto [1]

(Escrito el 24 de febrero de 1944, el jueves después de Ceniza)

Veo la soledad cubierta de piedra, que había ya visto a mi izquierda, en la visión del Bautismo de Jesús en el Jordán. Tal vez debo de estar muy adentro de esta soledad porque no veo el hermoso río lento y azul, ni el verdor que lo flanquea a ambas riberas, como alimentado por las arterias del agua. Aquí tan solo hay soledad, rocas, tierra en tal forma quemada que está convertida en polvo amarillo y que el viento levanta en pequeños torbellinos que parecen aliento de alguien que tuviese fiebre, así son de secos y de calientes. Y lo son todavía más porque el polvo se entra en la nariz y en la garganta. Aquí y allá se puede ver un retoño de espinas, que no comprendo cómo puede resistir a tan gran sequedad. Parecen como mechones de cabello en la cabeza de un calvo. Arriba un cielo azul, sin piedad azul. Abajo, la tierra seca; alrededor piedras y silencio. Esto es lo que veo que tiene la naturaleza.

Jesús se encuentra sentado en una piedra dentro de un enorme peñasco que tiene casi la forma de una gruta.

Y el que habla dentro de mí, me dice que aquella piedra, sobre la que está sentado, le sirve de reclinatorio y de almohada cuando descansa envuelto en su manto por algunas horas a la luz de las estrellas y del aire frío de la noche. De hecho, ahí cerca de El, está el saco que ví que tomaba antes de partir de Nazaret. Es todo lo que tiene. Como veo que está vacío comprendo que se han acabado los pocos alimentos que le había dado María.

Jesús está muy flaco y pálido. Está sentado con los codos apoyados sobre las rodillas y los antebrazos que se ven delante y las manos unidas y los dedos entrelazados. De cuando en cuando levanta la vista, mira alrededor, levanta sus ojos al sol, que ya está alto, casi perpendicular en el cielo azul. De cuando en cuando y sobre todo después de haber mirado alrededor y de haber levantado la vista hacia el sol, los cierra y los apoya en la roca que le sirve de refugio, como si sintiera vértigo.

Veo que aparece el feo rostro de Satanás. No se presenta como siempre lo hemos imaginado, con cuernos, cola, etc. etc. Parece

[1] Cfr. Mt. 4, 1-11; Mc. 1, 12-13; Lc. 4, 1-13.

276

un beduino envuelto en su vestido, y su gran manto le da aires de un personaje de teatro. Lleva el turbante en la cabeza, cuyos flancos blancos caen sobre sus espaldas y por la cara. De modo que así aparece un breve triángulo moreno, formado de los labios delgados y sinuosos, de los ojos negrísimos y sin fondo, llenos de resplandores magnéticos y de dos pupilas que parecen leer el corazón, pero en los que nada se lee, a no ser que sea una sola palabra: "Misterio". Es todo lo contrario de los ojos de Jesús, tan magnéticos y facinadores que leen los corazones y en los que uno a la vez puede ver su corazón, el amor y la bondad que encierran. Los ojos de Jesús son una caricia en el alma. Los de Satanás son como un doble puñal que perfora y que quema.

Se acerca a Jesús: «¿Estás solo?»

Jesús lo mira pero no responde.

«Cómo has llegado hasta aquí? ¿Te perdiste?»

Jesús lo mira de cabeza a pies y calla.

«Si tuviese agua en la botija, te daría. Pero yo tampoco tengo. Se me murió el caballo y voy a pié al río. Beberé y buscaré a alguien que me de pan. Conozco el camino. Ven conmigo. Te guiaré.»

Jesús no alza ni siquiera los ojos.

«¿No me respondes? ¿No sabes que si te quedas aquí te mueres? El viento comienza a soplar. Habrá torbellino. ¡Ven!»

Jesús aprieta las manos en muda adoración.

«¡Ah! ¿Con que eres Tú exactamente? ¡Tánto que te buscaba! Y tánto que te seguía. Desde el momento en que te bautizaste. ¿Llamas al Eterno?.. ¡Está lejos! Ahora estás en la tierra y en medio de los hombres. Entre los hombres yo reino. Sin embargo me mueves a compasión y quiero ayudarte, porque eres y has venido a sacrificarte por nada. Los hombres te odiarán por tu bondad. No saben de otra cosa más que de oro, comida y sentidos. Sacrificio, dolor y obediencia son palabras más muertas para ellos que esta tierra que nos rodea. Son más secos que este polvo. Tan sólo la serpiente puede esconderse aquí, en espera de morder, así como el chacal en espera de destrozar. Vete de aquí, no merecen que sufras por ellos. Los conozco mejor que Tú.» Satanás se ha sentado enfrente de Jesús y lo escudriña con su horrible mirada, y en su boca se dibuja una sonrisa de serpiente. Jesús sigue callado orando en silencio.

«Desconfías de mí. Haces mal. Yo soy la sabiduría en la tierra.

Puedo ser tu maestro para enseñarte a triunfar. Ves: lo importante es triunfar. Después, cuando uno se haya impuesto y el mundo ha sido engañado, entonces se le lleva a donde quiera uno. Pero ante todo es necesario ser como place a ellos. Como ellos. Seducirlos haciéndoles creer que los admiramos y que los seguimos en sus pensamientos.

Eres joven y bello. Empieza por la mujer. Siempre se debe ampezar por ella. Yo me equivoqué al inducir a la mujer a la desobediencia. Debía haberla aconsejado de otro modo. La habría convertido en un instrumento mejor y habría vencido a Dios. Tuve prisa. Pero ¡ Tú ! Yo te enseño, porque existió un día en que te miré con angelical alegría y me ha quedado un resto de aquel amor. Pero escúchame y aprovéchate de mi experiencia. Búscate una compañera. Donde Tú no seas capaz de llegar, lo será ella. Eres el nuevo Adán, debes de tener tu Eva.

Y por otra parte ¿ cómo puedes comprender y curar las enfermedades de los sentidos, si no sabes qué cosa son ? ¿ No sabes que ahí se esconde el meollo de donde nace la planta de la avidez y de la arrogancia? ¿ Por qué quiere reinar el hombre ? ¿ Por qué quiere ser rico y poderoso ? Para poseer a la mujer. Esta es como la alondra. Tiene necesidad del guiño para que se le atrape. El oro y el poder son las dos caras del espejo que atraen a la mujer y la causa del mal en el mundo. ¡ Mira ! Detrás de mil delitos de todas clases, hay por lo menos 900 que tienen su raíz en el hambre de poseer a la mujer, o en la voluntad de una mujer que arde de deseo por el hombre que todavía no satisface o no lo satisfará jamás. Vé a la mujer si quieres saber qué cosa es la vida. Y sólo después sabrás curar y aliviar las enfermedades de la humanidad. Es hermosa, sabes: ¡ la mujer ! No hay cosa más bella en el mundo. El hombre posee el pensamiento y la fuerza. Pero ¡ la mujer ! Su pensamiento es un perfume, su contacto es una caricia de flores, su belleza es como un vino que desciende, su debilidad es como una cuerda de seda o un cordón de niño en manos del hombre, sus caricias son fuerza que se derrama sobre las nuestras y las encienden. El dolor, la fatiga, el desdén desaparecen cuando se está cerca de una mujer, y es como un manojo de flores en nuestros brazos. Pero ¡ qué tonto soy ! Tú tienes hambre y yo te hablo de mujeres. Tu vigor está agotado por eso, esta fragancia de la tierra, estas flores de lo creado, este fruto que produce y suscita amor, te parecen cosas sin ningún valor. Pero mira estas piedras. ¡Qué redondas! ¡Qué bien labradas! Doradas por el sol que desciende. ¿No te parecen panes? Tú, Hijo de Dios, no tienes más que decir: "Quiero", para que ellas se conviertan en un pan oloroso como el que ahora las panaderas sacan del horno para la cena de sus familias... estos espinos tan áridos, si Tú quieres ¿no pueden cubrirse de frutas, de dátiles o de miel? Sáciate, ¡oh Hijo de Dios! Tú eres el dueño de la tierra. Ella se inclina para ponerse a tus pies y para calmar tu hambre.

¿Lo ves que palideces y sientes mareo tan sólo de oir hablar de pan? ¡Pobre Jesús! ¿Eres tan débil de no poder ni siquiera ordenar que se haga un milagro? ¿Quieres que lo haga yo por Tí? No me puedo medir contigo, pero puedo hacer algo. Me privaré por un año de mi fuerza, la juntaré toda, pero te quiero servir porque eres bueno y yo siempre me acuerdo que eres mi Dios, aunque por ahora me he hecho indigno de llamarte como tal. Ayúdame con tu plegaria para que pueda...»

«¡Calla! "No sólo de pan vive el hombre, sino de cualquier palabra que viene de Dios"[2].»

El demonio tiene un arrebato de rabia. Rechina los dientes y cierra los puños. Luego se controla y cambia el rechino en sonrisa.

«Comprendo. Tú estás sobre las necesidades de la tierra y tienes horror de servirte de mí. ¡Lo tengo merecido! Pero... ven ahora y mira algo en la Casa de Dios. Ve cómo también los sacerdotes no rehusan llegar a transacciones entre el espíritu y la carne, porque al fin son hombres y no ángeles. Haz un milagro espiritual. Yo te llevo al pináculo del Templo y Tú te transformarás en belleza y luego llama a las cohortes de ángeles y dí que entrelacen sus alas para peana de tus pies y te bajen en el pórtico principal. ¡Que te vean y se acuerden que existe Dios! De cuando en cuando es necessario manifestarse, porque el hombre tiene una memoria tan flaca, sobre todo en cosas espirituales. ¡Qué felices se sentirán los ángeles de servir de peana a tus pies y de escalera sobre la que subas.»

«"No tentarás al Señor Dios tuyo" está escrito[3].»

«Comprendes que aún tu aparición no cambiaría las cosas y que el Templo continuaría siendo un mercado y una corrupción. Tu divina sabiduría conoce que los corazones de los ministros del

2 Cfr. Deut. 8, 3.
3 Cfr. Deut. 6, 16.

279

Templo son un nido de víboras, que se desgarran y desgarran tan sólo por dominar. No se les puede domar más que con la fuerza humana.

Así pues, oye: "Adórame". Te daré la tierra. Alejandro, Ciro, César, todos los más grandes dominadores que han vivido o que viven serán semejantes a cabecillas de miserables caravanas en comparación tuya, que tendrás todos los reinos bajo tu cetro y con los reinos todas las riquezas, todas las bellezas de la tierra y mujeres y caballos y armadas y templos. Podrás levantar en todas partes tu Señal, cuando seas Rey de reyes y Señor de señores en el mundo.

Entonces serás obedecido y venerado por el pueblo y el sacerdocio. Todas las razas te honrarán y te servirán, porque serás poderoso y el único Señor... ¡Adórame un momento! ¡Quítame esta sed que tengo de ser adorado! ¡Es la que me perdió! Ha quedado en mí y me quema. Las llamas del infierno son como fresco aire matutino en comparación a este que me quema por dentro. Es mi infierno esta sed. Un momento... un momento solo, ¡oh Cristo! ¡Tú que eres bueno! ¡Un momento de alegría al eterno atormentado! Hazme sentir qué cosa se experimenta al ser Dios, y me tendrás por tuyo, obediente como un siervo por toda la vida y para todas tus empresas. ¡Un momento! ¡Un solo momento y no te atormentaré más!»...y Satanás se arroja de rodillas pidiéndolo.

Jesús se ha puesto de pié. Enflaquecido durante estos días por el ayuno parece aun más alto. Su rostro se llena de severidad y poder. Sus ojos son dos zafiros que queman, su voz es un trueno que repercute dentro de la cueva y que se derrama sobre las piedras y la llanura desolada cuando dice: «¡Lárgate Satanás! Está escrito: "Adorarás al Señor Dios tuyo, y a El sólo servirás"[4].»

Satanás con un aullido de condenado y de odio indescriptible se levanta; horrible es ver su furiosa figura llena de humo. Después desaparece con un aullido de maldito. Jesús se sienta cansado y apoya la cabeza sobre el peñasco. Parece exhausto y suda. Seres angélicos vienen a revolotear con sus alas con las que purifican y refrescan el aire caliente de la cueva. Jesús abre los ojos y sonríe. No veo que coma pero se diría que se nutre con el aro-

---

[4] Cfr. Deut. 6, 13.

ma del Paraíso y sale lleno de vigor.

El sol desaparece por el occidente. Jesús toma su bolsa vacía y se dirige hacia el oriente, mejor dicho, al noroeste acompañado por los ángeles que suspendidos en el aire sobre su cabeza le proporcionan una luz suave mientras la noche desciende rapidísima. Tiene nuevamente su expresión habitual y el paso seguro. Solo le queda, después del largo ayuno, un aspecto más ascético en el rostro delgado y pálido y en los ojos una alegría que no es de esta tierra.

6. « Satanás se presenta siempre bajo un ropaje benévolo »

(Escrito el mismo día)

Dice Jesús:

« Lo has visto. Satanás se presenta siempre con ropaje benévolo y en forma ordinaria. Si las almas están atentas y sobre todo en contacto espiritual con Dios, advierten el aviso que las pone alertas y prontas a combatir las asechanzas del demonio. Pero si las almas no hacen caso al aviso divino, se separan debido a pensamientos del todo humanos que entorpecen, si no buscan ayuda en la oración que las une a Dios y que da fuerzas al corazón humano; difícilmente pueden ver la trampa escondida bajo una apariencia inofensiva y helas aquí que caen. Librarse después de esa trampa sí que es difícil.

Los dos senderos más comunes de Satanás para llegar a las almas son el sentido y la gula. Siempre empieza por la materia. Cuando esta ha sido derrotada y sujeta, el ataque continúa en las partes superiores del hombre. Primero *la parte moral;* el pensamiento con su soberbia y avidez; después el espíritu, al quitarle no sólo el amor divino, que ya no existe desde el momento que ha sido sustituído por otros amores humanos, sino también el temor de Dios. Entonces es cuando el hombre se entrega a Satanás en alma y cuerpo con la condición de poder gozar de lo que quiera y gozar siempre. Tú has visto la forma en que me comporté: Silencio y Oración. *Silencio.* La razón es que si Satanás se presenta seductor y se acerca, se le debe soportar sin tantas impaciencias ni temores inútiles. Es menester reaccionar con valor a su presencia y a su seducción con la plegaria.

Es inútil discutir con Satanás, vencería él, porque tiene una lógica más fuerte. Nadie, más que Dios puede vencerle y por eso es necesario recurrir a Dios que hablará por nosotros, a través de nosotros. Enseñar a Satanás aquel Nombre y aquella Señal no tan sólo escritos en el papel o grabados en madera, sino escritos y grabados en el corazón. Mi Nombre y mi Señal. Contraatacar a Satanás tan sólo cuando insinúa que él es como Dios, usando las palabras de Dios. El demonio no las soporta. A continuación, después de la lucha, viene la victoria y los ángeles ayudan y defienden al vencedor contra el odio de Satanás. Lo confortan como rocío del cielo, con la gracia que derraman a manos llenas en el corazón del hijo y la bendición que acaricia el alma.

Es necesario tener voluntad de vencer a Satanás y fé en Dios y en su ayuda. Fé en el poder de la oración y en la bondad del Señor. Entonces no puede hacer ningún mal. »

7. El encuentro con Juan y Santiago [1]
(Escrito el 25 de febrero de 1944)

Veo a Jesús que camina a lo largo de la verde vereda que costea el Jordán. Ha recorrido el sitio que fué testigo de su bautismo, cerca del vado que parece ser muy conocido y frecuentado por ser el paso a la otra ribera en dirección de Perea. El lugar, que antes estaba lleno de gente, se ve ahora solo. Alguno que otro viajero a pié o con asnos o caballos lo transitan.

Jesús, ni siquiera parece que caiga en cuenta de ello. Continúa su camino subiendo hacia el norte, como absorto en sus pensamientos. Cuando llega a la altura del vado, se cruza con un grupo de hombres de diversa edad que discuten acaloradamente entre sí y que después se separan dirigiéndose unos hacia el sur y otros siguiendo la pendiente del norte. Entre los que se dirigen hacia el norte veo a Juan y a Santiago. Juan es el primero en ver a Jesús,

[1] Cfr. Mt. 4, 18-22; Mc. 1, 16-20; Lc. 5, 1-11; Ju. 1, 35-39.

lo señala a su hermano y acompañantes. Hablan entre sí un poco y luego Juan camina velozmente para alcanzar a Jesús. Santiago lo sigue más despacio. Los otros no se preocupan de ello, continúan caminando lentamente y discutiendo.

Cuando Juan llega cerca de Jesús, a sus espaldas, separado como a unos dos o tres metros, grita: « Cordero de Dios que quitas los pecados del mundo! »

Jesús se vuelve y le mira. Ambos se encuentran a pocos pasos el uno del otro y se miran. Jesús tiene una mirada seria y escrutadora; Juan tiene los ojos cándidos y sonrientes en una cara juvenil que parece de muchacha. Puede tener más o menos unos veinte años, y en sus mejillas sonrosadas no hay otra señal que un vello rubio que parece una lágrima de oro.

« ¿ A quién buscas ? » pregunta Jesús.

« A Tí, Maestro. »

« ¿ Cómo sabes que soy Maestro ? »

« Me lo ha dicho el Bautista. »

« Y entonces ¿ Por qué me llamas Cordero ? »

« Porque poco más o menos hace un mes, así te llamó cuando pasabas. »

« ¿ Para qué me quieres ? »

« Para que nos digas palabras de vida eterna y nos consueles. »

« Pero... ¿ Quién eres ? »

« Soy Juan de Zebedeo y este es mi hermano Santiago. Somos de Galilea, pescadores y discípulos de Juan. El nos decía palabras de vida y nosotros lo escuchábamos, porque queremos encontrar a Dios y con la penitencia merecer su perdón, preparando así los caminos del corazón para cuando llegue el Mesías. Tú lo eres, Juan lo dijo porque vió la señal de la Paloma que se posaba sobre Tí y fué cuando nos dijo: "He aquí al Cordero de Dios" y yo te digo Cordero de Dios que quitas los pecados del mundo, danos la paz porque no tenemos quien nos guíe y nuestro espíritu está turbado. »

« ¿ Dónde está Juan ? »

« Herodes lo tiene prisionero. Está en la prisión de Maqueronte. Los más fieles de los suyos han tratado de libertarlo, pero no han podido. De allí venimos. Permítenos quedarnos contigo, Maestro. Enséñanos en dónde vives. »

« Venid. Pero ¿ sabeis qué cosa pedís ? Quien me sigue tendrá que dejar todo: casa, padres, modo de pensar y también de vida.

Yo os haré mis discípulos y amigos, si quereis. Pero no tengo riquezas ni modo de protegeros. Soy y seré pobre sin tener en donde reclinar la cabeza y seré más perseguido que una oveja descarriada por los lobos. Mi doctrina es más severa aún que la de Juan, porque prohibe hasta guardar rencor. No se dirige sólo a lo exterior, sino al espíritu. Deberéis renacer si queréis ser míos. ¿ Lo quereis hacer ? »

« Sí, Maestro. Tú solo tienes palabras que nos dan luz. Para nosotros que vamos sin guía, entre tinieblas y desolación, tus palabras nos dan una claridad como de sol. »

« Venid, pues, y vayamos. Os enseñaré por el camino. »

8. « Amé a Juan por su pureza »

(Escrito el mismo día)

Dice Jesús:

« El grupo que me encontró era numeroso. Pero uno solo me reconoció, el que tenía el alma, el pensamiento y el cuerpo limpios de toda lujuria. Insisto en el valor de la pureza. La castidad es la fuente de claridad de pensamiento. La virginidad afina y conserva la sensibilidad intelectual y afectiva hasta la perfección, que solo quien es virgen lo sabe.

Se puede ser virgen de muchos modos. Por la fuerza, y esto sobre todo entre mujeres que no han podido casarse. Así deberían de serlo también los hombres. Pero no lo es. Esto está mal porque una juventud sucia antes de tiempo por la concupicencia no podrá producir sino un cabeza de familia enfermo en el sentimiento y con frecuencia en el cuerpo.

Existe la virginidad voluntaria, o sea la de quienes se consagran al Señor en un arranque de generosidad. ¡ Oh hermosa virginidad ! ¡ Sacrificio aceptable a Dios ! Pero no todos saben permanecer en aquel candor de lirio, que está firme en su tallo enhiesto al cielo, ignorante del fango que hay en el suelo, abierto tan sólo a los besos del sol de Dios y a sus rocíos.

Hay quienes permanecen fieles materialmente a lo hecho, pero infieles lo son en el pensamiento con el que lamentan y desean lo que han sacrificado. Estos tales, no son vírgenes, sino a medias. Si la carne está intacta, el corazón no lo está. El corazón fermenta, bulle, exhala humos de sensualidad tanto más refinada y exquisita cuanto más es el fruto del pensamiento que la acaricia, la alimenta y la hace crecer continuamente en ideas de cosas ilícitas no sólo para quien es libre, sino con mayor razón para quien ha hecho votos.

Entonces se produce la hipocresía del voto, en la que existe la apariencia pero falta la realidad. En verdad os digo que entre el que viene a mí con un lirio deshojado por la imposición de un tirano, y el que viene con un lirio que materialmente no está ajado, pero que guarda la baba de una sensualidad amada y cultivada para llenar con ella las horas de soledad. Llamo " virgen " al primero y " no virgen " al segundo.

Al primero le doy la corona de virgen y la doble corona de martirio por la carne herida y por el corazón que sangra por esa mutilación, " no querida ". El valor de la pureza es tal, que como lo has visto, Satanás se preocupó ante todo de arrastrarme a la impureza. Sabe muy bien que el pecado sensual quita las fuerzas del alma y la hace fácil presa de otros pecados. La tentativa de Satanás se enderezó con este objetivo para vencerme.

El pan, el hambre son solo formas materiales de disfraz del apetito, que Satanás explota para sus fines. Muy diferente era el alimento que me ofrecía para hacerme caer a sus pies. Después vendría la gula, el dinero, el poder, la idolatría, la blasfemia, el rechazo de la Ley divina. Este era el primer paso para asirme. El mismo que usó para herir a Adán.

El mundo se burla de los puros. Los impuros los rechazan. Juan Bautista fué la víctima de la lujuria de dos obscenos. Y si el mundo tiene todavía algo de luz, se debe a los puros que hay en el mundo.

Son ellos los siervos de Dios y saben entender y repetir sus palabras. Lo dije: " Bienaventurados los puros de corazón porque verán a Dios " [1]. También lo serán de la tierra porque el humo de los sentidos no perturba el pensamiento. Ellos " ven " a Dios y lo huelen, lo siguen y lo señalan a otros.

Juan de Zebedeo fué puro. Fué en realidad el puro entre mis discípulos. ¡ Qué alma de flor en un cuerpo de ángel ! El me lla-

[1] Cfr. Mt. 5, 1-12.

mó con las palabras de su primer maestro y me pidió le diese paz. Pero él ya tenía la paz en sí por la vida pura que llevaba y Yo lo amé por esa pureza, confiándole las enseñanzas, los secretos y la creatura más querida que yo había tenido [2].

Fué él mi primer discípulo y desde que me vió me amó. Su alma se había fundido con la mía, desde el día en que me vió pasar a lo largo del Jordán y vió que me señalaba el Bautista. Aun cuando no me hubiese encontrado a mi regreso del desierto, me habría buscado. Porque era puro y humilde y deseaba aprender la ciencia de Dios e iba a aquellos que tenía como maestros de la doctrina celestial, en la misma forma que la corriente se llega al mar. »

Jesús añade:

« No he querido que hablases de las tentaciones sensuales de tu Jesús aun cuando la voz interna te había hecho comprender el objetivo de Satanás para atraer mis sentidos, preferí hablarte Yo de esto y ahora procura no pensar ya más. Era necesario hablarte de ello. Ahora pasa adelante. Deja la flor de Satanás sobre la arena y ven detrás de mí con Juan. Caminarás entre espinas, pero encontrarás rosas con gotas de sangre de quien la derramó por tí, para vencer en tí la carne.

Tengo también una observación que hacerte antes. Relata Juan en su Evangelio el encuentro que tuvo conmigo: "Y al día siguiente " [3]. Parece como si indicase que el día siguiente al bautiso, al punto Juan y Santiago me siguiesen. Lo que está en contra de lo dicho por los otros Evangelistas, acerca de los cuarenta días pasados en el desierto [4]. Leed del modo siguiente: " Cierto día, después de haber sido arrestado Juan Bautista, dos de los discípulos que le vieron señalarme y decir: ¿He aquí al Cordero de Dios ', al verme de nuevo, me llamaron y me siguieron " [5]. Esto fué después de mi regreso del desierto.

Y juntos regresamos a las riberas del lago de Galilea, donde me hospedaba para empezar de allí mi evangelización. Después de haber hablado conmigo en el camino y durante todo un día en casa de un amigo nuestro y de nuestra familia, ellos hablaron de Mí a los otros pescadores. La iniciativa fué de Juan, a quien el deseo de penitencia había dado a su alma, por otra parte ya limpia por su pureza, una claridad limpísima sobre la que la verdad se reflejaba claramente, dándole también la santa audacia de los puros y de los generosos, que no tienen miedo de abrirse paso a donde ven que hay Dios, verdad, doctrina y camino hacia Dios. ¡ Cómo amé a Juan por esta característica suya tan sencilla y heroica ! »

---

[2] Ju. 19, 25-27.
[3] Ju. 1, 35.
[4] Mat. 4, 1-2; Mc. 1, 12-13; Lc. 4, 1-2.
[5] Cfr. Ju. 1, 35-37; el trozo evangélico aquí es puesto en primera persona.

9. Juan y Santiago hablan a Pedro del Mesías [1]

(Escrito el 12 de octubre de 1944)

Hay una aurora hermosísima sobre el Mar de Galilea. De cielos y tierra se desprenden fulgores color de rosa, que poco se diferencían de los modestos que brotan entre los muros de los huertecillos del pueblecillo ribereño, los cuales se elevan y parece que se doblan sobre las veredas como las copas despeinadas y vaporosas de los árboles cargados de fruta.

El pueblo apenas despierta al oir el paso de alguna mujer que va a la fuente o al estanque para lavar, y con las voces de los pescadores que descargan sus cestas de peces y hacen contratos con mercaderes venidos de otras partes, o que llevan los peces a sus casas. Lo llamo pueblecillo, pero no es tan pequeño. Es más bien pobre, al menos la parte que estoy viendo, pero extenso por la parte que va al lado del lago.

Juan sale de una vereda y camina de prisa hacia el lago, le sigue Santiago que va más despacio. Juan mira las barcas que están en la ribera, pero no ve la que busca. Luego la distingue a unos cuantos centenares de metros separada de la ribera y que hace preparativos para volver a entrar al mar por lo que lanza con todas sus fuerzas, con las manos en la boca, un largo: « Ohé! » que debe ser señal ya conocida. Después, cuando nota que lo oyeron, se deshace en señas para decirles: « Venid, venid. »

Los hombres de la barca, no sabiendo de que se trata dan duro con los remos y la barca se desliza veloz, más que con la vela que ellos amainan, tal vez para remar más de prisa. Cuando se encuentran como a unos diez metros de la ribera, Juan no espera más, se quita el manto y la larga túnica que tira sobre la playa, luego las sandalias y se levanta la tuniquilla que sostiene con una mano a la cintura, y baja al agua al encuentro de los que llegan.

« ¿ Por qué no vinisteis ?... » pregunta Andrés. Pedro, que está de muy mal humor, no dice nada.

« ¿ Y tú y Santiago por qué no vinisteis conmigo ? » responde Juan a Andrés.

« Fuí a pescar. No tengo tiempo que perder. Tú desapareciste con aquel hombre... »

[1] Cfr. Ju. 1, 41.

« Te hice señas de que vinieras. Es El en persona. ¡ Si oyeras qué palabras ! ... Estuvimos con El todo el día y la noche hasta muy tarde. Ahora vinimos a deciros: "Venid". »

« ¿ Es exactamente El ? ¿ Estás seguro ? Lo vimos aquella vez cuando el Bautista nos lo señaló. »

« Es El, no lo negó »

« Cualquiera puede decir lo que mejor le conviene con tal de imponerse a los credulones ... ¡ No sería la primera vez ...! » Pedro refunfuña descontento.

« ¡ Oh Simón ! No digas eso ! ¡ Es el Mesías ! ¡ Sabe todo y te oye ! » Juan se siente dolorido y preocupado por las palabras de Simón Pedro.

« ¡ Bueno ! ... el Mesías ... y se muestra exactamente a tí, a Santiago y a Andrés, tres pobres ignorantes. ¡ Sí que estamos bien con ese Mesías ! y ... me oye ... ¡ Pobre muchacho ! Los primeros rayos del sol primaveral te han hecho mal. ¡ Ea, vente a trabajar. Será mejor y ... déjate de cuentos ! »

« Es el Mesías, te lo digo. Juan decía cosas santas, pero este habla de Dios. No puede decir palabras semejantes, quien no es el Mesías. »

« Simón, ya no soy un muchacho. Tengo mis años y me gusta ser tranquilo y reflexionar. Lo sabes. He hablado poco pero he escuchado mucho en las horas que estuvimos con el Cordero de Dios, y te digo que verdaderamente no puede ser más que el Mesías. ¿ Por qué no creerlo ? ¿ Por qué no querer creerlo ? Dudas porque no lo has oído. Pero yo creo. Somos pobres e ignorantes pero El bien dice que ha venido anunciar la Buena Nueva del reino de Dios, del reino de paz a los pobres, a los humildes, a los pequeñuelos, antes que a los grandes. Ha dicho: "Los grandes tienen ya placeres pero comparados con lo que vengo a anunciar no tienen por qué ser envidiados. Los grandes, tienen ya a base de cultura los medios para llegar a comprender. Pero yo vengo a 'los pequeñuelos' de Israel y del mundo, a los que lloran y esperan, a los que buscan la luz y tienen hambre del verdadero Maná; de los doctos no reciben ni luz ni alimento, sino tan solo peso, oscuridad, cadenas y desprecio. Y llamo 'a los pequeñuelos'. Yo he venido a tergiversar el mundo. Haré bajar lo que estaba en alto y subir lo que hasta ahora era despreciado. Quien desee la verdad y la paz, quien anhele la vida eterna, venga a Mí. Quien ame la luz ... ¡ Venga !. Yo soy la luz del mundo ".

Juan, ¿ no dijo así ? » Santiago habló con calma, pero con gesto conmovido.

« Así es. También dijo: " El mundo no me amará. El gran mundo, porque se ha corrompido con vicios y comercios idolátricos. El mundo tampoco me amará porque los hijos de las tinieblas no aman la luz. Pero la tierra no se compone solamente del gran mundo. En ella están también los que, a pesar de estar mezclados con el mundo, no pertenecen a él. Hay algunos que son del mundo porque están aprisionados como peces en la red ". De veras que así dijo porque caminábamos en la playa del lago y señalaba las redes que arrastraban a la ribera los peces. Dijo aun más. " Ved, ninguno de aquellos peces quería entrar en la red. También los hombres, no querrían intencionalmente ser presa de Mammón, ni siquiera los malvados, porque estos con la soberbia que los ciega, no creerían carecer del derecho de hacer lo que quisieren. Su pecado es la soberbia. Debajo de ella nacen todos los demás. Pero los que no son del todo malos, mucho menos desearían pertenecer a Mammón, pero tropiezan y caen por falta de reflexión y por un peso que los arrastra al fondo, que es el pecado de Adán. He venido a quitar esa culpa y a dar, mientras llega la hora de la redención, una fuerza tal a quien creyere en Mí, capaz de soltarlo de los lazos que lo tienen agarrado y dejarlos libres para seguirme a Mí, que soy la luz del mundo ". »

« Si El ha hablado así, entonces es menester ir inmediatamente a donde El está. » Pedro, con sus impulsos tan arrebatados que me gusta tanto. Ya lo ha decidido y se dispone a descargar la nave que ha llegado a la ribera y los pescadores la han casi sacado sobre la arena, quitando las redes, las cuerdas y las velas. « Y tú, tonto Andrés ¿ Por qué no fuiste con estos? »

« Pero ... ¡ Simón ! Tú me has reñido porque no convencí a estos que viniesen conmigo ... toda la noche has estado refunfuñando ... y ahora me regañas porque no fuí? ... »

« Tienes razón ... pero yo no lo había visto ... tú sí ... y debes de haber visto que no es como nosotros ... tendrá algo de bello que atraiga más. »

« ¡ Oh, sí ! » dice Juan. « ¡ Qué rostro ! ¡ Qué ojos ! ... ¿ No es así Santiago? ... ¡ Que ojos ! y ¡ una voz ! ... ¡ Ah, qué voz ! Cuando te habla parece que estás soñando en el Paraíso. »

« ¡ Pronto ! ¡ Pronto, vamos a buscarlo ! Vosotros (habla a los pescadores) llevad todo al Zebedeo y decidle que lo haga él. Esta tarde regresaremos para la pesca. »

Se visten y se ponen en camino. Pero Pedro, después de algunos metros, se detiene, coge a Juan por el brazo y le dice : « ¿ Has dicho que sabe todo y que todo oye? . . . »

« Así es. Imagínate que cuando nosotros veníamos, la luna estaba ya en alto y dijimos: " ¡Quién sabe que cosa estará haciendo ahora Simón! " El dijo: " Está echando la red y no puede conformarse de que tenga que hacerlo por sí solo, ya que vosotros no fuisteis con la otra barca en una noche así tan buena para la pesca. No sabe que dentro de poco pescará con otras redes y no hará otra cosa más que pescar ". »

« ¡ Que Dios me ampare ! ¿ De veras que así dijo ? Si es así habrá oído también que lo he tratado como a mentiroso . . . No puedo ir a donde El está. »

« ¡Oh! es muy bueno. Si sabe lo que tú pensaste. Ya lo sabía, porque cuando estábamos a punto de dejarlo y le dijimos que te veníamos a ver, dijo: " Id, pero no os dejéis vencer con las primeras palabras de burla. Quien desee venir conmigo tiene que saber mantener la cabeza erguida contra las burlas del mundo o las prohibiciones de sus padres. Yo valgo más que la sangre y la sociedad y las venzo; quien está conmigo, también vencerá para siempre ". Y añadió: "Aprended a hablar sin temor. Os escuchará a vosotros. porque es hombre de buena voluntad ". »

« ¿ Así dijo ? Si es así, voy. Háblame de El mientras vamos caminando. ¿ En donde está ? »

« En una pobre casa. Deben ser amigos suyos. »

« Pero . . . ¿ Es pobre ? »

« Un obrero de Nazaret. Así lo dijo. »

« ¿ De qué vive, sino trabaja más ? »

« No se lo preguntamos. Tal vez le ayudarán sus familiares. »

« Sería mejor llevarle pescados, pan, fruta . . . alguna cosa. Vamos a preguntar a un rabí, porque es como un rabí y más que un rabí vamos con las manos vacías. A nuestros rabíes no les gusta así . . . »

« Pero a El así le gusta. No teníamos más que veinte monedas entre Santiago y yo y se las ofrecimos, como se acostumbra con los rabíes. No las quiso. Pero como le insistíamos tanto, dijo: " Dios os pague con bendiciones de pobres, venid conmigo " al punto las distribuyó entre los pobrecillos, que sabe donde viven, y a nosotros que le preguntamos: " . . . ¿ y nada te guardas para Tí, Maestro? " nos contestó: "La alegría de hacer la voluntad de Dios y de servir para su gloria ". También le dijimos: "Maestro, Tú nos llamas pero todos nosotros somos pobres, ¿qué tenemos que traerte? » Respondió con una sonrisa que puede ser la felicidad del paraíso: "Quiero de vosotros un gran tesoro". Y nosotros: "¡Pero si no tenemos nada!" Y El: "Es un tesoro de siete nombres, que aunque el más miserable puede tener, el más rico puede no poseer. Este tesoro que deseo, ya lo teneis vosotros. Oid sus nombres: caridad, fé, buena voluntad, recta intención, continencia, sinceridad y espíritu de sacrificio. Esto es lo único que exijo a quien me sigue y es lo que hay en vosotros aunque adormecido como la semilla bajo el suelo invernal pero el sol de mi primavera lo hará germinar con siete espigas ". Así dijo. »

«¡Ah! esto me asegura de que es el verdadero Rabboni[2], el Mesías prometido. No es duro con los pobres, no exige dinero... esto basta para llamarlo el Santo de Dios. ¡Vayamos tranquilos! »

[2] Rabboni, significa " maestro mío " (N.T.).

10. Primer encuentro de Pedro con el Mesías [1]

(Escrito el 13 de octubre de 1944)

Jesús avanza por una pequeña vereda, un caminito entre dos campos. Está solo. Juan se dirige a El de la otra parte del sendero entre los campos y lo alcanza al fin al pasar por una zanja. Juan, tanto en la visión de ayer como en la de hoy es del todo un jovencillo. Tiene una cara sonrosada e imberbe de uno que apenas a llegado a la edad viril; y es también rubio. No tiene ninguna señal de bigote o de barba, sino el bello rosado de las mejillas tersas, los labios rojos en los que brilla una agradable sonrisa, una mirada pura, no tanto por el color de sus ojos de turquesa sino por la candidez de su alma virgen que se trasluce. La cabellera, castaña clara, larga y suave que va flotando en el aire a su paso veloz que casi se convierte en carrera. Levanta la voz cuando va a saltar la cerca y dice: «¡Maestro! »

[1] Cfr. Ju. 1, 42.

Jesús se detiene y se vuelve con una sonrisa.

« Maestro, te he buscado tanto. Me dijeron en la casa en que te hospedas que habías salido en dirección de la campiña... pero... ¿ Por dónde ?... ya tenía miedo de no hallarte. » Juan habla un poco inclinado debido al respeto, pero su actitud claramente se ve que es de confianza y su mirada se dirige a Jesús.

« Ví que me buscabas y vine a encontrarte. »

« ¿ Me viste ? ¿ Dónde estabas, Maestro ? »

« Allí » y Jesús le señala una arboleda que está a lo lejos, pero que por sus negruscas copas, parecen ser olivos. « Allí estaba. Oraba y pensaba en lo que diré esta tarde en la sinagoga. Pero en cuanto te ví lo dejé todo. »

« Pero ¿ cómo has podido verme si apenas se puede distinguir aquel lugar tan distante y escondido ? »

« ¿ Lo ves ? Te vine a encontrar porque te ví. Lo que los ojos no logran, lo logra el amor. »

« Así es, el amor lo hace. ¿ Me amas, Maestro ? »

« ¿ Me amas tú, Juan hijo de Zebedeo ? »

« Mucho, Maestro. Creo haberte amado siempre. Antes de haberte conocido, mucho antes, mi alma te buscaba y cuando te ví me dije: " He aquí al que buscas ". Creo que te he encontrado, así lo siente mi alma. »

« Tú lo dices Juan y estás en lo justo. También yo vine a encontrarte porque mi alma te espera. ¿ Por cuánto tiempo me amarás ? »

« Para siempre, Maestro. No quiero amar otra cosa que no seas Tú. »

« Tienes padre, madre, hermanos y hermanas y con la vida, mujer y amor ¿ Cómo puedes dejar todo esto por Mí ? »

« Maestro... no lo sé... pero me parece, si no es presunción el decirlo, que tu amor ocupará el lugar de padre, madre, hermanos y hermanas y aún el de mujer. Estaré satisfecho, completamente satisfecho, si Tú me amas. »

« ¿ Si mi amor te causase dolores y persecuciones ? »

« No serán nada si Tu me amas. »

« Y el día en que debiese morir...? »

« No. Eres joven, Maestro... ¿ Por qué morir ? »

« Porque el Mesías ha venido a predicar la Ley en verdad y a llevar a cabo la redención. El mundo aborrece la Ley y no ama la redención. Por esto persigue a los enviados de Dios. »

« ¡ Oh ! ¡ que esto no suceda ! ¡ No des este anuncio de muerte a quien te ama! ... pero si debieses de morir, yo te seguiré amando. ¡ Permíteme que te ame ! » Juan tiene una mirada suplicante. Mucho más inclinado que antes, camina al lado de Jesús, y parece como si le mendigara amor.

Jesús se detiene. Lo mira, lo atraviesa con la mirada de sus ojos profundos, y después le pone la mano sobre la cabeza inclinada. « *Quiero* que tú me ames. »

« ¡ Oh, Maestro ! » Juan está feliz. Por más que en su pupila brille una lágrima, ríe con su boca bien formada, toma la mano divina, la besa y la oprime sobre su corazón. Prosiguen el camino.

« Dijiste que me buscabas ... ? »

« Sí, para decirte que mis amigos te quieren conocer, y ... porque ... ¡ Oh ! ¡cuántas ganas tenía de estar contigo ! Te dejé por unas cuantas horas pero no podría resistir el estar sin Tí. »

« Has sido, pués, un buen anunciador de la Palabra ? »

« Sí. También Santiago, Maestro, ha hablado de Tí, de tal modo que llega a convencer. »

« De modo que también el que desconfiaba (no es culpable porque la prudencia era la causa de su reserva) se convenció. Vayamos a confirmarlo en su creencia. »

« Tenía un poco de miedo ... »

« ¡ No ! ¡ No tener miedo de Mí ! Yo he venido a salvar a los buenos y mas por los que están en error. Vine a salvar, no a condenar y con los rectos usaré de misericordia. »

« ¿ Y con los pecadores ? »

« También. Sólo seré duro con los hipócritas, es decir con los que fingen espiritualidad y aparentan ser buenos cuando sus obras son malas y que lo hacen para poder obtener alguna ventaja del prójimo. »

« ¡ Oh ! Entonces Simón puede estar seguro, ya que es franco como ninguno. »

« Así me gusta y así quiero que todos seais. »

« Simón te quiere decir muchas cosas. »

« Lo escucharé después de que hable en la sinagoga. He hecho que se avise a los pobres y a enfermos, a ricos y a sanos. Todos tienen nececidad de la Buena Nueva. »

El poblado está ya cerca. Hay niños que juegan en la calle y uno que corre, viene a chocar contra las piernas de Jesús y hubiese caído, si El no hubiese estado atento a sostenerlo. El niño llora con todo como si se hubiese hecho mal, pero Jesús tomándolo en los brazos le dice: « ¿ Un Israelita que llora ? ¿ qué cosa hubieran hecho los miles y miles de niños que se convirtieron en hombres al ir atravesando el desierto detrás de Moisés ?[2] ¿ El Altísimo que se preocupa de los pájaros del bosque y de la fronda, ama a estos inocentes y se preocupa de estos angelitos de la tierra, de estos pajaritos sin alas, de un modo especial y es por ellos y no por los otros que hizo bajar el Maná que era tan delicioso[3] ? ¿ Te gusta la miel ? ¿ Sí ? ... Pues bien, si eres bueno, comerás una miel mucho más dulce que la de las abejas. »

« ¿ En dónde ? ¿ Cuándo ? »

« Cuando vayas a Dios, después de haber llevado una vida fiel. »

« Sé que no iré si no viene el Mesías. Mi mamá me dice que ahora nosotros, los de Israel somos como Moisés que morimos a la vista de la Tierra Prometida[4]. Dice que estamos aquí esperando entrar pero tan sólo el Mesías nos lo concederá. »

« ¡ Qué pequeño Israelita tan bueno ! Yo te digo que cuando mueras, entrarás al punto al Paraíso porque para entonces el Mesías habrá abierto ya las puertas del cielo. Pero debes ser bueno. »

« ¡ Mamá, Mamá ! » el niño se le escurre de los brazos a Jesús y va a encontrar a su joven mamá, que regresa con una olla de bronce sobre los hombros. « ¡ Mamá ! El nuevo rabí me ha dicho que al punto iré al Paraíso cuando me muera y que comeré mucha miel... pero... si soy bueno. ¡ Lo seré ! »

« ¡ Que Dios te lo conceda ! ¡ Perdona Maestro que te haya dado molestia ! ¡ Es tan vivo ! »

« La inocencia nunca molesta, mujer. Dios te bendiga porque eres madre y porque educas a tus hijos en el conocimiento de la Ley. »

La mujer enrojece ante esta alabanza y responde: « Que Dios también a Tí te bendiga » y se va con su pequeñuelo.

« ¿ Te gustan los niños, Maestro ? »

« Sí, porque son puros... sinceros... amorosos. »

« ¿ Tienes hijos, Maestro ? »

« No tengo más que a mi madre... pero en Ella existe la pureza, la sinceridad, el amor de los pequeñuelos más santos, al mismo tiempo que la sabiduría, justicia y fortaleza de los adultos, Juan,

---

[2] Cfr. pág. 265, not. 1.
[3] Cfr. Ex. 16, 35 y todo el capítulo.
[4] Cfr. Dt. 32, 48-52.

294

todo lo que tengo está en mi Madre. »

« ¿ ... y ... la has abandonado ? »

« Dios vale más que la más santa de las madres. »

« ¿ La podré conocer ? »

« La conocerás. »

« ¿ Y me amará ? »

« Te amará porque Ella ama a quienes me aman. »

« ¿ Entonces, no tienes hermanos ? »

« Tengo primos de parte del esposo de mi Madre. Pero cualquier hombre es mi hermano y he venido para todos. ¡ Pero mira ! estamos ya frente a la sinagoga. Voy a entrar, después te me juntarás con tus amigos. »

Juan se va y Jesús entra en una sala cuadrada, donde hay, como de costumbre, velas en un triángulo y atriles con rollos de pergamino. Ya hay gente que está esperando y que ora. Jesús también ora. La multitud murmura algo entre dientes y detrás de El, que se inclina para saludar al jefe de la sinagoga y después pide que le de un rollo. Jesús empieza a leer.

Dice : « El Espíritu quiere que os lea estas cosas. En el capítulo séptimo del Libro de Jeremías está escrito : " Estas cosas dice el Señor de los ejércitos, el Dios de Israel : ' Enmendad vuestras costumbres y afectos y entonces habitaré con vosotros en este lugar santo. No os confiéis en las palabras vanas que repetís : aquí está el Templo del Señor, porque si mejorareis vuestras costumbres y vuestros afectos, si hiciereis justicia entre vosotros, si no oprimiereis al extranjero, al huérfano, a la viuda, si no derramareis la sangre inocente en este lugar, sólo entonces habitaré con vosotros en este lugar, en la tierra que dí a vuestros padres por los siglos de los siglos ' " [5].

Oid, vosotros de Israel. He aquí que vengo a aclarar estas palabras que vuestro espíritu ofuscado no puede ni verlas, ni entenderlas. Oid. Gran llanto desciende sobre la tierra del Pueblo de Dios y lloran los adultos doblados bajo el yugo, lloran los niños que no tienen porvenir de una futura gloria. Pero la gloria de la tierra es nada en comparación con la gloria que ningún opresor, ni Mammón [6] ni la mala voluntad os pueda quitar.

¿ Por qué llorais ? ¿ Porque el Altísimo que fué siempre bueno pa-

[5] Cfr. Jer. 7, 3-7.

[6] Mammón significa " dinero " adquirido injustamente. Por esta razón se le compara e iguala con el demonio. Cfr. Mt. 6, 24; Lc. 16, 9-13.

ra con su pueblo, ha vuelto su faz hacia otra parte y no permite que sus hijos le vean? ¿Acaso no es el Dios que abrió el mar e hizo que pasara por él, Israel, y quien lo llevó a través del desierto y lo alimentó y defendió contra sus enemigos, y para que no extraviase el camino del Cielo, así como había dado para sus cuerpos una nube, así dió también para sus almas una ley? ¿No es acaso el Dios que hizo dulces las aguas amargas, he hizo que bajase maná sobre los desvanecidos? ¿No es acaso el Dios que quiso estuvieseis en esta tierra y que hizo una alianza con vosotros, alianza de un Padre con sus hijos?[7]. Y si es así, entonces ¿por qué os ha derrotado el extranjero? Entre vosotros hay muchos que en voz baja dicen: "¡Sin embargo aquí está el Templo!" No basta tener templo y lugar donde se pueda ir a rezar a Dios.

El primer templo está en el corazón de cada uno, y en él es en donde se ora santamente. Pero la oración no puede ser santa si el corazón antes no se enmienda y junto con él las costrumbres, los afectos, las normas de justicia para con los pobres, con los servidores, con los familiares y con Dios.

Poned atención. Veo ricos de duro corazón que presentan ofrendas al Templo, pero que no saben decir al pobre: "Hermano, he aquí un pan, un denario[8]. ¡Tómalo! De corazón a corazón lo doy, no creas rebajarte al recibirlo, que no es mi intención al dártelo".

Veo a algunos que ruegan y se lamentan, porque Dios no los escucha al punto; pero al pobre, que tal vez puede ser pariente suyo, cuando a ellos se dirige diciendo: "Escúchame", le responden con corazón empedernido: "¡No!" ¡Ea! veo que os lamentáis de que vuestra bolsa la exprima el dominador. Pero vosotros exprimís la sangre de quien odiás, y no os horrorizáis de sacar la sangre y la vida de un cuerpo.

¡Oh vosotros de Israel! ¡Ha llegado el tiempo de la redención! ¡Preparad el camino en vosotros por la buena voluntad! Sed honestos, buenos, amaos los unos a los otros. Ricos, no despreciéis. Comerciantes, no defraudéis. Pobres, no envidiéis. Todos sois de una misma sangre y de un mismo Dios. Todos estáis llamados al mismo destino. El Mesías os abrirá el cielo, pero no lo cerréis con vuestros pecados. ¿Habéis hasta ahora estado equivocados? De hoy en adelante ¡No más! Desaparezca cualquier error. Sencilla,

[7] Cfr. Ex. 13, 17 - 24, 18.
[8] Denario, salario equivalente a lo que gana en un día un trabajador. (N.T.).

fácil, buena es la Ley que vuelve a su origen que son los Diez Mandamientos, que están empapados en luz y en amor.

Venid. Yo os mostraré cuáles son: Amor, amor, amor. Amor de Dios hacia vosotros y de vosotros para Dios, amor con el prójimo, siempre amor. Porque Dios es amor y los hijos del Padre son los que saben vivir en el amor. Yo estoy aquí para todos y para dar a todos la luz de Dios. He aquí la Palabra del Padre que se hace alimento para vosotros. Venid, gustad, cambiad la sangre del corazón por esta comida. Desaparezca cualquier veneno, muera toda concupiscencia.

Una nueva gloria se ha abierto: la eterna. En ella entrarán los que de corazón estudiasen la Ley de Dios. Empezad por el amor No hay cosa mayor. Cuando hubiereis aprendido a amar, lo habréis aprendido todo, y Dios os amará. Amor de Dios quiere decir ayuda contra cualquier tentación.

La bendición de Dios sea para quien se vuelve a El con el corazón lleno de buena voluntad. »

Jesús calla. La gente habla en voz baja. La reunión termina con cánticos que entonan todos.

Jesús sale a la plazuela. En la puerta están Juan y Santiago con Pedro y Andrés.

« La paz sea con vosotros » dice Jesús y añade: « He aquí el hombre que para ser justo no debe juzgar antes de conocer. Pero es recto en reconocer su error. Simón ¿ quisiste verme ? » ... ¡ Mírame ! ... y tú, Andrés ¿ por qué no viniste antes ? »

Los dos hermanos se miran sin saber qué decir. Andrés apenas musita: « no me atrevía. »

Pedro con la cara roja no dice nada. Pero cuando oye que Jesús dice a su hermano: « ¿ Hacías mal en venir ? ¡ Tan sólo se debe de tener miedo de hacer el mal ! », sin rodeos interviene: « Yo fuí. El quería traerme al punto a Tí. Pero yo ... yo dije ... ¡ Sí ! yo dije: " ¡ No creo ! " y no quise. Ahora me siento mejor ! ... »

Jesús sonríe. Después dice: « Y Yo te digo que por tu sinceridad te amo. »

« Pero yo ... yo, no soy bueno ... no soy capaz de hacer lo que has dicho en la sinagoga. Soy iracundo y si alguien me ofende .. ¡ eh !. Soy siempre ... no siempre he dejado de engañar. Y soy ignorante. Y dispongo de poco tiempo para seguirte y tener la luz. ¿ Cómo lo lograré ? Quisiera llegar a ser como dices, pero ... »

« No es difícil, Simón. ¿ Sabes un poco de Escritura ? ¿ Sí ? Pues bien, recuerda al Profeta Miqueas. Dios quiere de Tí, lo que dice Miqueas [9]. No te pide que rasgues el corazón, ni que sacrifiques afectos más santos. Por ahora no te lo pide. Un día, sin que El lo haga, te darás a Dios tú mismo. El espera que el sol y el rocío, hagan de tí, que eres una débil planta, una palma fuerte y majestuosa. Por ahora El quiere esto; la práctica de la justicia, el amor de la misericordia, y el poner todo cuidado en seguir al Dios tuyo. Esfuérzate en hacer esto y el pasado de Simón será borrado. Serás el hombre nuevo, el amigo de Dios y de su Mesías. No más Simón, sino Cefa. Piedra segura en la que me apoyo. »

« ¡ Esto me gusta ! Esto lo entiendo. La Ley es así ... es así ... ¡ Vah ! yo no la sé cumplir como la cumplen los rabíes ! ... Pero eso que dices sí me parece que lo lograré. Y Tú me ayudarás ¿ Vives acá ? ¡ Conozco al dueño ! »

« Aquí vivo. Pero ahora iré a Jerusalén y después predicaré por la Palestina. Para esto he venido. Volveré acá con frecuencia. »

« Vendré de nuevo a oirte. Quiero ser tu discípulo. Un poco de luz entrará en mi cabeza. »

« Sobre todo en el corazón, Simón. En el corazón. Tú, Andrés, ¿ no hablas ? »

« Escucho, Maestro. »

« Mi hermano es tímido. »

« Se convertirá en león. La tarde baja ya. Dios os bendiga y os dé buena pesca. Idos. »

« La paz sea contigo. » Se van.

Apenas salidos de la plazoleta, dice Pedro: « Pero ... ¿ qué habrá querido decir antes, cuando dijo que pescaré con otras redes y haré otras pescas ? »

« ¿ Por qué no se lo preguntaste ? Querías decir tantas cosas y luego hablaste tan poco. »

« Me ... daba vergüenza. Es tan diverso de los otros rabíes. »

« Ahora va a Jerusalén ... » dice Juan con tanto anhelo como tristeza. « Quería pedirle si me dejaba ir con El ... y no me atreví ... »

« Véselo a decir, muchacho » dice Pedro « lo hemos dejado así ... sin una palabra de amor ... que al menos sepa que lo admiramos. ¡ Ve ... yo le digo a tu padre ! »

« Santiago ... ¿ voy ? »

[9] Miq. 6, 8.

« ¡ Ve ! »

Juan se va de carrera ... y corriendo también, alegre retorna. « Le dije: " Me quieres contigo en Jerusalén? " y me respondió: " ¡ Ven, amigo ! " ¡ Amigo dijo ! ¡Mañana vendré a esta hora! ¡Ah! ¡ Iré a Jerusalén con Él ...! »

... termina la visión.

11. « Juan fue grande también en la humildad »

(Escrito el 14 de octubre de 1944)

Con motivo de esta visión, Jesús me dijo:

« Quiero que tú y todos vosotros reparéis en la conducta de Juan, en algo en que no siempre se pone atención. Lo admiráis por puro, amoroso, fiel, pero no caeis en la cuenta de cuán grande fue en la humildad.

El guardó modestamente silencio de haber sido el medio de que Pedro viniera a Mí. Fue el apóstol de Pedro y por lo tanto el primero de mis discípulos. Fue Juan el primero en reconocerme, el primero en hablarme, el primero en seguirme y el primero en predicarme. Con todo ved que dice: " Andrés, el hermano de Simón, era uno de los dos que habían oído las palabras de Juan (Bautista) y que habían seguido a Jesús. El primero a quien encontró fue su hermano Simón, a quien dijo: ' Hemos encontrado al Mesías ' y lo llevó a Jesús " [1].

Honrado, además de bueno, sabe que Andrés se angustia por tener un carácter tímido y cerrado, que quería hacer muchas cosas pero que no lo logra, por lo que desea que en el decurso de los siglos se reconozca la buena voluntad de Andrés. Quiere que aparezca como el primer discípulo de Cristo antes que Simón, no obstante su timidez y sumisión que no le estorbaron en nada para ser el apóstol de su hermano.

¿ Quién hay, entre los que hacen algo por Mí, que sepa imitar a Juan y no se proclame un apóstol insuperable, sin pensar que el éxito obtenido proviene de un complejo de circunstancias, que no son sólo la santidad, sino también la audacia humana, la fortuna,

[1] Cfr. Ju. 1, 40-42.

y algunas veces, el encontrarse ante otros que son menos audaces y menos afortunados, pero tal vez más santos que ellos mismos?

Cuando logréis algún triunfo en el bien, no os gloriéis como si fuese mérito vuestro. Alabad a Dios como Señor de los obreros apostólicos, y tened un ojo limpio y un corazón sincero para ver y dar a cada uno el aplauso que se merece. Ojo limpio para discernir a los apóstoles que llevan a cabo su holocausto, y son las primicias en el trabajo de los demás. Dios es el único que ve a estos tímidos, parece que no hacen nada, sin embargo son ellos los que roban el fuego del cielo en favor de los audaces. Corazón sincero para decir: " Yo trabajo, pero ... este ama más que yo, ora mejor que yo, se inmola como yo no lo hago, y como Jesús ha dicho: '...entro en mi habitación y cierro con llave para orar en secreto'[2]. Yo que miro su humilde y santa virtud, quiero darla a conocer y decir: ' Yo, soy instrumento activo, pero este es la fuerza que me da el movimiento, porque unido como está con Dios, es un canal para mí, de gracias celestiales ' ".

Y la bendición del Padre, que desciende para recompensar al humilde, que en el silencio se inmola, para dar fuerza a los apóstoles, descenderá también sobre el apóstol que sinceramente reconoce la ayuda sobrenatural y silenciosa que le viene de parte del humilde, y el mérito que la superficialidad del hombre no distingue.

Aprended todos. ¿ Es mi predilecto Juan ? Pero ... ¿ no es también muy semejante a Mí ? Puro, amoroso, obediente, pero humilde sobre todo. Me miraba en él y veía esta virtud. Lo amaba como si fuese Yo mismo. Veía en él la mirada del Padre que lo reconocía como a un pequeño Cristo. Mi Madre me decía: " Veo en él a un segundo hijo mío. Creo verte reproducido en un hombre ".

¡ Oh ! ¡ Cómo te reconoció la Llena de Gracia, amado mío ! Y los cielos azules de vuestros corazones puros se fundieron en un solo velo para hacerme una valla de amor, y llegaron a ser un amor único, antes de que yo diese mi Madre a Juan y Juan a mi Madre[3]. Se amaron porque se reconocieron semejantes: Hijos del Padre y Hermanos del Hijo. »

[2] Cfr. Mt. 6, 6.
[3] Cfr. Ju. 19, 25-27.

12. Jesús en Betsaida, en casa de Pedro. Encuentra a Felipe y a Natanael. [1]

(Escrito el 15 de octubre de 1944)

Juan llama a la puerta de la casa en donde está hospedado Jesús. Se asoma una mujer, y al ver quien era, llama a Jesús. Se saludan con el saludo de paz, después dice Jesús:

« Eres diligente, Juan. »

« Vine a decirte que Simón Pedro te suplica hagas el favor de pasar por Betsaida. Ha hablado de Tí a muchos... esta noche no hemos pescado. Oramos, como estamos acostumbrados a hacerlo, y hemos renunciado a la ganancia porque... el sábado aun no había terminado. Esta mañana hemos ido por las calles hablando de Tí. Hay gente que desearía oirte... ¿ Vienes, Maestro ? »

« Voy. Aunque debo ir primero a Nazaret que a Jerusalén. »

« Pedro te llevará de Betsaida a Tiberíades en su barca. Así lo harás más pronto. »

« Vamos, pues. »

Jesús toma su manto y la alforja, pero Juan se la quita. Salen, después de haber avisado a la dueña de la casa.

La visión me muestra la salida del pueblo y el principio del camino de Betsaida. Sin embargo no oigo nada de la plática, antes bien la visión se interrumpe y vuelve a empezar a la entrada de Betsaida. Comprendo que esta es la ciudad porque veo a Pedro, a Andrés y a Santiago y con ellos a algunas mujeres que esperan a Jesús a la entrada de la población.

« La paz sea con vosotros. Ya estoy aquí. »

« Gracias, Maestro, de nuestra parte y de quienes te esperan. No es sábado, pero ¿ no dirás algo a los que esperan oirte ? »

« Sí, Pedro. Hablaré en tu casa. »

Pedro salta de júbilo: « Ven pues. Esta es mi mujer y esta la madre de Juan con sus amigas. Pero otros también te esperan. Son familiares y amigos nuestros. »

« Avísales que partiré esta tarde, pero que les hablaré antes. »

Se me olvidó decir que Jesús y los apóstoles partieron de Cafarnaúm a la puesta del sol y ví que llegaban a Betsaida por la mañana.

[1] Cfr. Ju. 1, 43-51.

« Maestro ... te ruego. Quédate una noche en mi casa. El camino hasta Jerusalén es largo aunque te lo acorte en mi barca hasta Tiberíades. Mi casa es pobre, pero honrada y hospitalaria. Quédate con nosotros esta noche. »

Jesús mira a Pedro y los demás están esperando la respuesta. Los mira con ojos escrutadores. Después sonríe y dice: « ¡ Sí ! »

Nueva alegría para Pedro. Hay gente que desde la puerta mira y se hace ojos. Un hombre llama a Santiago por su nombre y le dice algo en voz baja señalando a Jesús. Santiago asiente y el hombre va a hablar con otros que están parados en un corte del camino.

Entran en la casa de Pedro. La cocina es grande y llena de humo. En un rincón hay redes, cuerdas y canastos de pesca. En medio, el fogón que por ahora está apagado. Por una de las puertas se ve el camino y por la otra el huertecillo con higueras y vides. Más allá del camino, el ondearse azul del lago. Más allá del huertecito la negrusca valla de otra casa.

« Te ofrezco todo lo que tengo y como puedo. »

« No podrías hacerlo mejor, porque me lo ofreces con amor. »

Dan a Jesús agua para que se refresque y después pan y aceitunas. Jesús da unos cuantos bocados, para mostrar que acepta, aunque luego dice que basta y da las gracias.

Hay niños que están curioseando desde el huertecillo o desde el camino. No sé si sean hijos de Pedro. Lo que sé es que les echa unas miradas tales, que impiden que invadan la cocina. Jesús sonríe y dice. ¡ Déjalos ! »

« Maestro, ¿ quieres descansar ? Allí está mi habitación y aquella es la de Andrés. Escoge. No haremos nada de ruido mientras descanses. »

« ¿ Tenéis acaso terraza? »

« Sí, y la vid aunque no tiene mucho follaje, te puede dar algo de sombra. »

« Llévame allá. Prefiero descansar arriba. Meditaré y oraré. »

« ¡ Como tú quieras ! ¡ Ven !. »

Del huertecillo hay una escalera que lleva al techo que es una terraza rodeada de una pared baja. También aquí hay redes y cuerdas. ¡ Pero ...! ¡ Qué luz hay y que azul está el lago !

Jesús se sienta en un banco con la espalda apoyada sobre la pared. Pedro prepara como puede una lona que extiende arriba y al lado de la vid, para defenderlo del sol. Sopla la brisa. No se oye más que silencio. Jesús se ve contento, y a sus anchas.

« Me voy, Maestro. »

« Vete. Tú y Juan id a decir que hablaré aquí cuando el sol se ponga. »

Jesús se queda solo y ora por mucho tiempo. Fuera de dos pares de palomas que van y vienen de sus nidos y de algunos pajaritos cantores no hay rumor alguno o persona que esté cerca de Jesús que ora.

Pasan las horas tranquilas y serenas. Jesús se levanta, da vuelta por la terraza, mira el lago y luego mira y sonríe a los niños que juegan en la calle los cuales también le sonríen. Mira por el camino hacia la plazuela que está a cien metros de la casa. Después baja. Se dirige a la cocina y dice: « Mujer, voy a caminar por la playa. »

Sale y de hecho se dirige a la playa donde están los niños. Les pregunta: « ¿ Qué estáis haciendo ? »

« Queríamos jugar a la guerra, pero él no quiere y ahora jugamos a la pesca. »

Quien no quiere es un varoncito delgaducho, pero de una cara en que brilla la luz. Tal vez comprende que como es delgaducho no podría hacer la guerra y por eso exhorta a la paz. Jesús saca partido para hablar a los niños:

« El tiene razón. La guerra es el castigo de Dios para los hombres y es una señal de que el hombre no es más su hijo. Cuando el Altísimo creó el mundo, hizo todas las cosas: el sol, el mar, las estrellas, los ríos, las plantas y los animales pero *no hizo las armas*. Creó al hombre y le dió ojos para que mirase con amor, boca para que dijese palabras de amor, oídos para que oyese, manos para que socorriese y acariciase, pies para que corriese veloz hacia el hermano necesitado, y corazón capaz de amar. Dió al hombre inteligencia, palabra, afectos, gusto. *Pero no le dió el odio.* ¿ Por qué ? Porque el hombre, creatura de Dios, debía de ser amor, como Dios es amor. Si el hombre hubiese permanecido creatura [2] de Dios, hubiera permanecido en el amor y el género humano no hubiera conocido ni la guerra ni la muerte. »

« Pero él nunca quiere jugar a la guerra porque pierde siempre » (ya lo había yo adivinado).

Jesús sonríe y dice: « No es necesario que no quiera uno lo que

---

[2] Se sobreentiende: fiel. Es necesario observar que el hombre como pecador se hace creatura e hijo del demonio, como si formara una sola cosa con él. Cfr. Mt. 16, 23; Mc. 8, 33; Lc. 13, 16; 22, 3; Ju. 6, 70; 8, 44; 13, 27; Hech. 13, 10; 1a. Ju. 3, 8-12.

le hace mal, porque daña. Es menester no querer una cosa cuando daña a todos. Si uno dice: " Yo no quiero esto porque pierdo ", es egoísta. Por el contrario, el hijo bueno de Dios dice: " Hermanos, se que ganáis vosotros, pero os digo: No hagais esto porque os dañaríais ": ¡ Oh ! ¡ este sí que ha entendido el mandamiento principal ! ¿ Quién me lo puede decir ? »

Las diez boquitas se abren y dicen: « Amarás a tu Dios con todo tu ser, y a tu prójimo como a ti mismo [3]. »

« ¡ Ah ! Vosotros sois unos niños muy inteligentes. ¿ Vais todos a la escuela ? »

« ¡ Sí ! »

« ¿ Quién es el más adelantado ? »

« El », ese delgaducho que no quiere jugar a la guerra.

« ¿ Cómo te llamas ? »

« Joel. »

« ¡ Gran nombre ! Dice El: " ... el débil diga: ' Soy fuerte! ' " [4]. Pero ¿ en qué cosa fuerte ? En la Ley del Dios verdadero, para estar en el Valle de la Sentencia entre los que juzgará como santos suyos. Pero el juicio está ya próximo. No en el Valle de la Sentencia, sino en el Monte de la Redención. Allí, entre el sol y la luna oscurecidos de horror y estrellas que vierten lágrimas de piedad, serán separados los hijos de la Luz y los hijos de las Tinieblas. Y todo Israel sabrá que su Dios ha llegado. ¡ Felices los que le hubieren reconocido ! Descenderán a ellos miel, leche y agua en el corazón y las espinas se convertirán en eternas rosas. ¿ Quién de vosotros quisiera ser juzgado por Dios como un santo suyo ? [5] »

« ¡ Yo !, ¡ Yo !, ¡ Yo ! »

« Entonces amaréis al Mesías? »

« ¡ Sí ! ¡ Sí ! Te amamos! Sabemos que lo eres. Lo dijeron Simón y Juan y nuestras mamás también lo han dicho. ¡ Llévanos contigo ! »

« Os llevaré si en verdad sois buenos. No más palabras groseras, no más fuerza desmedida, no más riñas, no más malas respuestas a los papás. Oración, estudio, trabajo, obediencia. Y os amaré y vendré por vosotros. »

Los niños están alrededor de Jesús. Parecen una flor de polícroma corola con un pistilo de color azul marino.

---

[3] Cfr. Dt. 6, 5; Lev. 19, 18.
[4] Cfr. Jl. 3, 10 y 14 (cfr. también la siguiente nota).
[5] Para entender mejor las palabras que Jesús dice al niño delgaducho, es necesario tener presente las del profeta Joel, y leer *atentamente* todo el cap. 3.

Un hombre de edad se ha acercado curioso. Jesús se vuelve para acariciar a un niño que le jala del vestido. Jesús lo mira, lo mira fijamente. El hombre saluda y se pone colorado, pero no dice nada.

« ¡ Ven y sígueme! »

« Sí, Maestro. »

Jesús bendice a los niños y con Felipe (así se llama), regresa a casa. Se sientan en el huertecillo.

« ¿ Quieres ser mi discípulo ? »

« Lo quiero, pero . . . no me atrevo a esperarlo. »

« Yo te he llamado. »

« Si es así, está bien. A tu disposición. »

« ¿ Sabías algo de Mí ? »

« Me habló Andrés. Me dijo : " Aquel por el que suspirabas ha venido ". Porque Andrés sabía que yo suspiraba por el Mesías. »

« Tu esperanza no ha sido defraudada. Está delante de ti. »

« ¡ Maestro mío y Dios mío ! »

« Eres un Israelita de recta intención. Por eso me manifiesto a tí. Otro amigo tuyo está esperando. También él es un israelita sincero. Ve a decirle : " Hemos encontrado a Jesús de Nazaret, hijo de José de la estirpe de David, aquel de quien Moisés y los Profetas han hablado " ¡ Ve ! »

Jesús se queda ahí hasta que Felipe regresa con Natanael-Bartolomé.

« He aquí un verdadero israelita en el que no hay engaño. La paz sea contigo, Natanael. »

« ¿ Cómo me conoces ? »

« Antes de que Felipe hubiese ido a llamarte, yo te había visto bajo la higuera. »

« Maestro, tu eres el Hijo de Dios. ¡ Tú eres el Rey de Israel ! »

« Porque dije que te había visto, mientras meditabas bajo la higuera, ¿ crees ? Verás cosas mayores que esta. En verdad os digo que los Cielos están abiertos y vosotros por la fe, veréis a los ángeles bajar y subir sobre el Hijo del Hombre. ¡ Yo soy quien lo digo ! »

« ¡ Maestro ! No soy digno de tanta honra. »

« Cree en Mí y serás digno del Cielo. ¿ Quieres creer ? »

« Quiero, Maestro. »

La visión desaparece por un tiempo para volver a aparecer en la terraza llena de gente; en el huerto de Pedro hay también gente. Jesús habla.

« Paz a los hombres de buena voluntad. Paz y bendición a sus casas, a sus mujeres y a sus hijos. La gracia y la luz de Dios reine en ellos y en los corazones con quienes viven.

Deseabais oirme. La Palabra habla. Habla con alegría a los honrados, habla con dolor a los que no lo son; habla con amor a los puros, habla con piedad a los pecadores. No se niega. Ha venido para derramarse como un río que riega tierras sedientas a las que lleva el consuelo del agua y abono con el limo.

Vosotros queréis saber qué cosas sean necesarias para ser discípulos de la Palabra de Dios, del Mesías, del Verbo del Padre, que viene a reunir a Israel para que de nuevo oiga las palabras del Decálogo santo e inmutable y se santifique por medio de ellas, para que esté limpio, en lo que cabe en un hombre el serlo, para la hora de la redención y del reino.

Ved. Yo digo a los sordos, a los ciegos, a los mudos, a los leprosos, a los paralíticos, a los muertos: "Levantaos, curaos, resucitad, caminad; ábranse en vosotros los ríos de la luz, de la palabra, del sonido, para que podáis ver, oir, hablar de Mí". Pero más que a los cuerpos, estas palabras, las digo a sus almas. Hombres de buena voluntad, venid a Mí sin temor alguno. Si el alma está herida, Yo la curaré. Si enferma, la sanaré, si muerta, la resucitaré. Quiero tan sólo vuestra buena voluntad.

¿ Es cosa difícil lo que pido ?... ¡ No ! ¡ No os impongo los cientos y cientos de preceptos de los rabíes! Os digo: Seguid el Decálogo. La Ley es inmutable. Muchos siglos han pasado desde la hora en que bella, pura, fresca, como una creatura recién nacida, como una rosa que apenas ha despuntado sobre el tallo, fue dada. Es sencilla, sin doblez, dulce para que se le siga. En el correr de los siglos, los pecados y las inclinaciones de los hombres la han complicado con leyes y más leyes pequeñas, con pesos y restricciones, con demasiadas cláusulas molestas. Hay que volver a la Ley como el Altísimo la dió. Pero os ruego por vuestro propio bien, que la recibais con corazón sincero como los verdaderos Israelitas de aquel tiempo.

Vosotros murmuráis más con el corazón que con los labios y la culpa más que en vosotros, se encuentra más arriba. Lo sé. En el Deuteronomio se ha dicho todo lo que se ha hecho y no era necesario más. Pero no juzguéis a quien lo hizo no para sí, sino para los demás. Vosotros haced lo que Dios dice. Sobre todo esforzaos en ser perfectos en los dos preceptos principales. Si amáis a Dios con todo vuestro ser, no pecaréis, porque el pecado es dolor que se da a Dios. Quien ama no quiere dar dolor al amado. Si amáis al prójimo como a vosotros mismos, seréis hijos respetuosos para los papás, esposos fieles para con las esposas, y hombres honrados en los negocios: sin violencia para con los enemigos, sin mentira al dar testimonio, sin envidia para quien posee, sin impulso de lujuria para la mujer de otro. No queriendo hacer a los otros lo que vosotros no queréis que se os haga. No robaréis, no mataréis, no calumniaréis, no entraréis como esos pajarillos que en los nidos de los otros ponen sus huevecillos para que allí nazcan. Antes bien os digo a vosotros: " Id más delante en la perfección de los dos preceptos que observáis: amad también a vuestros enemigos ".

¡ Oh ! ¡ Cómo os amará el Altísimo que ama tanto al hombre, que se hizo su enemigo a causa de la culpa original y de los pecados individuales, por lo cual les envió al Redentor, al Cordero que es su Hijo y es el que os habla, el Mesías prometido para redimir los pecados. ¡ Si aprendiérais a amar como El lo hace !

Así, convertidos en ángeles, sea para vosotros el amor, la escala por la que subiréis como Jacob la vió, hasta el Cielo y oiréis al Padre que os dice. " Yo seré tu protector donde quiera que fueres, y te volveré a traer a esta tierra; al cielo, al reino eterno "[6]. La paz sea con vosotros. »

La gente acepta conmovida las palabras y se retira poco a poco. Se quedan Pedro, Andrés, Santiago, Juan, Felipe y Bartolomé.

« ¿ Partes mañana, Maestro ? »

« Mañana al amanecer si a tí no te molesta. »

« Me molesta el que te vayas. Mas molestarme la hora, no. Antes bien es muy buena. »

« ¿ Vas a ir a pescar ? »

« Esta noche cuando salga la luna. »

« Hiciste bien en no pescar anteanoche, Simón Pedro. Todavía no terminaba el sábado. Nehemías [7], en su reforma, quiso que en Judá fuese respetado el sábado. Pero ahora mucha gente lleva cargas, transporta vino y fruta, vende y compra pescado y corderos. Tenéis seis días para esto. El sábado es del Señor. Sólo podéis hacer una cosa en sábado: hacer bien al prójimo. Pero no se debe hacer por lucro sino por ayuda. Quien por lucro viola el sábado,

---

[6] Cfr. Gén. 28, 10-17.
[7] Cfr. 2 Esd. 13, 15-21.

no puede esperar otra cosa más que castigo de parte de Dios. ¿ Ha ganado algo ? ... Lo descontará con pérdidas en los seis días que faltan. ¿ No ha hecho algo útil ? ... En vano cansó el cuerpo, al no concederle el descanso que la Inteligencia ha determinado y así el alma se pone nerviosa por haberse cansado inútilmente, y llega hasta imprecar. En cambio el día de Dios hace que el corazón se una a El en una dulce plegaria de amor. Es necesario ser fieles en todo. »

« Pero ... los escribas y doctores que son tan duros con nosotros ... no trabajan en sábado y ni siquiera dan un pan al prójimo para no cansarse al darlo ... pero sí hacen usura aun en sábado. Porque la usura no es trabajo ... ¿ puede hacerse en sábado ? »

« ¡ No, jamás ! Ni en sábado, ni en cualquier otro día. Quien hace usura no es honrado, sino malo. »

« Entonces ... los escribas y fariseos ... »

« ¡ Simón ! No juzgar. No hacerlo. »

« Tengo ojos para ver ... »

« ¿ Sólo hay que ver el mal, Simón ? »

« No, Maestro. »

« Entonces, ¿ por qué mirar tan sólo el mal ? »

« Tienes razón, Maestro. »

« Así, pues, mañana partiré al amanecer con Juan. »

« Maestro ... »

« Qué te pasa, Simón? »

« Maestro ... ¿ vas a Jerusalén ? »

« Ya lo sabes. »

« También yo voy para la Pascua ... también Andrés y Santiago ... »

« Y ... ¿ qué ? ... ¿ Quieres decir que vendríais conmigo? ... ¿ y la pesca ? ¿ y las ganancias ? ... Me dijiste que te gustaba tener dinero y yo estaré ausente por muchos días. Primero voy a visitar a mi Madre. Iré al regreso. Me detendré a predicar ... ¿ Cómo podríais venir ? »

Pedro está pensativo, lucha dentro de sí ... al final dice : « Por mí ... voy contigo. ¡ Te prefiero al dinero ! »

« También yo voy. »

« Y también yo. »

« Y también nosotros, ¿ o no es así, Felipe ? »

« Entonces venid. Me ayudaréis. »

« ¡ Oh ! » Pedro siente una emoción ante la idea de ayudar a Jesús.

« ¿ Cómo haremos ? »

« Os lo diré. Para hacer bien, no tenéis que hacer más que lo que Yo digo. El obediente siempre hace el bien. Ahora rezaremos y cada uno regresa a su casa. »

« ¿ Qué harás Tú, Maestro ? »

« Oraré todavía. Yo soy la Luz del Mundo, pero también soy el Hijo del hombre que redime al hombre. Oremos. » Jesús dice el Salmo que empieza: « Quien descansa en la ayuda del Altísimo vivirá bajo la protección del Dios del Cielo. Dirá al Señor: "Tú eres mi protector, mi refugio y mi Dios, en El está mi esperanza. El me libró de la trampa de los cazadores y de las palabras duras" etc. etc. » Lo encuentro en el libro 4º; es el segunto del libro 4º; me parece el No. 90. (Si leo bien el número romano).

La visión termina así.

13. Judas Tadeo en Betsaida para invitar a Jesús a las bodas de Caná

(Escrito el 17 de octubre de 1944)

Veo la cocina de Pedro. En ella están además de Jesús, Pedro y su mujer, Santiago y Juan. Parece que han terminado de cenar y están platicando. Jesús se interesa por la pesca.

Andrés entra y dice: « Maestro, aquí está el hombre junto al que vives y acompaña a otro que se dice ser tu primo. »

Jesús se levanta y se dirige a la puerta. « ¡ Pasen ! » y cuando a la luz de la lámpara y del fuego ve que entra Judas Tadeo, exclama: « ¡ Tú, Judas ! »

« Yo, Jesús. » Se besan.

Judas Tadeo es un hombre bien formado, en la plenitud de su belleza varonil. Alto, pero no como Jesús. Bien proporcionado en su cuerpo que es robusto, moreno, como lo era san José de joven, de un color de oliva, pero no de tierra, y con unos ojos que tienen mucho de parecido con los de Jesús, porque son azules, aunque tienden a ser algo violáceos, tiene la barba negra en forma de cuadro y los cabellos en desorden, menos ondeados que los de Jesús y negros como los de la barba.

« Vengo de Cafarnaúm. Fuí en barca y acá también he venido en barca para llegar más pronto. Tu Madre te manda decir : " Susanna se casa mañana. Te ruego Hijo, que asistas a las bodas ". María asiste y con ella, mi madre y los hermanos. Todos los parientes están invitados. Tú serías el único que estuviera ausente y ellos, los parientes te piden que no desaires a los novios. »

Jesús se inclina un poco y abriendo un tanto los brazos dice : « El deseo de mi Madre es ley para Mí. Pero también iré por Susanna y por los familiares. Solo... me desagrada por vosotros... » y mira a Pedro y a los demás. « Son mis amigos » dice al primo. Y se los presenta comenzando por Pedro. Termina diciendo : « Este es Juan » y lo dice en tal forma que llama la atención de Judas Tadeo y el predilecto se sonroja. Termina la presentación con estas palabras : « Amigos, este es Judas hijo de Alfeo, mi primo hermano porque es hijo del cuñado de mi Madre. Es un buen amigo mío de trabajo y de vida. »

« Mi casa está abierta a tí como al Maestro. Siéntate » y después volviéndose a Jesús, Pedro dice : « Entonces, ¿ no iremos contigo a Jerusalén ? »

« ¡ Claro que vendréis ! Después de las bodas iré. Sólo que no me detendré en Nazaret. »

« Haces bien, Jesús, porque tu Madre se hospeda conmigo por algunos días. Así nos hemos puesto de acuerdo y vendrá también Ella después de las bodas » dice el hombre de Cafarnaún.

« Así haremos entonces. Con la barca de Judas iré a Tiberíades y de allí a Caná, y con la misma regresaré a Cafarnaún con mi Madre y contigo. El día siguiente al próximo sábado vendrás, Simón, si es que todavía quieres venir, e iremos para la Pascua a Jerusalén. »

« ¡ Sí quiero ! Hasta iré el sábado a la sinagoga para oirte. »

« ¿ Estás ya enseñando, Jesús ? » pregunta Tadeo.

« Sí, primo. »

« ¡ Y qué palabras ! ¡ Ah ! ¡ Como no se oyen en los labios de otro ! »

Judas da un suspiro. Con la cabeza apoyada sobre la mano y el codo sobre la rodilla mira a Jesús y lanza otro suspiro. Parece como si quisiera hablar, pero no se atreve.

Jesús lo provoca : « ¿ Qué te pasa, Judas ? ¿ Por qué me miras y das suspiros? »

« Por nada. »

310

« No. Por nada no. ¿ No soy acaso el mismo Jesús que te amaba ? ¿ Para el que nunca tenías secretos ? »

« ¡ Sí que eres el mismo ! ¡ Y cuánta falta me haces Tú, Maestro, a mí que soy tu primo y mayor que tú ! »

« Entonces, ¡ habla ! »

« Quería decirte... Jesús... sé prudente... tienes una Madre... que no tiene otra cosa más que Tú... Tú quieres ser un Rabí diferente de los otros y Tú sabes, mejor que yo, que... que las castas poderosas no permiten cosas diversas de las que ellos han introducido. Conozco tu modo de pensar... es santo... pero el mundo no lo es... y oprime a los santos... Jesús, tu conoces la suerte de tu primo el Bautista... está en prisión, y si todavía no ha muerto es porque aquel asqueroso Tetrarca tiene miedo a la gente y al rayo de Dios. Asqueroso y superticioso, como cruel y lujurioso. Tú... ¿ qué harás ? ¿ A qué destino quieres llegar ? »

« Judas ¿ me preguntas esto, tú que conoces tan bien mi manera de pensar ? ¿ Hablas por impulso proprio ? ¡ No, no digas mentiras ! Te han mandado. ciertamente no fué mi Madre, a decirme estas cosas... »

Judas baja la cabeza y calla.

« Habla, primo. »

« Mi padre... y José, y Simón... sabes... por tu bien... porque te quieren y a María... no ven con buenos ojos lo que te propones hacer... y querrían que pensases en tu Madre... »

« Y tú que piensas? »

« Yo... yo... »

« Dentro de tí combaten las voces de lo Alto y las de la tierra. No digo las voces de lo bajo. Digo de la tierra. Santiago es todavía más combatido que tú. Pero yo os digo que sobre la tierra está el cielo, y sobre los intereses del mundo está la causa de Dios. Tenéis necesidad de cambiar vuestro modo de pensar. Cuando lo pudiéreis hacer, entonces seréis perfectos. »

« Pero... ¿ y tu Madre ? »

« Judas: no hay otra persona fuera de Ella que tenga el derecho de reclamar mis deberes de hijo, según la luz de la tierra; o sea a mi deber de trabajar por Ella para socorrer sus necesidades materiales, a mi deber que tengo de asistirla y consolarla con mi presencia, pero Ella no pide nada de esto. Desde que me dió a luz, sabía que me perdería para encontrarme otra vez de un modo más extenso que el pequeño círculo familiar. Y a partir de aquel momento se ha preparado para ello.

En su sangre, esta voluntad absoluta de entrega a Dios, no es nueva. Su madre la ofreció al Templo antes de que ella hubiera podido sonreir a la luz. Ella me lo ha dicho inumerables veces, que teniéndome contra su corazón en las largas noches de invierno o en las claras noches de verano llenas de estrellas, me ha platicado de su santa infancia y de su entrega a Dios, desde las primeras luces de su amanecer en el mundo. Se entregó más, a partir del momento en que me tuvo para que yo realizara la misión que de parte de Dios se me ha encomendado. Todos me abandonarán en cierta hora; tal vez por unos cuantos minutos, y la villanía se apoderará de todos y pensaréis vosotros que hubiera sido mejor, para vuestra seguridad, no haberme conocido jamás. Pero Ella, que lo comprende y lo sabe, Ella estará siempre conmigo y vosotros volveréis a ser míos por medio de Ella. Con la fuerza de su robusta y amorosa fe. Ella os dará alimento en sí, porque respira en Mí. Yo estoy en mi Madre y Ella está en Mí y ambos estamos en Dios.

Quisiera que todos vosotros comprendieseis esto, vosotros familiares según el mundo, amigos e hijos en plan sobrenatural. Tú, y contigo los demás, no sabéis quién es mi Madre. Si lo supiéreis no la criticaríais en vuestro corazón porque no ha podido tenerme sujeto a sí, sino que la veneraríais como a la amiga más íntima de Dios, la Poderosa que todo lo puede en el corazón del Eterno Padre y en el de su Hijo a quien quiere hacer feliz en este viaje de Caná. Después de esta hora lo comprenderéis. » Jesús tiene un tono impotente y persuasivo.

Judas lo mira atento y pensativo dice: « Claro que yo también iré contigo y con ellos si me lo permites... porque comprendo que dices cosas justas. Perdona mi ceguedad y la de mis hermanos. ¡ Eres tan santo ! ¡ Más que nosotros ! ... »

« No guardo rencor a quien no me conoce, ni siquiera para quien me odia, pero me duele por el mal que a sí mismos se hacen. ¿ Qué tienes en esa bolsa ? »

« El vestido que te envía tu Madre. Mañana es una fiesta grande. Cree que su Jesús tenga necesidad del vestido para no hacer mala figura entre los invitados. Ha estado diariamente cosiendo sin descanso desde las primeras luces del día hasta las últimas de la tarde, para hacértelo pero no pudo terminar el manto. Todavía faltan los flecos. Está muy triste. »

« No es necesario. Me pondré este, y el otro será para Jerusalén.

El Templo significa todavía más que una fiesta de bodas. »

« Ella se pondrá feliz. »

« Si deseareis estar al amanecer en el camino de Caná, conviene que partais al punto. La luna ya va a salir y es buena compañera para el camino » dice Pedro.

« Vamos pues; Juan, ven conmigo. Adiós Simón Pedro, Santiago, Andrés. Os espero la tarde del sábado en Cafarnaúm. ¡ Adiós, mujer ! La paz sea contigo y en tu hogar. »

Salen Jesús, Judas y Juan. Pedro los sigue hasta la playa y los ayuda a embarcarse.

Y la visión termina.

14. Jesús en las bodas de Caná [1]

(Escrito en la tarde del 16 de enero de 1944)

Veo una casa característicamente oriental; un cubo blanco más largo que alto, con pocas entradas, rematado con una terraza rodeada de una pared de cerca de un metro de altura a la que da sombra una vid que llega hasta allí y extiende sus ramas más allá de la otra media terraza expuesta al sol.

Una escalera exterior sube a lo largo de la fachada hasta una puerta, que está a la mitad de ella. Abajo, hay puertas bajas y pocas, no más de dos por cada lado que dan a las habitaciones también bajas y oscuras. La casa se levanta en medio de una especie de campiña en donde hay más hierba que espacio libre, y tiene en el centro un pozo. Hay también higueras y manzanos. La casa da a la calle, pero no está cerca de ella. Está un poco adentro, y un vericueto entre las hierbas la une con la calle principal.

Podría decirse que la casa se encuentra en los suburbios de Caná; una casa de campesinos, que viven en medio de su propiedad. La campiña se extiende más allá de la casa con sus lejanías verdes y apacibles. Hay un sol hermoso y un cielo tersamente azul. Al principio no veo otra cosa. La casa está sola.

Veo a continuación a dos mujeres con vestidos largos y un manto que hace las veces también de velo, que vienen caminando y se

[1] Cfr. Ju. 2, 1-11.

313

dirigen a esta parte del sendero. Una parece de mayor edad; sobre los cincuenta años, viste de oscuro, un color semi-café como de lana natural. La otra viste más claro, su vestido es de color amarillo pálido y manto azul, parece tener unos treinta y cinco años. Es muy bella, esbelta y tiene un porte lleno de dignidad, aunque sea todo gentileza y santidad, al acercarse noto la palidez de su rostro; sus ojos son azules y el pelo rubio asoma por debajo del velo.

Reconozco a María Santísima. No sé quien sea la otra, que es morena y de más edad. Hablan entre sí. La Virgen sonríe. Cuando están ya cerca de la casa, alguien, encargado de dar el aviso de su llegada, lo hace, y salen a su encuentro hombres y mujeres con trajes de fiesta, que les hacen muchos festejos, pero sobre todo a María Santísima.

Parece la hora matinal, diría como las nueve, tal vez antes, porque la campiña conserva todavía el aspecto fresco de las primeras horas del día en que aún brilla el rocío sobre la verde hierba y en el aire puro no hay polvo.

Me parece que es la primavera, porque la hierba no está seca y los campos están cubiertos de trigo con espigas aún sin madurar. Todo es verde. Las hojas de las higueras y de los manzanos están verdes y tiernas, lo mismo sucede con las de los sarmientos. No veo frutas ni flores en los manzanos, ni en las higueras, ni en la vid. La razón será que el manzano ha acabado de florecer y no se ven las frutitas todavía.

María, a quien le hacen muchos homenajes y la acompaña un anciano que probablemente es el dueño de la casa, sube por la escalera exterior y entra en la sala grande que parece ocupar toda, o una gran parte del piso que está arriba. Creo que puedo decir que lo que da al exterior, es lo que constituye las habitaciones propiamente dichas de la casa, las alacenas, los armarios y las bodegas, que esta sala esté reservada tan sólo a casos especiales, como a estas, o a trabajos que requieren mucho lugar, o para poner allí las herramientas agrícolas. En las fiestas quitan todo y lo adornan, como sucede hoy, con ramas verdes, esteras y mesas para alimentos.

En el centro hay una mesa bien provista con jarras y platos llenos de frutas. Cerca de la pared que está a mi derecha hay otra pero menos provista. A mi lado izquierdo hay una alacena larga con platos, con quesos y otros alimentos que me parecen ser tortas con miel y dulces. En el suelo, cerca de esta pared, hay otras jarras y seis grandes vasos con asas de metal. Se les podría dar el nombre de jarrones.

María escucha benévolamente todo lo que le dicen, después, cortésmente se quita el manto y ayuda a terminar de preparar la mesa. La veo ir de acá para allá poniendo en orden los lechos-silla, componiendo las guirnaldas de flores, dando mejor presentación a las frutas, viendo que en las lámparas haya aceite. Sonríe y habla muy poco y esto en voz baja. Pero para escuchar es toda oídos bondadosos.

Se oye por el camino un rumor de instrumentos musicales, no muy armoniosos en verdad y todos, menos María, corren afuera. Rodeada de sus padres y amigos, veo que entra la adornada novia al lado del novio que fué el primero en salirle al encuentro.

En este momento la visión tiene un cambio. Estoy viendo en lugar de la casa, un poblado. No sé si sea Caná o algún otro pueblo. Veo a Jesús con Juan y con otro que probablemente, si no me engaño, es Judas Tadeo.

De Juan estoy cierta. Jesús trae un vestido blanco y un manto azul marino. Al oir los instrumentos musicales, el compañero de Jesús pregunta algo a una persona y se lo dice a Jesús. «Vamos a hacer feliz a mi Madre» contesta Jesús con la sonrisa en los labios y se dirige a través de los campos con sus dos compañeros, por detrás de la casa.

Me he olvidado de decir que tengo la impresión de que María es o pariente o amiga de los padres del novio, porque se ve que les tiene confianza.

Cuando llega Jesús, el que está de centinela avisa a los demás. El dueño de la casa, con su hijo el novio y María, baja a recibir a Jesús y lo saluda respetuosamente y luego a sus dos acompañantes, cosa que también hace el novio. Lo que más me gusta es el saludo respetuoso de María a su Hijo y viceversa. Ninguna muestra efusiva, pero hay una mirada que acompaña las palabras del saludo «La paz sea contigo» y una sonrisa que vale por cientos de abrazos y besos. Se ve que el beso flota en los labios de María pero no lo da. Pone su pequeña mano blanca sobre la espalda de Jesús y le compone su larga cabellera. Es una caricia de enamorada púdica.

Jesús sube al lado de su Madre seguido por sus discípulos y los dueños y entra en la sala del banquete, donde las mujeres se apresuran a poner asientos y platos para los tres huéspedes que parece no eran esperados. Puedo decir que la presencia de Jesús era incierta, pero del todo inesperada la de sus compañeros.

Oigo claramente la voz llena, viril, dulcísima del Maestro que al poner pie en la sala dice: « La paz sea en esta casa y la bendición de Dios con todos vosotros. » Es un saludo a todos, lleno de majestad. Domina a todos con su presencia y con su estatura. Es el huésped, tal vez fortuito, pero parece el rey del banquete, más que el esposo, más que el dueño de la casa. Aunque sea humilde y condescendiente, es El, el que domina.

Jesús se sienta en la mesa central con el novio y la novia, los padres de los novios y los amigos de mayor importancia. A los dos discípulos, por consideración al Maestro, se les hace sentar en la misma mesa.

Jesús tiene las espaldas vueltas a la pared en donde están los jarrones y la alacena; por eso no puede verlos, como tampoco el afanarse del anfitrión, con los platos de carne que traen y que son introducidos a través de una puertecita cercana a la alacena.

Observo una cosa. Fuera de las respectivas madres de los novios y de María, ninguna otra mujer está sentada a la mesa principal. Las otras mujeres hacen bulla por cien de ellas en la otra mesa, y se les sirve después de que han sido servidos los novios y los huéspedes de honor. Jesús está sentado junto al dueño de la casa y frente a María que está sentada al lado de la novia.

Empieza el banquete y le aseguro que a nadie le falta el apetito, ni la sed. Los que comen y beben poco son Jesús y su Madre, que también habla muy poco. Jesús habla un poco más; aunque sea parco en el hablar no es ni altanero ni desdeñoso. Es un hombre cortés, pero no un hablador. Si se le pregunta, responde. Si le hablan, muestra interés, expone su parecer, y después se recoge en Sí como alguien que está acostumbrado a meditar. Sonríe, pero nunca ríe en forma estrepitosa. Si oye una chanza un poco que no va, muestra sencillamente como si no la hubiese oído. María con sus ojos no se desprende de Jesús, igualmente Juan que está en el extremo de la mesa pero pendiente de los labios del Maestro.

María cae en la cuenta de que los servidores discuten con el anfitrión y que este se siente molesto y comprende que algo hay desagradable. « Hijo », dice despacio, llamando la atención de Jesús. « Hijo, no tienen más vino. »

« Mujer, qué más hay entre tú y yo? » Jesús al decir estas palabras sonríe aun más dulcemente a María, como que los dos tienen un secreto de alegría y que todos los demás ignoran.

María ordena a los sirvientes: «Haced lo que El os diga.» Es que ha leído en los ojos sonrientes de Jesús el asentimiento que a los otros "llamados" queda oculto. Jesús ordena a los sirvientes: «Llenad de agua los jarrones.»

Veo que los llenan con agua traída del pozo, oigo el rechinar de la carretilla que baja y sube el cubo chorreando. Veo también al anfitrión que sorprendido revuelve un poco de aquel líquido, y luego todavía más admirado, lo prueba, lo saborea y habla con el dueño de la casa y con el novio que estaban cerca.

María mira a su Hijo y sonríe; después correspondida con una sonrisa de El, baja la cabeza con un ligero sonrojo. Es feliz. Por la sala se oye un murmullo y las cabezas se vuelven hacia Jesús y María; algunos se levantan para ver mejor, otros van a los jarrones y seguido de un silencio, en coro alaban a Jesús.

El se levanta y dice tan solo: «Agradeced a María» y se retira del banquete. Los discípulos lo siguen. En el umbral repite: «La paz sea en esta casa y la bendición de Dios con vosotros» y añade: «Madre, te saludo.»

La visión termina.

15. « Mujer, que más hay entre Tú y Yo »

(Escrito el mismo día)

Jesús me explica el significado de la frase.

« Aquel "más" que muchos traductores omiten, es la clave de la frase y le da su verdadero significado. Era yo el Hijo sujeto a mi Madre hasta el momento en que comenzó mi misión en la que quedé solo como Siervo de Dios. Rotos habían quedado los deberes morales para con la que me había engendrado. Se habían transformado en otros más sublimes que estaban en el espíritu. Mi alma decía: "Mamá" María, mi Santa. El amor no conoce descanso ni obstáculo, antes bien se hizo más perfecto al estar separado de Ella como por un segundo alumbramiento. Ella me dió al mundo, para el mundo, como Mesías, como Evangelizador ... y su tercera sublime y mística maternidad se realizó en el patíbulo del Gólgota, al darme a la Cruz haciéndome Redentor del Mundo.

" ¿ Qué más hay entre tú y Yo ? " [1]. Antes era tuyo, únicamente tuyo. Tú me mandabas y Yo te obedecía. Te estaba sometido. *Ahora pertenezco a la misión.* ¿ No lo dije acaso ? " Quien pone la mano en el arado y vuelve atrás, a ver lo que le queda, no es apto para el reino de los Cielos " [2]. Yo había puesto la mano en el arado para abrir con la reja, no terrones sino corazones y sembrar entre los hombres la palabra de Dios. Quité de allí la mano tan sólo cuando me la quitaron para enclavármela en la Cruz y abrir el corazón de mi Padre con el clavo que me atormentaba, haciendo salir de El el perdón para el género humano.

Aquel " más " que muchos olvidan, quería decir esto: " Tu has sido todo para mí, Madre, mientras que fuí tan solo Jesús el de María de Nazaret y eres todo para mi alma; pero desde el momento en que soy el Mesías esperado, pertenezco a mi Padre. Espera un poco más y terminada mi misión, seré nuevemente *todo* tuyo; me tendrás nuevamente entre los brazos como cuando era pequeño y nadie te disputará este Hijo tuyo, considerado un oprobio del género humano, que te arrojará sus despojos para cubrirte de oprobio por haber sido la madre de un criminal. Y después me volverás a tener para siempre triunfante, en el Cielo. Pero ahora pertenezco a todos los hombres. Pertenezco al Padre que me ha enviado a ellos ".

Ahí tienes lo que quiere decir ese pequeño " más ". »

Jesús me instruye así:

« Cuando dije a los discípulos " Vayamos a hacer feliz a mi madre ", había dado a mis palabras un sentido más alto del que parecían tener. No se trataba de la felicidad de verme, sino de ser Ella iniciadora de mi actividad de milagros y la primera benefactora del género humano. No lo olvidéis nunca. Mi primer milagro se hizo por María. El primero como prueba de que María es la llave del milagro. Yo no niego nada a mi Madre y por su plegaria anticipo también el tiempo de la gracia. Conozco a mi Madre, cuya bondad sólo Dios supera. Sé que el haceros un bien es lo mismo que hacerla feliz, porque es ella todo amor. Por esto dije: " Vayamos a hacer feliz a mi Madre ".

Por otra parte quise manifestar al mundo, su poder junto con

[1] Cfr. Ju. 2, 4.
[2] Cfr. Lc. 9, 61-62.

318

el mío. Destinada para estar unida conmigo en la carne — pues fuimos una carne — Yo en Ella y Ella en torno mío, como pétalos de lirio alrededor del perfumado y lleno de vida pistilo; unida a Mí *por el dolor* — porque estuvimos en la Cruz. Yo en carne y Ella en el alma; así como el lirio perfuma con su corola y con la esencia que de ella se saca — era justo que también estuviese unida a Mí en *el poder*. Digo a vosotros, lo que dije a los convidados: " Agradeced a María. Por Ella habéis recibido al dueño del milagro, por Ella tenéis mis gracia y sobre todo la de mi perdón ".

¡ Quédate en paz ! Estamos contigo. »

16. Jesús arroja a los mercaderes del Templo [1]

(Escrito el 24 de octubre de 1944)

Estoy viendo que Jesús entra con Pedro, Andrés, Juan, Santiago, Felipe y Bartolomé en el recinto del Templo. Hay mucha gente por fuera y por dentro. Peregrinos que llegan a torrentes de todas partes de la ciudad.

De lo alto de la colina sobre la que está construido el Templo, se ve a la gente hormiguear por las calles estrechas y torcidas. Parece como si sobre el blanco natural de las casas se haya tendido una cinta movible de miles de colores. En realidad la ciudad se antoja a un juguete vistoso hecho de cintas de diversos colores entre dos hilos blancos y todos ellos convergen al punto donde resplandecen las cúpulas de la Casa del Señor.

Por dentro... hay una verdadera feria. No existe ningún recogimiento en el lugar sagrado. Quién corre, quién llama, quién contrata los corderos y grita y maldice por el precio excesivo, quién empuja a los pobres animales que balan en los corrales improvisados con cuerdas o estacas y custodiados por el dueño o mercader a la entrada. Palos, balidos, blasfemias, insultos a los criados que se descuidan en juntar o separar los animales y a los compradores que regatean el precio o que se van y mayores insultos a los que a sabiendas se han llevado algún cordero.

Junto a los bancos de los cambistas, otro griterío. Parece, no sé si

[1] Cfr. Mt. 21, 12-17; Ju. 2, 13-25.

siempre o tan solo en tiempo de Pascua, el Templo hacía las veces de... banco, o mejor dicho de bolsa negra. El valor de las monedas no estaba fijo. Existía el valor legal que ciertamente debe haber habido, pero los cambistas le imponían otro, apropiándose de un tanto, que según su capricho determinaban en el cambio. ¡ Le aseguro que no eran módicos en la usura !... Entre más pobre era la gente o venía de lejos, tanto más le sacaban. Más a los viejos que a los jóvenes; a los que venían de otras partes más que a los del lugar.

Dos pobres viejecillos miraban y volvían a mirar su bolsillo en el que estaba el dinero guardado, tal vez con tanto trabajo durante el año, lo sacaban y lo volvían a meter en el seno cien veces, iban de uno a otro cambista y terminaban tal vez por regresar al primero, que se vengaba de que lo hubieran dejado, y aumentaban la usura en el cambio... y las monedas grandes, pasaban de las manos del propietario a las uñas del usurero y eran cambiadas en monedas más pequeñas. Después otra escena triste de cuentas y suspiros ante los vendedores de corderos, los cuales daban a los viejos medio ciegos los más flacos.

Veo que regresan dos viejecillos, él y ella empujando un pobrecito cordero que rechazaron los sacrificadores tal vez por tener un defecto. Llanto, súplicas, malos gestos, palabrotas van y vienen sin que el vendedor se conmueva.

« Para lo que queréis gastar, galileos, es muy hermoso todavía el que os he dado. ¡ Largaos ! O dad otros cinco denarios por uno más hermoso. »

« ¡ En nombre de Dios ! ¡ Somos pobres y viejos ! ¡ No quieras impedir que celebremos la Pascua, que es tal vez la última ! ¿ No te basta lo que pediste por un pequeño animal ? »

« ¡ Largaos apestosos ! Allá viene José el Anciano y me honra con su preferencia. ¡ Dios sea contigo ! ¡ Ven, escoge ! »

Entra en el corral y toma un soberbio cordero, el llamado José el Anciano o sea de Arimatea. Majestuoso con su vestido, con orgullo pasa delante de los pobrecitos que gimotean a la entrada del corral. Los empuja casi, sobre todo cuando sale con el gordo cordero que va balando.

Pero Jesús está ya cerca. También El ha hecho su compra, y Pedro, que probablemente fué el que hizo el contrato por El, se saca un cordero regular. Jesús toma la derecha, hacia los viejecillos que temerosos e indecisos lloran mientras la gente los empuja y son insultados por el vendedor.

Jesús que es muy alto junto a los dos viejecillos cuyas cabezas apenas si le llegan al pecho, se acerca y poniendo su mano en la espalda de la mujer, le pregunta. « ¿ Por qué lloras, mujer ? »

La viejecilla vuelve la cara para ver a ese joven alto y majestuoso de vestido blanco y manto también blanco, tan nuevo y limpio que lo debe de confundir con un doctor, sea por el vestido o por el porte que admirada, ya que ni los doctores ni los sacerdotes se preocupan de la gente, ni defienden a los pobres contra la avaricia de los vendedores, le dice la razón del llanto de ambos.

Jesús se dirige al vendedor de los corderos: « Cambia este cordero a estos fieles. No es digno del altar, como no es digno que te aproveches de dos viejecitos tan sólo porque son débiles e indefensos. »

« Y tú, ¿ quién eres ? »

« Un justo. »

« Tu modo de hablar y el de tus compañeros te denuncian como galileo. ¿ Puede darse el caso de que haya un justo en Galilea ? »

« Haz lo que te digo y se justo. »

« ¡ Oid ! ¡ oid al galileo, defensor de sus iguales ! ¡ Nos quiere enseñar a nosotros los del templo ! ». El hombre ríe y se burla, remedando la cadencia del hablar galileo, que es más sonoro y más rico en dulzura del de Judea, a lo menos así me parece.

La gente se reune, otros vendedores y cambistas toman la defensa del compañero contra Jesús. Entre los presentes hay dos o tres rabíes burlones. Uno de ellos pregunta: « ¿ Eres Tú doctor ? » en un modo tal que podría hacer perder la paciencia al mismo Job.

« Lo has dicho. »

« ¿ Qué enseñas ? »

« Enseño esto: a hacer la Casa de Dios, casa de oración y no lugar de usura y mercado. ¡ Esto enseño ! » Jesús da miedo. Parece el arcángel colocado a la entrada del Paraíso perdido[2]. No tiene espada que brille en sus manos, pero tiene rayos en los ojos con los que ataca a los burlones y sacrílegos.

No tiene nada en la mano, tan solo su santa ira. Y así sigue caminando impetuoso entre banco y banco y derrama las monedas alineadas con tanto cuidado según su calidad; voltea las mesas y las mesitas, y todo cae con ruido al suelo entre el gran estrépito

---

[2] Cfr. Gén. 3, 24.

de monedas que rebotan y de maderos quebrados y gritos de ira, de pavor, de aprobación. Después, arranca de las manos de los mozos que cuidan los animales, las cuerdas con que guardaban los bueyes, ovejas y corderos y hace un duro látigo en que los lazos sueltos se convierten en flagelo, y lo levanta, y le da vueltas por arriba y por abajo sin piedad alguna. ¡ Sí !... Le aseguro que sin piedad.

Al golpear sacude cabezas y espaldas. Los fieles se separan admirando lo que pasa; los culpables perseguidos, se entregan a la fuga dejando por el suelo el dinero y los animales en medio de una gran confusión de piernas, cuernos, alas..., quién corre, quién vuela; hay mugidos, balidos, aleteos de palomas y tórtolas, todo unido a las risas y burlas con que los fieles siguen a los usureros que huyen y que sobrepasan a los berridos y balidos de los corderos que están siendo degollados en otra parte.

Acuden los sacerdotes junto con los rabíes y fariseos. Jesús está todavía en medio del patio, de regreso de haber perseguido a los culpables. Todavía tiene el látigo en su mano.

« ¿ Quién eres ? ¿ Cómo te permites hacer esto, turbando las ceremonias prescritas ? ¿ De qué escuela provienes ? Nosotros no te conocemos, ni sabemos quién eres. »

« Yo soy El que puedo. Todo lo puedo. Destruid si queréis este Templo real y Yo lo levantaré para alabar a Dios. Yo no turbo la santidad de la Casa de Dios ni las ceremonias, sino que sois vosotros los que la turbáis permitiendo que su morada se convierta en sede de ladrones y vendedores. Mi escuela es la escuela de Dios. La misma que Israel tuvo cuando le hablaba el Eterno por medio de Moisés. ¿ No me conocéis ? ¡ Me conoceréis ! ¿ No sabéis de donde vengo ?... ¡ Lo sabréis ! » y volviéndose al pueblo, sin preocuparse más de los sacerdotes; alto, vestido de blanco, con el manto abierto y cayendo sobre la espalda y con los brazos abiertos, como un orador en lo más emocionante de su discurso, dice:

« ¡ Oid, vosotros de Israel ! En el Deuteronomio [3] está dicho: " Establecerás jueces y magistrados en todas las puertas... y ellos juzgarán con justicia al pueblo, sin inclinarse por ninguna parte. No tendrás respetos personales, ni aceptarás donativos, porque los donativos ciegan los ojos de los sabios y alteran las palabras de los justos. Con justicia seguirás lo que es justo para vivir y poseer

[3] Cfr. Dt. 16, 18-20.

la tierra que el Señor Dios tuyo te habrá dado ".

¡ Oid vosotros de Israel ! ¡ En el Deuteronomio está escrito [4]: " Los sacerdotes y los levitas y todos los de la tribu de Leví no tendrán parte ni herencia con el resto de Israel, porque deben vivir de los sacrificios hechos al Señor y con las ofrendas que le hacen; no tendrán nada entre las posesiones de sus hermanos, porque al Señor es su herencia ".

¡ Oid vosotros de Israel ! En el Deuteronomio [5] está escrito: " No prestarás a interés ni dinero, ni semillas, ni cosa alguna a tu hermano. Podrás hacerlo con el extranjero; pero a tu hermano no prestarás a interés de lo que tiene necesidad ". Esto ha dicho el Señor.

¡ Ved ahora qué injusticia para con el pobre se comete en Israel ! No triunfa el justo sino el fuerte; y ser pobre, ser pueblo, quiere decir oprimido. ¿ Cómo puede el pueblo decir: " Quien nos juzga es justo " si ve que no lo respetan los que deberían de hacerlo? ¿ El violar los Mandamientos de Dios es acaso respetarlo ? ¿ Por qué razón los sacerdotes en Israel tienen posessiones y aceptam donativos de publicanos pecadores, los cuales los hacen para tener de su parte a los sacerdotes, así como estos lo hacen para tener mayor riqueza ?

Dios es la herencia de sus sacerdotes. Para ellos, El, el Padre de Israel, es más que Padre y les provee de comida como es justo. Pero no más de lo justo. No ha prometido a los servidores del santuario bolsas de dinero ni posesiones. En la eternidad tendrán el Cielo porque fueron justos, como lo tendrán Moisés, Elías, Jacob y Abraham pero sobre esta tierra no deben tener más que el vestido de lino y una diadema de oro incorruptible: *pureza y caridad*, y que el cuerpo sea siervo del espíritu, que es siervo del Dios verdadero, y que no sea el cuerpo quien sea el señor del espíritu y contrario a Dios.

Se me ha preguntado con qué autoridad hago esto. Y ellos ¿ con qué autoridad profanan los Mandamientos de Dios y a la sombra de los muros sagrados permiten usura contra sus hermanos de Israel, que han venido por obedecer un mandamiento divino? Se me ha preguntado de qué escuela provengo Yo, y he respondido: " De la escuela de Dios ". Así es, Israel. Yo he venido a traerte *a esta*

---

[4] Cfr. Dt. 18, 1-2.
[5] Cfr. Dt. 23, 19-20.

escuela santa e inmutable. Quien quiera conocer la luz, la verdad, la vida, quien quiera volver a oir la voz de Dios que habla a su pueblo, venga a Mí. Como habéis seguido a Moisés a través de los desiertos. ¡ Oh vosotros de Israel ! Seguidme a Mí que os llevaré a través de un desierto más desolado al encuentro de la verdadera Tierra prometida, por el mar abierto de los Mandamientos de Dios os llevaré a ella y levantando mi Señal, os curaré de cualquier mal.

Ha llegado la hora de la gracia. La esperaron los Patriarcas y murieron esperándola, la que predijeron los Profetas y fallecieron en esta esperanza. Los justos soñaron en ella y murieron confortados con este sueño. Ha venido la hora.

¡ Venid ! "El Señor está por juzgar a su pueblo y para hacer misericordia a sus siervos", como prometió por boca de Moisés[6]. »

La gente agolpada alrededor de Jesús con la boca abierta lo ha escuchado. Después comenta las palabras del nuevo Rabí y preguntas van y vienen.

Jesús se dirige a otro patio, separado por un pórtico. Sus amigos le siguen y la visión termina.

[6] Tal vez alusión a Ex. 15, 13.

17. Encuentro con Iscariote y Tomás. Milagro realizado en Simón el Zelote.

(Escrito el 26 de octubre de 1944)

Jesús está con sus seis discípulos; ni ayer ni hoy he visto a Judas Tadeo, que también había dicho que quería venir a Jerusalén con El. Deben estar aún en las fiestas de Pascua, porque hay mucha gente por la ciudad.

Ya se acerca el atardecer y muchos se dirigen presurosos a sus casas. También El se dirige a la casa donde se hospeda. No es la del Cenáculo porque está en la ciudad, aunque un poco a las orillas, en la campiña y entre los olivos. De la pequeña explanada que hay delante se ven árboles que bajan como escalinata y terminan donde hay un riachuelo que no tiene tanta agua, la cual fluye en el pequeño barranco formado entre dos colinas no muy altas; sobre la cima de una está el Templo y sobre la otra sólo hay olivos y más olivos. Jesús está en la falda de la pendiente de esta colina que se recuesta perezosamente, y sube sin brusquedad, cubierta y tranquila con sus plantas.

« Juan, hay dos hombres que esperan a tu amigo » dice un anciano que tal vez sea el campesino propietario del olivar y conocido de Juan.

« ¿ Dónde están ? ¿ Quiénes son ? »

« No lo sé. Uno ciertamente es judío. El otro... no lo podría saber. No se lo he preguntado. »

« ¿Dónde están ? »

« Están esperando en la cocina y... y... hay otro que es todo llagas... He hecho que se esté allí porque... no quisiera yo que fuese leproso... dice que quiere ver al profeta que ha hablado en el Templo. »

Jesús, que hasta ese momento había guardado silencio, dice: « Vayamos primero a este. Díles a los otros que si quieren venir, que vengan. Habblaré con ellos aquí en el olivar » y se va a donde había señalado el anciano.

« Y nosotros ¿ qué hacemos ? » pregunta Pedro.

« Venid si queréis. »

Un hombre todo embozado está pegado a la barda que sirve de apoyo a una zanja, la más cercana al sembradío. Debió de haber subido por una vereducha que conduce hasta allí costeando el riachuelo. Cuando ve que Jesús viene a él, grita: « ¡ Atrás, atrás ! », pero también: « ¡ Piedad ! » y descubre su tronco, dejando caer el vestido.

Si la cara está cubierta de costras, el tronco es un entretejido de llagas. Unas son hoyos profundos, otras sencillamente como quemaduras de color rojo, y algunas blanquiscas y transparentes como si tuviesen un vidrio blanco.

« ¡ Eres leproso ! ¿ Para qué me quieres ? »

« No me maldigas! ¡ No me tires piedras ! Me han contado que la otra tarde te has manifestado como Voz de Dios y Portador de su Gracia. Me han dicho que Tú has afirmado que al alzar tu Señal sanas cualquier enfermedad. ¡ Levántala sobre mí ! ¡ Vengo de los sepulcros... desde allá ! Me he arrastrado como una serpiente entre las espinas del riachuelo para llegar sin ser visto. He esperado el atardecer para hacerlo, porque en la penumbra menos parezco lo que soy. Me he atrevido... encontré al buen amo de la casa que no me mató y sólo me dijo: " Espera junto a la barda ". Ten piedad Tú también » y como Jesús se acerca solo, pues los seis discípulos y el dueño del lugar, con los dos desconocidos, están lejos y muestran claramente repulsa, dice de nuevo: « ¡ No más adelante ! ¡ No más ! ... ¡ Estoy infectado ! »

Pero Jesús avanza. Lo mira con tanta piedad, que el hombre se pone a llorar y se arrodilla con la cara casi sobre el suelo y solloza: « Tu Señal ! ¡ Tu Señal ! »

« Será levantada a su hora. Pero yo te digo: ¡Levántate! ¡Cúrate! ¡ Lo quiero ! y sé para Mí testigo en esta ciudad que debe conocerme. ¡ Levántate, te lo mando, y no pecar más en gratitud a Dios ! »

El hombre se levanta poco a poco. Parece como si emergiese de entre la alta hierba florea como de un sudario, de una tumba... y está curado. Grita: « Estoy límpio! ¡Oh! ¿ Qué debo hacer yo ahora por Tí ? »

« Obedecer a la Ley. Ve al sacerdote. Se bueno en el porvenír. ¡ Ve ! »

El hombre hace un movimiento de arrojarse a los pies de Jesús, pero se acuerda que está todavía impuro según la Ley [1], y se detiene. Pero se besa la mano y manda con ella el beso a Jesús y llora de alegría.

Los otros parecen como si esuviera petrificados. Jesús vuelve las espaldas al curado y con la sonrisa en los labios los hace volver en sí, diciendo:

« Amigos, no era más que una lepra de la carne. Pero vosotros veréis caer la lepra de los corazones. ¿ Sois vosotros los que me buscabais ? » pregunta a los dos desconocidos. « Aquí estoy. ¿ Quienes sois ? »

« Te oimos la otra tarde... en el Templo. Te habíamos buscado por la ciudad. Uno que se dice ser pariente tuyo, nos dijo que estabas aquí. »

« ¿ Por qué me buscáis ? »

« Por seguirte, si quieres, porque has dicho palabras de verdad. »

« ¿ Seguirme ? ¿ Pero sabéis a dónde debo ir ? »

« No, Maestro, pero ciertamente que a la gloria. »

« Si, pero no a una gloria de la tierra sino a la que tiene su asiento en el Cielo y que se conquista con la virtud y sacrificios.

[1] Cfr. Lev. 13 y 14 en todo lo que se refiere al leproso y su curación.

¿ Por qué queréis seguirme ? » vuelve a preguntar.

« Para tener parte en tu gloria. »

« ¿ Según el Cielo ? »

« Sí, según el Cielo. »

« No todos pueden llegar porque Mammón acecha a los que desean el Cielo más que a los demás *y sólo el que sabe querer con todas sus fuerzas resiste.* ¿ Por qué seguirme, si seguirme quiere decir lucha continua con el enemigo que es Satanás? »

« Porque así quiere nuestro corazón, que ha quedado conquistado por Tí. Tú eres santo y poderoso. Queremos ser tus amigos. »

« ¡ Amigos ! » Jesús calla y suspira. Después mira fijamente al que siempre ha estado hablando y que ahora ha dejado caer el manto pequeño de la cabeza que está rapada. Es Judas de Keriot. « ¿ Quién eres tú, que hablas mejor que uno del pueblo? »

« Soy Judas de Simón. Soy de Keriot, pero estoy en el Templo. Espero y sueño en el Rey de los Judíos. Te he visto que eres rey en la palabra, también lo he visto en el gesto. Tómame contigo. »

« ¿ Tomarte ?... ¿ Ahora ?... ¿ Inmediatamente ?... ¡ No ! »

« ¿ Por qué, Maestro ? »

« Porque es mejor pesarse a sí mismo antes de emprender un camino muy pendiente. »

« ¿ No te fías de mi sinceridad ? »

« ¡ Lo has dicho ! Creo en tu impulso, pero no creo en tu constancia. Piénsalo bien, Judas. Por ahora me voy, pero regresaré para Pentecostés. Si estás en el Templo, podrás verme. ¡ Pésate a tí mismo !... y tú, ¿ quién eres ? » pregunta al otro desconocido.

« Otro que te vió. Querría estar contigo. Pero ahora siento temor. »

« ¡ No ! La presunción es ruina. El temor puede ser obstáculo, pero si procede de humildad, es ayuda. No tengas miedo. También tú piénsalo y cuando regrese... »

« Maestro, ¡ eres tan Santo ! Tengo miedo de no ser digno. No de otra cosa. Porque de mi amor no recelo. »

« ¿ Cómo te llamas ? »

« Tomás y de sobrenombre Dídimo. »

« Recordaré tu nombre. Ve en paz. »

Jesús los despide y se retira a la casa donde se hospeda, para la cena. Los seis están con El, quieren saber muchas cosas.

« Por qué has hecho tanta diferencia entre los dos, Maestro?.. ¿ Por qué esa diferencia ?... ambos tenían el mismo impulso...»

pregunta Juan.

« Amigo, aunque el impulso sea el mismo, este puede tener diversos orígenes y producir diversos efectos. Ciertamente que los dos tienen el mismo impulso. Pero el uno no es igual al otro en el fin, y el que parece menos perfecto, lo es más, porque no tiene el acicate de la gloria humana. Me ama porque... me ama. »

« ¡ También Yo ! »

« ¡ Y también yo ! »

« ¡ Y yo ! »... « ¡ Y yo ! »... « ¡ Y yo ! » ... « ¡ Y yo ! »

« Lo sé. Os conozco por lo que sois. »

« ¿ Somos por lo tanto perfectos ? »

« ¡ Ah, no ! Pero lo seréis, si como Tomás permanecéis en vuestra voluntad de amar. ¿ Perfectos ? ... ¿ Quién es perfecto sino Dios ? »

« Tú lo eres. »

« En verdad os digo que no soy perfecto porque creais que sea un profeta. Ningún hombre es perfecto. Más Yo soy perfecto porque El que os habla es el Verbo del Padre. Sale de Dios su Pensamiento que se hace Palabra[2]. Tengo la perfección en Mí y como a tal me debéis creer; si creeis que soy el Verbo del Padre y a pesar de todo lo que estáis viendo amigos, quiero que se me llame Hijo del Hombre, porque me aniquilo al tomar sobre Mí todas las miserias del hombre para llevarlas, como mi primer patíbulo y borrarlas después de haberlas sobrellevado, ¡ sin ser mías ! ¡ Qué peso amigos ! Mas lo llevo con alegría. Es gusto para Mí llevarlo porque siendo Yo, Hijo del Hombre, haré del hombre un hijo de Dios como el primer día. Como el primer día. »

Jesús está hablando con dulzura, sentado a la pobre mesa, en donde acciona despacio sobre ella, mientras su rostro un poquitín inclinado es iluminado de abajo a arriba con la lamparita de aceite. La sonrisa da expresión al rostro de Jesús, que cuando enseña es majestuoso, pero al mismo tiempo amigable en su trato. Aten-

---

[2] Dado que Dios no es cuerpo sino espíritu, la expresión " Sale de Dios su Pensamiento que se hace Palabra " no puede tener sentido material sino espiritual, si bien se expresa de una manera poular y no con el rigor científico. " Sale de Dios " en el contexto, significa por lo tanto que sale del Padre; y se dice que el Verbo sale del Padre, porque la Palabra es engendrada, por quien la piensa y sale y procede de quien la piensa y la profiere. Por eso forma *parte* de quien la piensa y profiere; es un modo sensible y adaptado al común de la gente expresar una realidad espiritual y divina: la consustancialidad del Hijo con el Padre es el orígen del Hijo al salir del Padre, como Palabra del Pensamiento, como Verbo de quien la pronuncia. Tales modos de pensar, aunque científicamente no exactos, sí lo son para la gente común y hasta se encuentran en la Liturgia; el llamado *Símbolo Atanasiano* dice que, así como el alma y el cuerpo constituyen al hombre, así Dios y el Hombre constituyen al Cristo.

tos los discípulos lo escuchan.

« Maestro... ¿ por qué no ha venido tu primo, pese a que sabe en dónde vives ? »

« ¡Ah, Pedro!... Tú serás una de mis piedras, la primera. Pero no todas las piedras pueden emplearse igualmente. ¿ Has visto los mármoles del pretorio? Arrancados con trabajo del seno de la montaña ahora forman parte del palacio. Mira aquellas otras piedras que brillan bajo la luz de la luna enmedio de las aguas del Cedrón. Están en el lecho del río y si alguien desea tomarlas, no tiene más que extender la mano. Mi primo es como de las primeras piedras de que hablé... las del seno de la montaña; la familia me lo disputa. »

« Pero yo quiero ser en todo como las piedras del río. Estoy pronto a dejar todo por Tí; casa, esposa, pesca, hermanos y... ¡Todo! ¡Oh, Rabí por Tí! »

« Lo sé, Pedro. Por eso te amo. Mas, también vendrá Judas.

« ¿ Quién?... ¿ Judas de Keriot?... ¡No me agrada! Es un apuesto señorito, pero... prefiero... me prefiero a mí mismo...»

Todos lanzan una risotada con la salida de Pedro

« No hay por qué reirse. Quise decir que prefiero un galileo franco, burdo, pescador pero sin malicia... a los de la ciudad que... no sé... ¡ Ea ! el Maestro entiende lo que yo pienso. »

« Sí, entiendo. Pero no hay que juzgar. Tenemos necesidad los unos de los otros sobre la tierra, y los buenos están mezclados con los perversos como las flores en un campo, la cicuta está al lado de la salutífera malva. »

« Yo quisiera una cosa...»

« ¿ Cuál es, Andrés ? »

« Juan me ha contado el milagro hecho en Caná... Teníamos tantas ganas de que hicieses alguno en Cafarnaúm... y Tú dijiste que no hacías ningún milagro si antes no habías cumplido la Ley. ¿ Por qué lo hiciste en Caná y no acá en tu pueblo? »

« Cada vez que se obedece a la Ley se une el hombre a Dios y por eso aumenta su capacidad. El milagro es la señal de esta unión y es la prueba de su presencia benévola y aprobadora. Por esta razón quise cumplir con mi deber de Israelita antes de empezar la serie de prodigios. »

« Pero Tú no estabas obligado a la Ley. »

« ¿ Por qué ?... Como Hijo de Dios, no. Pero como Hijo de la Ley, sí. Israel por ahora no me conoce como a tal... También Israel me conocerá como a tal; aunque será el que me conozca menos. Pero no quiero dar escándalo a Israel y obedezco a la Ley. »

« Eres Santo. »

« La santidad no excluye la obediencia. Antes bien la perfecciona. Todavía tengo que daros ejemplo. ¿ Qué dirías de un padre, de un hijo mayor, de un maestro, de un sacerdote que no diese buen ejemplo? »

« ¿ Y entonces, Caná ? »

« Caná era el regocijo que mi Madre tendría. Caná es la anticipación que se debe a mi Madre. Ella es la anticipadora de la gracia. Aquí honro la Ciudad santa al hacerla públicamente el centro de mi poder de Mesías. Pero allá, en Caná, honraba a la Santa de Dios, a la que es toda santa. El mundo me tiene por Ella. Es justo que también por Ella vaya mi primer milagro al mundo. »

Tocan a la puerta. Es Tomás, entra y se arroja a los pies de Jesús: « Maestro... no puedo esperar hasta tu regreso. Déjame contigo. Estoy lleno de defectos pero tengo un amor, único, grande, grande, verdadero, que es mi tesoro. Es tuyo y es para Tí. ¡ Déjame, Maestro! ... »

Jesús le pone la mano sobre la cabeza. « Quédate, Dídimo. Ven conmigo. Bienaventurados los que son sinceros y tenaces en el querer. Vosotros sois benditos. Para mí sois más que parientes, porque sois hijos y hermanos, no según la sangre que perece sino conforme al querer de Dios y al querer vuestro espiritual. Ahora declaro que no tengo ningún pariente más cercano a Mí, que el que hace la voluntad de mi Padre, y vosotros la hacéis, porque queréis el bien. »

La visión termina aquí.

18. Tomás se hace su discípulo

(Escrito el 27 de octubre del 1944)

Estamos todavía en el mismo lugar: la cocina larga, amplia y oscura con sus paredes cubiertas de humo, apenas si alumbradas con la llama de la lámpara de aceite colocada sobre la rústica mesa, larga y estrecha, a la que están sentadas ocho personas: Jesús, sus seis discípulos y el dueño de la casa, cuatro de cada lado.

Jesús que ha girado sobre su banco — los bancos de aquí no tienen respaldo y son de tres patas, cosa común en el campo — todavía está hablando a Tomás. La mano de Jesús, de la cabeza ha pasado a la espalda del discípulo. Jesús le dice: « Levántate, a-migo, ¿ya cenaste? »

« No, Maestro. He caminado unos cuantos metros con el otro que vino conmigo, después lo dejé y me regresé diciéndole que quería hablar con el leproso curado... lo dije porque pensé que él desdeñaría el acercarse a un impuro y adiviné. Pero yo te buscaba a Tí, no al leproso... quería decirte... ¡Acéptame!. .: He rondado de aquí para allá por el olivar, hasta que un joven me preguntó que qué andaba haciendo. Debió imaginarse que era yo un ma-lintencionado... Estaba cerca de un pilastro, allá en donde em-pieza el terreno. »

El dueño de la casa sonríe. « Es mi hijo » explica, y añade: « Está de guardia en donde se muele la aceituna. Tenemos en las cuevas casi toda la cosecha de este año. Fué muy buena. Nos dió mucho aceite. Y cuando llegan las multitudes, siempre se juntan malandrines que roban los lugares que no están custodiados. Hace ocho años exactamente por Pascua, nos robaron todo. Desde enton-ces, nos turnamos en las noches para hacer guardia. Su madre le ha llevado la cena. »

« Pues bien, me dijo: "¿Qué quieres?", y lo dijo en un tono que para librarme las espaldas de su bastón, le dije al punto: "Busco al Maestro que habita aquí". Me respondió: "Si es verdad lo que dices, ve a la casa", y hasta aquí me acompañó. El fué el que tocó a la puerta y no se retiró sino hasta que oyó mis prime-ras palabras. »

« ¿Vives lejos? »

« Me alojo en la otra parte de la ciudad, cerca de la Puerta Orien-tal. »

« ¿Estás solo? »

« Estaba con parientes. Pero ellos se han ido a casa de otros que viven sobre el camino de Belén. Me quedé a buscarte de día y no-che hasta que te encontrara. »

Sonríe Jesús y dice: « Entonces, ¿nadie te espera? »

« No, Maestro. »

« El camino es largo, la noche está oscura, las patrullas romanas

331

andan por la ciudad. Yo te diría: Si quieres, quédate con nosotros. »

« ¡ Oh, Maestro ! » Tomás se ve feliz.

« Hacedle lugar y dadle todos alguna cosa al hermano. » Jesús de su parte da a Tomás un pedazo de queso que tenía delante de Sí y le explica: « Somos pobres y la cena ha casi terminado, pero se te da de corazón » dirigiéndose a Juan que está sentado a su lado le dice: « Da tu lugar al amigo. »

Al punto se levanta Juan y va a sentarse en el extremo de la mesa, cerca del dueño de la casa.

« Siéntate, Tomás y come. » Después a todos: « Así haréis siempre, amigos, por ley de caridad. El peregrino está protegido por la Ley de Dios [1]. Pero ahora por causa de mi nombre, con más razón lo debéis de amar. Cuando uno os pida pan, un sorbo de agua, un refugio en nombre de Dios, debeis dárselo por causa del mismo nombre, y Dios os recompesará. Esto debeis hacer todos, también con los enemigos. Esta es la Ley Nueva. Hasta ahora se os ha dicho: " Amad a los que os aman, y odiad a los enemigos " [2]. Yo os digo: " Amad también a los que os odian " [3]. ¡ Oh ! ¡ Si supiéseis cómo os amaría Dios si amaseis como Yo os mando ! Cuando alguien dice: " Yo quiero ser compañero vuestro en servir al Señor Dios verdadero y seguir a su Cordero " entonces debe de ser para vosotros más querido que un hermano carnal, porque estáis unidos con vínculo eterno, el del Mesías. »

« ¿ Pero si le toca a uno alguien que no es sincero ? Decir " yo quiero hacer esto o aquello ", es fácil, pero no siempre las palabras están de acuerdo con la verdad » dice Pedro un tanto enojado. No sé por qué, pues casi siempre es de carácter jovial.

« Escucha, Pedro, tú hablas con buen sentido y con justicia, pero mira, es mejor pecar de bondadoso y confiado que de desconfiado y duro. Si haces bien a un indigno, ¿ qué mal se te sigue ? ¡ Ninguno ! Antes bien, el premio de Dios estará pronto para tí, mientras él tendrá el castigo de haber traicionado tu confianza. »

« ¿ Ningún mal ? ¡ Eh ! Algunas veces el que es indigno no se contenta con ser ingrato sino que pasa adelante y llega hasta causar daños en la honra, en los bienes y en la vida misma. »

« Tienes razón. ¿Pero disminuiría tu premio? ¡No! Aunque to-

[1] Cfr. por ej.: Ex. 23, 9.
[2] Cfr. Lev. 19, 18; Mt. 5, 43.
[3] Cfr. Mt. 5, 44; Lc. 6, 27.

do el mundo creyese las calumnias, aunque tú fueses hecho más pobre que Job, aunque el cruel te quitase la vida, ¿ qué cosa habría cambiado ante los ojos de Dios? ¡ Nada ! Antes bien habría un cambio; bueno ciertamente para tí. Dios uniría al premio de la bondad, los méritos del martirio intelectual, financiero o físico »

« ¡ Bien, bien ! Así será. » Pedro no dice más. Está de mal humor, tiene la cabeza apoyada en la mano.

Jesús se dirige a Tomás: « Amigo, te dije primero en el olivar que cuando regrese a estas partes, si todavía deseabas, podrías ser mi discípulo, pero ahora te pregunto que si estás dispuesto a hacerme un favor. »

« ¡ Sin duda ! »

« Pero ¿ si ese favor te puede traer un sacrificio ? »

« Ningún sacrificio es el servirte. ¿ Qué se te ofrece ? »

« Quería decirte ... pero tal vez tendrás negocios, afectos ... »

« ¡ Nada, nada ! Te tengo a Tí. Habla. »

« Escucha. Mañana cuando el alba salga, el leproso saldrá de los sepulcros para buscar quien avise al sacerdote. Es caridad que tú vayas antes a ese lugar y digas en voz alta: " Tú que ayer fuiste curado, ven fuera. Me manda a tí Jesús de Nazaret, el Mesías de Israel, el que te sanó "; haz que el mundo de los " muertos vivientes " conozca mi nombre y arda de esperanzas; y que a la esperanza, una la fe de venir a Mí para que lo cure. Es la primera forma de limpieza que traigo, de resurrección de la que soy dueño. Llegará el día en que os daré una salud más profunda ... algún día los sepulcros sellados, vomitarán a los verdaderos muertos que aparecerán para reir de sus oquedades sin ojos y de sus mandíbulas descubiertas, por el profundo gozo, que aun los esqueletos experimentarán, cuando sus espíritus sean libertados del Limbo de espera. Aparecerán para celebrar su liberación y para llenarse de júbilo al saber a quien se la deben. Tú irás y él vendrá a tí. Harás lo que te diga que tienes que hacer. En todo lo ayudarás como si fuese tu hermano. Le dirás también: " Cuando hayas cumplido con tu purificación, iremos juntos por el camino del río, más allá de Jericó y de Efraín. Allá el Maestro te espera, para decirnos en qué debemos servirlo ". »

« ¡ Así lo haré ! ¿ Y el otro ? »

« ¿ Quién ? ... ¿ Iscariote ? »

« Sí, Maestro. »

« Para él persiste mi consejo. Déjalo que decida por sí mismo y *por largo tiempo.* Evita aún el encontrarlo. »

« Estaré cerca del leproso. En el valle de los sepulcros tan sólo se mueven los inmundos o quienes tienen piedad de ellos. »

Pedro masculla algunas palabras y Jesús lo oye.

« ¿ Qué te pasa Pedro ? ¿ Estás callado o murmuras ? Pareces de mal humor... ¿ Por qué ? »

« Lo estoy. Nosotros somos los primeros y Tú no nos regalas un milagro. Nosotros somos los primeros y haces que se siente cerca de Tí un extraño. Nosotros somos los primeros y Tú le das encargos a él y no a nosotros. Nosotros somos los primeros y... sí, exactamente mira, parece como si fuéramos los últimos. ¿ Por qué los esperas en el camino del río ?... Claro que será para encargarles algo. ¿ Por qué a ellos y no a nosotros? »

Jesús lo mira sin enojo, más bien sonríe, como se sonríe a un niño. Se levanta, se dirige despacito a donde está Pedro, le pone la mano sobre la espalda y sonriente le dice: « ¡ Pedro, Pedro ! ¡ Eres un gran viejo niño ! » A Andrés que estaba sentado junto a su hermano le dice: « Ve a sentarte en mi lugar » y se sienta cerca de Pedro, pasándole un brazo por la espalda, y en esta forma le habla. « Pedro, te parece que yo cometa alguna injusticia, pero no es así. Al contrario, es una prueba de que *sé* lo que valéis. Mira ¿ Quién tiene necesidad de pruebas ? ¡ El que todavía no está seguro ! Ahora bien, Yo sabía que estabais tan seguros de Mí, que no era necesario daros una prueba de mi poder. Acá en Jerusalén son necesarias las pruebas, acá donde el vicio, la irreligión, la política, tantas cosas mundanales, ofuscan los espíritus a tal punto que no pueden ver la luz que pasa. Pero allá, en nuestro hermoso lago, tan puro bajo un cielo limpio; allá entre gente honrada y amante del bien, no son necesarias las pruebas. Allí tendréis milagros. Derramaré sobre vosotros torrentes de gracia. ¡ Mirad cómo os he estimado ! Os acepté sin exigir prueba alguna y sin creer que fuera necesario dároslas, porque sé quienes sois. Queridos, muy queridos y muy fieles a Mí[4]. »

Pedro se tranquiliza: « Perdóname, Jesús. »

« Sí, te perdono porque tu refunfuño es amor. Pero no tengas más envidia, Simón de Jonás. ¿ Sabes que cosa es el corazón de tu Jesús ? ¿ Has visto alguna vez el mar, el *verdadero* mar ?... ¿ Sí ?

---

[4] De hecho Simón de Jonás que sin haber tenido pruebas del poder de Jesús, aunque al principio desconfiaba, después, sin exigirlas, se hizo su discípulo, porque creyó espontáneamente.

Pues bien, mi corazón es mucho más vasto que el ancho mar. Hay lugar para todos. Para todo el género humano. El más pequeño tiene lugar como el más grande, y el pecador encuentra amor como el inocente. A estos confío una misión... ¿ Me quieres estorbar que se las dé? ¡ Yo los he elegido ! y si a estos dejo aquí con un encargo, puede ser por prueba, como puede ser misericordia el lapso de tiempo dejado a Iscariote... ¿ podrías tú echármelo en cara ? ¿ Sabes si te reservo una más grande ? ¿ Y no acaso es la más hermosa, la de oír tú mismo que se te pregunta " Vienes conmigo ? " »

« ¡ Es verdad, es verdad ! Soy un animal. ¡ Perdón ! »

« Sí, todo está perdonado. ¡ Oh, Pedro !... Os ruego una cosa a todos, no discutáis jamás sobre los méritos y puestos. Pude haber nacido rey y nací pobre en un establo. Pude haber sido rico, y he vivido de mi trabajo y ahora de caridad. Y sin embargo, creedlo amigos, no hay nadie más grande ante los ojos de Dios que Yo. Yo que estoy aquí como siervo del hombre. »

« ¿ Siervo Tú ? ¡ Eso jamás ! »

« ¿ Por qué, Pedro ? »

« Porque yo te serviré. »

« Aunque me sirvieses como una madre sirve a su pequeñín, Yo he venido para servir al hombre. Para él seré Salvador. ¿ Qué servicio hay semejante a este? »

« Oh, Maestro. Tú todo lo explicas. Y lo que parecía oscuro se torna de pronto claro. »

« ¿ Estás contento ahora, Pedro ? Bueno, déjame terminar de hablar a Tomás. ¿ Estás seguro de poder reconocer al leproso ? Ningún otro, más que él está curado; pero podría suceder que ya hubiese partido a la luz de las estrellas, para encontrar a algún caminante compasivo; y otro, por el ansia de entrar a la ciudad para ver a los parientes, tal vez, podría tomar su lugar. Escucha como es su retrato. Yo estaba cerca de él en el crepúsculo y lo he visto bien. Es alto y delgado. Color oscuro como de sangre mezclada. Ojos profundos y muy negros bajo unas cejas blancas, cabellos blancos como el lino y encrespados, nariz larga, pero achatada en la punta como la de los líbios, labios gruesos, sobre todo el inferior y salientes. Tiene color de aceituna y los labios parecen casi amoratados. En la frente tiene una cicatriz antigua que le ha quedado, y será la única mancha que tenga, ya que todas las otras costras se le cayeron. »

« Es un viejo, si está todo blanco. »

« No, Felipe. Parece, pero no lo es. La lepra lo hizo canoso. »

« Qué cosa es una sangre mezclada ? »

« Quiero decir, Pedro, que tiene cierta semejanza con los pueblos de Africa. »

« ¿ Será Israelita, entonces ? »

« ¡ Lo sabremos ! y ... ¿ si no lo fuese ? »

« ¡ Eh ! si no lo fuese, se iría. Ya es mucho el haber merecido que hubiese sido curado. »

« No, Pedro. Aun cuando fuese idólatra, no lo despacharé. Yo he venido para todos. Y en verdad te digo que los pueblos de las tinieblas sobrepasarán a los hijos del pueblo de la Luz ... »

Jesús da un suspiro. Se levanta. Da gracias al Padre con un himno y los bendice.

La visión termina aquí.

Hago notar de paso que el que dentro de mí habla, me ha dicho desde ayer tarde cuando veía al leproso: « Este es Simón, el Apóstol. Verás cuando lleguen él y Tadeo al Maestro. » Esta mañana después de la Comunión (es viernes) abrí el misal y ví que hoy exactamente es la vigilia de la fiesta de los Santos Simón y Judas, y el Evangelio de esta mañana habla de la caridad [5], como repitiendo las palabras que había oido ya en la visión. Por ahora no he visto a Judas Tadeo.

[5] El trozo del evangelio que se lee en el Misal Romano para la fiesta de los Santos Apóstoles Simón y Judas, 28 de octubre, está tomado de Ju. 15, 17-25.

19. Judas de Alfeo, Tomás y Simón aceptados en el Jordán

(Escrito el 28 de octubre de 1944)

¡ Sois hermosas riberas del Jordán, como lo erais en tiempo de Jesús ! Os veo y me siento dichosa con vuestra majestuosa tranquilidad verde-azul. Aguas y frondas que se mueven con un dulce tono como de melodía.

Me encuentro en un camino bastante ancho y bien cuidado. Debe de ser una de las vías principales, mejor dicho, militares, que los romanos han trazado para unir las diversas regiones con la capital.

Corre junto al río, pero no exactamente a lo largo de él. Le separa un espacio boscoso, que creo sea para proteger las riberas y servir de dique a las aguas en tiempo de avenida. De la otra parte del camino, continúa el bosquecillo de modo que la senda parece una galería natural, sobre la que se entretejen las frondosas ramas. Consuelo inapreciable para el peregrino, en estos lugares de un sol candente.

El río y por la misma razón también el camino, forman en el punto en donde estoy, una curva lenta, de modo que veo cómo continúa el terraplén frondoso como una verde muralla para detener un depósito de aguas sosegadas. Parece como si fuera un lago de algún parque señorial.

Pero el agua no es el agua tranquila de un lago. Fluye, aunque lentamente. Y la prueba es el ruido que hace contra los primeros bejucos, los que se han atrevido a nacer allí, en la orilla, y las ondas que forman las raicillas que se mueven al movimento del agua al mismo ritmo que un grupo de sauces, de flexibles y llorosas ramas, que han confiado el sueño de su verde copa al río, que en agradecimiento las peina con gusto, y las alarga con suavidad al contacto de su corriente.

Las primeras horas matinales se bañan en el silencio y en la quietud. Se oyen tan sólo los trinos y reclamos de los pajaritos, el chocar de las aguas y de las ramas y se ve como que relampaguea el rocío sobre la verde hierba que crece grande entre los árboles; hierba que aún no está seca ni marilla del sol de estío, sino que tierna y reciente, porque las primeras lluvias del agua primaveral, la ha bañado, y la tierra que de su seno la hizo nacer la empapó en beneficiosa savia.

Tres viajeros están parados en esta quebradura del camino, exactamente en una saliente de la curva. Voltean ya al oriente, ya al poniente, ya al sur en dirección de Jerusalén o al norte en la de Samaría. Miran a través de la enramada que forman los árboles para ver si ya viene la persona que esperan. Son Tomás, Judas Tadeo y el leproso curado. Hablan entre sí.

« ¿ Ves algo ? »

« ¡ Nada ! »

« Ni yo tampoco. »

« Y con todo, este es el lugar. »

« ¿ Estás seguro ? »

« Seguro, Simón. Uno de los seis me lo dijo, mientras el Maestro se alejaba entre las aclamaciones de la multitud después que había curado milagrosamente al mendigo que caminaba cojeando en la Puerta de los Peces: "Ahora nos vamos de Jerusalén. Espéranos a unos cinco o seis kilómetros entre Jericó y Doco, donde hace curva el río, a lo largo de la arboleda ". ¡ Esta es ! Luego añadió: "Dentro de 3 días estaremos a eso del amanecer ", pero el tercero y cuarto día nos han encontrado aquí. »

« ¿ Vendrá ? Tal vez hubiera sido mejor haberlo seguido desde Jerusalén. »

« ¡ No, Simón no podía aún venir entre la multitud ! »

« Si mi primo dijo que vendría aquí, vendrá. Siempre cumple con lo que promete. No hay más que esperar. »

« ¿ Has estado siempre con El ? »

« Siempre. Desde que regresó a Nazaret ha sido siempre para mí un buen compañero. Siempre juntos. Somos casi de la misma edad. Yo un poco mayor. Además su padre me quería mucho, era yo su preferido. Su padre era hermano del mío. También la mamá de El me quería mucho. Más me he criado junto con El que con mi madre. »

« Te quería... Ahora, ¿ ya no te quiere lo mismo ? »

« ¡ Oh, sí ! Pero nos hemos separado un poco desde que El se hizo profeta. A mis parientes no les gusta. »

« ¿ A qué parientes ? »

« A mi padre y a otros dos hermanos. Judas titubea. Mi padre es muy viejo y no ha querido dejarme, pero ahora... ahora no más, yo voy donde el corazón y la cabeza me arrastran. Voy a donde está Jesús. No creo que falte contra la Ley al hacerlo así. Claro... si no es cosa buena lo que hago, Jesús me lo hará saber. Haré lo que El me diga. ¿ Es lícito a un padre oponerse a su hijo en el bien ? Si yo creo que ahí está la salvación, ¿ por qué me la quiere quitar ? ¿ Por qué a veces los padres de uno se convierten en enemigos ? »

Simón lanza un suspiro como si en su mente hubiera recuerdos tristes, y baja la cabeza. No habla ni una palabra.

Tomás por su parte responde: « Yo he vencido ya el obstáculo, mi padre me escuchó y me comprendió. Me bendijo con estas palabras: "Ve. Que esta Pascua se convierta para tí en la libertad de algo que has esperado. Dichoso tú que puedes creer. Si en realidad fuera El, y lo comprendieses, ven a tu viejo padre a decirle que Israel tiene ya al Esperado ". ».

« ¡Tienes más suerte que yo! ¡Y pensar que hemos vivido a su lado!... ¡y nosotros los de la familia no creemos!... y decimos, esto es, *dicen ellos*: " Ha perdido el juicio ". »

« ¡ Eh, miren allí a un grupo de gente! » grita Simón. « ¡ Es El, es El! ¡Reconozco su cabellera rubia! ¡Oh!, venid. ¡Vamos corriendo! »

Velozmente caminan hacia el sur. Los árboles, ahora que pasan la curva, los esconde, de modo que los dos grupos se encuentran casi enfrente uno del otro sin esperarlo. Parece que Jesús sube del río, pues está entre los árboles de la ribera.

« ¡Maestro! » « ¡Jesús! » « ¡Señor! »

Los gritos de los discípulos, del primo, del curado retumban envueltos en adoración y alegría.

« ¡La paz sea con vosotros! » He aquí la hermosa e inconfundible voz, llena, sonora, tranquila, expresiva, clara, viril, dulce y cortante. « También tú, Judas, primo mío? »

Se abrazan, Judas llora.

« ¿Por qué lloras? »

« ¡Oh, Jesús! ¡Quiero estar contigo! »

« Siempre te he esperado. ¿Por qué no habías venido? »

Judas inclina la cabeza y guarda silencio.

« No querían... Y... ¿ahora? »

« Jesús, yo... yo no puedo obedecerles. Te quiero obedecer a tí solo. »

« Pero yo no te he dado ninguna orden. »

« No, no la has dado. ¡Pero tu misión es la que me la da! Es El que te ha enviado el que habla en mí, en el fondo de mi corazón y me dice: " Ve a El ". Es la que te engendró y que para mí ha sido una gentil maestra, que con su mirada de paloma, me lo dice sin emplear palabras: " ¡Se tú de Jesús! " ¿Puedo dejar de hacer caso a aquella voz majestuosa que taladra el corazón? ¿Puedo dejar de atender esta voz de santa, que ciertamente me lo ruega por mi bien? ¿Tan sólo porque soy tu primo por parte de José, no debo de reconocerte por lo que eres, mientras que el Bautista te ha reconocido sin haberte nunca visto, en las riberas de este río y te ha saludado como Cordero de Dios?... yo que he crecido contigo, yo que he sido bueno siguiéndote, yo que me he convertido en hijo de la Ley por causa de tu Madre y de Ella ha bebido no sólo los 613 preceptos de los rabíes, además de la Escritura y las oraciones, sino el espíritu de ellas, ¿ debería de dejar de ser algo ? »

« ¿ Tu padre ? »

« ¿ Mi padre ? No le falta ni pan ni quien le asista, y después… Tú me das el ejemplo. Tú has pensado más en el bien del pueblo que en el pequeño bienestar de María y Ella está sola. Díme, Maestro, ¿ no es acaso lícito, sin faltar al respeto, decir al propio padre: " Papá, te quiero. Pero sobre de tí está Dios, y a El sigo " …? »

« Judas, pariente y amigo, Yo te digo que estás muy adelantado en el camino de la luz. Ven. Es lícito hablar en estos términos al papá cuando Dios es quien nos llama. No hay sobre Dios nadie. Las leyes de la sangre dejan de existir, más bien dicho, se subliman, porque con nuestras lágrimas damos a nuestros padres, a nuestras madres, una ayuda mayor, que es algo eterno que no lo es el jornal del mundo. Atraigámoslos con nosotros al cielo, y a Dios, por el camino mismo del sacrificio de los afectos. Quédate, pues, Judas. Te he esperado y soy feliz de volverte a ver, amigo de mi vida nazaretana. »

Judas está conmovido.

Jesús se vuelve a Tomás: « Has obedecido fielmente y esa es la primera virtud del discípulo. »

« He venido para ser fiel a Tí. »

« Lo serás. Te lo digo. Ven tú que tienes vergüenza y que estás escondido en la sombra. No tengas miedo. »

« ¡ Señor mío ! » El antiguo leproso está a los pies de Jesús.

« Levántate. ¿ Como te llamas ? »

« Simón. »

« ¿ Tu familia ? »

« Señor… era poderosa… y yo también lo era… pero envidia de opulencia y… errores de juventud han dañado su potencia. Mi padre… ¡ Oh ! Debo de hablar contra él, ¡ porque me ha costado lágrimas y no del cielo ! Lo ves, ves ¡ qué regalo me hizo ! »

« ¿ Era leproso ? »

« No era leproso, como yo tampoco. Si no que había contraído una enfermedad que nosotros los de Israel la calificamos con el nombre común de lepra. El… entonces era grande en su casta, vivió y murió poderoso en su casa. Yo… si tú no me salvas, habría muerto en los sepulcros. »

« ¿ Eres solo ? »

« Solo. Tengo un siervo fiel que tiene cuidado de lo que me que-

340

da. Se lo he dicho ya. »

« ¿ Tu madre ? »

« Ha muerto. » Parece como cohibido.

Jesús lo observa atentamente. « Simón me dijiste: " ¿ Qué cosa debo de hacer por Tí ? " Ahora Yo te digo: " ¡ Sígueme ! ". »

« ¡ Al punto, Señor ! ... Pero, pero yo ... déjame que te diga una cosa. Yo soy llamado " zelote " [1] por casta y " cananeo " por madre. ¿ Lo ves ? soy de color moreno. Tengo en mí sangre de esclava. Mi padre no tuvo hijos de su mujer, y me crió de una esclava. Su mujer, una mujer buena me cuidó como si fuera su propio hijo y me curó en todas las enfermedades, hasta que murió... »

« No hay ni esclavos ni libertos a los ojos de Dios. Hay una sola esclavitud ante sus ojos: el pecado. Yo he venido a quitarla. A todos os llamo, porque de todos es el reino. ¿ Eres culto ? »

« Lo soy. Tenía también mi lugar entre los grandes, mientras mi mal pudo estar oculto bajo los vestidos. Pero cuando salió a la luz ... A mis enemigos les pareció tener bastante razón para aprovecharse y ponerme entre los " muertos », porque como dijo un médico de Cesarea, romano, a quien consulté, que aunque mi enfermedad no era una lepra verdadera, sino una erisipela hereditaria, para evitar que se propagara, bastaba con no tener hijos. ¿ No puedo acaso maldecir a mi padre ? »

« No debes de hacerlo aunque fué causa de muchos males ... »

« ¡ Oh, sí ! Dilapidó la fortuna, fué vicioso, cruel, sin corazon, sin amor. Me quitó la salud, las caricias, la paz, me ha dado un nombre que es despreciable y una enfermedad que es marca de oprobio ... Se hizo dueño de todo. Hasta del porvenir de su hijo. Todo me ha quitado, hasta la alegría de ser padre. »

« Por esto te digo: " Sígueme ". A mi lado, en mi compañía encontrarás padres e hijos. Mira a lo alto, Simón, y allí encontrarás al verdadero Padre que te sonríe. Levanta la vista y contempla las inmensas regiones de la tierra y mira que en los caminos, hay hijos y más hijos; hijos espirituales para los que no tienen hijos. Te están esperando y muchos como tú te esperan. Bajo mi Señal no existe el abandono. Bajo mi Señal no hay soledades, ni diferencias. Es Señal de amor y el amor tan solo da. Ven, Simón, tú que no has tenido hijos. Ven, Judas, que pierdes a tu padre por mi

---

[1] La Escritora ignoraba que los " zelotes " al principio fueron fervientes observantes de la Ley, y enemigos del yugo extranjero (cfr. 1. Mac. 2, 50) pero terminaron por ser los duros fariseos, muy nacionalistas (cfr. Hech. 5. 36-37).

amor. Os uno en la suerte.»

Jesús tiene a los dos cerca y pone sus manos sobre sus espaldas como si indicara con ello que ha tomado posesión, como que les impone un yugo común. Después agrega: «Os uno, pero ahora os separo. Tú, Simón, quedarás aquí con Tomás. Preparareis el camino de mi regreso. No pasará mucho tiempo antes de que vuelva. Volveré y quiero que me espere mucha, mucha gente. Decid a los enfermos — tú lo puedes decir — que El que cura, viene. Decid a los que esperan, que el Mesías está ya entre su pueblo. Decid a los pecadores que hay quien perdona y que da fuerzas para la ascención.»

«Pero... ¿ seremos capaces ?»

«Sí. No tenéis otra cosa que decir. "El ha llegado y os llama, os espera. Viene para concederos favores. Estad aquí prontos a esperarlo" y agregad a las palabras, lo que sabéis. Tú, Judas, primo mío, ven conmigo y con estos, pero te quedarás en Nazaret.»

«¿ Por qué, Jesús ?»

«Porque me debes preparar el camino en nuestra patria. ¿ La consideras una misión pequeña ? ¡ En verdad no hay más pesada !...» Jesús lanza un suspiro.

«¿ Y lo lograré ?»

«Sí y no. Pero eso será suficiente para justificarnos.»

«¿ De qué cosa ?... ¿ ante quién ?»

«Ante Dios. Ante nuestra patria, ante la família que no podrá decir que nosotros no les hayamos ofrecido el bien. Si nuestra tierra y nuestra familia no hicieren caso, no tendremos ninguna culpa de que se hayan perdido.»

«¿ Y nosotros ?»

«Tú, Pedro y vosotros, tornareis a las redes.»

«¿ Por qué ?»

«Porque os instruiré lentamente y os aceptaré cuando os vea preparados.»

«Pero te veremos, ¿ no ?»

«¡ Claro ! Vendré frecuentemente con vosotros, os mandaré llamar cuando esté en Cafarnaúm. Ahora despedíos amigos y vámonos. Os bendigo a los que quedáis. Mi paz sea con vosotros.»

Y la visión ha terminado.

20. Regreso a Nazaret después de la Pascua con los seis discípulos

(Escrito el 31 de octubre de 1944)

Jesús con su primo y seis discípulos está en las proximidades de Nazaret. De lo alto de la colina en donde se encuentran, se destaca la pequeña ciudad blanquecina entre la vegetación del declive desigual en donde está construida. Es un declive con curvas que en algunos lugares apenas si se notan, mientras que en otros son marcadas.

« ¡ Hemos llegado, amigos ! He ahí mi casa. Mi Madre está dentro porque no sale de casa, tal vez está haciendo pan. No os digo, quedaos, porque tendréis ganas de llegar a la vuestra; pero si quisiereis partir conmigo el pan, y conocerla, Juan ya la conoce, os invito a que vengáis. »

Los seis que estaban entristecidos por la separación, se alegran y aceptan de corazón.

« Vamos, pues. »

Bajan ligeramente la colinilla y toman el camino principal. Ya es tarde aunque todavía hace calor; pero las sombras descienden sobre la campiña en donde las espigas de trigo empiezan a madurar. Entran en el pueblo... se ven mujeres que van y vienen del pozo; hombres en los umbrales de sus pequeños talleres o en los huertos saludan a Jesús y a Judas. Los niños, por su parte, se arremolinan en torno de Jesús.

« ¡ Ya regresaste ! »

« ¿ Ahora te vas a quedar con nosotros ? »

« De nuevo se me rompió la rueda de mi carrito. »

« ¿ Sabes, Jesús ? Nació una hermanita mía y le han puesto de nombre María. »

« El maestro me ha dicho que sé todo y que soy un verdadero hijo de la Ley. »

« No está Sara porque tiene a su mamá muy enferma. Llora porque tiene miedo. »

« Mi hermano Isaac ya se casó. Hubo gran fiesta. »

Jesús escucha, acaricia, elogia, promete ayuda y así llegan a su casa. En el umbral está ya María, a quien un niño presuroso, había anunciado la llegada de Jesús.

« ¡ Hijo mío ! »

« ¡ Mamá ! »

Los dos mutuamente se estrechan entre los brazos. María, mucho más baja que Jesús, tiene la cabeza apoyada sobre el pecho de su Hijo que se oculta entre el cerco de sus brazos. La besa en los blondos cabellos y entran en casa.

Los discípulos, también Judas, quedan fuera para dejarlos libres en sus primeras expansiones.

« ¡ Jesús ! ¡ Hijo mío ! » La voz de María tiembla como tiembla la del que tiene lágrimas en la garganta.

« ¿ Por qué esto, Mamá ? »

« ¡ Oh Hijo ! Me dijeron que en el Templo había galileos, nazarenos, aquel día... Regresaron... y han contado... ¡ Oh Hijo ! »

« Pero lo ves, ¡ Mamá ! Estoy bien. No me pasó nada. Solo Dios fué glorificado en su Casa. »

« Sí lo sé, Hijo de mi corazón. Sé que ha sido como la campana que despierta a los dormidos y por la gloria de Dios, soy feliz... feliz de que este pueblo mío se despierte a Dios... no te reprocho... no te impido... te comprendo... y... y soy feliz. :: pero te engendré yo, ¡ Hijo mío !. » María todavía está entre el cerco de los brazos de Jesús y le ha hablado con sus manitas abiertas y apoyadas en el pecho de su Hijo, con la cabeza levantada hacia El. Sus ojos brillan al claror de las lágrimas que están para derramarse. Se calla y apoya nuevamente la cabeza sobre su Hijo. Parece una tortolita gris por su vestido color ceniciento al resguardo de dos fuertes blancas alas, porque Jesús tiene todavía el vestido y el manto blancos.

« ¡ Mamá ! ¡ Pobrecita mamá ! ¡ Querida Mamá !... » Jesús la besa nuevamente. Después dice: « Y bien, ¿ lo ves ? Estoy aquí y no estoy solo. Traigo conmigo a mis primeros discípulos y tengo otros en Judea. También mi primo Judas está conmigo y me sigue... »

« ¿ Judas ? »

« Sí, Judas. Comprendo que estás sorprendida. Claro, entre los que hablaron de lo sucedido estaba Alfeo con sus hijos... y no me equivo si digo que es de los que me han criticado. Pero no tengas miedo. Hoy es así, mañana no lo será. El hombre es cultivado como la tierra y donde antes había espinas, ahora brotan rosas. Tú quieres a Judas. Está ya conmigo. »

« ¿ Dónde está ahora ? »

« Allá afuera con los demás. ¿ Tienes pan para todos? »

« Sí, Hijo. María de Alfeo lo está haciendo en el horno. María es muy buena conmigo, sobre todo ahora. »

« Dios le dará la gloria. » Se asoma a la puerta y grita: « ¡ Judas, aquí esta tu madre ! ¡ Venid, amigos ! »

Entran y saludan. Pero Judas besa a María primero y después corre en busca de su madre.

Jesús presenta a los cinco: Pedro, Andrés, Santiago, Natanael y Felipe; porque Juan que ya conoce a María la saludó al punto después de Judas, inclinándose y recibiendo su bendición. María responde al saludo y los invita a sentarse. Es la dueña de la casa y aunque con la mirada adora a su Jesús y parece como que su alma continuase hablándole con los ojos, se preocupa por los huéspedes. Quiere traerles agua para que se refresquen, pero Pedro interrumpe: « No, Mujer, no puedo permitirlo. Siéntate junto a tu Hijo, Madre Santa. Yo iré, iremos al huerto a refrescarnos. »

Acude María de Alfeo, colorada y con la harina hasta en la cara, saluda a Jesús que la bendice, y después lleva a los seis al huerto, a la pileta y regresa contentísima. « ¡ Oh, María ! » dice a la Virgen. « Mi Judas me ha dicho. ¡ Qué feliz soy ! Por Judas y por tí, prima mía. Sé que los otros me lo tacharán, pero no importa. Sería feliz el día en que supiera que todos son de Jesús. Nosotras las mamás sabemos ... sentimos qué cosa hace bien a los hijos. Pienso que el bien de mis creaturas eres Tú, Jesús. » Este la acaricia sobre la cabeza sonriéndole.

Regresan los discípulos y María de Alfeo les da pan oloroso, aceitunas y queso. Trae también una jarra de vino rojo que Jesús da a sus discípulos. Es siempre Jesús el que ofrece y distribuye. Al principio los discípulos se sienten coartados, pero después toman confianza y hablan de sus casas, del viaje a Jerusalén, de los milagros acaecidos. Están llenos de celo y afecto, y Pedro busca que María se convierta en una aliada suya para que Jesús los acepte pronto sin necesidad de esperar en Betsaida.

« Haced cuanto os diga » los exhorta con una suave sonrisa. « La espera os servirá mucho más que el que estéis con El al punto. Mi Jesús hace bien todo lo que hace. »

Muere la esperanza de Pedro. Pero se doblega de buena gana. Pregunta tan sólo: « ¿ Será mucho tiempo el que tengamos que esperar? »

Jesús le envía una sonrisa, pero no dice nada. María interpreta aquella sonrisa como una señal benévola: « Simón, hijo de Jonás

— sonriente le dice — el tiempo que tengas que sujetarte a esa espera, será como el fugaz vuelo de la golondrina que acaricia el lago. »

« Gracias, Mujer. »

« ¿ No dices nada, Judas ? ... y ¿ tú Juan ? »

« Te miro María. »

« Y yo también. »

« También yo os miro ... y ¿ sabéis ? ... Vuelven a mi mente tiempos lejanos cuando tres pares de ojos te miraban con amor. ¿ Recuerdas María a tus tres discípulos ? »

« ¡ Oh, claro que sí !. Es verdad. Y también ahora otros tres pares de ojos semejantes, me miran con el mismo amor. Este Juan parece ser el Jesús de entonces, que era rubio y sonrosado y el más joven de todos. »

Los otros quieren saber algo y flotan en el aire recuerdos y anécdotas hasta que se ha anochecido.

« Amigos, no tengo espacio, pero tengo allí el lugar en donde Yo trabajaba. Si queréis buscar refugio allí ... pero ... no hay más que bancos. »

« Una cama suave para pescadores acostumbrados a dormir sobre las tablas mismas. ¡ Gracias, Maestro ! Dormir bajo tu techo es honra y santificación. »

Se retiran después de haberse despedido muchas veces. También Judas se retira con su madre y se van a su casa.

En la pieza quedan Jesús y María, sentados sobre la banca, a la luz de la lamparilla, con un brazo sobre la espalda. Jesús cuenta y María escucha dichosa, temerosa, feliz ...

La visión termina de este modo.

21. Curación del ciego de Cafarnaúm

(Escrito el 7 de octubre de 1944)

Estoy viendo una bellísima puesta de sol. El poniente parece estar ardiendo en fuego, y el lago de Genesaret es una inmensa plancha encendida bajo ese rojo del cielo.

Los caminos de Cafarnaúm empiezan a llenarse de gente; mujeres que van a la fuente, hombres, pescadores que preparan las redes y las barcas para la pesca de la noche, niños que corren jugando por los caminos, borriquillos que van con las canastas a la campiña, tal vez para acarrear la verdura.

Jesús se asoma en una salida que comunica con un corralillo sombreado por una vid y una higuera, y más allá se ve una callecilla de piedras que bordea el lago. Debe ser la casa de Pedro, porque está en la ribera con Andrés y prepara en la barca los cestos para la pesca y las redes, dispone los asientos y los montones de cuerda, es decir, todo lo necesario y Andrés lo ayuda, yendo y viniendo de la casa a la barca.

Jesús se dirige al apóstol: «¿ Será buena la pesca ? »

« El tiempo es bueno, el agua está calmada y la luna será brillante. Los peces saldrán del fondo y mi red los arrastrará consigo. »

« ¿ Vamos solos ? »

« ¡ Oh, Maestro ! ¿ Pero cómo quieres que seamos solos con todo este aparato de redes ? »

« Jamás he pescado y espero que me enseñes. » Jesús baja un poco al lago y se detiene en la orilla de arena y piedras, cerca de la barca.

« Mira, Maestro, se hace así. Salgo al lado de la barca de Santiago de Zebedeo y se va hasta el punto bueno, así juntos. Después se baja la red. Nosotros tenemos una punta. ¿ Dijiste que quieres asirla ? »

« Sí, si me dices lo que debo de hacer. »

« ¡ Oh !, no hay más que estar atentos cuando se baja la red. Que baje despacio y sin enredarse. Paso a paso, porque estaremos en aguas donde hay mucho pescado y un movimiento brusco puede alejarlos. Y sin que se enrede para evitar que se cierre la red, que debe abrirse como una bolsa, o un velo que se hincha cuando el viento sopla. Después cuando la red haya bajado toda, remaremos nosotros despacio, o iremos con las velas según la necesidad, haremos un semicírculo en el lago, y cuando empiece a rechinar el palo de seguridad, significará que la pesca es buena. Nos dirigiremos a tierra y allí, cerca de la ribera — no antes — para no arriesgar que se escape la presa, no después para no dañar los peces, ni la red contra las piedras, la levantaremos. Es aquí en donde se necesita un ojo certero, porque las barcas deben acercarse entre sí de modo que uno pueda recoger la extremidad de la red de la otra, pero sin pegarse para no hacer papilla los pescados. Te lo encarezco, Maestro, es nuestro pan. Ojo a la red, que no se rompa con los golpes. Los peces defienden su libertad a golpes de cola, y si son muchos... Tú entiendes... son pequeños animales, pero cuando son más de diez, cien, mil, son tan fuertes como Leviatán [1]. »

« Como sucede con las culpas, Pedro, una de hecho, no es irreparable. Pero si uno no se cuida de una y acumula, acumula, acumula, resulta que la culpa pequeña, tal vez una sencilla omisión, una simple debilidad, se hace más grande y se convierte en hábito y luego en vicio capital. Algunas veces se empieza por una mirada de concupicencia, y se termina con un adulterio consumado. A veces con una falta de caridad de palabra para con un pariente y se termina con una violencia hacia el prójimo. ¡Ay si se dejan al principio las culpas dejando que aumenten en peso y número! Se hacen peligrosas y fuertes como la Serpiente infernal misma y arrastran al hombre en el abismo del Geena. »

« Dices bien Maestro... ¡mas, somos tan débiles! »

« Cuidado y oración para ser fuertes y para tener ayuda y voluntad firme de no pecar. Después una grande confianza en la amorosa justicia del Padre. »

« ¿Tú dices que no será muy severo con el pobre de Simón? »

« Con el viejo Simón podría ser hasta severo. Pero con mi Pedro, el hombre nuevo, el hombre de su Mesías... no. No, Pedro, Dios te ama y te amará. »

« ¿Y a mí? »

« También a tí, Andrés, y contigo a Juan y Santiago, Felipe y Natanael. Sois mis primeros discípulos elegidos. »

« ¿Vendrán otros? Está tu primo, y en Judea...»

« ¡Oh muchos! Mi reino está abierto a todo el linaje humano, y en verdad te digo que mi pesca en la noche de los siglos será más abundante, que la más abundante pesca que hayas hecho... Pues, cada siglo es una noche en la que el guía y la luz no son la pura luz de Orión ni de la luna, sino la palabra del Mesías y la gracia que de El saldrá; noche que tendrá una aurora sin ocaso, una luz en la que todos los fieles vivirán, un sol que vestirá a los elegidos y los hará hermosos, eternos, felices como dioses, dioses pequeños, hijos de Dios Padre y semejantes a Mí... no podéis ahora entender esto. Pero en verdad os digo que vuestra vida cristiana os

[1] Leviatán, según la creencia popular era un monstruo marino, un dragón, una serpiente del caos, símbolo de las potencias del mal que son enemigos de Dios y de su pueblo: muy fuertes, pero le están sujetas. Cfr. Iob. 3, 8; 40, 25 - 41, 26; Is. 27, 1; 51, 9; Am. 9, 3; Apoc. 12-13; etc.

hará semejantes a vuestro Maestro y resplandeceréis en el Cielo con sus propias señales. Y bien Yo tendré, pese a la envidia de Satanás y a la flaca voluntad del hombre, una pesca más abundante que la tuya. »

« ¿ Pero seremos nosotros tus únicos discípulos ? »

« ¿ Envidioso, Pedro ?... ¡ No !... no lo seréis. Vendrán otros y en mi corazón habrá amor para todos. No seas codicioso, Pedro. Todavía no sabes quién es el que te ama. ¿ Has contado alguna vez las estrellas?... ¿ las piedras de este lago ? ¡ No ! No lo podrías. Mucho menos podrías contar los latidos de amor de que es capaz mi corazón. ¿ Has contado cuántas veces este mar besa la ribera con sus ondas en el término de dos lunas ? ¡ No ! No lo podrías. Pero mucho menos podrías contar las ondas de amor que de este corazón se derraman para besar a los hombres. Puedes estar seguro, Pedro, de mi amor. »

Pedro, toma la mano de Jesús y la besa conmovido.

Andrés mira, pero no se atreve. Jesús le pone la mano sobre su cabellera y le dice: « También a tí te amo mucho. Cuando llegue tu aurora verás a tu Jesús sobre la faz del Cielo, lo verás sin tener necesidad de levantar tus ojos, y que sonriente te dirá: « Te amo, ven ». Cuando pase esa aurora te será más dulce que si entraras a una sala de bodas. »

« ¡ Simón ! ¡ Simón ! ¡ Andrés ! Ya vengo... » Juan corre apresurado. « ¡ Oh, Maestro ! ¿ Te hice esperar ? » Juan mira a Jesús con ojos llenos de cariño.

Pedro responde: « Ya comenzaba a pensar que no vendrías más. Prepara rápido tu barca. ¿ Y Santiago ? »

« Mira... nos tardamos por causa de un ciego. Creía que Jesús estaba en nuestra casa y fué allá. Le dijimos que estaba en otra parte y que tal vez mañana lo curaría, pero no quería esperar. ¿ por qué no esperar una noche más ? " Pero no entiende razones... »

« Juan, si tú estuvieses ciego, ¿ no tendrías prisa de ver otra vez a tu madre ? »

« ¡ Eh !... ¡ claro ! »

« Y si así es, ¿ donde está el ciego ? »

« Viene con Santiago. Se le ha cogido del manto y no lo suelta. Pero camina despacio porque la ribera tiene muchas piedras y él tropieza... Maestro, ¿ me perdonas por haber sido duro ? »

« Sí, pero hay que repararlo; ve a ayudar al ciego y traémelo. »

Juan sale de estampida.

Pedro sacude un poco la cabeza, pero no dice nada. Mira al cielo que empieza a ponerse azul con color de acero, también mira el lago y a las otras barcas que han salido ya para la pesca, y lanza un suspiro.

« ¿ Simón ? »

« ¡ Maestro ! »

« No tengas miedo. Tendrás una pesca abundante aunque salgas al último. »

« ¿ También esta vez ? »

« Todas las veces que tengas caridad, Dios te concederá la gracia de la abundancia. »

« He ahí al ciego. »

El pobrecillo camina entre Santiago y Juan. Tiene entre las manos un bastón, que ahora no utiliza. Viene más bien cogido de ambos.

« Pss, hombre, el Maestro está delante de tí. »

El ciego se arrodilla: « ¡ Señor mío ! ¡ Ten Piedad ! »

« ¿ Quieres creer ? ¡ Levántate ! ¿ Desde cuando estás ciego ? »

Los cuatro apóstoles, rodean a ambos.

« Desde hace siete años, Señor. Antes veía bien y trabajaba. Era yo carpintero en Cesarea Marítima. Ganaba bastante. En el puerto y en el comercio tenían siempre necesidad de mis trabajos. Pero al golpear un fierro contra el yunque y querer ver si estaba rojo y blando para el golpe, se partió una astilla encendida y me quemó el ojo. Ya los tenía enfermos debido al calor del horno. Perdí el ojo que había sido herido, y el otro después de tres meses se me apagó. He acabado con mis ahorros y ahora vivo de la caridad ... »

« ¿ Eres solo ? »

« Tengo una esposa y tres pequeñines ... De uno no conozco ni siquiera la cara ... y tengo una madre ya vieja. Y es ella con mi mujer quienes ganan un poco de pan, y con esto y el óbolo que llevo, no nos morimos de hambre. ¡ Si me curases ! ... Volvería al trabajo. No pido otra cosa que trabajar como buen israelita y dar un pan a los que amo. »

« ¿ Y has venido a Mí ? ... ¿ Quién te lo dijo ? »

« Un leproso que curaste en la falda del Tabor, cuando regresabas al Lago después de aquel discurso tan hermoso. »

« ¿ Qué te dijo ? »

« Que Tu puedes todo. Que eres salud de los cuerpos y de las almas. Que eres también luz del alma y del cuerpo, porque eres la luz de Dios. El, el leproso, había tenido el atrevimiento de mezclarse entre la multitud, con peligro de ser apedreado. Fué derecho al monte. Tu mirada le había infundido en el corazón una esperanza. Me dijo: "Ví en aquella mirada, alguna cosa como que me decía: 'Allí está la salud. ¡ Ve !' y fuí ". Y de este modo me ha repetido tu discurso y además me contó que Tú lo curaste tocándolo sin repugnancia con la mano. Lo ví cuando regresó de donde los sacerdotes, después de la purificación. Ya lo conocía, porque le había servido cuando tenía una tienda de retazos en Cesarea. He venido por ciudades y lugares preguntando por Tí. Te he encontrado... ¡ Piedad de mí ! »

« Ven. La luz es muy fuerte para el que sale de la oscuridad. »

« Luego... ¿ me curas ? »

Jesús lo conduce a la casa de Pedro y en la debilucha luz del huertecillo, lo pone frente a sí, pero de modo que los ojos curados no tengan a primera vista el lago todavía bañado en luz. El hombre parece un niño dócil, se deja hacer sin preguntar nada.

« ¡ Padre ! ¡ Tu luz venga a este tu hijo ! » Jesús tiene las manos extendidas sobre la cabeza del hombre que está arrodillado, así pasa un instante. Después se humedece la punta de los dedos con saliva y toca con la derecha los ojos abiertos, que no tienen vida.

Un momento después, el hombre parpadea, se restrega como quien despierta de un sueño y ve turbio.

« ¿ Qué ves ? »

« ¡ Oh !... ¡ Oh ! ¡ Oh Dios Eterno ! Me parece... me parece... ¡Oh! ¿qué veo?... veo tu vestido... es color de rosa ¿No es así?... Y una mano blanca... y una faja de lana... ¡ Oh, buen Jesús ! veo siempre mejor, entre más me a costumbro a ver... ¡Eh!... la hierba en el suelo... y aquello ciertamente es un pozo, y lo de más allá una vid... »

« Levántate, amigo. »

El hombre que ríe y llora, se levanta y después de un momento de lucha entre el respeto y el deseo, levanta su cara, y se encuentra con la mirada de Jesús. Un Jesús sonriente de piedad que es todo amor. Deberá de ser una cosa muy bella recobrar la vista y tener ante uno como sol, aquel rostro. El hombre lanza un grito y tiende los brazos. Es un acto instintivo. Pedro le detiene.

Ahora es Jesús, el que le abre los suyos y atrae a Sí al hombre que es más bajo de estatura. «Ve a tu casa, ruega y se feliz y justo. Ve con mi paz.»

«¡Maestro, Maestro! ¡Señor! ¡Jesús! ¡Bendito seas! La luz... la veo... veo todo... Allí está el lago azul, y el sereno cielo, y los últimos resplandores del sol, y la primera aparición de la luna... Pero el azul más bello y sereno lo veo en tus ojos, y en Tí estoy viendo el más hermoso y verdadero sol, y el resplandor puro de la más santa luna. ¡Astro de los que sufren, luz de los ciegos, piedad que vives y que ayudas!»

«Luz soy de las almas. Se hijo de la Luz.»

«Siempre, Jesús. Renovaré este juramento a cada parpadeo sobre las pestañas de mis pupilas renacidas. Seas bendito Tú y el Altísimo.»

«¡Bendito sea el Padre Altísimo! Ve.»

Y el hombre se va feliz, seguro, mientras Jesús y los estupefactos apóstoles descienden en dos barcas y comienzan las maniobras de la navegación.

Y la visión termina.

22. El endemoniado de Cafarnaúm curado en la sinagoga [1]

(Escrito el 2 de noviembre de 1944)

Estoy viendo la sinagoga de Cafarnaúm. Está llena de gente que espera. Hay gente en la puerta que echa miradas por la plaza todavía bañada de sol, aún cuando ya está próximo el atardecer. Finalmente se oye un grito: «¡He ahí al Rabí que viene!» La gente se apretuja toda hacia las puertas, los de estatura pequeña se alzan sobre las puntas de los pies o tratan de abrirse paso. Hay palabrejas y empujones a pesar de los regaños de los adictos a la sinagoga y de los mayores de la ciudad.

«La paz sea con todos los que buscan la Verdad» Jesús está en el umbral y saluda bendiciendo con los brazos extendidos hacia adelante. La luz que es muy fuerte todavía en la plaza, bosqueja su figura rodeándola de luz. No lleva el vestido blanco, sino el

[1] Cfr. Mc. 1, 21-28; Lc. 4, 31-37.

azul marino. Avanza entre la multitud que se abre y se cierra en torno a El, como las ondas en torno a la nave.

« ¡ Estoy enfermo ! ¡ Cúrame ! » gime un joven que me parece tísico por la cara, y toma a Jesús del vestido.

Jesús le pone la mano sobre la cabeza y le dice: « Confía. Dios te escuchará. Deja que ahora hable al pueblo y después vendré a donde estás. »

El joven lo deja ir quedándose quieto.

« ¿ Que te dijo ? » le pregunta una mujer que tiene un niño en los brazos.

« Me ha dicho que después de haber hablado al pueblo, vendrá a donde estoy. »

« Entonces ... ¿ te curará ? »

« No lo sé. Pero me dijo " Confía ". Yo espero. »

« ¿ Qué ha dicho ? » « ¿ Qué ha dicho ? »

La gente quiere saber y la respuesta de Jesús se repite de labio en labio.

« Si así es, voy a traer a mi niño. »

« Y yo voy a traer a mi padre viejo. »

« ¡ Oh ! ¡ Si Ageo quisiese venir ! Voy a hacer la prueba ... pero no vendrá. »

Jesús ha llegado a su lugar. Saluda al jefe de la sinagoga y éste a su vez lo hace. Es un hombrecillo gordo y vejete. Se inclina para hablar con Jesús. Parece una palma que se dobla ante un alto y robusto árbol.

« ¿ Qué quieres que te dé ? » pregunta el arquisinagogo.

« El que quieras, o el que venga a la mano [2]. El Espíritu guiará. »

« Pero ... ¿ estás preparado ? »

« Lo estoy. Da el que venga, repito. El Espíritu del Señor guía lo que se debe elegir para bien de este pueblo. »

El arquisinagogo extiende la mano sobre el montón de rollos, coge uno, lo abre y se detiene a un cierto punto. « Este », le dice.

Jesús toma el rollo, y lee el punto señalado: « Josué [3]: " Levántate y santifica al pueblo y diles: ' Santificaos para mañana, porque el Señor Dios de Israel dice que el anatema está en medio de vosotros. ¡ Oh, Israel ! tú no podrás enfrentarte a tus enemigos hasta tanto que se quite de en medio de tí al que se ha contaminado con

---

[2] Esto es, como se desprende por el contexto, sin que el hombre intervenga en elegir, sino que deja la elección a Dios, al Espíritu del Señor.
[3] Cfr. Jos. 7, 13.

tal crimen ' ".» Jesús se detiene, envuelve el rollo y lo devuelve.

La gente está muy atenta. Tan sólo se oye el murmurar de uno : « Oiremos cosas que a nuestros enemigos no gustarán. »

« Es el Rey de Israel, el Prometido, que reune a su pueblo. »

Jesús extiende los brazos en su acostumbrada posición de orador. El silencio reina.

« El que ha venido a santificaros, se ha levantado. Ha salido del secreto de la casa donde se ha preparado a esta misión. Se ha purificado para daros ejemplo de purificación. Ha tomado su posición frente a los poderosos del Templo y del Pueblo de Dios, y ahora está entre vosotros. ¡ Soy Yo ! No como algunos de vosotros, con pensamientos llenos de niebla y con fermento en su corazón piensan y esperan. Mucho más alto y más grande es el reino del que soy Rey y al que os invito.

Os llamo, oh vosotros de Israel, antes que a cualquier otro pueblo, porque sois vosotros los que en los padres de vuestros padres recibisteis la promesa de esta hora y de alianza con el Altísimo Señor [4]. Pero este reino no formará multitudes armadas, ni con el terror de la sangre. A este reino no entrarán los violentos, los prepotentes, los soberbios, los iracundos, los envidiosos, los lujuriosos ni los avaros sino los buenos, los mansos, los continentes, los misericordiosos, los humildes, los que aman al prójimo y a Dios y a los pacientes.

¡ Israel ! No estás llamado a combatir con los enemigos de fuera, sino contra los enemigos de dentro; contra los que se encuentran en cada corazón. En el corazón de las decenas y decenas de millares de tus hijos. Quitad el anatema del pecado de cada uno de vuestros corazones, si queréis que Dios os reuna y os diga: " Pueblo mío, a tí te doy el reino que no será jamás derrotado, ni invadido, ni al que los enemigos puedan poner acerchanzas ".

Mañana. ¿ Cuándo será este mañana ? ... ¿ Dentro de un año o dentro de un mes ? ¡ Oh ¡, no indagueis, movidos por una curiosidad malsana buscando saber lo futuro por medios que huelen mucho a brujería. Dejad a los paganos el espíritu de adivinación. Dejad a Dios, que es eterno, el secreto de su tiempo. Desde mañana, el mañana que se levantará después de este atardecer, y después de la noche que se viene, el mañana que se levantará con el canto del gallo, desde ese mañana venid a purificaros en la penitencia *verdadera*.

[4] Alusión por ejem. al Gén. 15.

Arrepentíos de vuestros pecados para que se les perdone y estéis listos para el reino. Quitad de entre vosotros el anatema del pecado. Cada uno tiene el suyo. Cada uno tiene el que es contrario a los Diez Mandamientos que son de salvación eterna. Examínese cada uno con sinceridad y encontrará el punto en que ha errado. Arrepentíos sincera y humildemente. Tratad de arrepentiros, no con palabras porque a Dios no se le hace burla, ni se le engaña. Arrepentíos con una voluntad firme, que os induzca a cambiar de vida, a entrar nuevamente en la Ley del Señor. El reino de los cielos os espera. ¡ Mañana !

¿ Mañana ?... preguntaréis. ¡ Oh ! Hay siempre un mañana que se preocupa de la hora de Dios, aún cuando llegue al término de una larga vida como la de los Patriarcas. La eternidad no tiene como medida el tiempo que camina en el reloj de arena o de agua. Y las medidas de tiempo que llamáis días, meses, años, siglos, son palpitaciones del Espíritu Eterno que os mantiene con vida. Pero vosotros sois eternos en el espíritu [5], y debéis tener para el espíritu la misma medida de tiempo que tiene vuestro Creador. Decir, pues: " Mañana será el día de mi muerte ". Pero no hay muerte para el que cree. Sino reposo en espera del Mesías que abra las puertas del Cielo.

En verdad os digo que entre los presentes tan solo veintisiete morirán y tendrán que esperar. Los otros serán juzgados antes de la muerte, y la muerte será el paso a Dios o a Mammón sin tardanza, porque el Mesías ha venido y está entre vosotros y os llama para daros la Buena Nueva, para instruiros en la Verdad, para llevaros con El al cielo.

Haced penitencia. El " mañana " del reino de los cielos está próximo. Que os encuentre limpios para ser poseedores del eterno día.

La paz sea con vosotros. »

Se levanta a contradecirle un barbudo y seco israelita que dice: « Maestro, lo que has dicho me parece que está en contradicción de lo que se lee en el libro segundo de los Macabeos, gloria de Israel [6]. Allí está escrito: " Es en realidad una señal de mucha benignidad no permitir a los pecadores que caminen por mucho tiempo tras de sus caprichos, sino castigarlos al punto. El Señor

---

[5] El espíritu del hombre, aunque de hecho, ha tenido un principio, que si Dios conserva, jamás tendrá fin.
[6] Cfr. 2. Mac. 6, 13-14.

no se comporta con ellos como con las otras naciones, que espera con paciencia, para castigarlas cuando llegue el día del juicio, cuando esté llena la medida de los pecados ". Tú por el contrario hablas como si el Altísimo fuese muy lento en castigarnos, esperándonos, como a los otros pueblos, hasta el día del Juicio cuando esté llena la medida de los pecados. Realmente los hechos te dan un mentís. Israel fué castigado como dice el historiador de los Macabeos. Pero si fuese como Tú dices, ¿no habría desacuerdo entre tu doctrina y la encerrada en la frase que te cité? »

« Quien seas, no lo sé [7]. Pero quien quiera que seas, te respondo: No hay desacuerdo en la doctrina sino en el modo de interpretar las palabras. Tú la interpretas según el modo humano y Yo según el del espíritu. Tú, representante de la mayoría, ves todo bajo el velo de lo presente y caduco; Yo, representante de Dios, lo explico y todo lo aplico a lo eterno y sobrenatural. Yeové [8] ha castigado, sí en la hora actual, la soberbia y la injusticia de su " Pueblo " según la tierra. Pero como os ama y como tiene paciencia con vosotros, más que con cualquier otro pueblo, os concede al Salvador, al Mesías, para que lo escuchéis y os salvéis antes de que llegue la hora de la divina ira. No quiere que seáis más pecadores. Pero si os ha castigado en lo caduco, al ver que no restaña la herida, antes bien se hace más insensible vuestro espíritu, he aquí que os manda, no castigo sino salvación. Os manda a quien os sane y salve y ese soy Yo que os hablo. »

« ¿ No crees que eres audaz en llamarte representante de Dios ? Ninguno de los profetas se atrevió a tanto, y Tú... ¿ Tú quién eres?... ¿Qué cosas dices?... ¿y por orden de quién hablas? »

« Los Profetas no podían decir de sí lo que Yo digo de Mí mismo. ¿ Quién soy ?... El Esperado, el Prometido, el Redentor. Ya habéis oído al que antes dijo: " Preparad el camino del Señor... He aquí al Señor Dios que viene... Como un pastor apacentará su ganado, siendo con todo el Cordero de la Pascua verdadera " [9]. Entre vosotros hay quienes oyeron del Precursor estas palabras, y vieron que una luz atravesaba los cielos y que descendía en forma

[7] Cristo como Dios y como Santo de los Santos, penetraba en las conciencias, veía y conocía sus respuestas secretas (introspección perfecta); como hombre, conocía, sólo según el modo humano, las personas y los lugares, cuando su Padre y su propria naturaleza divina no juzgaban ser útil conocer lugares y personas sin preguntarlo.
[8] Los galileos, con un tono de voz más dulce, decían: " Yeové " algo así como una " ll " suave. Los judíos: " Yavé " con un tono duro y seco.
[9] Cfr. Is. 40, 3 y 10-11; Mt. 3, 3; Mc. 1, 2-3; Lc. 3, 4; Ju. 1, 23.

de paloma y oyeron una voz que decía quién era [10]. ¿ Por orden de quién hablo? ... Por orden de quien Es, y de quien me manda. »

« Tú lo puedes decir, pero puedes ser mentiroso o iluso. Tus palabras son santas, pero Satanás alguna vez tiene palabras de engaño aparentando santidad para atraer al error. Nosotros no te conocemos. »

« Yo soy Jesús de José, de la estirpe de David, nacido en Belén, Efrata, según las promesas [11]. Me dicen Nazareno, porque en Nazaret tengo mi casa. Esto según el mundo. Según Dios soy su enviado. Mis discípulos lo saben. »

« ¡ Oh, ellos ! Pueden decir lo que quieran y lo que Tú les haces decir. »

« Hablaré a otro que no me ama, y que dirá quién soy. Espera que llame a uno de los aquí presentes. »

Jesús mira a la multitud que está asombrada de la disputa, molesta y dividida en diversos partidos. La mira como buscando a alguien con sus ojos de zafiro, después en alta voz dice: « ¡ Ageo ! ¡ Pasa adelante ! Te lo ordeno [12]. »

Confusión entre la gente que se abre para dejar pasar a un hombre sacudido de un temblor en el cuerpo y a quien sostiene una mujer.

« ¿ Conoces a este hombre ? »

« Sí, es Ageo de Malaquías, de acá de Cafarnaúm. Está poseído de un espíritu maligno que lo hace que se convierta repentinamente en un furioso. »

« ¿ Todos lo conocéis ? »

La multitud grita: « Sí, Sí. »

« ¿ Puede decir alguien que hablamos él y Yo aunque hubiesen sido pocas palabras, algunos minutos antes? »

La multitud grita: « ¡ No, no ! es un tonto, casi nunca sale de su casa y nadie te ha visto en ella. »

« Mujer, tráelo delante de Mí. »

La mujer lo empuja y lo arrastra, mientras el pobrecillo tiembla con mayor violencia. El arquisinagogo advierte a Jesús: « ¡ Ten cuidado ! El demonio está para atormentarlo ... y entonces se arroja, rasguña y muerde. » La multitud se hace a un lado, reple-

[10] Cfr. Mt. 3, 16-17; Mc. 1, 9-11; Lc. 3, 21-22; Ju. 1, 32-34.
[11] Cfr. Miq. 5, 1; Mt. 2, 1-11; Ju. 7, 42.
[12] Aquí, debiendo de dar pruebas al fariseo de su omnisciencia divina, llama por su nombre al desconocido Ageo que sabe que está endemoniado, mientras anteriormente, como hombre, había dicho al fariseo: « No sé quién seas. »

gándose contra las paredes. Los dos están frente a frente.

Un momento de lucha... Parece como si el hombre, acostumbrado al mutismo, hiciera esfuerzos dolorosos hasta que le sale la voz que se convierte en palabras: « ¡ Qué hay entre nosotros y Tú, Jesús de Nazaret ? ¿ Por qué has venido a atormentarnos ? ¿ Por qué a exterminarnos, Tú, Dueño del Cielo y de la tierra ? Sé quién eres: El Santo de Dios. Ningún hombre ha sido más grande que Tú, porque en Tí que eres hombre está encerrado el Espíritu del Vencedor Eterno. Ya me venciste en... »

« ¡ Calla ! Sal de él. ¡ Lo ordeno ! »

El hombre es presa de un paroxismo extraño. Se sacude violentamente, como si hubiese quien lo maltratase a golpes. Aúlla con una voz que no es humana, arroja espuma, después es arrojado contra el suelo del que se levanta espantado y curado.

« ¿ Oiste ?... ¿ Qué respondes ahora? » pregunta Jesús a su contrincante.

El hombre barbudo y seco levanta el hombro y vencido se va sin responder. La gente se burla de él y aplaude a Jesús.

« ¡ Silencio ! ¡ El lugar es sagrado ! » dice Jesús y después manda: « Venga a Mí el joven a quien prometí ayuda de parte de Dios. »

Se acerca el enfermo, Jesús lo acaricia: « ¡Has tenido fé! Se sano. ¡ Ve en paz y sé justo ! »

El joven da un grito. Quién sabe qué siente. Se postra a los pies de Jesús y se los besa diciendo: « Gracias por mí y por mi madre. »

Vienen otros enfermos: Un niño con las piernas paralizadas. Lo toma Jesús de los brazos, lo acaricia y lo pone en tierra... y lo deja. El niño no se cae, sino que corre a donde está la mamá que lo recibe con llanto en su corazón, y que bendice a Jesús a grandes voces, con: « El Santo de Israel. » Viene un viejecillo ciego, a quien guía su hija. También él es curado con una caricia sobre sus enfermos párpados. La multitud se deshace en bendiciones.

Jesús avanza sonriendo, y aunque sea alto, no habría logrado abrirse paso entre la gente, si Pedro, Santiago, Andrés y Juan no hubieran generosamente con los codos hecho fuerza y se hubiesen abierto sitio hasta Jesús, y después lo hubiesen protegido hasta la salida de la plaza donde ya no había tanta gente.

La visión termina así.

23. Curación de la suegra de Simón Pedro [1]

(Escrito el 3 de noviembre de 1944)

Pedro está hablando a Jesús. Le dice: « Maestro, querría pedirte que vinieras a mi casa. No me atreví a decírtelo el sábado pasado. Pero... querría que vinieses. »

« ¿ A Betsaida ? »

« No, aquí... a casa de mi mujer, quiero decir; donde ella nació... »

« ¿ Por qué este deseo, Pedro ? »

« ¡ Eh !... por muchas razones... y además porque hoy me dijeron que mi suegra está enferma. Si quisieras curarla, tal vez a Tí... »

« Termina, Simón. »

« Quería decir... si te acercases a ella, terminaría ella... bueno, en suma, sabes, una cosa es oir hablar de alguien y otra es verlo y oirlo, y si uno se cura, pues entonces... »

« Hasta el rencor se acaba también, ¿ quieres decir ? »

« No, rencor no. Pero sabes... el pueblo está dividido en muchos pareceres, y ella no sabe a quién dar razón. Ven, Jesús. »

« Voy. Vayamos. Diréis a los que esperan que hablaré en tu casa. »

Se dirigen a una casa baja, más baja de la que tiene Pedro en Betsaida y que está más cercana al lago. Una vereda la separa de él, y creo que en las tempestades, las olas vienen a morir contra las paredes de la casa que si es baja de altura, es por otra parte muy grande, como si muchas personas viviesen en ella.

En el huerto, que está delante de la casa, en dirección al lago, no hay más que una vieja y nudosa vid, que se ha extendido sobre un viejo palo y una higuera también vieja, que los vientos del lago han doblado hacia la casa. La copa despeinada de la higuera acaricia las paredes y choca contra los bastidores de las ventanitas, ahora cerradas para defenderse del sol que dá de lleno en la casa. No hay más que esta higuera, esta vid y un pozo de brocal verdoso.

« Entra, Maestro. »

Las mujeres que están en la cocina, unas están ocupadas en remendar las redes y otras en preparar la comida. Saludan a Pedro,

---

[1] Cfr. Lc. 4, 38-39; Mt. 8, 14-17; Mc. 1, 29-34.

y después coloradas se inclinan ante Jesús, y con los ojos semicerrados le observan con curiosidad.

« La paz sea en esta casa. ¿ Cómo sigue la enferma ? »

« Habla tú, que eres la nuera más vieja » dicen las tres mujeres a una que se está secando las manos en el vestido.

« La fiebre es muy alta, muy alta. Le hemos traido al médico pero dice que es vieja para curarse y que cuando esta enfermedad de los huesos llega al corazón y produce fiebre, sobre todo a esta edad, se muere. Ya no come... Trato de hacerle comidas sabrosas; también ahora, mira, Simón, le estaba preparando esa sopa que tanto le gustaba. Escogí el mejor pez, de los cuñados. Pero no creo que pueda comerla. Y además... ¡ Está tan inquieta ! Se lamenta, grita, llora, maldice... »

« Tened paciencia como si fuese vuestra madre y tendréis mérito ante Dios. Llevadme a donde está. »

« Rabí... Rabí... yo no sé si querrá verte. No quiere ver a nadie. No me atrevo a decirle: "Ahorita te traigo al Rabí". »

Jesús sonríe sin perder la calma. Se vuelve a Pedro: « Te toca a tí, Simón. Eres hombre y el más viejo de los yernos, según me has contado. Ve. »

Pedro hace un gesto significativo y obedece. Atraviesa la cocina, entra en una habitación y a través de la puerta, cerrada detrás de él, oigo que habla con una mujer. Saca la cabeza y una mano y dice: « Ven, Maestro, pronto » y añade algo que apenas se puede oir: « Antes de que cambie de parecer. »

Jesús atraviesa rápido la cocina y abre la puerta. De pie en el umbral pronuncia su dulce y solemne saludo: « La paz sea contigo. » Entra a pesar de que no se le responde. Se acerca a una cama baja en la que está acostada una mujer toda gris, descarnada, que afanosamente respira debido a la alta fiebre que le ha puesto la cara del todo colorada.

Jesús se inclina sobre la cama, y sonríe a la viejecita. « ¿ Estás mala ? »

« ¡ Me siento morir ! »

« No. No morirás. ¿ Puedes creer que Yo soy capaz de curarte ? »

« Y... ¿ por qué lo harías ?... ¡ No me conoces ! »

« Por Simón que me rogó... y también por tí, para dar tiempo a que tu alma vea la Luz. »

« ¿ Simón ? Haría mejor si... ¿ Cómo es posible que Simón haya pensado en mí ? »

« Porque es mejor de lo que tú crees. Lo conozco y sé. Lo conozco y siento gusto en escucharlo. »

« ¿ Entonces me vas a curar ? ¿ No moriré ? »

« No, mujer. Por ahora no morirás. ¿ Puedes creer en Mí ? »

« Creo, creo. ¡ Me basta no morir ! »

Jesús nuevamente sonríe. La toma de la mano. La mano llena de arrugas y de venas hinchadas desaparece en la mano juvenil de Jesús que se yergue y toma el aspecto de cuando hace un milagro y dice: « ¡Se curada! ¡Lo quiero! ¡Levántate! » y le suelta la mano, que cae sin que la vieja lance ningún lamento; mientras que antes, pese que a Jesús se la había tomado con tanta suavidad, sólo por el hecho de haberla movido, había costado un lamento a la enferma.

Un espacio breve de silencio. Después en voz alta la vieja exclama: « ¡ Oh, Dios de mis padres ! ¡ Si no tengo nada ! ¡ Si estoy curada ! ¡ Venid, venid ! » Corren las nueras. « Mirad, no tengo ya nada de fiebre! Ved como estoy fresca. El corazón no parece ser ya más el martillo del herrero. ¡ Ah, no me muero ! » Ni una palabra al Señor.

Pero Jesús no se molesta. Dice a la nuera de mayor edad: « Vístela, que se levante. Lo puede hacer » y se dirige a la salida.

Simón apenado se dirige a su suegra: « El Maestro te ha curado y ¿ no le dices nada ? »

« Claro! No pensaba. ¡ Gracias ! ¿ Qué puedo hacer para agradecértelo ? »

« Ser *buena*, muy *buena*. Porque el Eterno ha sido bueno contigo. Y si no te molesta, déjame hoy descansar en tu casa. Durante la semana recorrí todos los pueblecillos cercanos, y he regresado al amanecer. Estoy cansado. »

« ¡ Claro, claro ! Quédate, si quieres. » Pero no muestra muchas ganas al decirlo.

Jesús, Pedro, Andrés, Santiago y Juan van a sentarse en el huerto.

« ¡ Maestro ! .. »

« Pedro. »

« Estoy apenado. »

Jesús hace un gesto como si dijese: « No te preocupes. » Después añade: « No es esta la primera ni la última persona que no sienta reconocimiento al punto. Pero Yo no lo quiero. Bástame proporcionar a las almas medios para que se salven. Cumplo con mi deber. A ellas les toca el suyo. »

« ¡ Ah ! ¿ Ya ha habido otros así ? ... ¿ en donde ? »

« ¡ Simón curioso ! Por esta vez te quiero dar gusto, aun cuando a Mí me desagraden las curiosidades inútiles. En Nazaret ... ¿ recuerdas a la mamá de Sara ? ... estaba muy enferma cuando llegamos a Nazaret y nos dijeron que la niña lloraba mucho. Para que esta, que es buena y dulce, no se convirtiese en una huérfana y el día de mañana en una entenada, fuí a buscar a la mujer ... quería curarla ... pero, apenas si había puesto un pie en su casa, cuando su marido y su hermano me arrojaron diciendo: " ¡ Lárgate, lárgate ! No queremos dificultades con la sinagoga ". Para ellos y para muchos soy ya un rebelde ... y a pesar de eso la curé ... por los niños. Dije a Sara que estaba en el huerto, acariciándola: " Curé a tu madre. Vete a casa. ¡ No llores más ! " y la mujer fué curada en ese mismo instante y la niña se lo dijo a ella, y también a su padre y tío ... pero, la castigaron por haber hablado conmigo. Lo sé, porque la niña vino detrás de Mí corriendo, cuando salía del pueblo ... ¡ No me importa ! »

« Yo hubiera hecho que se enfermara otra vez. »

« ¡ Pedro ! » Jesús muestra severidad. « ¿ Es esto lo que te enseño a tí y a los demás? ¿ Qué cosas has oido de mis labios desde la primera vez que me has escuchado? De qué cosa siempre he hablado como *primera* condición para ser mis *verdaderos discípulos*? »

« Es verdad, Maestro. Soy una bestia. Perdóname. ¡ Pero no puedo soportar que no te amen! »

« ¡ Oh, Pedro ! ¡ Verás otras pruebas de desamor ! ¡ Te toparás con tantas sorpresas, Pedro ! Hombres a quienes el mundo llamado " santo " desprecia como publicanos, darán al mundo ejemplo y tal ejemplo que los que los desprecian no los seguirán. Paganos que serán mis más grandes seguidores. Prostitutas que serán puras por voluntad y penitencia. Pecadores que se enmendarán ... »

« Oye: que se enmiende un pecador ... puede ser. ¡ Pero una prostituta y un publicano! ... »

« ¿ No lo crees ? »

« Yo no. »

« Estás en error, Simón. Pero mira que tu suegra viene a nosotros. »

« Maestro ... te ruego que te sientes a mi mesa. »

« Gracias mujer. Dios te lo pague. »

Entran en la cocina y se sientan a la mesa, y la vieja sirve a los hombres con grandes porciones de pez en la sopa y de pez asado.

« No tengo otra cosa que esto » dice excusándose, y para no perder la costumbre, dice a Pedro: « Demasiado hacen tus cuñados, solos como han quedado desde que te fuiste a Betsaida. Si a lo menos te dignases de hacer más rica a mi hija... pero oigo que muy frecuentemente estás fuera de casa y que no pescas. »

« Sigo al Maestro. Estuve con El en Jerusalén y los sábados estoy también. No pierdo el tiempo en francachelas. »

« Pero no ganas nada. Harías mejor, ya que quieres hacer de siervo del Profeta, venirte acá de nuevo. Al menos la pobrecita de mi hija, tendría parientes que no la dejasen morir, mientras tú la haces de santo. »

« ¿ Pero no te avergüenzas de hablar así de El, que te ha curado? »

« Yo no lo critico a El. Cumple con su oficio. Te critico que eres un holgazán. Por otra parte jamás serás ni un profeta, ni un sacerdote. Eres un ignorante y un pecador.... ¡ un hombre inútil para todo!. »

« Te doy la razón porque El está aquí, si no...»

« Simón, tu suegra te ha dado un buen consejo. Puedes pescar también aquí. Según por lo que oigo pescabas antes en Cafarnaún también. Puedes regresar otra vez. »

« ¿ Y vivir aquí de nuevo ? Pero, Maestro, Tú no...»

« Bueno, Pedro mío. Si tú estas aquí, estarás en el lago y conmigo. ¿ Por esto qué te va, estar o no estar en esta casa ? » Jesús ha puesto la mano sobre la espalda de Pedro y parece que la calma de Jesús pasa al apóstol que hierve.

« Tienes razón. Siempre tienes razón. Lo haré. Pero... ¿y estos? » Señala a Juan y Santiago sus compañeros.

« ¿ No pueden también ellos venir ? »

« ¡ Oh ! Nuestro padre y nuestra madre serán felices al saber que estamos contigo. No se opondrán. »

« Probablemente vendrá el Zebedeo. » dice Pedro.

« Es muy probable. Y con él otros. Vendremos, Maestro, sin duda alguna vendremos. »

« ¿ Está aquí Jesús de Nazaret ? » pregunta un niño que se asoma por la puerta.

« Está aquí, entra. »

Avanza un niño, que reconozco que es uno de los que ví en Cafarnaún en las primeras visiones, y es más bien dicho el que jugueteaba entre los pies de Jesús y que prometió ser bueno...

para comer miel en el Paraíso.

« Amiguito, ven, ven » dice Jesús.

El niño un poco atemorizado con tanta gente que lo mira, toma valor y corre a Jesús, que lo abraza y se lo pone sobre las rodillas y le da un poco de pez en un pedazo de pan.

« Bueno, Jesús. Esto es para Tí. Hoy también la misma persona me dijo: " Es sábado, lleva esto al Rabí de Nazaret y dí a tu amigo que ruegue por mí ". ¡ Sabe que eres *mi amigo* ...! » el niño ríe feliz y come su pan y pescado.

« ¡Bravo, Santiaguito! Dirás a esa persona que mis oraciones por él suben hasta mi Padre. »

« ¿ Es para los pobres ? » pregunta Pedro.

« Sí. »

« ¿ Es el acostumbrado regalo ?... ¡ Veamos ! »

Jesús entrega la bolsa. Pedro echa el dinero y cuenta.

« ¡ Siempre la misma cantidad y grande ! pero ... ¿ quién es esa persona ? Dí, niño, ¿ quién es ? »

« No lo debo decir y no lo diré. »

« ¡ Qué intolerante ! ¡ Ea !, se bueno y te daré frutas. »

« No lo diré aunque me insultes o me acaricies. »

« ¡ Pero ved qué lengua ! »

« Santiaguito tiene razón, Pedro. Mantiene su palabra; déjalo en paz. »

« Tú, Maestro, ¿ sabes quién es esa persona ? »

Jesús no responde. Se entretiene con el niño a quien da otro pedazo de pescado frito, sin espina alguna. Mas Pedro insiste y Jesús se ve obligado a responder.

« Yo sé todo, Simón. »

« ¿ Y nosotros no podemos saberlo ? »

« ¿ Y tú nunca te vas a curar de tu defecto ? » Jesús sonriendo regaña al discípulo. Añade: « Pronto lo sabrás. Porque si el mal quiere estar siempre oculto y no lo logra; el bien lo quiere estar para tener mérito, pero llega un día en que es descubierto para gloria de Dios, cuya naturaleza resplandece en un hijo suyo. *La naturaleza de Dios es: el amor.* Y este la ha entendido porque ama a su prójimo. Vete, Santiaguito. Llévale a esa persona mi bendición. »

La visión termina así.

24. Jesús predica y hace milagros en la casa de Pedro [1]

(Escrito el 4 de noviembre de 1944)

Jesús está subido sobre un montón de canastos y cuerdas a la entrada del huerto de la casa de la suegra de Pedro. El huerto está lleno de gente por la ribera del lago, parte de ella sentada sobre la arena parte sobre las barcas que están fuera del agua. Parece que ha estado hablando desde hace tiempo, porque su discurso está a más de la mitad.

Oigo: «... Ciertamente muchísimas veces habréis pensado así en vuestros corazones. Pero no debe de ser así. El Señor no ha dejado de usar benignidad para con su pueblo. Aun cuando éste miles y miles de veces le haya sido infiel.

Oíd esta parábola. Os ayudará a comprender.

Un rey tenía muchos, pero muchos caballos en sus caballerizas. Pero amaba a uno de ellos con especial cariño. Lo había deseado antes de poseerlo; después, cuando lo tuvo, lo puso en un lugar muy bueno; y venía a él, hecho todo ojos y corazón, para mirar a su predilecto, y soñaba en convertirlo en la maravilla de su reino. Y cuando el caballo, rebelándose a sus órdenes, le había desobedecido, había huido a casa de otro dueño, aunque el rey experimentaba un gran dolor e ira, había prometido al rebelde perdón después del castigo. Fiel a esto, aunque lejos, seguía velando por su predilecto, le mandaba regalos y quienes le guardasen para que le tuviese presente en el recuerdo de su corazón. Pero el caballo, aunque sufría en su destierro no era constante, como el rey lo era, en desear y querer el completo perdón. A ratos era bueno, a ratos, malo; y cuando era bueno, no lo era más que cuando era malo, antes al revés. Y sin embargo el rey tenía paciencia y con regaños y cariño buscaba hacer de su caballo amado un amigo dócil.

Entre más pasaba el tiempo, más la bestia se hacía terca. Llamaba a su rey, lloraba por los azotes de otros dueños, pero no quería ser realmente posesión del rey. No tenía la voluntad de serlo. Agotado, oprimido, lloroso, no decía: " Me encuentro así por mi culpa ", sino que acusaba al rey de su estado. El rey acudió a un último recurso. "Hasta ahora " dijo " he enviado mensajeros y

---

[1] Cfr. Mt. 8, 16-17; Mc. 1, 32-34; Lc. 4, 40-41.

amigos. Ahora mandaré a mi mismo hijo. El tiene mi mismo corazón y hablará con mi mismo amor y lo acariciará y le dará regalos como los que yo le he dado y aún mejores, porque mi hijo es como yo mismo, pero enaltecido por el amor" y mandó a su hijo.

Esta es la parábola. Ahora decid vosotros. ¿ Os parece que ese rey amase a su animal preferido ? »

La gente responde a una voz: « Lo amaba infinitamente. »

« ¿ Podría la bestia lamentarse de su rey y del el mal que había sufrido al haberlo dejado? »

« No, no podría » responde la gente.

« Responded una vez más a esto: este caballo ¿ cómo pensáis que seguramente habría acogido al hijo de su rey que iba a rescatarlo, a curarlo y llevarlo de nuevo al lugar de delicias? »

« ¡ Es natural que con alegría, con reconocimiento y con cariño ! »

« Y si el hijo dijera al caballo: " He venido para hacer esto y esto, pero tú debes de ser desde ahora bueno, obediente, cariñoso y fiel " ¿ qué pensáis que habría dicho el caballo ? »

« ¡ Oh, ni siquiera preguntarlo ! habría dicho, que ahora que sabía lo que le costaba estar desterrado del reino, querría ser como el hijo del rey decía. »

« Entonces según vosotros cuál era la obligación del caballo ? »

« Ser todavía mejor de cuanto se la pedía; más cariñoso, más dócil para obtener el perdón del mal anterior, por gratitud del bien recibido. »

« ¿ Y si no lo hubiese hecho de este modo ? »

« Sería digno de muerte, porque sería peor que una bestia salvaje ».

« Amigos, tenéis muy buen tino en el juzgar. Haced también vosotros como querríais que hubiese hecho el caballo.

Vosotros, creaturas predilectas del Rey de los Cielos, de Dios, de mi Padre y vuestro. Vosotros a quienes Dios, después de los Profetas, ha enviado a su Hijo, sed — os conjuro por vuestro bien, y porque os amo, como solo un Dios puede amar, este Dios que está en Mí para que realice Yo el milagro de la redención — sed al menos como habéis dicho que debería ser el caballo. ¡ Ay de quien se rebaja, siendo hombre, a un grado inferior al del animal! Pero si aun podía haber excusa hasta el momento presente para quienes pecaban, puesto que la Ley fué dada hace mucho tiempo y el polvo del mundo la ha empañado y ese polvo sobre ella se ha quedado, ahora no más. He venido para traeros nuevamente la palabra de Dios. El Hijo del Hombre está entre los hombres para hablarles de Dios. ¡ Seguidme ! Yo soy el Camino, la Verdad y la Vida. »

El acostumbrado murmullo entre la multitud.

Jesús ordena a los discípulos: « Haced que vengan los pobres. Tengo un regalo de uno que se encomienda a ellos para obtener perdón de Dios. »

Se acercan tres viejecitos harapientos, dos ciegos, un contrahecho y una viuda con siete niños que parecen esqueletos.

Jesús mira uno por uno, le envía una sonrisa a la viuda y especialmente a los huerfanitos. Al punto dice Jesús: « Que estos estén allá, en el huerto. Quiero hablar con ellos. » Se pone severo, sus ojos flamean, cuando se presenta un viejecillo. Sin embargo no dice nada por el momento.

Llama a Pedro, a quien pide la bolsa que había recibido antes y otra también con monedas pequeñas, ofertas varias, recogidas de otras buenas personas. Echa todo sobre la banca que está cerca del pozo, cuenta y divide. Hace seis partes. Una muy grande, de monedas de plata, y cinco menores por tamaño, con muchas monedas de bronce una que otra grande. Después llama a los pobres enfermos y pregunta: « No quereis decirme algo? »

Los ciegos callan pero el contrahecho dice: « Que te proteja Aquel de quien vienes. »... no dice más.

Jesús le pone en la mano sana el obsequio.

El hombre dice: « Que Dios te lo pague. Pero más que esto, yo querría que me curases. »

« No habías dicho nada. »

« Soy pobre, un gusano al que los grandes pisotean, no me atrevía a esperar que tuvieses piedad de un mendigo. »

« Soy la Piedad que se inclina sobre todas las miserias que me llaman. A nadie rechazo. No pido más que amor y fe para que Yo diga: ¡ Te escucho ! »

« ¡ Oh, Señor mío ! ¡ Creo y te amo ! ¡ Sálvame pues ! ¡ Cura a tu siervo ! »

Jesús pone su mano sobre la espalda doblada, la pasa como si acariciara y dice: « Quiero que seas sano. »

El hombre se endereza, ágil y perfecto con bendiciones sin número.

Jesús da el obsequio a los ciegos y espera un momento para que se vayan... Llama a los viejos. Al primero le da una limosna, lo consuela y ayuda a poner el dinero en la cintura. Piadoso se preocupa de las desgracias del segundo, que le cuenta la enfermedad de su hija.

« ¡ No tengo más que a ella ! y ahora se me muere. ¿ Qué será de mí ? ¡ Oh, si Tú vinieses ! Ella no puede, no se levanta. Querría... pero no puede. Maestro, Señor Jesús ¡ piedad de nosotros ! »

« ¿ En dónde vives, padre ? »

« En Corozain. Pregúntale a Isaac de Jonás, al que llaman el Adulto. ¿ Vendrás de veras ? ¿ No te olvidarás de mi desgracia ? y ¿ la curarás ?... »

« ¿ Puedes creer que pueda Yo curarla ? »

« ¡ Oh ! ¡ sí lo creo ! ¡ Por esto te estoy hablando ! »

« Regresa a casa, padre. Tu hija estará en la puerta a saludarte. »

« Pero si está en cama y no puede levantarse desde hace tres... ¡Ah! he entendido! ¡Oh, gracias, Rabboni! ¡Bendito seas Tú y El que te envió! ¡Alabanza a Dios y a su Mesías! » El viejo se va llorando y caminando con toda la prisa posible. Pero cuando está casi para salir del huerto dice: « Maestro, ¿ pero no obstante esto vendrás a mi casa ?... Isaac te espera para besar tus pies, lavártelos con sus lágrimas y ofrecerte pan de amor. Ven Jesús, hablaré a los de la ciudad de Tí. »

« Iré, ve en paz y sé feliz. »

Se adelanta el tercer viejecillo que parece ser el más harapiento. Pero Jesús no tiene sino un montón grande de monedas. Levanta la voz: « Mujer, ven con tus pequeñuelos. »

La mujer, joven, flaca, se adelanta con la cabeza inclinada. Parece una gallina triste con sus polluelos.

« ¿ Desde cuándo eres viuda, mujer ? »

« Desde hace tres años, en la luna de Tisri. »

« ¿ Cuántos años tienes ? »

« Veintisiete. »

« ¿ Son todos hijos tuyos ? »

« Sí, Maestro y... y no tengo otra cosa más. Todo se ha acabado... ¿ Cómo puedo trabajar, si nadie me quiere con todos estos pequeñuelos ? »

« Dios que ni siquiera al gusanillo que creó abandona, no te abandonará mujer. ¿ Dónde vives ? »

« Cerca del lago. A tres estadios fuera de Betsaida. El me dijo que viniera... Mi marido murió en el lago; era pescador...» "El" es Andrés, quien se pone colorado y querría desaparecer.

«Haz hecho bien, Andrés, en decir a esta mujer que viniese a Mí.»

Andrés toma aliento y dice entre dientes: «El hombre era mi amigo, era bueno, y murió en una tempestad perdiendo hasta la barca.»

«Ten, mujer. Esto te ayudará por mucho tiempo, y después otro sol brillará en tu día. Se buena, educa en la Ley a tus hijos y no te faltará la ayuda de Dios. Te bendigo: a tí y a tus pequeñuelos.» Acaricia a uno por uno con gran piedad.

La mujer se va con su tesoro apretado sobre el corazón.

«¿Y a mí?» pregunta el viejecillo que ha quedado al último. Jesús lo mira y calla.

«¿Nada para mí? ¡No eres justo! A ella le has dado seis veces más que a los demás, y a mí nada. Entiendo... ¡era mujer!»

Jesús lo mira y no dice nada.

«¡Mirad todos, si hay justicia! Vengo de lejos, porque me dijeron que aquí se daba dinero y después... ¡nada! veo que alguien tiene mucho y nada para mí. ¡Un pobre viejo que está enfermo! Y quiere que se crea en El...»

«Anciano, ¿no tienes vergüenza de mentir de este modo? Tienes la muerte a las espaldas y mientes y tratas de robar a quien tiene hambre. ¿Por qué quieres arrebatar a tus hermanos el obsequio que Yo he recibido para distribuirlo con justicia?»

«Pero yo...»

«¡Cállate! Deberías de haber comprendido por mi silencio y por mi modo de obrar que te había conocido, y deberías de haber seguido mi ejemplo de silencio. ¿Por qué quieres que te avergüence?»

«Soy un pobre.»

«No. Eres un avaro y un ladrón. Vives para el dinero y para la usura.»

«Jamás he prestado dinero con usura. Dios es mi testigo.»

«¿Y no es usura esta, y de las más crueles, robar a quien tiene necesidad? Vete. Arrépientete, para que Dios te perdone.»

«Te juro...»

«¡Cállate! ¡Te lo ordeno! Escrito está: "No jurarás en falso" [2].

---

[2] Cfr. Dt. 5, 20.

Si no tuviese yo respeto a tus canas, te esculcaría y en tu seno encontraría la bolsa llena de oro; *tu verdadero corazón*. ¡ Lárgate ! »

Pero ya el vejete, confundido, viéndose descubierto de su secreto, se va sin necesidad del trueno que repercute en la voz de Jesús. La gente lo amenaza y se burla de él, lo insulta como a un ladrón.

« ¡Callad! Si él ha cometido un error, no querríais también vosotros cometerlo. El falta a la veracidad no siendo honrado. Vosotros al insultarlo, faltais a la caridad. No se debe de insultar al hermano que comete un error. Cada uno tiene sus pecados. Nadie es perfecto, fuera de Dios. He debido avergonzarlo porque no es lícito ser jamás ladrón, y mucho menos con los pobres. Sólo el Padre sabe lo que he sufrido al deber hacer esto. También vosotros doleos de haber visto que uno de Israel falta a la Ley tratando de defraudar al pobre y a la viuda[3]. No seais codiciosos. Vuestro tesoro sea el alma, y no el dinero. No seais perjuros. Vuestro hablar sea sencillo y honrado como vuestras acciones. Vuestra vida no es eterna y llega la hora de la muerte. Vivid en tal forma que a la hora de la muerte haya paz en vuestros corazones. La paz, como la de quien ha vivido justamente. Regresad a vuestros hogares. »

« ¡ Piedad, Señor ! Este hijo mío es mudo a causa de un demonio que lo atormenta. »

« Y este hermano mío es semejante a una bestia inmunda que se revuelca en el fango y come excrementos. A esto lo arrastra un espíritu maligno, y a pesar de que no quiere, hace cosas inmundas. »

Jesús va al grupo que lo invoca. Levanta los brazos y ordena : « Salid de estos. Dejad a Dios sus creaturas. »

En medio de aullidos y chasquidos se curan los dos infelices. Las mujeres que los llevan, se postran bendiciéndolo.

« Id a vuestras casas y sed agradecidas a Dios. La paz sea con todos. Id. »

La multitud se va comentando lo sucedido. Los cuatro discípulos se juntan a Jesús.

« Amigos, en verdad os digo que en Israel hay de todos los pecados y los demonios viven aquí. No son las únicas posesiones las que hacen enmudecer los labios y obligan a vivir como animales y

---

[3] Cfr. Ex. 22, 21-24.

a comer cosas sucias. Sino las posesiones más reales y numerosas son las que hacen mudos los corazones para la honradez y para el amor y hacen de los corazones un pozo de vicios inmundos. ¡ Oh, Padre mío! » Jesús se sienta fatigado.

« ¿ Estós cansado Maestro ? »

« No estoy, Juan mío; pero sí estoy triste por el estado de los corazones y por su poca voluntad de enmendarse. He venido... pero el hombre... el hombre... ¡ Oh, Padre mío ! »

« Maestro, yo te amo, todos te amanos ... »

« Lo sé. ¡ Pero sois tan pocos ! ... ¡ mi deseo de salvar a todos es tan grande! »

Jesús ha abrazado a Juan y tiene su cabeza sobre la de él. Está triste. Pedro, Andrés y Santiago, que están alrededor, lo contemplan con un amor salpicado de tristeza.

Y la visión termina de este modo.

25. Jesús ora en la noche [1]

(Escrito el 5 de noviembre de 1944)

Veo que Jesús sale haciendo el menor ruido posible de la casa de Pedro en Cafarnaún. Se comprende que se quedó allí a dormir para contentar a su Pedro.

Todavía es de noche. El cielo es un hormigueo de estrellas. El lago refleja muy poco de ese brillo porque más que verlo se adivina. Este lago que duerme bajo las estrellas lo retrata un poco en su suave rumor de aguas que chocan contra la orilla.

Jesús empareja la puerta, mira al cielo, al lago, al sendero y piensa; después se encamina no en dirección del lago sino del pueblo, lo atraviesa en parte, en dirección de la campiña, entra en esta y sigue caminando, toma una vereducha que se dirige hacia las primeras ondulaciones del olivar, entra en esta verde y silenciosa tranquilidad, y allí se arrodilla a orar.

¡ Plegaria ardiente ! Arrodillado ora, y después, como fortalecido, se pone en pie y sigue orando con el rostro levantado en alto, un

---

[1] Cfr. Mc. 1, 35-39; Lc. 4, 42-44.

rostro mucho más espiritualizado por la naciente luz que llega en el sereno amanecer de verano. Ruega, ora, sonríe, aunque antes lanzaba suspiros como si tuviese una pena moral. Ruega con los brazos abiertos. Parece una cruz viva, alta, angelical y un tanto encantadora. Parece como si bendijese toda la campiña, el día que va despuntando, las estrellas que van desapareciendo o el lago que va despertando.

« ¡ Maestro ! ¡ Te hemos buscado tanto ! Vimos la puerta emparejada por fuera, cuando regresamos con los peces y pensamos que habrías salido. No te encontrábamos. Al final nos dijo un campesino que cargaba sus canastos que llevaba a la ciudad. Nosotros te llamábamos: " ¡ Jesús, Jesús ! » y él nos dijo: " ¿ Buscáis al Rabbí que habla a la gente? Tomó por la vereda, hacia arriba rumbo del monte. Debe de estar en el olivar de Miqueas porque ahí va frecuentemente, ya lo he visto otras veces ". Tenía razón. ¿ Por qué has salido tan temprano, Maestro ? ¿ Por qué no has descansado ? La cama tal vez no era muy cómoda para Tí. »

« No, Pedro, la cama era blanda y la habitación buena pero Yo suelo hacerlo así, para levantar mi espíritu y unirme al Padre [2]. La oración es una fuerza para uno mismo y para los demás. Todo se obtiene con la oración. Si no se obtiene el favor, que no siempre el Padre concede, no se debe pensar que es desamor, sino que es necesario creer siempre que así lo quiere su Providencia que gobierna el destino de cada hombre con buen fin. La oración ciertamente da paz y equilibrio, para poder resistir a tántas cosas que le salen a uno al paso, sin salir del camino recto. ¡ Es fácil, sabes Pedro, que se ofusque la mente y se excite el corazón por lo que nos rodea ! Y en una mente ofuscada y en un corazón excitado ¿ cómo puede uno sentir a Dios? »

« ¡ Es verdad, pero nosotros no sabemos orar ! No sabemos decir las hermosas palabras que tu dices. »

« Decid las que sepáis, como las sepáis. No son las palabras, sino los movimientos que las acompañan, los que hacen que al Padre agraden las oraciones. »

« Nosotros querríamos rezar como Tu rezas. »

« Os enseñaré también a rezar. Os enseñaré la oración más san-

---

[2] " Para levantar mi espíritu y unirme al Padre ": expresión que debe interpretarse en el contexto que trata de oración, coloquio amoroso del Hijo humanado con su Padre Eterno, de la que la Humanidad santísima que estaba triste, sale vigorizada por Dios y tal vez hasta confortada por algún espíritu angelical, como en Lc. 22, 39-46.

ta. Pero a fin de que no se convierta en vuestros labios en una fórmula vacía, quiero que vuestro corazón tenga al menos un mínimo de santidad, luz, sabiduría... por esta razón os instruyo. Después os enseñaré la plegaria santa. ¿ Me necesitábais para algo ? ¿ Para qué me buscabais ? »

« No, Maestro. Pero hay muchos otros que necesitan de Tí. Había gente que venía a Cafarnaúm: eran pobres, enfermos, personas con problemas, hombres de buena voluntad con deseo de instruirse. Les dijimos, pues nos preguntaban por Tí: " El Maestro está cansado y duerme. Idos. Venid el sábado próximo ". »

« No, Simón. Esto no se debe de decir. No hay un día solo para la piedad. Yo soy el Amor, la Luz, la Salud de todos los días de la semana. »

« Pero ... hasta el presente, no has hablado sino en sábado. »

« Porque era todavía desconocido. Pero conforme me vengan conociendo, cada día será de gracia y de favores. En verdad te digo que vendrá un tiempo en que aun el breve espacio que se concede al pajarillo para descansar sobre una rama y comer sus granillos, no lo tendrá el Hijo del Hombre para su descanso y alimento. »

« ¡ Pero así te enfermarás ! No lo permitiremos. Tu bondad no debe hacerte desgraciado. »

« ¿ Y crees Tú que esto pueda hacerme desgraciado ? ¡ Oh ! Si todo el mundo viniese a Mí para escucharme, llorar sus pecados y sus dolores sobre mi corazón, para curarse del alma y del cuerpo, y Yo me acabase en hablarles, en perdonar, en distribuir mi poder, entonces sería dichosísimo, Pedro, de modo que no extrañaría más el Cielo en el que estaba con el Padre [3]. ¿ De dónde eran esos que venían a Mí ? »

« De Corozain, Betsaida, Cafarnaúm, y hasta de Tiberíades y Guerguesa, y de centenares de villorios esparcidos entre una y otra ciudad. »

« Id a decirles que estaré en Corozain, Betsaida y en los villorios cercanos. »

« ¿ Por qué no en Cafarnaúm ? »

« Porque Yo he venido para todos y todos tienen el derecho de tenerme y además ... está el viejo Isaac que me espera ... ¡ no quiero desilusionarlo ! »

---

[3] " El Cielo en el que estaba con el Padre ": expresión que debe entenderse como se debe a la luz de: Ju. 16, 28; 20, 17.

« ¿ Nos esperas aquí, entonces ? »

« No. Yo voy mientras vosotros quedáis en Cafarnaún para encaminar hacia Mí, las multitudes, después vendré. »

« Nos quedamos solos ... » Pedro está afligido.

« No te aflijas. La obediencia te contente y también el pensamiento de que eres un discípulo útil. Lo mismo digo de estos. »

Pedro, Andrés, Santiago y Juan se tranquilizan. Jesús los bendice y se separan.

Así termina la visión.

26. El leproso curado cerca de Corozain [1]

(Escrito el 6 u 8 de noviembre de 1944)

Con precisión de una fotografía perfecta desde esta mañana antes de que rompiera el alba, tengo ante mi vista un leproso.

Es un espantajo de hombre. No podría decir cuántos años tenga, debido a los estragos que el mal ha hecho en él. Es un esqueleto, está semidesnudo y tiene el cuerpo reducido al estado de una momia corroída; en las manos y en los pies faltan partes, de modo que las extremidades no parecen ni siquiera ser de hombre. Las manos encogidas y torcidas tienen uñas como de algún monstruo alado, los pies parecen como pezuñas de buey, ¡ hasta ese punto están despedazadas y desfiguradas!

Y después ... ¡ la cabeza ! Pienso que un muerto no sepultado y que se haya momificado bajo los rayos del sol y del viento, puede asemejarse a esta cabeza. Pocos mechones de cabellos esparcidos aquí y allá están pegados a la piel amarillenta y costrosa como si hubiese sido secada con polvo sobre una calavera. Los ojos semicerrados y sumidos hasta adentro, los labios y la nariz destruidos por el mal, muestran los cartílagos y las encías; las orejas son dos pedazos de miseria, y sobre de esto se ve una piel como de cartón, amarillenta como cierta clase de barro, bajo la cual se transparentan los huesos ... parece como si su fin fuese el tener unidos los huesos dentro de un raído costal. Todo él es un montón de cicatri-

[1] Cfr. Mc. 1, 40-45; Lc. 5, 12-16.

ces o de llagas purulentas... ¡Un espantajo!

Se me antoja la imagen da la MUERTE que anduviese por la tierra y que un pellejo amarillento cubriese su esqueleto; envuelta en un raído manto hecho pedazos, y que tuviese en la mano no la guadaña, sino un bastón de nudos, arrancado de cualquier árbol.

Está en el umbral de una cueva, de una verdadera cueva, tan destruida que no sé si fué al principio un sepulcro o una choza para los que viven en el bosque, o es ya una choza en ruinas. Mira por el camino, que está separado de su cueva más de un centenar de metros. El camino es una vía principal que está polvosa y todavía llena de sol. Nadie se ve por ella a vista de pájaro, tan solo sol, polvo y soledad. Más arriba hacia el noroeste debe de existir un pueblecillo.

El leproso mira y suspira. Después toma una bandeja viejísima y la llena en un riachuelo. Bebe. Se mete dentro de un montón de ruinas, detrás de la cueva, se inclina y arranca del suelo raíces de hierbas. Vuelve al riachuelo, les lava la tierra y se las come despacio, llevándolas con trabajo a la boca con las manos destrosadas... Deben de estar tan duras como palos. Se esfuerza en masticarlas y muchas las escupe por no poderlas tragar, no obstante que trata de ayudarse con sorbos de agua.

«¿En dónde estás, Abel?...» se oye gritar una voz.

El leproso se sacude, tiene sobre los labios un algo que podría parecer una sonrisa. Pero están tan atrofiados que aún esto que podría ser sonrisa es caricatura. Responde con una voz rara y chillante: «¡Aquí estoy! No pensaba más, que vinieses. Me imaginaba que te había pasado alguna desgracia. Estaba yo triste... si me faltaras también tú, ¿que le quedaría a este pobre Abel?» y al decirlo, se dirige al camino, hasta donde la Ley lo permite, pues se detiene a la mitad de la distancia.

Por el camino avanza un hombre tan aprisa que parece correr.

«¿Eres tú Samuel, en verdad? Si no eres tú a quien espero, quienquiera que seas, ¡no me hagas mal!»

«Soy yo, Abel, exactamente yo. Estoy curado. Mira como corro. Estoy un poco retrasado, lo sé. Y pensaba en tí. Pero cuando sepas... ¡Oh! serás feliz. Aquí tengo no sólo los acostumbrados mendrugos de pan, sino toda una torta fresca y sabrosa para tí y también traigo un oloroso pescado y queso. Todo para tí. Quiero que estés de fiesta, pobre amigo mío, para que te prepares a una fiesta mucho mayor.»

« ¿ Pero cómo es que eres tan rico ? No lo entiendo ... »

« Ahora te lo cuento. »

« Y ... ¡ Sano ! ¡ No pareces tú ! »

« Oyeme, pues. Supe que en Cafarnaúm estaba aquel Rabí que es Santo y fuí ... »

« Detente, detente. Soy inmundo. »

« ¡Oh, no importa! Ya no tengo miedo a nada » el hombre que no es otro que el pobre contrahecho a quien curó Jesús se ha acercado al leproso. Ha avanzado hablando y sonriendo feliz.

El leproso dice otra vez: « Detente en nombre de Dios. Si te viere alguien ... »

« Me detengo. Mira: Pongo las provisiones. Come mientras yo hablo » pone sobre una gruesa piedra una alforja y la abre.

Después se retira unos cuantos pasos, mientras el leproso se adelanta y se arroja sobre aquellos alimentos inusitados. « ¡ Oh ! ¡Cuánto tiempo hace que no comía así! ¡ Cómo está sabroso ! E imaginar que pensaba que me iría a acostar con el estómago vacío. Hoy no había llegado ninguno que tuviese piedad ... ni tú tampoco ... había masticado raíces ... »

« Pobre Abel! Pensaba en ello y decía : " ¡Bien, ahora estará triste pero después será felíz ! " »

« Feliz, sí, por esta buena comida. Pero después ... »

« ¡ No ! Serás feliz para siempre. »

El leproso sacude la cabeza.

« Oyeme, Abel. Si puedes tener fe serás feliz. »

« Pero fe ... ¿ en quién ? »

« En el Rabí. En el Rabí que me curó a mí. »

« ¡ Pero yo soy leproso y reducido hasta lo último ! ¿ Cómo puede curarme ? »

« ¡ Oh ! lo puede. Es Santo. »

« Sí, también Eliseo curó a Naamán el Leproso[2] ... lo sé ... pero yo ... yo no puedo ir al Jordán. »

« Tú serás curado sin necesidad de agua, escucha: Este Rabí es el Mesías, ¿ entiendes ? El Mesías, el Hijo de Dios. Cura a todos los que tienen fe. Dice: " Quiero " y los demonios escapan y los miembros se enderezan, y los ojos ciegos ven. »

« ¡Oh! Si tuviese fé. Pero ¿cómo puedo ver al Mesías? »

« Pues a esto he venido. El está en aquel pueblo. Sé en donde

---

[2] 3o. Re. 5, 1-19.

estará esta tarde. Si quiere ... he pensado ... se lo digo a Abel y si Abel cree tener fe lo conduzco al Maestro. »

« ¿ Estás loco, Samuel ? Si me acerco a las casas me lapidarán. »

« No a las casas. La tarde pronto baja. Te llevaré hasta aquel bosquecillo, y después iré a buscar al Maestro. Te lo traeré ...»

« ¡Vete, vete pronto! Yo solo voy hasta ese lugar. Caminaré por las zanjas, entre los cercados del camino, pero vete, vete ... ¡ Oh, vete, mi buen amigo! Si supieses qué cosa es tener este mal. Y ¡ qué cosa es esperar que lo curen a uno ! ...» El leproso no piensa ni siquiera en la comida. Llora y gesticula implorando a su amigo.

« Voy, y tú ¡ ven ! » El ex-contrahecho se va corriendo.

Abel desciende penosamente en la zanja que va a lo largo del camino lleno de hierbas que han crecido en el fondo seco. Por en medio apenas si hay un hilo de agua. La tarde empieza a bajar mientras el infeliz resbala entre los montones de hierbas, siempre alerta por si oye algún paso. Se oculta dos veces en el fondo; la primera vez porque pasa un jinete al otro lado del camino, la segunda porque pasan tres hombres, cargando heno y que van al pueblo. Después prosigue.

Pero antes de que él llegue al bosquecillo, Jesús ha llegado con Samuel.

« Dentro de poco estará aquí. Camina despacio por las llagas. Ten paciencia. »

« No tengo prisa. »

« ¿ Lo curarás ? »

« ¿ Tiene fé ? »

« ¡ Oh ! ... se moría de hambre, veía aquellos alimentos después de años de no haberlos comido, y sin embargo después de algunos bocados todo lo dejó para venir aquí. »

« Cómo lo has conocido? »

« ¿Sabes? ... después de mi desgracia vivía de limosna y recorría los caminos para ir de un lugar a otro. Por aquí pasaba cada siete días y había salido él bajo un temporal que habría espantado aun a los mismos lobos, hasta el camino que lleva al pueblo, en busca de alguna cosa. Rastreaba entre las inmundicias como un perro. Yo tenía pan seco en la alforja, regalo de personas buenas, y le dí la mitad. Desde entonces somos amigos y cada semana lo proveo con lo que tengo ... Si tengo mucho, mucho; si poco, poco. Hago lo que puedo, como si fuese mi hermano. Y desde aquelle tarde en que me curaste, bendito seas Tú, pienso en él y en Tí. »

« Eres bueno, Samuel; por esto la gracia te ha visitado. Quien ama, todo lo puede de Dios. Pero mira, allí algo que hay entre el follaje ... »

« ¿ Eres tú, Abel? »

« Soy yo. »

« Ven. El Maestro te está esperando, bajo este nogal. »

El leproso sale de la zanja y sube sobre la orilla, la pasa, avanza hasta el pasto. Jesús apoyada la espalda en un alto nogal, lo está aguardando.

« ¡ Maestro, Mesías, Santo, piedad de mí ! » y se arroja sobre la hierba a los pies de Jesús. Con la cara al suelo dice: « ¡ Oh Señor mío! ¡si Tú quieres, Tú puedes limpiarme! » y después se atreve a ponerse de rodillas, extiende sus brazos de esqueleto con las manos contrahechas, y alarga su cara huesuda, acabada ... las lágrimas bajan de sus órbitas enfermas hasta los corroídos labios.

Jesús lo mira con piedad. Mira esta pantomina de hombre, que el mal horrible devora y que solo una verdadera caridad puede soportarlo de cerca, tan repugnante y maloliente es. Y sin embargo he aquí a Jesús que extiende una mano hermosa y sana. Es la mano derecha que alarga como para acariciar al pobrecillo.

Este sin levantarse se echa para atrás, sobre sus calcañares, y grita: « ¡ No me toques ! ¡ Piedad de Tí ! »

Pero Jesús dá un paso adelante. Majestuoso, bueno, cariñoso, pone sus dedos sobre la cabeza comida de la lepra y dice con voz tranquila, toda de amor pero llena de imperio: « ¡ Lo quiero ! ¡ Sé límpio ! » La mano queda todavía por algún minuto sobre la pobre cabeza. « Levántate. Ve al sacerdote. Cumple cuanto la Ley prescribe. Y no digas lo que te he hecho. Sólo se bueno. No peques más. Te bendigo. »

« ¡ Oh Señor ! ¡ Abel ! ¡ Estás completamente curado ! » Samuel, que ve la metamorfosis de su amigo, grita de alegría.

« Sí, está sano. Lo mereció por su fe. Adiós. ¡ La paz sea contigo ! »

« ¡ Maestro, Maestro ! ¡ No te dejo ! ¡ No te puedo dejar ! »

« Haz cuanto requiere la Ley. Nos volveremos a ver otra vez. Por segunda vez sea sobre tí mi bendición. »

Jesús se pone en camino haciendo señales a Samuel de que se quede. Y los dos amigos lloran de alegría, mientras que a la luz de un cuarto creciente lunar vuelven a la cueva para la última posada en aquel antro de desventura.

La visión así termina.

27. El paralítico curado
en la casa de Pedro en Cafarnaum [1]

(Escrito el 9 de noviembre, a continuación del anterior)

Veo las riberas del lago de Genezaret, y estoy viendo las barcas de los pescadores arrastradas hacia la orilla; en la ribera y junto a las barcas, están Pedro y Andrés ocupados en reparar las redes que traen los trabajadores todavía chorreando agua, después de haberlas sacudido en el lago de las basuras que se les habían pegado.

A la distancia de unos diez metros, Juan y Santiago, agachados en su barca, están ocupados en poner orden en ella. Les ayuda un trabajador y un hombre como de cincuenta y cinco años, que pienso será Zebedeo, porque el trabajador lo llama "patrón" y porque es parecidísimo a Santiago.

Pedro y Andrés con las espaldas recargadas sobre la barca, silenciosos trabajan anudando otra vez los hilos y las boyas de señales. De vez en cuando se intercambian alguna palabra sobre el trabajo, que por lo que entiendo, ha sido infructuoso.

Pedro se lamenta no tanto por la bolsa vacía, ni por la fatiga en vano sino que dice: « Me desagrada porque... ¿cómo haremos para dar de comer a esos pobrecillos? No nos llegan más que ofertas raras, y yo no voy a tocar esos diez denarios y siete dracmas que hemos recogido en estos cuatro días. Tan sólo el Maestro es quien me debe señalar a quién y de qué modo debo dar ese dinero. ¡ Y hasta el sábado no regresa! ¡Si hubiese tenido una buena pesca!... Me tostaba el pez más pequeño y lo daba a esos pobres... y si había alguien que en casa me refunfuñase, nada me inportaría. Los sanos pueden ir a buscarlo, pero los enfermos, ¡no! »

« Y luego, ¡ese paralítico!... ¡Han caminado tanto para traerlo aquí...! » dice Andrés.

« Oye, hermano. Yo pienso... que no podemos estar separados,

[1] Cfr. Mt. 9, 1-8; Mc. 2, 1-12; Lc. 5, 17-26.

y no sé por qué el Maestro no quiera que estemos con El. Por lo menos... no vería más a estos pobrecillos que no puedo socorrer y cuando los viese, les diría: "Allí esta El".»

«¡Aquí estoy!» Jesús se ha acercado caminando lentamente sobre la arena suave.

Pedro y Andrés dan un brinco y gritan: «¡Oh Maestro!» y a continuación. «¡Santiago, Juan, venid!»

Los dos se acercan. Se pegan a Jesús. Quién le besa el vestido, quién las manos y Juan llega hasta pasarle el brazo alrededor de la faja y poner su cabeza sobre el pecho. Jesús besa sus cabellos.

«¿De qué estabais hablando?»

«Maestro, decíamos que te habríamos necesitado.»

«Para qué, amigos?»

«Para verte y amarte viéndote, y después por causa de los pobres y enfermos. Desde hace dos días te están esperando... he hecho lo que podía. Los he metido allí... ¿Ves esa casucha en aquel campo baldío?... Allí los trabajadores de redes las reparan. He puesto bajo refugio a un paralítico, otro que tiene mucha fiebre y un niño que muere en brazos de su madre. No podía mandarlos en busca tuya.»

«Has hecho bien. Pero ¿cómo has podido socorrerlos y quién los trajo? ¿Has dicho que son pobres?»

«Lo son, Maestro. Los ricos tienen carros y caballos. Los pobres, tan solo los pies. No pueden ir detrás de Tí. Hice como pude. Mira: "Esta es la oferta que he recibido. Pero no he tocado nada. Eso Tú lo harás".»

«Pedro, no estaba mal que tú lo hubieras hecho. Ciertamente... Pedro mío, me desagrada que por causa mía te insulten y te fatigues.»

«No, Señor. No debe de desagradarte esto. No me molesta. Sólo me desagrada el no haber podido tener mayor caridad. Pero créenos, he hecho y hemos hecho todo lo que hemos podido.»

«Lo sé. También sé que has trabajado y para nada. Pero si no hay comida, tu amor hacia el prójimo queda vivo, activo, santo a los ojos de Dios.»

Algunos niños corren gritando: «¡Es el Maestro! ¡Es el Maestro! ¡Es Jesús! ¡Es Jesús!» y se abrazan a El, que los acaricia, aunque sigue hablando con los discípulos.

«Simón, voy a entrar a tu casa. Id a decir que he venido y traedme a los enfermos.»

380

Los discípulos se dispersan rápidos en varias direcciones. Que Jesús haya regresado, toda Cafarnaúm lo sabe gracias a los chiquillos que parecen abejas de una colmena sobre las flores, y en este caso, los hogares, los caminos, las plazas. Van y vienen contentos, avisando a sus mamás, a los viajeros, a los viejos que están sentados al sol, y después regresan para que los acaricie El que los ama. Uno de ellos audazmente dice: «Háblanos hoy a nosotros, porque nosotros, Jesús, te amamos mucho, lo sabes, y somos mejores que los hombres.»

Jesús regala al pequeñuelo una sonrisa y hace la promesa de que: «Hablaré para vosotros» y en seguida entra a la casa dando el saludo: «La paz sea en esta casa.»

La gente se amontona en el salón grande posterior, que se usa para las redes, cuerdas, cestos, remos, velas y provisiones. Se ve que Pedro la ha puesto a disposición de Jesús, poniendo todo en un ángulo para hacer lugar. Desde allí no se ve el lago, se oye tan sólo su manso rumor. Pero sí se ve la cerca verde del huerto, con la vieja vid y la frondosa higuera. Hay gente hasta afuera, que no cabiendo en el salón se apretuja hasta en el huerto, y de este hasta el camino.

Empieza Jesús a hablar. En primera fila hay cinco personas que se han abierto paso gesticulando y a la fuerza debido al temor que la gente les tiene. Son de alta sociedad. Claramente la riqueza de sus vestidos y lujo los denuncian como fariseos y doctores. Jesús, en cambio, quiere tener a sus pequeñuelos. Un círculo de caritas inocentes, de ojos luminosos, de sonrisas angelicales, se levantan a mirarlo. Jesús habla y al hacerlo acaricia de cuando en cuando la cabecita crespa de un pequeñuelo que está sentado a sus pies con su cabecita apoyada sobre el bracito derecho que tiene doblado sobre las rodillas.

« " Mi amado ha bajado a su jardín, al vergel de sus balsameras a pastorear su ganado en los huertos y a recoger lirios... el que se apacienta entre los lirios " [2] dice Salomón de David de quien vengo, Yo, Mesías de Israel.

¡Mi jardín! ¡Qué jardín más hermoso y más digno de Dios no es acaso el Cielo, donde las flores son los ángeles que el Padre creó! Sin embargo no me refiero a ese. El Hijo Unigénito del Padre ha querido otro jardín. Yo, el Hijo del Hombre, porque por el

---

[2] Cant. 6, 3.

hombre me he hecho igual suyo, de otra manera no podría redimir la culpa de la carne del hombre. Un jardín que hubiera sido un poco inferior al celestial, si se hubieran desparramado del Paraiso terrestre, como dulces abejas de una colmena, los hijos de Adán, los Hijos de Dios, para poblar de santidad la tierra destinada toda al Cielo. Pero el enemigo sembró cardos y espinas sobre la tierra. No es más ya un jardín, sino una selva dura y cruel en donde habita la fiebre y anida la serpiente.

Con todo esto el Amado del Padre tiene un jardín en esta tierra donde impera Mammón. Jardín en el que va a apacentar su alimento celestial: amor y pureza; el vergel del que recoge las flores que ama, en las que no hay mancha de sentido, de concupiscencia, de soberbia. Estas (Jesús acaricia a cuantos pequeñuelos puede, pasando su mano sobre el círculo de cabecitas atentas, la única caricia que les gusta y les hace sonreir de alegría). He aquí mis lirios.

No tuvo Salomón, en su riqueza, vestido más hermoso como el del lirio que perfuma el valle, ni diadema de mayor hermosura que la que tiene el lirio en su cáliz de perla. Y sin embargo en mi corazón no hay lirio que valga más que uno de estos. No hay vergel, ni jardín de ricos, plantado todo con lirios, que valga para Mí lo que vale uno de estos puros, inocentes, sinceros y cándidos niñitos.

¡Hombres y mujeres de Israel! Vosotros grandes y humildes por el censo y por el cargo, ¡escuchad! Aquí habéis venido porque me queréis conocer y amar. Así pues, tened en cuenta *la primera condición* para que seais míos. No os digo palabras difíciles, ni os doy ejemplos difíciles. Os digo solamente: "Aprended el ejemplo de estos".

¿Quién entre vosotros hay que no tenga un hijo, un sobrino, un pequeñín o un hermanito en casa? ¿No es acaso un reposo, una consolación, un lazo entre los esposos, parientes, amigos, uno de estos inocentes, cuya alma es pura como el amanecer sereno, cuya mirada deshace las nubes y da esperanzas, cuyas caricias enjugan las lágrimas e infunden fuerza vital? ¿Por qué existe en ellos tal poder? ¿En ellos que todavía son débiles, inermes, ignorantes? Porque tienen en sí a Dios, tienen la fuerza y la sabiduría de Dios. La verdadera sabiduría: saben amar y creer. Saben creer y querer. Saben vivir en este amor y en esta fe. Sed como ellos: cándidos, puros, amorosos, sinceros y creyentes.

382

No hay sabio en Israel que sea más grande que el más pequeño de estos, cuya alma es de Dios y de él es su reino. Benditos del Padre y amados del Hijo del Padre, flores de mi jardín, mi paz sea con vosotros y con quienes os imiten por amor mío. »

Jesús ha terminado.

« Maestro » grita Pedro de entre la gente « aquí están los enfermos. Dos pueden esperar hasta que salgas, pero este, está oprimido por la multitud y no puede caminar ni nosotros podemos pasar. ¿ Lo dejo para después ? »

« ¡ No ! ¡ Bájadlo por el techo ! »

« Dices bien. Lo haremos al punto. »

Se oyen pasos sobre el techo bajo del salón, que no formando parte propiamente de la casa, no hay sobre él terraza dura, sino que es un techo formado de madera y cubierto con cascajo como de pizarra. No sé que piedra haya sido. Luego hacen una abertura y por ella, por medio de cuerdas bajan la camilla en la que está el enfermo, exactamente delante de Jesús. La gente se arremolina más para ver.

« Has tenido mucha fé, así como quienes te trajeron. »

« ¡ Oh Señor ! ¿ Cómo no tener fe en Tí ? »

« Así pues, Yo te digo: Hijo (el hombre es muy joven), todos tus pecados te son perdonados. »

El hombre lo mira llorando . . . tal vez se siente un poco desilusionado porque esperaba que su cuerpo se curara. Los fariseos y doctores murmuran entre sí arrugando desdeñosamente la nariz, frente y boca.

« ¿ Por qué murmurais más en vuestros corazones que con vuestros labios ? ¿ Según vosotros es más fácil decir al paralítico: " Todos tus pecados te son perdonados ", más bien que: " Levántate, toma tu cama y camina? " Pensais que sólo Dios puede perdonar los pecados. Pero no sabríais responder cual es la cosa más grande, porque éste, enfermo en todo su cuerpo, ha gastado dinero sin haber podido obtener la salud. Y no la puede tener, si no la da Dios. Así pues, para que sepais que todo lo puedo Yo; para que sepáis que el Hijo del Hombre tiene poder sobre la carne y sobre el alma, en la tierra y en el Cielo, Yo digo a este: " Levántate. Toma tu cama y anda. Vete a tu casa y se santo ". »

El hombre tiene un estremecimiento, da un grito, se pone de pie y se arroja a los pies de Jesús, los besa y acaricia, llora y ríe y con él los familiares y la multitud que se divide en dos partes para dejarlo pasar como en triunfo y después le sigue alegre, pero no los cinco repugnantes que se van enojados y duros como estacas.

De este modo la madre con el niño puede entrar; un niño que todavía mama, y que es un esqueleto. Lo alarga y dice tan solo: « Jesús, Tú amas a estos, lo has dicho ... ¡ por este amor y por tu Madre! ... » y llora.

Jesús toma al niñito ya moribundo, se lo pone sobre el corazón y por un momento se lleva la carita cenicienta de labios morados y párpados caídos a la boca. Así por un momento. Cuando lo retira de su blonda barba, la carita tiene el color de una rosa y por la boquita corre una sonrisa infantil, los ojitos vivos y curiosos miran alrededor y las manitas que antes tenía cerradas y sin fuerza, juguetean con los cabellos o barba de Jesús, que ríe.

« ¡ Oh, hijo mío ! » grita feliz la mamá.

« Tómalo, mujer. Se feliz y buena. »

Y la mujer toma a su pequeñín, lo estrecha contra su seno y él al punto exige su comida, esculca, abre, encuentra y mama, mama, mama hambriento y feliz.

Jesús bendice y pasa. Va al umbral en donde está el enfermo de fiebre.

« ¡ Maestro ! Se bueno! »

« Y tú también. Emplea la salud en la justicia », lo acaricia y sale.

Vuelve a la ribera, y los de fuera le siguen, o se le adelantan bendiciéndole y rogándole: « No te hemos escuchado. No pudimos entrar. Háblanos también a nosotros. »

Jesús hace una señal de asentimiento, y como la multitud se agolpa a El hasta estrujarlo, sube a la barca de Pedro. No basta porque hasta allá lo siguen. « Mete la barca un poco dentro y sepárate un poquitín. »

La visión, aquí termina.

28. La pesca milagrosa [1]

(Escrito el 10 de noviembre de 1944)

La visión continúa con las palabras de Jesús:

« Cuando en primavero todo florece, el hombre de campo dice contento: "Tendré buena cosecha" y su corazón se regocija ante esta esperanza. Pero de la primavera al otoño, del mes de las flores al de la cosecha, ¡ cuántos días, cuántos vientos y lluvias, y soles y tempestades tienen que pasar! ¡Tal vez hasta guerra o crueldad de los poderosos! ¡o enfermedades de las plantas y aún del mismo campesino para quien esas plantas regadas, podadas, sostenidas y limpiadas, de las que espera el fruto, se secan y mueren antes de la cosecha o en la misma cosecha! ...

Vosotros me seguís, me amáis y como plantas en primavera os adornais con propósitos y con amor. En realidad, Israel es este amanecer de mi apostolado, es como nuestras dulces campiñas en el radiante mes de Nisán. Pero escuchad, como un fuego seco vendrá Satanás a quemaros con su aliento que respira envidia de Mí. El mundo vendrá con su helado viento a helar vuestro florecer. Vendrán las pasiones como borrascas. Vendrá el tedio como lluvia persistente. Todos mis enemigos y vuestros vendrán para hacer estéril lo que tendría que brotar de este vuestro florecer en Dios.

Os lo advierto porque lo sé. ¿ Pero acaso todo quedará perdido cuando Yo, como agricultor enfermo, más que enfermo: muerto, no podré hablaros más y haceros algún milagro ? ¡No! Siembro y cultivo mientras es mi tiempo. Después crecerá y madurará en vosotros, si tenéis cuidado.

Ved aquella higuera de la casa de Simón de Jonás. Quien la plantó no encontró el lugar justo y exacto. Plantada junto al muro que da al norte, habría ya muerto, si ella mismo no se hubiera defendido para sobrevivir y buscó sol y luz. Miradla allá: está doblada, pero fuerte y orgullosa. Cuando amanece disfruta de sol y se provee de savia para sus centenares y centenares de dulces frutos. Por sí misma se ha defendido. Dijo: " El Creador ha querido que lleve alegría y alimento al hombre. ¡Quiero que su querer sea también el mío! " ¡Una higuera! ¡Una planta que no habla! ¡Que no tiene alma!

[1] Cfr. Mt. 4, 18-22; Lc. 5, 1-8.

Y vosotros... Hijos de Dios, hijos del hombre, ¿ seréis menos que una planta?

Tened cuidado de producir frutos de vida eterna. Yo os cultivo y por último os daré un jugo que como él, de potente no existe. No permitáis, no permitáis que Satanás se ría sobre las ruinas de mi trabajo, de mi sacrificio y de vuestra alma. Buscad la luz. Buscad el sol. Buscad la fuerza. Buscad la vida. Yo soy vida, fuerza, sol y luz para quien me ama. Estoy aquí para llevaros al lugar de donde vine. Os hablo para llamaros a todos e indicaros la Ley de los Diez Mandamientos que dan la vida eterna y como consejo, ahora os digo: "Amad a Dios y al prójimo". Es la condición primera para poder realizar cualquier otro bien. Es el más santo de los Diez Santos Mandamientos. Amad. Quienes amen a Dios en Dios y por el Señor Dios, tendrán en la tierra y en el Cielo la paz por habitación y por corona. »

La gente difícilmente quiere separarse de Jesús después de que la bendijo. No hay enfermos ni pobres.

Jesús dice a Simón: « Llama también a los otros dos. Vamos al lago a echar la red. »

« Maestro, no puedo mover los brazos porque toda la noche he estado arrojando y sacando la red y para nada. Los peces están en lo profundo o quién sabe en dónde. »

« Haz lo que te digo, Pedro, y escucha siempre al que te ama. »

« Haré lo que dices por respeto a tu palabra » y llama en voz alta a los trabajadores y también a Santiago y a Juan. « Vamos a pescar, el Maestro quiere. » Mientras se alejan dice a Jesús: « Pero, Maestro, te aseguro que no es esta la hora. Porque a esta hora ¡ quién sabe en dónde estarán los peces descansando ! ... »

Jesús sentado en la proa, sonríe y calla.

Hacen un arco de círculo sobre el lago y después echan la red. Pocos minutos de espera y luego la barca se siente mover extrañamente, porque el lago está terso como si fuese un vidrio fundido bajo el sol que está ya sobre el horizonte.

« Pero ... si estos son peces, ¡Maestro! » dice Pedro con los ojos fuera de órbita.

Jesús sonríe y calla.

« ¡ Jalad, jalad ! » ordena Pedro a los trabajadores. Pero la barca se va del lado de la red. « ¡Ey! ¡Santiago ... Juan! Pronto, ¡venid con los remos ! ¡ Pronto ! »

Veloces vienen y con los esfuerzos de los remeros de ambas

embarcaciones logran levantar la red sin perder la pesca.

Las barcas se juntan. Un cesto, dos, cinco, diez, están llenos de una pesca sin igual, y todavía hay multitud de peces que se mueven en la red: plata y bronce vivo que se mueven para escapar de la muerte. Entonces no queda otro remedio que echar el resto en el suelo de las barcas. Lo hacen y ese suelo es un todo agitarse de vidas en agonía. Los remeros están más arriba de donde se mete el remo y hasta ahí llegan los montones de pescado y las barcas se hunden más arriba de la línea de inmersión por el peso excesivo.

« ¡A tierra! ¡Vira! Fuerzas! ¡Las velas! ¡Cuidado con el fondo! Prontas las varas para evitar el choque, ¡es mucho peso! »

Mientras duran las maniobras, Pedro no cae en la cuenta. Pero llegados a tierra, se detiene a pensar. Comprende. Se llena de pavor. « ¡Maestro, Señor! ¡Apártate de mí! Soy un pobre pecador. ¡No soy digno de estar cerca de Tí! » y se arrodilla sobre la húmeda arena.

Jesús lo mira y sonríe. « ¡Levántate, sígueme! ¡No te dejo más! De ahora en adelante serás pescador de hombres y contigo estos, tus compañeros. No tengáis más miedo. Os llamo. ¡ Venid! »

« Al punto, Señor. Ocupaos vosotros de las barcas. Llevad todo esto a Zebedeo y a mi cuñado. Vamos, todos por Tí, ¡Jesús! Bendito sea el Eterno por esta elección. »

Y la visión termina.

29. Iscariote encuentra a Jesús en Getsemaní y es aceptado como discípulo

(Escrito el 28 de diciembre de 1944)

Después del medio día veo a Jesús que está sentado bajo los olivos. Está sentado en una zanja en la forma habitual que acostumbra, con los codos apoyados en las rodillas, los antebrazos adelante y las manos juntas. La tarde desciende y la luz se va cada vez más del cultivado olivar. Jesús está solo. Se quitó el manto como si tuviese calor y su blanco vestido resalta sobre lo verde del lugar que el crepúsculo hace más oscuro.

Sube un hombre por entre los olivos. Parece como si buscara

alguna cosa o a alguien. Es alto, su vestido de un color alegre, es color de rosa que hace más atractivo el manto que ondea. No distingo bien su cara porque la luz y la distancia no lo permiten. Cuando ve a Jesús, hace un gesto como diciendo: « ¡Helo aquí! » y apresura el paso. A pocos metros de distancia saluda: « ¡Salve, Maestro! »

Jesús se vuelve como de improviso y levanta el rostro, porque el que acaba de llegar está arriba de la zanja superior. Jesús lo mira seriamente y podría decir que hasta con tristeza. El llegado repite: « Te saludo Maestro. Soy Judas de Keriot. ¿ No me reconoces ? ¿ No te acuerdas de mí ? »

« Te recuerdo y te reconozco. Eres el que me hablaste con Tomás la Pascua pasada. »

« Y al que dijiste: " Piensa y reflexiona al decidirte antes de mi regreso ". Ya he decidido. ¡Aquí estoy ! »

« ¿ Por qué vienes, Judas ? » Jesús realmente está triste.

« Porque ... te lo dije la otra vez. Porque sueño en el reino de Israel y te he visto cual Rey. »

« ¿ Vienes por este motivo ? »

« Por este. Me pongo a mí mismo, y cuanto poseo: capacidad, conocimientos, amistades, fatiga, a tu servicio y al servicio de tu misión para reconstruir Israel. »

Los dos están frente a frente, cercanos, de pie y se miran. Jesús serio y triste, el otro exaltado con su aspecto sonriente, joven y hermoso, ligero y ambicioso.

« Yo no te busqué, Judas. »

« Lo sé. Pero yo te buscaba. Día tras día puse a las puertas quien me indicase tu llegada. Pensaba que vendrías con seguidores y que así fácilmente se podría saber de Tí. Pero fué al contrario ... he comprendido que estabas, porque después de que curaste a un enfermo, los peregrinos te bendecían. Pero nadie sabía decirme dónde estuvieses. Entonces me acordé de este lugar. Y vine. Si no te hubiese encontrado aquí, me hubiera resignado a no encontrarte más ... »

« ¿ Piensas que ha sido para tí un bien el haberme encontrado? »

« Sí, porque te buscaba, te anhelaba, te quiero. »

« ¿ Por qué ? ... ¿ Por qué me has buscado ? »

« Te lo dije, ¡Maestro ! ¿ No me has comprendido ? »

« Te he comprendido. Sí ... Te he comprendido. Pero quiero que también me comprendas antes de seguirme. Ven. Hablaremos en el camino. » Y empiezan a caminar el uno al lado del otro subiendo y bajando por las veredas que atraviesan el olivar. « Tú me sigues por una idea que es humana, Judas. Debo de disuadirte. No he venido para esto. »

« ¿ Pero no eres Tu el señalado Rey de los judíos ? ¿ Del que han hablado los profetas?[1] Han venido otros. Pero les faltaban muchas cosas y cayeron como hojas que el viento no vuelve a levantar. Tu tienes a Dios contigo, en tal modo que haces milagros. Donde está Dios, el éxito de la misión es seguro. »

« Has dicho bien. Yo tengo a Dios conmigo. Soy su Verbo. Soy el que profetizaron los Profetas, el prometido a los Patriarcas, el esperado de las multitudes. Pero ¿ por qué te has hecho así ciego y sordo para que no sepas leer y ver, oir y comprender los *verdaderos* hechos? Mi reino, no es de este mundo, Judas. No te hagas ilusiones. Vengo a traer a Israel la Luz y la Gloria. Pero no la luz y la gloria de esta tierra. Vengo a llamar a los justos de Israel al reino. Porque de Israel y con Israel debe formarse y brotar la planta de vida eterna, cuya savia será la Sangre del Señor, planta que se extenderá por toda la tierra, hasta el fin de los siglos. Mis primeros seguidores son de Israel. Aun mis verdugos serán de Israel, y también el que me traicionará será de Israel ... »

« No, Maestro. Esto no sucederá jamás. Aunque todos te traicionasen, yo quedaré y te defenderé. »

« ¿ Tú, Judas ? ... Y ¿ en qué fundás esta seguridad ? »

« En mi palabra de honor. »

« Cosa más frágil es que la tela de araña, Judas. A Dios debemos pedir la fuerza para ser honrados y fieles. ¡ El hombre ! ... El hombre realiza obras de hombre. Pero para realizar obras del espíritu — y seguir al Mesías en verdad y en justicia quiere decir realizar obras de espíritu — es necesario matar al hombre y hacerlo renacer. ¿ Eres capaz de cosa tan grande ? »

« Sí, Maestro. Y después ... no todo Israel te amará. Pero Israel no dará ni verdugos ni traidores a su Mesías. ¡ Te espera desde hace siglos! »

« Me los dará. Recuerda a los Profetas ... sus palabras ... y el fin que tuvieron[2]. Estoy destinado a desilusionar a muchos y tú eres

---

[1] Cfr. Gén. 49, 10; Núm. 23, 15-19; Miq. 5, 1-5; Is. 9, 5-6; 11, 1-9; Zac. 9, 9-10; 2 Re. 7, 1-17, etc.

[2] Cfr. 2 Par. 24, 17-22; Mt. 23, 33-37; Lc. 13, 34; Hech. 7, 51-52; Heb. 11,35-37; S. Atanasio (s.IV), Oratio de Incarnatione Verbi, PG. XXV, 160; Pseudo-Epifanio (s.V), De

uno de ellos. Judas, tienes enfrente de tí a un hombre manso, pacífico, pobre y que quiere permanecer pobre. No he venido para imponerme ni para hacer guerras. No disputo a los fuertes y a los poderosos ningún reino, ningún poder. No disputo sino a Satanás las almas y he venido a destrozar las cadenas con el fuego de mi amor. He venido a enseñar misericordia, sacrificio, humildad, continencia. Te digo a tí y a todos también digo: " No tengais sed de riquezas humanas, sino trabajad por el dinero eterno". Desilusiónate, Judas, si crees que soy un vencedor de Roma y de las castas que mandan. Los Herodes como los Césares pueden dormir tranquilos mientras Yo hablo a las multitudes. No he venido a arrebatar el cetro a nadie... y mi cetro, eterno, ya está pronto. Pero nadie que no fuese amor como Yo lo soy, podría tenerlo. Vete, Judas y medita...»

« ¿ Me rechazas, Maestro ? »

« No rechazo a nadie, porque quien rechaza no ama. Pero dime, Judas: ¿ Qué nombre darías al hecho de alguien, que sabiendo que tiene una enfermedad contagiosa, dijese a uno que no lo sabe y que se acerca a beber de su vaso: " Piensa en lo que haces " ? ¿ Lo llamarías odio o amor ? »

« Lo llamaría amor, porque no quiere que el que ignora su enfermedad destruya su salud. »

« Dale también este nombre a mi hecho. »

« ¿ Puedo destruir mi salud al venir contigo ? ¡ No, jamás ! »

« Más que destruir la salud, tu mismo te puedes destruir. Piensa bien, Judas, poco se exigirá al que asesinare, creyendo que lo hace justamente, y lo cree porque no conoce la Verdad; pero mucho será exigido de quien, después de haberla conocido, no sólo no la sigue, sino que se hace su enemigo. »

« Yo no lo seré. Acéptame, Maestro. No puedes rechazarme. Si eres el Salvador y ves que soy pecador, oveja extraviada, un ciego que está fuera del camino recto, ¿ por qué no quieres salvarme ? Acéptame. Te seguiré hasta la muerte...»

« ¡ Hasta la muerte ! Es verdad. Esto es cierto. Después...»

« ¿ Después qué, Maestro ? »

« Lo futuro está en el seno de Dios. Vete. Mañana nos veremos cerca de la Puerta de los Peces. »

Vitis Prophetarum PG. XLIII, 400, 404; S. Isidro de Sevilla (s.VI-VII), De ortu et obitu Patrum, PL. LXXXIII, 141-144. De estos y otros lugares se concluye que los Profetas murieron mártires, por ej. Zacarías, Jeremías Ezequiel, Amós.

« Gracias, Maestro. El Señor sea contigo. »

« Y su misericordia te salve. »

Todo termina así.

30. Jesús rompe milagrosamente las dagas

(Escrito el 31 de diciembre de 1944)

Veo a Jesús que camina solo por un camino sombreado. Parece un hermoso valle de mucha agua; digo valle porque está metido entre pequeñas elevaciones del terreno y por el centro corre un riachuelo.

En las primeras horas de la mañana el lugar está desierto. Apenas debe de haber despuntado el día, un hermoso día de los primeros de verano, alegrado por el cantar de los pajarillos entre los árboles que son casi todos olivos, sobre todo en la colina de la izquierda; mientras que en la otra, donde hay menos arboleda, los árboles son de lentisco, de acacia, de espinos, cactus, etc. etc. y el canto melancólico de las tórtolas silvestres que hacen sus nidos en las hendiduras del monte más árido y no se oye otra cosa. También el riachuelo que se desliza con poca agua por su lecho, no parece hacer ningún rumor y en sus aguas se va reflejando el verdor que le rodea, y que por eso parece de un color verde-oscuro.

Jesús atraviesa un puentecillo: un tronco echado sobre el riachuelo, sin nudos, sin sostén alguno, tan sólo tirado de un lado al otro.

Ahora aparecen los muros y puertas y se ven también vendedores de hortalizas y de alimentos agolparse a las puertas, que todavía están cerradas sin poder entrar a la ciudad. Se oyen grandes rebuznos de asnos que se están peleando entre sí; igualmente que sus propietarios que no lo toman a juego. Hay insultos y hasta un bastón que pasa volando no sólo sobre los lomos de los asnos, sino sobre las cabezas de las personas.

Dos se pelean porque el burro de uno de ellos, se ha comido nada menos que bastantes lechugas que estaban en el cesto del otro burro. Puede ser que no sea más que pretexto para desahogar antiguos rencores. El hecho es de que debajo de los vestidos cortos hasta los muslos salen relucientes dos cuchillos angostos y

largos como de un palmo: parecen dagas rotas pero muy puntia-
gudas que resplandecen al sol. Gritos de mujeres, voces de hombres, pero nadie interviene para separar a los que están prontos a
un duelo de campesinos.

Jesús que caminaba pensativo, levanta la cabeza, ve, y a paso
veloz se dirige a ellos. « Detente en nombre de Dios » ordena.

« ¡ No ! ¡ Quiero acabar con este maldito perro ! »

« También yo ¿ Quieres adornar tu vestido? Te haré un adorno
con tus entrañas. »

Y los dos giran alrededor de Jesús, pegándole, insultándolo
para que se quite de en medio, tratando de herirse sin conseguirlo
porque Jesús con movimientos habilísimos del manto desvía los
golpes e impide que se atinen. Su manto está rasgado. La gente
grita: « Quítate Nazareno, te tocará a tí también » pero no se
quita y trata de hacer que se calmen, trayéndoles a la mente a
Dios. ¡ Inútil ! La ira ha enloquecido a los dos.

En este momento Jesús obra un milagro. Por última vez ordena: « Os ordeno que desistáis. »

« ¡ No, quítate ! ¡ Sigue tu camino perro Nazareno ! »

Jesús extiende las manos con su mirada de fuerza que relampaguea. No dice ni una palabra. Pero las dagas caen por tierra hechas
pedazos como si hubiesen sido de vidrio o hubiesen golpeado contra una piedra.

Los dos miran los mangos cortos, inútiles, que les han quedado
entre los dedos. El estupor apaga la ira. La multitud también grita
admirada.

« ¿ Y ahora ? ... » pregunta Jesús enojado. « ¿ Dónde está vuestra
fuerza ? »

También los soldados que estaban de guardia en la puerta, que
habían acudido a los últimos gritos, estupefactos miran, y uno
de ellos se inclina a tomar un pedazo de las dagas y lo prueba en
la uña, pues no creía que fuese de acero.

« ¿ Y ahora ? ... » repite Jesús. « ¿ Dónde está vuestra fuerza ?
¿ Sobre que cosa apoyáis vuestro derecho ? ¿ Sobre esos pedazos
de metal que están ahora en el polvo ? ¿ Sobre esos trozos de
hierro que no tenía ninguna otra fuerza que la del pecado de ira
contra un hermano, y por este pecado os arrancábais las bendiciones de Dios y de este modo las fuerzas ? ¡ Oh ! ¡ Miserables los
que se apoyan sobre medios humanos para vencer, y no saben que
no es la violencia sino la santidad la que nos hace victoriosos so-

bre la tierra y después! Porque Dios está con los justos.

Oid todos vosotros de Israel, y también vosotros, soldados de Roma. La Palabra de Dios habla a todos los hijos del hombre, y no será el Hijo del Hombre la que la rehuse a los gentiles.

El segundo de los preceptos del Señor es precepto de amor para con el prójimo [1]. Dios es bueno y en sus hijos quiere la benevolencia. El que no es benevolente con su prójimo, no puede decirse que es hijo de Dios y no puede tener a Dios consigo. El hombre no es una bestia sin razón que se arroja y muerde por derecho de presa. El hombre tiene una razón y un alma. Por la razón debe saber comportarse como hombre. Por el alma debe saberse comportar como santo. El que no obra así se pone más abajo de los animales, desciende a un abrazo con los demonios porque el alma con el pecado de ira es un demonio.

Amad. No os digo otra cosa. Amad a vuestro prójimo, como lo quiere el Señor Dios de Israel. No seais siempre de la sangre de Caín. Y... ¿ Por qué lo sois ?... Por unas cuántas monedas os ibais a convertir en homicidas. Otros lo son por unos cuantos palmos de tierra o por un puesto mejor, por una mujer... ¿ qué son estas cosas ?... ¿ eternas ?... ¡ No ! Duran mucho menos que la vida, la cual es un momento de la eternidad. Y ¿ qué perdéis si conseguís estas cosas ?... La paz eterna que está prometida a los justos y que el Mesías os traerá junto con su reino. Venid al camino de la verdad. Seguid la voz de Dios. Amaos. Sed honrados. Sed continentes. Sed humildes y justos. Idos y meditad sobre esto. »

« ¿ Quién eres Tú, que dices semejantes palabras y haces pedazos las espadas con tu voluntad ? Uno solo hace estas cosas : el Mesías. Ni siquiera Juan el Bautista es más que El. ¿ Eres acaso el Mesías ? » preguntan tres o cuatro.

« Lo soy. »

« ¿ Tú ? ¿ Eres Tu el que cura enfermos y predica a Dios en Galilea ? »

« Lo soy. »

« Tengo a mi madre anciana que muere. ¡ Sálvala ! »

« Y yo... ¡ mira ! Estoy perdiendo las fuerzas por los dolores. Todavía tengo hijos pequeños. ¡ Cúrame ! »

« Vete a tu casa. Tu madre te preparará esta tarde la cena. Y...

---

[1] Cfr. Lev. 19, 18; Mt. 22, 39 y lugares paralelos.

tú ... Se sana. ¡ Lo quiero ! »

La gente da un grito y luego pregunta: « ¡ Tu nombre ! ¡ Tu nombre ! »

« ¡ Jesús de Nazaret! »

« ¡ Jesús ! ¡ Jesús ! ¡ Osanna ! ¡ Osanna ! »

La multitud está loca de alegría. Los burros pueden hacer lo que quieran, al fin y al cabo nadie se preocupa de ellos. Las mamás salen de la ciudad corriendo, la voz se corrió pronto y levantan a sus pequeñuelos. Jesús bendice y sonríe. Trata de romper el cerco que lo aclama, para entrar en la ciudad e ir a donde quiere, pero la multitud no atiende a nada de esto. « ¡ Quédate con nosotros ! ¡ En Judea ! ¡ En Judea ! ... ¡ También nosotros somos hijos de Abraham ! » grita.

« ¡ Maestro ! » Judas se dirige a El. « Maestro te me adelantaste. Pero ... ¿ qué sucede ? »

« ¡ El Rabí ha hecho un milagro ! ¡ No en Galilea ... aquí ... lo queremos con nosotros. »

« ¿ Lo ves, Maestro ? Todo Israel te ama. Es justo que te quedes aquí ... ¿ por qué te vas ? »

« No me voy, Judas. He venido solo a propósito para que la falta de educación de mis discípulos galileos no moleste la sofistiquería de los judíos. Quiero reunir bajo el cetro de Dios todas las ovejas de Israel. »

« Por esto te dije: "Acéptame". Yo soy judío y sé como tratar a mis iguales. ¿ Te quedarás pues, en Jerusalén ? »

« Por pocos días. Esperaré a un discípulo que también es judío. Después viajaré por la Judea... »

« ¡ Oh ! Yo vendré contigo. Te acompañaré. ¿ Vendrás a mi tierra ? ... Te llevaré a mi casa. ¿ Vendrás, Maestro ? »

« Vendré ... ¿ Sabes alguna cosa del Bautista, tú que eres judío y vives con los poderosos ? »

« Sé que todavía está en prisión, pero que lo quieren dejar salir de la cárcel, porque la gente amenaza con sedición, si no se les deja libre el profeta. ¿ Lo conoces ? »

« Lo conozco. »

« ¿ Lo amas ? ... ¿ Qué piensas de él ? »

« Pienso que no ha habido otro semejante a él, ¡ ni Elías ! »

« ¿ Lo tienes en realidad como al Precursor ? »

« Lo es. Es la estrella de la mañana que anuncia el sol. Bienaventurados los que están preparados para el Sol, por medio de su predicación. »

« Juan es muy duro. »

« Lo es tanto con los demás como consigo mismo. »

« Eso es verdad. Pero es difícil seguirlo en su penitencia. Tú eres más bueno y es fácil amarte. »

« Y sin embargo... »

« Sin embargo, ¿ qué, Maestro ? ».

« Como a él lo odian por su severidad, a mí me odiarán por mi bondad, por que la una y la otra predican a Dios, y Dios no se deja ver de los que no aman. Pero está escrito que así será. Así como él ha sido primero que Yo en la predicación, así también me precederá en la muerte. Pero ¡ ay ! de los asesinos de la Penitencia y de la Bondad! »

« ¿ Por qué, Maestro, siempre estas tristes previsiones ?... La multitud te ama. Lo ves... »

« Porque es una cosa segura. La humilde multitud sí me ama. Pero no toda la multitud es humilde ni compuesta de humildes. Pero no es tristeza la mía. Es una visión tranquila de lo futuro y una sumisión a la voluntad del Padre que para esto me ha enviado. Y para esto vine. Estamos ya en el Templo. Voy a Bel Nidrasc[2] a enseñar a la gente. Si quieres, quédate. »

« Me quedaré a tu lado. No tengo otro objetivo más que el de servirte y hacerte triunfar. »

Entran en el Templo y todo termina.

---

[2] Esta Obra no explica qué cosa entiende por " Bel Nidrasc ". Pero como la Escritora, en los nombres hebreos, a veces pone " n " por " m " y viceversa, se puede uno imaginar que tal vez " Nidrasc " equivalga a " Midrash " (Comentario de los Rabinos sobre la Sagrada Escritura. En esta hipótesis, " Bel Midrash " sería el templo donde los doctores enseñaban a la gente. El texto dice: " Estamos ya en el Templo. Voy a Bel Nidrasc a enseñar a la gente... " cfr. pág. 682.

31. Jesús en el Templo con Iscariote, predica allí
(Escrito el 1º de enero de 1945)

Estoy viendo a Jesús, que con Judas a su lado, entra en el recinto del Templo, y después de haber atravesado la primera plataforma o un gran escalón si se quiere, se detiene en un pórtico que rodea un amplio patio, cubierto con mármoles de diversos colores. El lugar es muy hermoso y lleno de gente.

Jesús mira a su alrededor y ve un lugar que le agrada. Pero antes de dirigirse a él, dice a Judas: «Llámame al encargado del lugar. Debo presentarme para esto, no se vaya a decir que falto a las costumbres y al respeto.»

«Maestro, Tú estás sobre las costumbres, y nadie más que Tú tiene el derecho de hablar en la Casa de Dios. Tú, el Mesías.»

«Lo sé. Tú lo sabes, pero ellos no lo saben. He venido no para dar escándalo, ni para enseñar a violar la Ley, ni las costumbres. Por el contrario he venido a enseñar el respeto, la humildad, la obediencia y para quitar los escándalos. Por esta razón quiero pedir permiso de hablar en nombre de Dios, haciéndome reconocer del encargado del lugar, así es como hay que hacerlo.»

«La otra vez no lo hiciste.»

«La otra vez me consumió el celo de la Casa de Dios, profanada con tantas cosas. La otra vez era el Hijo del Padre, el Heredero que en nombre del Padre y por amor de mi Casa, empleaba su majestad, a la que son inferiores los encargados del lugar. Ahora soy el Maestro de Israel, y enseño a Israel también esto. Por otra parte, Judas, ¿ piensas que el discípulo es mayor que el Maestro?»

«No, Jesús.»

«Y ¿ tú quién eres?... y ¿ quién soy Yo?»

«Tú eres el Maestro y yo el discípulo.»

«Si reconoces que las cosas son así, ¿ por qué quieres enseñar al Maestro? Ve y obedece. Yo obedezco a mi Padre, tú obedece a tu Maestro. La primera condición del Hijo de Dios es obedecer sin discutir, pensando que el Padre no puede dar sino órdenes santas. Condición primera del discípulo es obedecer al Maestro, pensando que el Maestro sabe, y que no puede dar sino órdenes justas.»

«Es verdad. Perdona. Obedezco.»

«Te perdono. Ve y oye lo siguiente, Judas: Acuérdate de esto. Recuérdalo siempre, en los días que están por venir.»

«¿ De obedecer?... Sí.»

«¡ No! Recuerda que fuí respetuoso y humilde para con el Templo. Con el Templo, esto es, con las castas poderosas. Ve.»

Judas lo mira pensativo interrogativamente... pero no se atreve a preguntar algo más. Y se va pensando.

...Regresa con un personaje vestido ricamente. «Maestro, he aquí al encargado.»

« La paz sea contigo. Pido poder enseñar a Israel, entre los rabíes de Israel. »

« ¿ Eres Tú rabí ? »

« Lo soy. »

« ¿ Quién fué tu maestro ? »

« El Espíritu de Dios que me habla con su sabiduría y que me ilumina con su luz todas las palabras de los Textos Sagrados. »

« ¿ Eres más que Hilel, Tú que sin maestro dices conocer cualquier doctrina ? ¿ Cómo puede uno aprender si no hay quien le enseñe? »

« Como se formó David, pastorcillo desconocido, y que llegó a ser el rey poderoso y sabio por voluntad de Dios [1]. »

« ¿ Tu nombre ? »

« Jesús de José, de Jacob, de la estirpe de David, y de María de Joaquín de la estirpe de David y de Anna de Aarón, María, la virgen que el Sumo Sacerdote casó en el Templo, según la Ley de Israel, porque era huérfana. »

« ¿ Quién lo prueba ? »

« Todavía aquí debe de haber levitas que se acuerden del hecho y que fueron coetáneos de Zacarías de la clase de Abía, mi pariente. Pregúntales, si dudas de mi sinceridad. »

« Te creo. Pero ¿ quién me prueba que seas capaz Tú de enseñar? »

Escúchame y tú mismo decidirás. »

« Eres libre de hacerlo... pero... ¿ no eres Nazareno ? »

« Nací en Belén de Juda en el tiempo del censo que ordenó César. Proscritos por leyes injustas, los hijos de David están por todas partes, pero la estirpe es de Judá. »

« Sabes... los fariseos... toda Judea... por Galilea...»

« Lo sé. Pero no desconfíes. En Belén, ví la luz, en Belén Efrata es de donde viene mi estirpe; si ahora vivo en Galilea no es sino para que se cumpla lo escrito...»

El encargado se aleja unos metros, dirigiéndose a donde le llaman.

Judas pregunta: « ¿ Por qué no has dicho que eres el Mesías ? »

« Mis palabras lo dirán. »

« ¿ Cual es lo escrito que debe de cumplirse ? »

« La reunión de todo Israel bajo la enseñanza de la palabra del

[1] Cfr. 1 Re. 17, 12 - 18, 5; 2 Re. 2, 1-4; 5, 1-5.

Mesías. Soy el Pastor de quien hablan los Profetas [2] y he venido a reunir las ovejas de todas partes, he venido a curar las enfermedades, a poner en buen camino a los que yerran. Para Mí no existe ni Judea, ni Galilea, Decápolis o Idumea. Solo existe una cosa: el amor que mira con un solo ojo y une en un solo abrazo para salvar...» Jesús está inspirado. Parece como si despidiese rayos y sonríe con su sueño. Judas lo contempla admirado.

La gente se ha acercado a ambos, atraída por la imponencia diversa de ambos.

Jesús baja la mirada y sonríe a esta pequeña multitud con una sonrisa cuya dulzura ningún pintor podrá jamás trasladar al lienzo, y ningún oyente, si no la hubiera visto, podría jamás imaginar. Dice: «Venid si os impele el deseo de la palabra eterna.»

Se va a un pórtico y apoyado a una columna empieza a hablar. Toma pie del hecho acaecido en la mañana.

«Esta mañana, al entrar en Sión, ví que por unos cuantos centavos, dos hijos de Adán iban a matarse. En el nombre de Dios habría podido maldecirlos, pues Dios dice: " No matarás " [3] y también dice que quien no obedece su Ley será maldito [4]. Pero tuve misericordia de que ignorasen el espíritu de la Ley y tan sólo impedí el homicidio para darles modo de arrepentirse, conocer a Dios, servirle en obediencia, amando no sólo a quien nos ama sino también al enemigo.

Sí, Israel. Nace un nuevo día para tí, y el precepto del amor se hace más luminoso. ¿ Empieza acaso el año con el nublado Etanin, o acaso con el melancólico Casleu de los días que parecen ser más cortos que un sueño y de noches largas que parecen nunca terminar ? No, empieza con el florido, soleado y alegre Nisam en el que todo ríe y el corazón del hombre aún cuando sea el más pobre o esté triste, se abre a la esperanza porque llegará el verano, llegarán las mieses, el sol, las frutas... porque es dulce dormir también en un prado de flores con las estrellas por lámpara y cosa fácil es alimentarse porque cada planta produce hojas o frutos para saciar el hambre.

He aquí, ¡oh Israel! El invierno, tiempo de espera, ha terminado. Ahora es la alegría de la promesa que se cumple. A satisfacer tu hambre están ya prontos el Pan y el Vino. El Sol está entre noso-

---

[2] Cfr. por ej. Is. 40, 10-11; Ez. 34, 11-31.
[3] Cfr. Dt. 5, 17.
[4] Cfr. por ej. Dt. 27, 26.

tros. Ante este sol, todo respira más profunda y dulcemente. También el precepto de nuestra Ley: el primero, el más santo de los preceptos santos: "Ama a tu Dios y ama a tu prójimo" [5].

A la luz proporcionada que se te concedió, se te dijo — no lo hubieras podido conocer de otra manera porque sobre tí pesaba todavía la ira de Dios por la culpa que Adán cometió — se te dijo, repito: "Ama a los que te aman y odia a tus enemigos" [6]. Y enemigo era no sólo el que traspasaba tus patrios confines, sino también el que te había faltado en algo privadamente, o te parecía haberlo hecho. Y con esto el odio anidaba en todos los corazones, porque ¿quién es el hombre que, a propósito o sin quererlo, no haya ofendido a su hermano? Y ¿quién es el que haya llegado a la vejez y no haya recibido ofensa alguna?

Yo os digo: Amad también al que os ofende. Hacedlo pensando que Adán y todos los hombres por causa suya han prevaricado contra Dios, y no hay nadie que pueda decir: "Yo no he ofendido a Dios". Sin embargo Dios perdona, no una, ni diez, sino miles y diez miles de veces y la prueba es que el hombre subsiste sobre la tierra. Perdonad pues, como Dios perdona. Y si no lo queréis hacer por amor del hermano que os ha hecho daño, hacedlo por amor de Dios que os da pan y vida, que cuida de vuestras necesidades terrenas y ha dispuesto cada acontecimiento para proporcionaros la paz eterna en su seno... Esta es la Nueva Ley, la Ley de la Primavera de Dios, del tiempo florido de la gracia que ha venido a habitar entre los hombres, del tiempo que os dará el Fruto sin igual, el cual os abrirá las puertas del Cielo.

No se oye la voz del que hablaba en el desierto. Pero no está muda. Habla todavía a Dios por Israel y habla en el corazón a cada israelita recto, y dice: Después de haberos enseñado a hacer penitencia para preparar los caminos del Señor que viene y a tener caridad dando de lo superfluo al que no tiene lo necesario y a vivir honradamente, es decir no extorsionar ni maltratar a nadie, os dice: "El Cordero de Dios, el que quita los pecados del mundo, el que bautiza con el fuego del Espíritu Santo está entre vosotros. El limpiará su era y recogerá su trigo" [7].

Procurad reconocer al que el Precursor os señala. Sus sufrimientos os obtienen de Dios luz, para que se abran vuestros ojos espi-

---

[5] Cfr. por ej. Dt. 6, 5; 10, 12; 11, 13; 30, 6 y 16 y 20; Eci. 27, 18.
[6] Cfr. Lev. 19, 18; Mt. 5, 43.
[7] Cfr. Mt. 3, 1-12; Mc. 1, 2-8; Lc. 3, 2-17; Ju. 1, 23-34.

rituales. Conoceréis la Luz que viene. Yo recojo la voz del Profeta que anuncia al Mesías, y con el poder que recibo del Padre la amplío y os uno a mi poder, y os llamo a la verdad de la Ley. El Redentor está entre vosotros. Bienaventurados los que sean dignos de ser redimidos porque tuvieron buena voluntad.

La paz sea con vosotros. »

Le pregunta alguien: «¿Eres discípulo del Bautista?... pues hablas con bastante unción. »

« Recibí el bautismo de él, en las riberas del Jordán, antes de su aprehensión. Lo venero porque es santo a los ojos de Dios. En verdad os digo que no hay entre los hijos de Adán, nadie más grande en gracia que él. Desde su nacimiento hasta su muerte los ojos de Dios se han posado sin desdén alguno sobre este hombre bendito. »

«¿Te habló con certeza del Mesías? »

« Su palabra, en la que no hay mentira, mostró a los presentes al Mesías que vive ya. »

«¿En dónde?... ¿Cuándo? »

« Cuando llegó la hora de señalarlo. »

Mas Judas cree su deber de decir a diestra y siniestra: « El Mesías es el que os está hablando. Os lo aseguro. Lo conozco y soy su primer discípulo. »

« El... ¡Oh!... » La gente se retira atemorizada. Pero Jesús es tan bondadoso que se vuelve a la gente.

« Pedidle algún milagro. El es poderoso. Cura. Lee los corazones. Responde a todas las dificultades. »

« Díle tú por mí que estoy enfermo. Con el ojo derecho no veo, y el izquierdo casi está seco ... »

« Maestro. »

«¿Judas?... » Jesús que acariciaba a una niñita se vuelve.

« Maestro, este hombre está casi ciego y quiere ver. Le he dicho que Tú puedes. »

« Puedo para quien tiene fé. ¿Tienes fe tú? »

« Creo en el Dios de Israel. He venido para echarme en Betzeta. Pero siempre hay alguien que se echa antes de mí. »

«¿Puedes creer en Mí? »

« Si creo en el ángel de la piscina [8], ¿no debería creer en Tí mejor si tu discípulo dice que eres el Mesías? »

[8] Cfr. Ju. 5, 2-4.

Jesús sonríe. Se pone saliva en el dedo y frota el ojo del enfermo. «¿Qué ves?»

«Veo las cosas sin la neblina de antes. Y... ¿no me curas el otro?»

Nuevamente Jesús sonríe. Hace lo mismo con el ojo ciego. «¿Qué ves?» pregunta al quitar la yema del dedo del párpado caído.

«¡Ah! ¡Señor de Israel! ¡Veo como cuando corría de niño por los prados! ¡Bendidó seas para siempre!» El hombre postrado a los pies de Jesús llora.

«Vete. Sé bueno ahora por agradecimiento a Dios.»

Un levita, que ha llegado al fin del milagro, pregunta: «¿Con qué poder haces estas cosas?»

«¿Tú me lo preguntas? Te lo diré si me respondes a una pregunta. Según tú, ¿es más grande un profeta que anuncia al Mesías o el Mesías mismo?»

«¡Qué pregunta! El Mesías es mayor: Es el Redentor que prometió el Altísimo.»

«Entonces... ¿por qué los Profetas hicieron milagros? ¿Con qué poder?»

«Con el poder que Dios les daba para probar a las multitudes que Dios estaba con ellos.»

«Pues bien: con el mismo poder Yo hago los milagros: Dios está conmigo, Yo estoy con El. Pruebo a las multitudes que es así, y que el Mesías bien puede, con mayor razón y medida, lo que podían los Profetas.»

El levita se va pensativo y todo termina.

32. Jesús instruye a Judas Iscariote

(Escrito el 3 de enero de 1945)

Todavía están Jesús y Judas, que después de haber orado en el lugar más cercano al Santo, como es permitido a los israelitas varones, salen del Templo.

Judas quisiera quedarse con Jesús. Pero su deseo encuentra la oposición del Maestro. «Judas, deseo estar solo en las horas de la noche. Es cuando mi espíritu obtiene su alimento del Padre. Tengo más necesidad de la oración, meditación y soledad, que del alimento corporal. El que quiere vivir por el espíritu y quiere llevar a otros a que vivan la misma vida, debe de posponer la carne, diría casi, matarla, para cuidar sólo del espíritu. Todos, sábelo Judas, también tú, si quieres ser verdaderamente de Dios, o sea, de lo sobrenatural. »

« Pero nosotros pertenecemos, Maestro, todavía a la tierra. ¿ Cómo podemos dejar de pensar en la carne y tan sólo en el espíritu? ¿ No está en contradicción lo que dices con el Mandamiento de Dios: " No matarás " ? ¿ No se incluye en él también no suicidarse? . . . Si la vida es un don de Dios, ¿ debemos amarla o no ? . . . »

« Te responderé como no respondería a una persona sin preparación a la que le bastaría levantar la mirada del alma o de la mente a esferas sobrenaturales, para llevárselo uno en vuelo a los reinos del espíritu. Tú no eres un simple. Te has formado en ambientes que te han pulido... pero también te han manchado con sus sutilezas y doctrinas. Judas, ¿ te acuerdas de Salomón ? Era sabio, el más sabio de aquellos tiempos. Recuerdas que dijo después de haber conocido todo el saber humano: " No hay más que vanidad. Todo es vanidad. Temer a Dios y observar sus mandamientos, para el hombre, esto lo es todo " [1]. Ahora bien te digo que es menester saber tomar lo que se come, es decir que sea alimento y no veneno. Si algo nos es nocivo, porque puede suceder que en nuestro organismo haya reacciones que puedan ser nefastas a ciertos alimentos que son más fuertes que nuestros buenos humores que los podrían neutralizar; es necesario entonces no comer aquello, aún cuando sea agradable al paladar. Es mejor pan y agua de la fuente, que los platillos bien preparados de la mesa del rey en los que hay drogas que perturban y envenenan. »

« Qué debo dejar, Maestro ? »

« Todo lo que sabes que te haga mal. Dios es paz y si quieres ponerte en el sendero de Dios, debes de escombrar tu mente, tu corazón y tu carne de todo lo que no es paz y te turba. Sé que es difícil reformarse a sí mismo, pero Yo estoy aquí para ayudarte a hacerlo. Estoy aquí para ayudar al hombre a que se haga hijo de Dios, a volver a crearse, por medio de una segunda creación, una autogénesis que él mismo quiere. Te responderé a lo que me preguntabas, para que no digas que quedaste en error por culpa mía. Es verdad que el suicidarse es lo mismo que matar. Sea la

[1] Cfr. Ecl. 1, 2; 12, 8 y 13.

vida propia o la de otro, la vida es don de Dios, y sólo Dios que la dió, tiene el poder de quitarla. Quien se mata, muestra su soberbia, y Dios odia la soberbia. »

« ¿ Muestra la soberbia ? Diría yo la desesperación. »

« Y ¿qué es la desesperación sino soberbia? Mira, Judas ¿por qué uno se desespera ? O porque las desgracias se encrudecen contra él y él quiere por sí sólo vencerlas, pero no puede. O también porque culpable, cree que Dios no puede perdonarlo. En el primero y segundo casos, ¿no es acaso la reina la soberbia? El que cree que puede por sí mismo hacer algo y no tiene humildad de extender su mano al Padre y decirle: "No puedo, pero Tú puedes. Ayúdame, porque de Tí lo espero todo". O bien el que dice: "Dios no puede perdonarme", lo dice, porque, midiendo a Dios consigo mismo, piensa que Dios no perdonaría, porque él tampoco si fuera ofendido no lo haría. En otras palabras, también esto es soberbia. El humilde compadece y perdona aun cuando sufra por haber sido ofendido. El soberbio no perdona. Es soberbio porque ni aun sabe doblar la frente y decir: "Padre, he pecado, perdona a tu hijo culpable". ¿No sabes Judas, que el Padre perdonará a cualquiera que con corazón sincero y contrito, humilde y decidido de levantarse en el bien, lo pida? »

« Pero ciertos pecados no son perdonados. No lo pueden ser. »

« Lo dices tú. Y será verdad porque el hombre así lo quiere. Pero en verdad, ¡ oh ! en verdad te digo que aun después del crimen más grande que puedas imaginarte, si el culpable corre a los pies del Padre, infinitamente perfecto y llorando le pidiese perdón, le ofreciese expiación, pero sin desesperarse, el Padre le daría la manera de expiar para merecer su perdón y salvar su alma. »

« Siendo así, ¿ Tú dices que quienes cita la Escritura que se mataron[2], hicieron mal? »

« No es lícito hacer violencia a nadie y ni siquiera a sí mismo. Hicieron mal. Según su conocimiento relativo del bien, habrán conseguido en determinados casos, misericordia de Dios. Pero desde que el Verbo ha iluminado con la verdad y dado fuerzas a las almas con su espíritu, a partir de ese momento *no será perdonado quien muera desesperado.* Ni en el momento del juicio particular, ni después de siglos de Gehenna, ni en el juicio final. ¡ Ja-

---

[2] Cfr. 2 Re. 17, 23 (único caso de verdadero y propio suicidio mencionado en el A.T.). Jue. 9, 50-57; 1 Re. 31; 3 Re. 16, 15-22; 2 Mac. 14, 37-46.

más!... ¿Es dureza de Dios esta?... ¡No! ¡No! ¡Es justicia! Dirá Dios: "Tú, creatura dotada de razón y de ciencia sobrenatural, a quien crié libre, creiste poder seguir el sendero que escogiste y dijiste: 'Dios no me perdona. Estoy separado de El para siempre. Juzgo que debo aplicarme le justicia debida a mi delito. Huyo de la vida para escapar de los remordimientos', que jamás los habría tenido si hubiese venido a mi pecho paternal, y como haz juzgado, vete. No hago fuerza a la libertad que te di ".

Esto dirá el Eterno al suicida. Piénsalo, Judas. La vida es un don y debe amarse. Pero ¿ qué clase de don es?... Un don santo y por esto debe amarse santamente. La vida dura tanto cuanto la carne es capaz de ella. Después empieza la vida grande, la vida eterna. Que será de felicidad para los justos y de maldición para los injustos. ¿ Es la vida, fin o medio? Es medio. Sirve para el fin que es la eternidad. Y si es así, demos, pues, a la vida lo que le sirva para la conquista del espíritu. Continencia de la carne en todos sus aspectos, *en todos*. Continencia de la mente en todos sus deseos, *en todos*. Continencia del corazón en todas sus pasiones que saben a humano. Mientras que por el contrario, sea ilimitada el ansia por la pasiones que lleven al Cielo: Amor de Dios y del prójimo, voluntad de servir a Dios y al prójimo, obediencia a la palabra divina, heroismo en el bien y en la virtud.

Te he respondido, Judas. ¿ Te basta la explicación ? Sé siempre sincero y pregunta; si no sabes lo suficiente, estoy aquí para enseñarte. »

« He comprendido y me basta. Pero... es muy difícil hacer lo que he comprendido. Tú lo puedes porque eres santo. Pero yo... soy un hombre joven, lleno de vitalidad... »

« He venido para los hombres, Judas, y no para los ángeles, ellos no tienen necesidad de Maestro porque ven a Dios y viven en su Paraíso. No ignoran las pasiones de los hombres, porque la inteligencia que es su vida les hace conocer todo, y lo saben también aun los que no son custodios del hombre. Pero espirituales como son, no podían tener sino un pecado, como uno de ellos lo cometió y arrastró consigo a los menos fuertes en la caridad: la soberbia fué la flecha que manchó a Lucifer, el más hermoso de los arcángeles, y lo convirtió en el monstruo horrible del abismo. No he venido para los ángeles, que después de la caída de Lucifer, se horrorizan ante el pensamiento solo del orgullo. He venido para los hombres, para hacer de ellos ángeles.

El hombre era la perfección de lo creado. Tenía de ángel el alma, y del animal la completa belleza de todas sus partes animales y morales. No existía creatura igual. Era el rey de la tierra, como Dios es el Rey del Cielo, y un día, aquel día en que por última vez hubiese dormido sobre la tierra se habría convertido en rey con el Padre en el Cielo. Satanás ha arrebatado las alas al ángel — hombre y le ha puesto garras de fiera, deseos ardientes de inmundicia y ha hecho de él uno que más bien puede llamarse hombre — demonio, que hombre. Quiero borrar la mancha de Satanás, destruir el hambre corrosiva de su carne manchada, devolver las alas al hombre y llevarlo otra vez para que sea rey, coheredero del Padre y del reino celestial. Se que el hombre si realmente lo quiere, puede hacer todo lo que digo para volver a ser rey y ángel. No os diré cosas que no podáis hacer. No soy uno de esos oradores que predican doctrinas imposibles. He tomado carne verdadera para poder saber, por experiencia de la carne [3] cuáles son las tentaciones del hombre. »

« Y los pecados? »

« Tentados, todos lo pueden ser. Pecadores, tan solo quien quiera serlo. »

« Jesús ... ¿ jamás has pecado ? »

« *Jamás* he querido pecar. Y esto no porque sea Yo el Hijo del Padre. Sino que lo he querido y querré para mostrar al hombre que el Hijo del Hombre no pecó porque no quiso pecar y que el hombre, si no lo quiere, puede no pecar. »

« ¿ Te has encontrado alguna vez en tentaciones ? »

« Tengo treinta años, Judas. Y no he vivido en la cueva de algún monte, sino entre los hombres. Y aún cuando hubiese vivido en el lugar más solitario, ¿ crees que no hubiera llegado hasta allí la tentación? ... Todos tenemos en nosotros el bien y el mal [4]. Todos los llevamos en nosotros. Sobre el bien sopla Dios y lo agita como incensario de agradables y sagrados trozos de incienso. Sobre el

[3] Recordar Ju. 1, 14; y de este modo: experiencia de la carne significa " por experiencia humana ".

[4] Lea las págs. 276-282 y piense que las tentaciones malas no salieron del interior de Jesús (cfr. Heb. 4, 15) sino que le vinieron de fuera (cfr. Mt. 4, 1-11; Mc. 1, 12-13; Lc. 4, 1-13). Bajo esta luz se debe entender la expresión: " Tengo treinta años " ... y lo que sigue: " Todos tenemos en nosotros el bien y el mal ... doma " *no puede* por lo tanto referirse *también* a Jesús, sino a la humanidad entera contagiada del pecado original. El discurso breve de Jesús a Judas es por lo tanto una exhortación humilde y no humillante, para inducirlo a que se convenza que las pruebas divinas y las tentaciones diabólicas, si el hombre *quiere*, y pide ayuda a Dios, puede vencerlas y no sucumbir en ellas.

mal sopla Satanás y lo hace una hoguera de ardiente llama. Pero el cuidado atento y la oración constante son arena húmeda sobre la hoguera del infierno: la sofoca y doma. »

« Pero si jamás has pecado, ¿ cómo puedes juzgar a los pecadores? »

« Soy hombre y soy el Hijo de Dios. Cuanto pudiese ignorar como hombre, y juzgar mal, conozco y juzgo como Hijo de Dios. Y... ¡ por lo demás !... Respóndeme a esto: ¿uno que tiene hambre, sufre más cuando dice: "ahora me siento a comer" o cuando "no hay comida para mi " ? »

« Sufre más en el segundo caso, porque tan sólo saber que no tiene comida, le trae el olor de los platillos y la boca se le hace agua. »

« Entonces la tentación es fuerte como este deseo, Judas. Satanás la hace más aguda y tentadora para llevar a cabo cualquier acción. Después de que el acto ha sido terminado y tal vez provoque náuseas, la tentación con todo no sucumbe, sino que como un árbol podado, produce más ramas. »

« ¿ Y jamás has cedido ? »

« Jamás he cedido. »

« ¿ Cómo lo has logrado ? »

« He dicho: " Padre, no me dejes en la tentación ". »

« ¡ Cómo !... ¿ Tú, el Mesías, Tú que obras milagros, has pedido ayuda del Padre? »

« No tan solo ayuda, le he pedido no inducirme en tentación [5]. ¿ Crees tú que porque Yo sea Yo, pueda prescindir del Padre ? ¡ Oh ! ¡ No ! En verdad te digo que el Padre concede al Hijo todo, pero también te digo que el Hijo recibe todo del Padre. Y te digo que todo lo que se pidiere al Padre en mi nombre, será concedido. Pero mira que hemos llegado a Get-Sammi, donde vivo. Ya se distinguen más allá de las murallas los primeros olivos. Tu vives más allá de Tofet. La tarde ya baja. No te conviene subir más allá. Nos volveremos a ver mañana en el mismo lugar. Adiós. La paz sea contigo. »

« También sea en Tí la paz, Maestro... Mas, te querría decir otra cosa. Te acompañaré hasta el Cedrón y después me regresaré.

[5] Lea el cap. 2 (pág. 267) y mire que en él y en la sexta petición del " Pater Noster " no se pide a Dios que no nos tiente para el mal (cfr. Sant. 1, 13-15; Eci. 15, 11-21; Prv. 19, 3; Rom. 7, 7-13; 1 Cor. 10, 11-13) sino que nos aleje de las pruebas muy duras, como a la que Dios mismo sometió a Abraham (cfr. Gén. 22, 1-19) y después como a Jesús en el Huerto de los Olivos (cfr. Mt. 26, 36-46; Mc. 14, 32-42; Lc. 22, 39-46; 4, 15 - 5, 10).

¿ Por qué estás en ese lugar tan humilde ? Sabes, la gente tiene en cuenta muchas cosas. ¿ No conoces a alguno en la ciudad que tenga una casa hermosa ? Yo, si quieres, puedo llevarte con amigos. Te hospedarán por la amistad que me tienen. Esos lugares serían más dignos de Tí. »

« ¿ Crees así ? Yo no lo creo. En todos los grupos hay dignos e indignos ... y sin faltar a la caridad, pero para no ofender a la justicia, te digo que el indigno y el *maliciosamente indigno*, se encuentra frecuentemente entre los grandes. No es necesario ni útil ser poderoso para ser bueno o para esconder el pecado a los ojos de Dios. Todo debe de cambiarse bajo mi Señal. Y no será grande el que es poderoso, sino el que es humilde y santo. »

« Pero para ser respetado, para imponerse ... »

« ¿ Es acaso respetado Herodes ? ... ¿ lo es también Cesar ? ¡No! Se les soporta y se les maldice con los labios y con los corazones. Créeme, Judas, que entre los buenos, o en los que tienen buena voluntad, sabré imponerme más con la modestia, que con el poderío. »

« Pero entonces ... ¿ despreciarás siempre a los poderosos ? Te los harás enemigos. Pensaba hablar de Tí a muchos que conozco y que tienen fama ... »

« Yo no desprecio a nadie. Iré a los pobres como a los ricos, a los esclavos como a los reyes, a los puros como a los pecadores. Pero si seré agradecido al que me dé pan y techo en mis fatigas cualquiera que sea el pan, cualquiera que sea el techo, preferiré siempre al que es humilde. Los grandes tienen de su parte muchas alegrías. Los pobres no tienen más que su conciencia recta, un amor fiel, sus hijos y el saber que estos los escuchan. Siempre me inclinaré hacia los pobres, los afligidos y los pecadores. Te agradezco tus buenos sentimientos pero déjame en paz en este lugar de paz y de oración ... Vete. Y que Dios te inspire lo que esté bien. »

Jesús deja al discípulo y se interna entre los olivos, y todo termina.

33. Jesús se encuentra en Getsemaní con Juan de Zebedeo

(Escrito el 4 de enero de 1945)

Veo que Jesús se dirige a la pequeña casa blanca que está en medio de los olivos. Lo saluda un jovencillo. Parece que es del lugar porque lleva en las manos los utensilios para poder cavar.

« Dios sea contigo, Rabí. Llegó tu discípulo Juan y ahora ha vuelto a salir para venir a encontrarte. »

« ¿ Hace mucho ? »

« No, apenas pasó aquella vereda. Creíamos que vendrías de la parte de Betania ... »

Jesús se dirige rápido, da vuelta a la zanja y ve a Juan que casi corriendo baja hacia la ciudad y lo llama.

El discípulo se vuelve y con cara contentísima grita: « ¡ Oh, Maestro mío! » y regresa corriendo.

Jesús le abre los brazos y los dos se abrazan afectuosamente.

« Iba a buscarte ... pensábamos que estarías en Betania, como habías dicho. »

« Así quería hacerlo. Debo comenzar a evangelizar también los alrededores de Jerusalén. Pero luego me entretuve en la ciudad ... para instruir a un discípulo nuevo. »

« Todo lo que haces, Maestro, está bien hecho. Y resulta bien. ¿ Lo ves ? También ahora nos hemos encontrado pronto. »

Caminan los dos. Jesús lleva su brazo sobre la espalda de Juan, que más bajo que El, lo mira de arriba a abajo, feliz de aquella intimidad. En esta forma regresan a la casita.

« ¿Hace mucho tiempo que habías venido? »

« No, Maestro. Con el alba salí de Doco, junto con Simón a quien dije lo que Tú querías. Después nos detuvimos juntos en la campiña de Betania repartimos el pan y hablamos de Tí a los campesinos que encontrábamos en los campos. Cuando el sol no quemaba ya mucho, nos separamos. Simón fué a ver a un amigo suyo al que quiere hablar de Tí. Es el dueño de casi toda Betania. El lo conocía desde hace mucho tiempo, desde que vivían los padres de ellos. Pero mañana viene Simón. Me dijo que te dijera que es feliz al servirte. Simón es muy capaz. Yo quisiera ser como él. Soy un muchacho ignorante. »

« No, Juan, también tú haces mucho bien. »

« ¿Estás de veras contento de tu Juan? »

« Muy contento, Juan mío, muy contento. »

« ¡Oh, Maestro mío! » Juan se inclina con anhelo a tomar la mano de Jesús y la besa y se la pasa sobre la cara como signo de caricia.

Llegaron ya a la casita. Entran a la cocina baja y llena de humo. El patrón los saluda: « La paz sea con vosotros »

Jesús responde: « La paz sea en esta casa, en tí y en los que viven contigo. Traje un discípulo mío. »

« También para él habrá pan y aceite. »

« He traído pez seco que me dieron Santiago y Pedro. Y al pasar por Nazaret tu Madre me dió pan y miel para Tí. He caminado sin detenerme pero ha de estar ya duro. »

« No importa, Juan. Tendrá siempre el sabor de las manos de Mamá. »

Juan saca sus tesoros de la alforja que había puesto en un rincón. Veo que preparan el pescado seco de una manera rara. Lo meten varias veces dentro del agua caliente, después lo untan y lo tuestan sobre la llama. Jesús bendice la comida y se sienta a la mesa con el discípulo. También están a la mesa el dueño a quien llaman con el nombre de Jonás, y su hijo. La madre trae ahora el pescado, ahora las aceitunas negras, ahora las verduras preparadas con aceite. Jesús ofrece también de su miel. La ofrece a la madre extendiéndosela sobre el pan. « Es de mi colmena » dice. « Mi Madre cuida de las abejas. Cómetelo, es sabroso. Tú, María, eres tan buena conmigo, que mereces esto y más » agrega, porque la mujer no querría que se privase de su sabrosa miel.

La cena termina pronto. La conversación ha sido breve. Después de haber dado gracias de la comida, Jesús dice a Juan: « Ven. Vamos al olivar un poco. La noche es tibia y clara. Allá afuera estaremos un poco mejor. »

El dueño de la casa dice: « Maestro te saludo. Estoy cansado y también lo está mi hijo. Nosotros nos vamos a acostar. Dejo la puerta entreabierta y la lámpara sobre la mesa. Sabes cómo se enciende »

« Vete Jonás. Apaga también la lámpara. La luz de la luna es tan clara, que podemos ver muy bien. »

« Pero ¿dónde dormirá tu discípulo? »

« Conmigo, en mi estera hay también lugar para él. ¿O no Juan?»

Juan está sumamente contento de poder dormir junto a Jesús.

Salen al olivar. Pero antes de salir, Juan tomó de su alforja que estaba en al rincón, alguna cosa. Caminan un poco y llegan a un punto donde se ve toda Jerusalén.

« Sentémonos aquí y hablemos » dice Jesús.

Juan prefiere estar sentado a los pies de Jesús, sobre la hierba cortada, y pone su brazo sobre las rodillas de Jesús, con la cabeza reclinada sobre el brazo y mirando de cuando en cuando a Jesús. Parece un niño que esté junto a la persona a quien más quiere. « Aquí también es hermoso, Maestro. Mira como parece grande la ciudad de noche. Más que de día. »

« Es la luz de la luna que hace desaparecer los alrededores. Mira... parece como si el límite se extendiera dentro de una luz plateada. Mira allá la cúpula del Templo. Parece como si estuviera suspendida en el aire. ¿ O no ? »

« Parece como si los ángeles lo tuviesen sobre sus alas de plata. »

Jesús da un suspiro.

« Por qué suspiras, Maestro ? »

« Porque los ángeles han abandonado el Templo. Su aspecto de pureza y santidad, está sólo en sus muros. Los que deberían de darle ese aspecto al alma del Templo — pues también cada lugar tiene su alma, esto es, el espíritu por lo que fué levantado, y el Templo tiene, debería tener, alma de oración y santidad — son los primeros en quitarle ese aspecto. No se puede dar lo que no se tiene, Juan. Y si los seacerdotes y levitas que viven allí son muchos, con todo ni una décima de ellos es capaz de dar vida al Lugar Santo. Muerte, sí que le dan. Le comunican la muerte que está en sus almas, las que están muertas para todo lo que es santo. Tienen fórmulas, pero no la vida de ellas. Son cadáveres que tienen calor tan sólo por la putrefacción que los hincha. »

« ¿ Te han hecho algún mal, Maestro ? » Juan está intranquilo.

« No, antes bien me dejaron hablar cuando lo pedí. »

« ¿ Lo pediste ?... ¿ Por qué ? »

« Porque no quiero ser el que empiece la lucha. Esta vendrá por sí misma. Porque en algunos produciré un terror humano que no tiene razón de existir, y en otros será un reproche. Pero esto debe de estar en el libro *de ellos*, no en el mío. »

Hay un poco de silencio y despúes Juan vuelve a hablar : « Maestro... conozco a Anás y a Caifás. Por razón de negocios mi familia ha estado en contacto con ellos, y cuando estuve en Judea, por causa de Juan, venía también al Templo, y ellos nos trataban bien a nosotros los hijos de Zebedeo. Mi padre los provee siempre con el mejor pescado. Es costumbre... ¿ sabes ? Cuando se quiere tener amigos, y quiere uno conservarlos, es necesario obrar así...»

« Lo sé.» Jesús está serio.

« Y bien, si te parece, hablaré de Tí al Sumo Sacerdote. Y después... si quieres, conozco a uno que tiene negocios con mi padre. Es un rico mercante en pescado. Tiene una casa grande y hermosa cerca del Hípico, porque son gente rica, pero son muy buenos. Estarías mejor y te cansarías menos. Para venir hasta aquí se debe pasar también ese suburbio de Ofel, tan mal hecho y siempre lleno de burros y gente que busca pleitos.»

« No, Juan, te lo agradezco. Estoy bien aquí. ¿ Ves cuánta paz ? Se lo dije también al otro discípulo que me proponía lo mismo. El decía que para ser mejor tenido.»

« Lo decía yo para que te cansases menos.»

« No me canso. Caminaré mucho y jamás me cansaré. ¿ Sabes qué cosa me provoca el cansacio ? La falta de amor. ¡ Oh, esto es un peso! Como si llevase un peso en el corazón.»

« Yo te amo, Jesús.»

« Sí, y me das consuelo. Te quiero mucho, Juan; te querré siempre, porque jamás me traicionarás.»

« ¡ Traicionarte ! ¡ Oh ! »

« Y con todo habrá muchos que me traicionarán... Juan, escucha. Te dije que aquí me detuve para instruir a un nuevo discípulo. Es un joven judío, instruído y conocido.»

« Entonces te encontrarás mejor con él que con nosotros, Maestro. Tengo gusto de que tengas a alguien que sea más capaz que nosotros.»

« ¿ Cres tú que me costará menos trabajo ? »

« ¡Claro! Si es menos ignorante que nosotros, te entenderá mejor y te servirá mejor, sobre todo si te ama mejor.»

« Que si lo has dicho bien. Pero el amor no está en proporción de la instrucción, y ni siquiera con la educación. Uno que jamás ha amado y ama por vez primera, lo hace con toda la fuerza de ese primer amor suyo. Lo mismo sucede con el primer amor del pensamiento. El amado penetra, se imprime más en un corazón y en un pensamiento donde antes jamás había habido otro amor, que en aquel en quien ha habido ya otros amores. Pero Dios dispondrá. Oye, Juan. Te ruego que seas amigo suyo. Mi corazón tiembla de ponerte a tí, cordero sin trasquilar, con el experto de

411

la vida. Pero aunque sea plácido porque sabrá que si eres cordero, eres también águila, y si el experto te quisiera hacer tocar el suelo, siempre lleno de fango, el suelo del buen sentido humano; tú en cambio con un golpe de las alas sabrás librarte y tender hacia el firmamento azul, hacia el Sol. Por eso te ruego...— conservándote cual eres — que seas amigo de mi nuevo discípulo, al que Simón Pedro no querrá mucho, ni tampoco los demás, para que le transmitas tu corazón...»

«¡Oh, Maestro! Pero... ¿no bastas Tú?»

«Soy el Maestro, al que no se dirá todo. Tú eres condiscípulo, un poco más joven, con quien fácilmente se abre uno. No te digo que me repitas lo que él te diga. Odio a los espías y traidores. Pero te ruego que lo evangelices con tu fé y caridad y con tu pureza. Es una tierra sucia con aguas muertas. Se seca con el sol del amor, se purifica con la honestidad de pensamientos, deseos y obras, se cultiva con la fe. Puedes hacerlo.»

«Si crees que lo pueda... ¡Oh! si Tú dices que puedo hacerlo, lo haré por amor a Tí...»

«Gracias, Juan.»

«Maestro, has mencionado a Simón Pedro. Y ahora me acuerdo de lo que ante todo tenía que decirte, ya que la alegría de oirte me quitó el pensamiento. Cuando regresamos a Cafarnaum después de Pentecostés encontramos al punto la acostumbrada suma de aquel desconocido. El niño la había llevado a mi madre. La entregué a Pedro y él me la dió diciendo que tomase un poco para el regreso y la permanencia en Doco, y que el resto te lo trajese a Tí, por lo que puedas necesitar... pues Pedro también piensa que aquí no está uno cómodo... pero Tú dices que sí... Yo no tomé más que dos denarios para dos pobrecillos que encontré cerca de Efraín. Viví con lo que me dió mi madre y con lo que los buenos a quienes prediqué Tu nombre me dieron. Aquí está la bolsa.»

«Mañana la distribuiremos entre los pobres. De este modo también Judas aprenderá nuestro modo.»

«¿Ha venido tu primo? ¿Cómo hizo para llegar tan pronto? Estaba en Nazaret y no me dijo que partiría...»

«No. Judas es el nuevo discípulo. Es de Keriot. Tú lo viste en Pascua, aquí, la tarde en que curé a Simón. Estaba con Tomás.»

«¡Ah! ¿Es él?...» Juan queda un poco cortado.

«Es él. ¿Y qué hace Tomás?»

412

« Obedeció tus órdenes. Dejó a Simón Cananeo y fué al encuentro de Felipe y de Bartolomé por el camino del mar. »

« ¡ Bien ! Quiero que os améis sin preferencia, os ayudéis mutuamente, os compadezcáis el uno al otro. Nadie es perfecto, Juan. Ni los jóvenes, ni los viejos. Pero si tenéis buena voluntad, llegaréis a la perfección, y lo que os faltase, supliré : Yo. Sois como los hijos de una familia santa, en la que hay muchos temperamentos desiguales. Quién es duro, quién suave, quién valiente, quién tínido, quién impulsivo y quién muy cauto. Si fueseis todos iguales, seríais una fuerza en un sólo temperamento, y una flaqueza en todos los demás. Pero así haceis una unión perfecta, porque os completais mutuamente. El amor os une, debe uniros el amor por motivo de Dios. »

« Y por Tí, Jesús. »

« La causa de Dios es primera, y después el amor hacia su Mesías. »

« Yo...¿ qué cosa soy en nuestra familia ? »

« Eres la paz amorosa del Mesías de Dios. ¿ Estás, cansado Juan? ¿ Quieres regresar ? Yo me quedo a orar. »

« También yo me quedo contigo a orar. Déjame que me quede contigo a orar. »

« Quédate entonces. »

Jesús recita algunos salmos y Juan lo sigue. Pero la voz se apaga y el apóstol se queda dormido apoyada la cabeza sobre las rodillas de Jesús, que sonríe y que extiende su manto sobre la espalda del joven y luego continúa rezando, mentalmente.

Así termina la visión.

34. « Juan: cabeza de los que se hacen hostias por amor mío. »

(Escrito el mismo día)

Después dice Jesús:

« Todavía tengo una comparación entre mi Juan y el otro discípulo; paralelo en que aparece siempre más clara la figura de mi predilecto. El es aquel que se despoja aun de un modo de pensar y juzgar para ser "el discípulo". Es el que entrega sin querer quedarse para sí con nada de lo que era antes de su elección. Judas es el que *no se quiere* despojar de sí mismo. Trae consigo su *yo* enfermo de soberbia, sensualidad, avaricia. Conserva su modo de pensar; y por esto neutraliza los efectos de la entrega completa y de la gracia.

Judas: Cabeza de todos los apóstoles fallidos... ¡y que son muchos! Juan: Cabeza de los que se hacen hostia por amor a Mí. Es tu antecesor.

Yo y mi Madre somos hostias por excelencia. Llegar hasta nosotros es difícil, mejor dicho, imposible, porque nuestro sacrificio fué de una aspereza total. Pero mi Juan, es la hostia que pueden imitar todas las clases de los que me aman: Vírgenes, mártires, confesores, predicadores; siervo de Dios y de la Madre de Dios, activo y contemplativo. Es un ejemplo para todos. Es el que ama.

Observa los diversos modos de pensar. Judas investiga, cavila, escudriña, y si llega a mostrar que cede, en realidad conserva su modo de pensar. Juan se siente nada, acepta todo, no pide razones, se contenta con hacerme feliz. He aquí el modelo.

¿Y no sentiste que te convertías en paz completa ante su sencilla y cara muestra de amor?... ¡Oh, Juan mío! Mi pequeño Juan que quiero que seas siempre más semejante a mi amado. Acepta todo, diciendo al igual que el apóstol: "Todo lo que Tú haces, Maestro, está bien hecho" para que merezcas que Yo te diga: "Eres mi paz llena de amor". Tengo necesidad también Yo de consuelo, María. Dámelo. Sea mi corazón para tu descanso.»

35. Jesús con Iscariote se encuentra con Simón Zelote y Juan

(Escrito el 6 de enero de 1945)

Veo que Jesús pasea con Judas Iscariote de arriba a abajo cerca de una de las puertas del recinto del Templo.

«¿Estás seguro que vendrá?» pregunta Judas.

«Lo estoy. Al alba partiría de Betania y en Get-Sammi debería de haberse encontrado con mi primer discípulo...»

Jesús se detiene y mira fijamente a Judas. Lo tiene frente a Sí. Lo estudia. Después le pone una mano sobre la espalda y le pregunta: «¿Por qué, Judas, no me dices lo que estás pensando?»

«¿Qué cosa? No pienso en nada especial en este momento, Maestro. Te hago hasta demasiadas preguntas. No puedes lamentarte de mi mutismo.»

«Me haces muchas preguntas y me das muchas noticias de la ciudad y de sus habitantes. Pero no me abres tu corazón. ¿Crees que me interesen mucho las noticias sobre el censo o sobre la estructura de esta o aquella familia? No soy un ocioso que haya venido aquí a pasar el tiempo. Tú sabes para qué he venido y pudes comprender bien que lo que para Mí tiene mayor interés es el ser Maestro de *mis* discípulos. Por eso exijo de ellos sinceridad y confianza. ¿Te amaba tu padre, Judas?»

«Me amaba mucho. Era yo su orgullo. Cuando regresaba de la escuela, y después pasados los años, regresaba de Jerusalén a Keriot, quería que le dijese todo. Se interesaba de todo lo que hacía, y si había cosas buenas, se alegraba, si lo eran menos, me consolaba, y si (como alguna vez, cualquiera se equivoca) había cometido un error y me habían reprendido, me mostraba la justicia de la represión, o en donde estaba mal lo que yo había hecho. Pero lo hacía tan dulcemente... que parecía un hermano mayor. Casi siempre terminaba de este modo: "Esto te digo porque quiero que mi Judas sea un justo. Quisiera ser bendecido a través de mi hijo..." Mi padre...»

Jesús que está mirando atentamente al discípulo, conmovido tiernamente con la evocación del padre, dice: «Mira, Judas, puedes estar cierto de todo lo que te digo. Ninguna cosa hará más feliz a tu padre, que el que me seas un discípulo fiel. El espíritu de tu padre se regocijará, allí en donde está en espera de la luz porque si así te educó — debió de haber sido justo — al ver que eres mi discípulo. Mas... para que lo seas, debes de decirte: "He encontrado a mi padre perdido, al padre que parecía un hermano mayor, lo he encontrado en mi Jesús, y en El, al igual que al padre amado a quien todavía lloro, le diré todo, para que sea mi guía, para que tenga yo sus bendiciones y sus dulces reproches". Quiera el Eterno y tú sobre todo, hacer que Jesús no tenga otra cosa que decirte: "Eres bueno. Te bendigo".»

«¡Oh! Sí, Jesús, sí! Si me llegas a amar tanto, podré ser bueno como Tú quieres y como quería mi padre. Mi padre no tendrá ya más aquella espina en su corazón. Siempre decía: "Estás sin guía, hijo, y te hace mucha falta ». ¡ Cuando sepa que te tengo a Tí ! »

« Te amaré como ningún otro hombre sería capaz. Te amaré mucho. Mucho te amaré. No me desengañes. »

« No, Maestro, no. Estaba lleno de contradicciones, envidias, celos, manías de ser el primero, carne... todo chocaba dentro de mí contra las voces buenas. Aún hace poco, ¿ ves ?... Me has causado un dolor. Mejor dicho Tú no, me lo causó mi naturaleza malvada... Pensaba que era yo tu primer discípulo... y tú me dijiste que tienes ya otro. »

« Tú lo viste. ¿ No recuerdas que en el Templo, por la Pascua, estaba Yo, con algunos galileos? »

« Pensaba que eran amigos... creía que yo era el primer elegido para esto y con ello el predilecto. »

« En mi corazón no hay distinción entre los últimos y los primeros. Si el primero faltase y el último fuese santo, entonces sí que a los ojos de Dios habría distinción. Pero Yo... Yo los amaré igual: con un amor de dicha al santo y con un amor que sufre al pecador. Pero mira que allí viene Juan con Simón. Juan es mi primero y Simón es del que te hablé hace dos días. Tú ya has visto a Simón y a Juan. Uno estaba enfermo... »

« ¡ Ah ! ¡ El leproso ! Recuerdo. ¿ Es ya tu discípulo ? »

« Desde el día siguiente. »

« Y por qué yo he debido de esperar tánto? »

« ¿ Judas ? »

« Es verdad, perdón. »

Juan ya vió al Maestro y lo dice a Simón. Apresuran el paso. Juan y Jesús se saludan con un beso mutuo. Pero Simón se echa a los pies de Jesús, y los besa exclamando: « ¡ Gloria a mi Salvador ! Bendice a tu siervo para que sus acciones sean santas a los ojos de Dios, y le de gloria para alabarte por haberme dado a Tí. »

Jesús le pone la mano sobre la cabeza: « Sí, te bendigo para agradecerte tu trabajo. Levántate, Simón. Juan, Simón... ¡ este es el último discípulo! También él quiere la Verdad. Por esto es un hermano para todos vosotros. »

Se saludan entre sí: los dos judíos con mutuo escudriño, Juan con franqueza.

« ¿ Estás cansado Simón ? » pregunta Jesús.

« No, Maestro, junto con la salud me ha venido tal fuerza, como no la había tenido antes. »

« Y sé que la usas bien. He hablado con muchos y todos me dijeron que tanto tú como él, les habíais hablado del Mesías. »

Simón ríe contento. « Aun ayer tarde hablé de Tí a un israelita honrado. Espero que un día lo conocerás. Querría yo ser quien te llevase a él. »

« No es imposible. »

Judas interrumpe: « Maestro, me prometiste venir conmigo a Judea. »

« E iré. Simón continuará instruyendo a la gente sobre mi venida. Amigos, el tiempo es breve y la gente es mucha. Ahora voy con Simón. Al atardecer vendréis a encontrarme en el camino del Monte de los Olivos, y distribuiremos dinero a los pobres. ¡ Id ! »

Jesús, queda ahora solo con Simón y le pregunta: « ¿ Esa persona de Betania es un verdadero israelita ? »

« Lo es. Existen en él todas las ideas imperantes, pero tiene una verdadera ansia por el Mesías. Y cuando le dije: " Está El entre nosotros " al punto me dijo: " Feliz de mí que vivo en estos tiempos ". »

« Algún día iremos a su casa a llevarle mi bendición. ¿ Has visto al nuevo discípulo ? »

« Sí, es joven y parece inteligente. »

« Lo es. Tú que eres judio lo compadecerás más que los otros, por sus ideas. »

« ¿ Es un deseo o una orden ? »

« Es una dulce orden. Tú que has sufrido, puedes tener mayor comprensión. El dolor es maestro de muchas cosas. »

« Si Tú me lo mandas, seré para él comprensión. »

« Así es, probablemente mi Pedro, y no tan sólo él, se admirará un poco de cómo cuido y me preocupo de este discípulo. Pero algún día entenderán... Cuanto uno menos ha sido formado, tanto más tiene necesidad de cuidado. Los demás... ¡Oh! los otros se forman también de por sí, con el solo contacto. No quiero hacer todo por Mí. Pido la voluntad del hombre y la ayuda de los demás para formar a un hombre. Os llamo para que me ayudéis... y mucho agradezco la ayuda. »

« Maestro, ¿ te imaginas que él te proporcionará desilusiones ? »

« No. Pero es joven y se ha formado en Jerusalén. »

« ¡Oh! Cerca de Tí se curará de todos los vicios de esta ciudad... estoy seguro. Yo, viejo ya y cansado de la vida, me he sentido nuevo desde que te he visto.»

Jesús dice entre dientes: «Así sea», después con voz fuerte:
«Ven conmigo al Templo. Evangelizaré al pueblo.»

Y la visión termina.

36. Jesús, Juan, Simón, y Judas van a Belén

(Escrito el 7 de enero de 1945)

Veo, que ya al rayar el alba, Jesús está en la misma puerta con
Juan y luego se le unen los discípulos Simón y Judas. Oigo que
dice: «Amigos, os ruego que vengáis conmigo por la Judea, si no
os cuesta mucho, sobre todo a tí, Simón.»

«¿ Por qué, Maestro ? »

« El camino es muy duro por los montes de Judea... y tal vez
será para tí más duro el que te encontrares con algunos de los
que te hicieron daño »

« Por lo que toca al camino te aseguro una vez más, que después
de que me sanaste soy más fuerte que un joven y no siento ninguna fatiga, por que la sufro por Tí, y ahora, contigo, menos. Por
lo que toca a quien me dañó no hay más dureza de rencores y ni
siquiera de sentimientos en el corazón de Simón, desde que ha
pasado a ser tuyo. El odio cayó juntamente con las escamas del
mal. Y no sé, créemelo, en quí has hecho un milagro mayor si
al curarme la carne corroida o el alma que ardía con el rencor.
Pienso que no me equivocaría si afirmase que el milagro mayor
fué el del alma. Una llaga del espíritu, no se cura siempre tan
fácilmente... y Tú me has curado de un golpe, aunque uno lo quiera hacer con todas las fuerzas. El hombre no se cura de un hábito
moral, si Tú no aniquilas ese hábito con tu querer santificante. »

« No te equivocas al juzgar así. »

« ¿ Por qué no lo haces así con todos? » pregunta Judas un poco
resentido.

« Lo hace, Judas. ¿ Por qué hablas así al Maestro ? ¿ No te sientes cambiado desde que estás con el Maestro? Ya era yo discípulo
de Juan Bautista, pero me siento todo cambiado desde que El
me dijo: "Ven". » Juan generalmente nunca interviene, sobre todo
si tiene que hacerlo delante del Maestro. Esta vez no sabe que-

darse callado. Dulce y cariñoso ha puesto una mano sobre el brazo de Judas como para calmarlo y le habla preocupada y persuasivamente. Al caer en la cuenta en que había hablado antes que Jesús, se sonroja y dice: « Perdón, Maestro, hablé en tu lugar... pero quería... quería que Judas no te causase ningún dolor. »

« Bien, Juan. No me ha causado ninguna pena como discípulo. Cuando lo sea, si entonces continúa en su modo de pensar, me causará dolor. Tan sólo me da tristeza el ver cómo el hombre es corrompido por Satanás, que le hace perder el pensamiento. A todos, oid, a todos, os ha perturbado el pensamiento. Pero vendrá, sí, vendrá el día en que tendréis la Fuerza de Dios, la Gracia; tendréis la Sabiduría con su Espíritu [1] ...Entonces podréis juzgar justamente. »

« ¿ Y todos podremos juzgar justamente ? »

« No, Judas. »

« ¿ Pero hablas de nosotros, los discípulos. o de todos los hombres? »

« Hablo refiriéndome primero a vosotros, y después a los demás. Cuando llegará la hora, el Maestro instituirá discípulos y los mandará por el mundo...»

« ¿ No lo estás haciendo ya ? »

« Por ahora no os empleo más que para que digáis: " Está el Mesías. Venid a El ". Entonces os haré capaces de que prediquéis en mi nombre, que hagáis milagros en mi nombre...»

« ¡ Oh ! ¿ También milagros ? »

« Sí, en los cuerpos y en las almas. »

« ¡ Oh ! ¡ Cómo nos admirarán ! » Judas está feliz ante esta idea.

« No estaremos entonces más con el Maestro, y... yo tendré temor de hacer lo que es de Dios a mi manera de hombre » dice Juan y mira pensativamente y hasta con un dejo de tristeza a Jesús.

« Juan, si el Maestro permite, me gustaría decirte lo que pienso » dice Simón.

« Díselo a Juan. Deseo que mutuamente os aconsejéis. »

« ¿ Sabes ya que es un consejo ? »

Jesús sonríe y calla.

« Pues bien, te digo entonces, Juan, que no debes y que no de-

---

[1] Aquí se alude a la doble efusión del Espíritu Santo sobre los Apóstoles: la que se llevó a cabo en la noche de la Resurrección de Jesús (cfr. Ju. 20, 19-23) y en la mañana de Pentecostés (cfr. Hech. 2, 1-40).

bemos temer. Apoyémonos en la sabiduría del Maestro santo y en su promesa. Si El dice: " Os enviaré ", señal es de que sabe poder mandarnos sin que se dañe a Sí mismo ni a nosotros, en otras palabras, a la causa de Dios que nos es querida como una esposa con la que acabamos de casarnos. Si el promete vestir nuestra miseria intelectual y espiritual con los rayos de la potencia que el Padre le da para nosotros, debemos de estar seguros que lo hará y que podremos, no por nosotros, sino por su misericordia. Seguramente que todo esto será así si no introducimos el orgullo, el deseo humano en nuestro obrar. Pienso que si corrompemos nuestra misión, que es del todo espiritual, con elementos que son terrestres, entonces la promesa de Cristo valdrá menos, no por incapacidad suya, sino porque habremos estrangulado tal capacidad con la zoga de la soberbia. No sé si me explico bien. »

« Lo has hecho muy bien. Me había equivocado. Pero sabes... pienso que en el fondo, desear ser admirados como discípulos del Mesías, que somos *suyos* a tal punto de hacer lo que El hace, provenga de un deseo de aumentar más la figura potente de El entre el pueblo. ¡Alabanzas al Maestro, que tiene tales discípulos! Esto es lo que quería decir yo » le dice Judas.

« No es todo error lo que dices. Pero... mira, Judas. Provengo de una casta que es perseguida por... por haber entendido mal qué cosa es y cómo deba de ser el Mesías. Sí. Si lo hubiésemos esperado con una justa visión de su ser, no habríamos podido caer en errores que son blasfemias a la verdad y rebelión contra la ley de Roma; por lo cual tanto Dios como Roma nos han castigado. Hemos querido ver en el Mesías a un conquistador y a un libertador de Israel, a un nuevo Macabeo, y más grande que el héroe Judas[2]... Esto solo... y... ¿por qué? Porque cuidábamos más de los intereses nuestros, de la Patria y de los ciudadanos, que de Dios. ¡Oh! el interesarse por la patria es una cosa santa. Pero qué es, ante el Cielo eterno ?

Primero, en las horas largas de persecución y después de separación cuando fugitivo me escondía en las cuevas de las bestias salvajes, condividía con ellas el lecho y la comida, para escapar de la fuerza romana y sobre todo de las delaciones de falsos amigos; o también, cuando en espera de la muerte, gustaba ya el olor

---

[2] Cfr. 1 y 2 Mac. y en particular, por ej. 1 Mac. 2, 1-28; 3, 1-26; 2 Mac. 7, 1-41; Judas, el héroe principal de esta narración, se le conocía también con el nombre de Macabeo (1 Mac. 2, 4) título que se dió a sus hermanos.

del sepulcro en mi cueva de leproso... ¡Cuánto he pensado y he visto! He visto... la figura verdadera del espíritu, la tuya, Maestro y Rey del espíritu, la tuya, ¡oh Mesías! Hijo del Padre, que llevas al Padre y no a los palacios de polvo, no a las deidades de fango... ¡Tú, Oh! me es fácil seguirte... Perdona mi entusiasmo justo que se explaya de este modo, porque te veo como te he imaginado, te reconozco, al punto te reconocí. Sí, no se trataba de que te conociese a Tí, sino de que reconociese a uno a quien ya el alma había conocido...»

«Por esto te llamé... y por esto te llevo conmigo, ahora en este mi primer viaje a Judea. Quiero que completes el reconocimiento... y quiero que también estos, a los que la edad no los hace así capaces de llegar a la verdad por medio de una meditación constante, sepan cómo su Maestro ha llegado a esta hora... Después entenderéis. Pero henos aquí a la vista de la Torre de David. La Puerta Oriental está cerca.»

«¿Salimos por ella?»

«Sí, Judas. Primero vamos a Belén. Nací allí... Es bueno que lo sepáis para que lo digáis a los demás. También esto entra en el conocimiento del Mesías y de la Escritura. Encontraréis las profecías escritas en las cosas con voces que no pertenecen ya más a la profecía sino a la historia. Demos vuelta por las casas de Herodes...»

«La vieja zorra malvada y lujuriosa.»

«No juzguéis. Es Dios quien juzga. Vayamos por aquella vereda, entre las hortalizas. Nos cobijaremos bajo la sombra de un árbol, cerca de algún hospitalario lugar, hasta que el sol deje de quemar. Después proseguiremos el camino.»

La visión termina.

37. Jesús en Belén
en casa del campesino y en la Gruta

(Escrito el 8 de enero de 1945)

El camino es un sendero pedregoso, polvoriento, que el sol del estío ha quemado. Sobresale entre los grandes olivos, todos cargados con pequeñas aceitunas. El suelo por donde todavía nadie ha pasado, está cubierto con las florecillas de olivo, que cayeron después de la fecundación.

Jesús con los tres camina en fila india junto al sendero, por donde la sombra de los olivos ha conservado todavía verde la hierba y donde claro es, hay menos polvo.

El camino da una vuelta en ángulo recto, y más allá sube lentamente hacia una especie de herradura de caballo en la que hay numerosas casitas esparcidas, que forman una ciudad pequeña. Exactamente en donde el camino tuerce, hay una construcción de forma cúbica sobre la que hay una pequeña cúpula. Está cerrada como si estuviese abandonada.

« ¡ He allí el sepulcro de Raquel ! » dice Simón.

« Entonces ya casi llegamos. ¿ Entramos luego en la ciudad ? »

« No, Judas. Primero os enseñaré un lugar ... después entraremos en la ciudad y como todavía el día es claro y será noche de luna, podremos hablar a la población. ¿ Querrán oirnos ? »

« ¿ Quieres que no te escuchen ? »

Han llegado al sepulcro, antiguo pero bien conservado, y bien pintado de blanco.

Jesús se detiene a beber en un pozo del campo allí cercano. Una mujer que había venido a sacar agua le ofrece. Jesús le pregunta : « ¿ Eres de Belén ? »

« Sí, pero ahora en tiempo de cosecha estoy con mi marido en estos lugares, para cuidar los huertos y los frutos que han nacido. ¿ Eres Tú, galileo ? »

« Nací en Belén, pero estoy en Nazaret de Galilea. »

« ¿ Tú también perseguido ? »

« La familia. Pero ... ¿ por qué dices : " ... Tú también " ? ¿ Hay muchos perseguidos entre los betlemitas ? »

« ¿ No lo sabes ? ¿ Cuántos años tienes ? »

« Treinta. »

« Si es así ... naciste exactamente cuando ... ¡ Oh ! ¡ Qué desgracia ! Pero ... ¿ Por qué nació Aquel aquí ? »

« ¿ Quién ? »

« Aquel que era llamado el Salvador. Maldición a esos estúpidos borrachos de cerveza que vieron ángeles en las nubes, oyeron voces celestiales en los balidos y rebuznos y enmedio de su semioscura embriaguez tomaron a tres miserables por los más santos de la tierra. ¡ Malditos sean ! y ... quien les creyó ! »

« Pero no explicas, con todas tus maldiciones, qué sucedió. ¿ Por qué maldices? »

« Porque ... Oyeme: ¿ a dónde vas ? »

« A Belén con mis amigos. Tengo que hacer allá. Debo saludar a viejos amigos y llevarles el saludo de mi Madre. Pero antes quisiera saber muchas cosas, porque nosotros los de la familia hace muchos años que estamos ausentes. Dejamos la ciudad cuando yo era de unos cuantos meses. »

« Antes de la desgracia, ¿ o no es así ? Oye, si no te repugna la casa de un campesino, ven con nosotros a partir el pan y la sal, Tú y tus compañeros. Hablaremos durante la cena y os daré alojo hasta mañana. Tengo una casa muy pequeña, pero en el pajar hay mucho heno amontonado. La noche es cálida y serena. Creo que podrás dormir. »

« El Señor de Israel pague tu hospitalidad. Con gusto voy a tu casa. »

« El peregrino trae siempre consigo bendiciones. Vamos. Pero antes debo echar todavía seis cántaros de agua en las verduras que acaban de nacer. »

« Yo te ayudo. »

« No, Tú eres un señor. Lo dice tu modo de obrar. »

« Soy un obrero, mujer. Y este es pescador. Estos son judíos, hombres de comodidad, Yo no. » Toma el cántaro que estaba cerca del brocal del pozo, le pone la cuerda y lo baja. Los otros no quieren ser menos y dicen a la mujer: « Dónde está la hortaliza? Muéstranosla, le echaremos agua. »

« Dios os bendiga. Tengo los riñones destrozados de tanto trabajo. Venid ... »

Y mientras Jesús saca su cántaro, los otros tres desaparecen por un vericueto ... después regresan con dos cántaros vacíos, los llenan y se van. Y así lo hacen no tres veces, sino hasta diez. Judas con la sonrisa en la boca dice: « Se muere en bendecirnos. Hemos echado tanta agua en la verdura que por dos días a lo menos, la tierra estará mojada y la mujer no se acabará los riñones. » Cuando regresa por última vez dice : « Maestro, pero... me parece que no somos gratos. »

« ¿ Por qué, Judas ? »

« Porque se la trae con el Mesías. Le dije : " No blasfemes. ¿ No sabes que el Mesías es la mayor gracia para el pueblo de Dios ? Yeová lo prometió a Jacob[1] y a todos los profetas y justos de Israel, y ¿ tú lo odias ? " Me respondió : " No lo odio al El, sino al que los pastores borrachos y los malditos magos de Oriente, llamaron Mesías ". Y... puesto que eres Tú... »

« No importa. Sé que he sido puesto para prueba y contradición de muchos. ¿ Le dijiste, quién soy Yo ? »

« No. No soy un tonto. Quise librar tus espaldas y las nuestras. »

« Hiciste bien. No por tratarse de las espaldas, sino porque yo deseo manifestarme cuando lo crea conveniente. Vamos. »

Judas lo guía hasta la hortaliza. La mujer echa los tres últimos cántaros y luego los lleva a una casa campestre que está en medio de la huerta. « Entrad » dice. « Mi marido está ya en la casa. »

Entran en una cocina pequeña y húmeda. « La paz sea en esta casa » saluda Jesús.

« Quien quiera que Tú seas, sea la bendición contigo y con los tuyos. Entra » responde el hombre. Lleva al punto un lavamanos con agua para que los cuatro se refresquen y se limpien. Después entran y se sientan a una mesa rústica.

« Os agradezco en nombre de mi mujer. Me lo ha dicho. Nunca había tratado a los galileos, y me habían dicho que eran vulgares y peleoneros. Pero vosotros habéis sido gentiles y buenos. ¡ Ya cansados... y trabajar tanto ! ¿ Venís de lejos ? »

« De Jerusalén. Estos son judíos. Este y Yo somos de Galilea. Pero créeme hombre : el bueno y el malo se encuentran en donde quiera. »

« Es verdad. Por lo que a mí toca, es la primera vez que me encuentro con galileos y son buenos. Mujer, trae la comida. No tengo más que pan, verduras, aceitunas y queso. Soy campesino. »

« Yo tampoco soy un señor. Soy un carpintero. »

« ¿ Tú ?... ¿ con esos modales ? »

La mujer interrumpe : « El huésped es de Belén, te lo dije, y si los suyos son perseguidos, tal vez habrán sido ricos e instruidos

---

[1] Cfr. Gén. 28, 10-17; 49, 10.

como eran ricos Josué de Ur, Matías de Isaac, Leví de Abrahan...
¡ Pobres desgraciados ! »

« Nadie te preguntó. Perdónala. Las mujeres son más parlachinas que los pájaros al oscurecer. »

« ¿ Eran familias betlemitas ? »

« ¿ Cómo ? ... Si eres de Belén, ¿ no sabes quiénes eran ? »

« Huimos cuando yo apenas tenía unos cuántos meses. »

La mujer que en realidad debe de ser una parlachina, dice de nuevo: « Se fué antes de la matanza. »

« ¡ Ah ! Lo comprendo. De otro modo no habría nadie en el mundo. ¿ No has regresado más allá ? »

« No. »

« ¡ Qué desgracia ! Pocos encontrarás de los que según me ha dicho Sara, quieres conocer y saludar. Muchos fueron matados, muchos huyeron, muchos ... dispersos y no se sabe ni siquiera si murieron en el desierto o fueron arrojados en la cárcel para castigarlos por su rebelión. Pero ¿ fué rebelión ? ... Mas, ¿ quién hubiera podido permanecer inerte, dejando que fueran degollados tantos inocentes ? ¡ No, no es justo que sigan viviendo Leví y Elías, mientras tantos inocentes fueron asesinados ! »

« ¿ Quiénes son esos dos ... y qué hicieron ? »

« Pero, sabrás a lo menos algo de la matanza. ¡ La matanza de Herodes ! [2] ... Más de mil infantes en la ciudad y otro millar en la campiña [3]. Y ... todos ... casi todos varoncitos, porque en medio de la furia, de la oscuridad, de la confusión, esos crueles hombres arrancaron de las cunas, de los lechos maternos, de las casas asaltadas hasta a las niñitas y las mataron como los arqueros matan a las pequeñas gacelas que están mamando la leche de su madre. Y bien ... ¿ todo esto por qué ? Porque un grupo de pastores, que para no helarse de frío habían bebido mucha cerveza empezaron a delirar diciendo que habían visto ángeles, oido cantares y habían recibido indicaciones ... y nos dijeron a nosotros los de Belén: "Venid y adorad al Mesías que ha nacido" ¡ Imagínate ! ¡ El Mesías en una cueva ! Pero debo de decir que en realidad todos

[2] Cfr. Mt. 2, 16-18.
[3] En cuanto a los Inocentes degollados por orden de Herodes, el número exacto fué de 32. De ellos 18 en la ciudad de Belén y 14 en las casas próximas a la ciudad. Entre los degollados había también niñas pues los sicarios no se pusieron a investigar el sexo preciso, ya que todos, de noche llevaban el mismo vestido. Agréguese a esto la prisa de matar y la oscuridad de la noche. Como sucede siempre, el campesino exagera la verdad, y de este modo muchas leyendas *falsas* se han creado.

estábamos ebrios, hasta yo, que en ese entonces era un jovencillo, y también mi mujer, que tenía unos cuantos años de edad... porque todos creímos y quisimos ver en una pobre mujer galilea a la Virgen que da a luz, de la que hablaron los profetas [4]. ¡ Pero si estaba con un vulgar galileo! Ciertamente su marido. Si era mujer, ¿ cómo podía ser " la Virgen " ? ... En resumidas cuentas. ¡ Creímos ! Regalos, adoraciones... los hogares se abrían para hospedarlos... ¡Oh! ¡Habían sabido hacerla muy bien! ¡Pobre Ana ¡ Perdió los bienes y la vida y también los hijos de su hija, la mayor fué la única que se salvó porque estaba casada con un mercader de Jerusalén. Perdieron los bienes, porque a la casa se le puso fuego y todo el sembradía fué destruído por órdenes de Herodes. Hasta ahora es un campo desierto en que pacen los animales. »

« ¿ Toda la culpa es de los pastores ? »

« No, también de tres brujos que vinieron de los reinos de Satanás. Tal vez eran compadres de los tres... ¡ Y nosotros, estúpidos, nos sentíamos honrados! ¡Aquel hombre arquisinagogo! Lo matamos porque juró que las profecías se cumplían exactamente con las palabras de los pastores y de los magos...»

« Entonces, ¿ toda la culpa fué de los pastores y de los Magos ? »

« No, galileo. También, culpa fué nuestra credulidad. ¡ Tánto que se esperaba al Mesías ! Siglos de espera. Muchas desilusiones sufridas en los últimos tiempos a causa de los falsos Mesías. Uno era galileo, como Tú, otro se llamaba Teoda[5]. ¡ Mentirosos ! ¡ Mesías ellos ! ¡ No eran más que aventureros rapaces en busca de fortuna! Debía de habernos servido la lección, para que abriésemos los ojos. Por el contrario... »

« Y entonces ¿ por qué maldecís solamente a los pastores y a los Magos? Si también os juzgais tontos, deberíais de maldeciros a vosotros mismos. La maldición no la permite el mandamiento del amor. ¿ Estais seguros vosotros de estar en lo justo ? ¿ No podría haber sido cierto que los pastores y los Magos hubiesen dicho la verdad, que Dios les reveló ? ... ¿ Por qué debe de pensarse que fuesen mentirosos? »

« Porque no se habían cumplido los años de la profecía[6]. Después lo reflexionamos... después que la sangre, que enrojeció

4 Cfr. Is. 7, 14.
5 Cfr. Hech. 5, 36-37.
6 Cfr. Dan. 9, 20-27.

los tanques del agua y los ríos, nos abrió los ojos del discernimiento. »

« ¿ Y no podría haber hecho el Altísimo, llevado de un gran amor por su pueblo, anticipar la venida del Salvador ? ¿ En qué apoyaron los Magos su dicho? Me has dicho que vinieron de Oriente … »

« En sus cálculos sobre una nueva estrella. »

« ¿ Y no acaso está dicho: "Una estrella nacerá de Jacob y una vara se alzará de Israel " ? [7]. ¿ No es Jacob el gran patriarca que vivió en esta tierra de Belén a la que quiso como a la pupila de sus ojos, porque en ella murió su amada Raquel ? … [8] ¿ Y no acaso por boca del Profeta se dijo: "Brotará un retoño de la raíz de Jesé y saldrá una flor de esta raíz [9] " ? Isaí, padre de David nació acá. El retoño que está en el tronco fué cortado a raíz con la usurpación de los tiranos, ¿ no es acaso la " Virgen " que dará a luz un niñito, sin intervención de hombre [10] — de otro modo no sería virgen — sino por voluntad divina y por esto será el Emmanuel e Hijo de Dios, que será Dios y llevará a Dios al pueblo como su nombre lo dice ? ¿ Y acaso no será anunciado, dice la profecía [11] a los pueblos de las tinieblas, esto es, a los paganos, con " una luz grande " como la estrella que vieron los Magos y que no podía ser la estrella de Jacob, la grande luz de las dos profecías de Balaan [12] y de Isaía [13]? Hasta la misma matanza que hizo Herodes, ¿ no acaso entra en las profecías ? " Se ha oido un lamento allá arriba … es Raquel que llora a sus hijos " [14]. Estaba indicado que los huesos de Raquel llorarían lágrimas en su sepulcro de Efrata, cuando a causa del Salvador, hubiera venido la recompensa al pueblo santo. Lágrimas que después se cambiarán en sonrisa celstial, como el arco-iris que se forma con las últimas gotas del temporal, y que parece decir: " ¡Ea! ¡Ahora todo está sereno! ". »

« Eres muy docto. ¿ Eres Rabbí? »

« ¡ Sí ! »

« Lo creo. Hay luz y verdad en tus palabras. Sin embargo … todavía hay muchas heridas que manan sangre en esta tierra de

[7] Cfr. Núm. 24, 17.
[8] Cfr. Gén. 35, 16-20.
[9] Cfr. Is. 11, 1.
[10] Cfr. Is. 7, 14; Mt. 1, 23.
[11] Cfr. Is. 9, 1.
[12] Cfr. Núm. 24, 17.
[13] Cfr. Is. 9, 1.
[14] Cfr. Jer. 31, 15; Gén. 35, 19.

Belén a causa del verdadero o falso Mesías... Nunca le aconsejaría a El que viniese acá. La tierra lo rechazaría como se rechaza a un bastardo por el que mueren los hijos verdaderos. Pero, bueno... si era El... murió ya con los otros degollados. »

« ¿ Dónde viven ahora Leví y Elías ? »

« ¿ Los conoces ? » El hombre entra en sospechas.

« No los conozco. No conozco su rostro [15] pero... son desgraciados, y siempre tengo compasión de los infelices. Quiero ir a verlos. »

« ¡ Um ! serías el primero después de seis lustros. Aún son pastores y están al servicio de un rico herodiano de Jerusalén que se apropió muchos de los bienes de los matados... ¡ Siempre hay alguien que gana! Los encontrarás con los ganados por las vertientes que van a Hebrón. Pero... un consejo: que los betlemitas no te vean hablar con ellos. Te iría mal. Los soportamos porque... porque está el herodiano. De otro modo... »

« ¡ Sí, el odio ! ¿ Por qué odiar ? »

« Porque es justo. Nos hicieron daño. »

« Creyeron hacer bien. »

« Pero hicieron daño. Y el daño lo tenemos. Debíamos de haberlos matado como mataron con su torpeza. Pero todos estábamos como intoxicados y después... estaba el herodiano. »

« Si no hubiese estado él, ¿ aun cuando hubiese pasado el primer sentimiento de venganza, los habríais matado? »

« Ahora mismo los mataríamos, si no tuviésemos miedo a su patrón. »

« Hombre, yo te digo: "No hay que odiar. No hay que desear el mal. No hay que desear hacer el mal. Aquí no hay culpa. Aunque hubiese, perdona. Perdona en nombre de Dios. Dilo a los otros betlemitas. Cuando haya caído el odio de vuestros corazones, veréis al Mesías; lo conoceréis entonces, porque El vive, El no estaba ya, cuando sucedió la matanza. Yo te lo digo. No fué culpa de los pastores ni de los Magos, sino de Satanás, el que hubiese acaecido tal matanza. El Mesías ha nacido aquí, ha venido a traer la luz a la tierra de sus padres. Hijo de Madre Virgen de la estirpe de David, en las ruinas de la Casa de David, ha

---

[15] Se sobreentiende: no como Dios, sino como hombre, esto es, con experiencia humana. Cfr. pág. 551, donde dice: " Os he conocido y conozco con experiencia de hombre en el mundo " y más claro, cfr. pág. 406: " Soy hombre y soy Hijo de Dios. Lo que pudiera ignorar como hombre y juzgar mal, conozco y juzgo como Hijo de Dios... ".

abierto al mundo el torrente de gracias eternas, ha mostrado la vida al hombre...»

«¡Largo! ¡Largo de aquí! ¡Sal de aquí! Tú, secuaz de este falso Mesías, porque de no haberlo sido, no nos hubiera acarreado a nosotros de Belén esa desgracia. Tú lo defiendes, por eso...»

«Cálmate, hombre. Soy judio y tengo amigos que están en lo alto. Podría hacer que te arrepintieras del insulto» prorrumpe Judas, violento e iracundo, asiendo por el vestido al campesino y sacudiéndolo...

«¡No, no! ¡Fuera de aquí! No quiero pleitos ni con los betlemitas, ni con Roma, ni con Herodes. Idos, malditos, si no queréis que os deje un recuerdo. Fuera...»

«Vámonos, Judas. No reacciones. Dejémoslo con su rencor. Dios no entra donde hay ira. ¡Vámonos!»

«Sí, vamonos. Pero me la pagaréis.»

«No, Judas, no. No digas así. Están ciegos... y habrá tantos a lo largo de mi camino...»

Salen detrás de Simón y Judas que están ya fuera y hablan con la mujer detrás de la esquina del pajar.

«Perdona a mi marido, Señor. No pensaba que podría yo causar tanto daño... mira, ten, los tomarás mañana. Están frescos, son de hoy. No tengo otra cosa... Perdona. ¿Dónde dormirás?...» (le da unos huevos).

«No te preocupes. Sé a donde ir. Tranquilízate con tu buen corazón. Adiós.»

Caminan unos cuantos metros en silencio, despues Judas explota: «¡Pero Tú, no hacerte adorar! ¿Por qué no hiciste que ese puerco blasfemo besase el lodo?... ¡A tierra! ¡Arrojado a tierra por haberte faltado! ¡Al Mesías... Oh! ¡Yo lo hubiera hecho! Los samaritanos tienen que ser castigados con fuego milagroso. ¡No los persuade más que eso!»

«¡Oh! Cuántas veces habré de oir lo mismo! Si debiese convertir en cenizas a cada uno que me ofenda!... No, Judas... he venido para crear, no para destruir.»

«Está bien, pero entre tanto otros te destruyen.»

Jesús no contesta.

Simón pregunta: «¿A dónde vamos ahora, Maestro?»

«Venid conmigo. Conozco un lugar.»

«Pero si nunca has estado aquí, desde que huiste, ¿cómo lo conoces?» pregunta todavía más irritado Judas.

« Lo conozco. No es hermoso. Pero estuve una vez. No en Belén... un poco fuera... Torzamos de este lado. »

Jesús va adelante, detrás Simón, luego Judas y al final Juan... En el silencio interrumpido tan solo al frotarse las sandalias contra las piedrecitas del camino, se percibe un llanto.

« ¿ Quién llora ? » pregunta Jesús volteándose.

Judas contesta: « Es Juan, se ha atemorizado. »

« No, no tengo miedo. Tenía ya la mano en el cuchillo que pende de mi cintura... pero me acordé de tu " No matar, perdona ". Siempre lo dices... »

« ¿ Y entonces por qué lloras ? » pregunta Judas.

« Porque sufro al ver que el mundo no ama a Jesús. No lo reconoce y no quiere reconocerlo. ¡Oh! ¡Qué dolor! Algo así como si con espinas de fuego me restregasen el corazón. Como si hubiera visto pisoteada a mi madre y escupida la cara de mi padre... Todavía peor... Como si hubiese visto los caballos romanos comer en el Arca Santa y descansar en el Santo de los Santos. »

« No llores, Juan mío. Repetirás lo mismo una y otras tantas veces: " El era la luz que vino a brillar en las tinieblas, pero las tinieblas no lo comprendieron. Vino al mundo que El había hecho, pero el mundo no lo conoció. Vino a su ciudad, a su casa, y los suyos no lo recibieron " [16]. ¡ Oh ! ¡ No llores así ! »

« ¡ Esto no sucede en Galilea ! » Juan dice con un suspiro.

« Pero... ni siquiera en Judea » le responde Judas. « Jerusalén es la capital y hace tres días que te lanzaban hosanas a Tí, el Mesías. Aquí... lugar de pastores burdos, campesinos y hortelanos... no se puede tomar como punto de partida. Los galileos también allá, no todos serán buenos. Por otra parte de lo que queda de Judea, de donde era el falso Mesías se decía... »

« Basta, Judas. No conviene perder la calma. Estoy tranquilo. También estadlo vosotros. Judas, ven aquí. Debo hablarte. » Judas va a Jesús. « Toma la bolsa, te encargarás de los gastos de mañana. »

« ¿ Y ahora en dónde nos albergaremos ? »

Jesús sonríe y calla. La noche cubre la tierra. La luna está arropada en su claridad. Los ruiseñores cantan entre los olivos. Un río que pasa por ahí, es como una cinta de plata que canta. De los prados segados se levanta un olor a heno caliente, diría

[16] Cfr. Ju. 1, 4-5 y 9-11.

sensual. Algún mugido, algún balido, y... estrellas, estrellas y estrellas... un campo de estrellas en el manto del cielo; una sombrilla de piedras preciosas sobre las colinas de Belén.

« Pero aquí... son ruinas. ¿ A dónde nos llevas ? La ciudad está más allá. »

« Lo sé. Ven. Sigue el río, detrás de Mí. Unos pocos pasos más y después... después te ofreceré la habitación del Rey de Israel. »

Judas encoge los hombros y calla.

Un poco más y luego un montón de casas en ruinas. Restos de habitaciones... Una cueva entre dos hendiduras de una gran muralla.

Dice Jesús: « ¿ Tenéis yesca ? »

Simón saca de su alforja una lamparita y la da a Jesús.

« Entrad » dice el Maestro levantando la lamparita. « Entrad, esta es la alcoba en donde nació el Rey de Israel. »

« ¿ Juegas, Maestro ? Esta es una cueva. De veras que yo aquí no me quedo. Me repugna. Húmeda, fría, apestosa, llena de escorpiones, tal vez de serpientes... »

« Y con todo, amigos, aquí el 25 de las Encenias, de la Virgen nació Jesús el Emmanuel, el Verbo de Dios hecho carne por amor del hombre. Yo, que estoy hablando. Entonces, como ahora, el mundo fué sordo a las voces del cielo que le hablaban al corazón... y rechazó a mi Madre... y aquí... No, Judas, no apartes con disgusto tus ojos de esos murciélagos que andan revoloteando; de esas lagartijas, de esas telarañas... no levantes con desdén tu hermosa y recamada vestidura para que no roce el suelo cubierto de excrementos de animales. Esos murciélagos son hijos de los hijos de aquellos que fueron los primeros juguetes que miraban los ojos del Niño, a quien cantaban los ángeles el "Gloria" que escucharon los pastores, que estaban ebrios solamente de alegría extática, de la verdadera alegría. Esas lagartijas con su color de esmeralda, fueron los primeros colores que hirieron mi pupila, y los primeros después del blanco de la vestidura y del color del rostro materno. Esas telarañas fueron el baldaquino de mi cuna real. Ese suelo... ¡ Oh ! lo santificaron los pies de Ella, la Santa, la Gran Santa, la Pura, la Inviolada, la Doncella Deípara, la que tenía que dar a luz. La que por obra de Dios dió a luz sin intervención humana. Ella... la sin Mancha, ha hollado este suelo. Tú puedes pisarlo y a través de las plantas de tus pies, quiera Dios, que suba a tu corazón la pureza que Ella derramó...»

Simón se ha arrodillado. Juan va derecho al pesebre y apoyada la cabeza, llora. Judas esta aterrado... luego lo vence la emoción, y sin pensar más en su hermosa vestidura, se arroja al suelo, toma la orla del vestido de Jesús, lo besa y se golpea el pecho diciendo: «¡Misericordia, Maestro bueno, para la ceguedad de tu siervo! Mi soberbia cae... te veo cual eres. No el rey que yo pensaba, sino el Príncipe Eterno, el Padre del siglo futuro, el Rey de la Paz. ¡Piedad, Señor y Dios mío, piedad!»

«Sí, ¡toda mi piedad! Ahora dormiremos en donde durmieron el Infante y la Virgen. Allí, en donde Juan ha tomado el lugar de mi Madre en adoración... aquí en donde Simón parece mi padre putativo... o si queréis os platicaré de aquella noche...»

«¡Oh, sí, Maestro! Háblanos de tu florecimiento a la vida.»

«Para que sea perla de luz en nuestros corazones, y para que lo podamos contar a nuestra vez al mundo.»

«Y venerar a tu Madre, no sólo porque es tu Madre, sino por ser... ¡Oh!... por ser la Virgen.»

Primero habló Judas, después Simón y luego Juan que está cerca del pesebre, con el rostro envuelto en llanto y sonrisa.

«Venid al heno. Escuchad...» y Jesús empieza a hablar de la noche de su nacimiento. «...Cuando ya mi Madre estaba próxima a dar a luz, llegó por orden de César Augusto, el bando que publicó su delegado imperial Publio Sulpicio Quirino. En Palestina el gobernador era Senzio Saturnino. El bando era para hacer el censo de todos los habitantes del Imperio. Los que eran súbditos, tenían que ir al lugar de su origen para inscribirse en los registros del Imperio. José, esposo de mi Madre, obedeciendo, pues, el bando, salieron de Nazaret para venir a Belén, cuna de la estirpe real. Estaba frío...» Jesús sigue contando y así termina todo.

Índice

La preparación

El primer año de la vida pública
(primera parte)

Printed in Italy, 1996

GRAFICHE DIPRO
Via Cima Da Conegliano, 17
31056 RONCADE (TV)